Buch

Hanna arbeitet in Hamburg als Hilfskraft bei einem Makler, nachdem sich ihr Studium der Slawistik und Romanistik als brotlose Kunst erwiesen hat. Auf eine Annonce im Hamburger Abendblatt hin wechselt sie als Reitlehrerin und Bereiterin auf einen Pferdehof nach Gartow im Landkreis Lüchow-Dannenberg, um in der Nähe ihres Freundes Carsten zu sein. Carsten wohnt für die Dauer seines Zeitvertrags als Archäologe im umgebauten Schweinestall auf dem ehemaligen Hof seiner Großmutter in Pevestorf und pendelt täglich mit der Fähre zu seiner Arbeitsstelle in Brandenburg auf der anderen Seite der Elbe.

Hanna lernt die Eigenheiten der Bewohner des Wendlands kennen, befasst sich mit der Dorfkultur und der ökologischen Vielfalt der Landschaft und setzt sich mit der Problematik der industriellen Landwirtschaft auseinander, die sich immer zerstörerischer auf Fauna und Flora auswirkt.

Während eines Wochenendes mit einer Reitergruppe kommt ein junges Mädchen auf mysteriöse Weise abhanden, und Hannas Leben verändert sich nicht nur in einer Hinsicht.

Dies ist ein Roman. Die Personen sind erfunden,und Ähnlichkeiten mit lebenden oder verstorbenen Personen sind zufällig.
Die im Buch vorkommenden Örtlichkeiten dagegen sind real.

Autorin

Elke Viergutz studierte Anglistik und Romanistik und arbeitete am Gymnasium. Sie hat vier Kinder und lebt seit ihrer Pensionierung mit ihrem Mann im Sommerhalbjahr im Landkreis Lüchow-Dannenberg und im Winterhalbjahr im Nordschwarzwald.

Danksagung

Ich danke meinem Mann Gerd und meiner Schwester Sigrid für das Korrekturlesen und meinen Söhnen Holger und Malte für die Unterstützung. Besonders Malte hat mit seinem Knowhow im Computerwesen mir sehr geholfen.

Herstellung und Verlag: BoD- Books on Demand GmbH, Norderstedt

ISBN: 9783734758683

Elke Viergutz

Sibirische Lilien

Wendlandroman

Hanna holte sich wie jeden Morgen das Hamburger Abendblatt, um die Stellenanzeigen durchzusehen. Sie hatte zwar einen gar nicht mal so schlecht bezahlten Job bei einem Immobilienmakler, der sie allerdings fürchterlich langweilte. Sie musste Telefonate entgegennehmen, Termine absprechen, Exposés verschicken, Verträge schreiben, Bilder von angebotenen Objekten ins Schaufenster hängen und gelegentlich mal ein persönliches Gespräch führen, wenn ihr Chef gerade unterwegs war.

Die Gespräche waren noch das Beste, weil Hanna gern Studien an den potentiellen Kunden trieb. Da waren nicht selten Ehepaare, bei denen die Frau das Sagen hatte. „Hör mal, Manfred, du hast doch nie einen Garten gewollt!" „Andreas, das Haus ist doch lächerlich klein für deine Ansprüche." In solchen Fällen wurden die eigenen Ansprüche auf den Ehemann projiziert, was den Vorteil hatte, jede Verantwortung abzuwälzen, falls sich der Hauskauf nachträglich als Fehlinvestition erweisen sollte.

Die Männer der dominanten Frauen hatten unterschiedliche Strategien entwickelt im Lauf der mehr oder weniger langen Ehejahre, um sich zu schützen. Entweder sie stimmten allem zu, weil sie andernfalls die Hölle haben würden, oder sie wendeten geschickte Taktiken an, um ihre eigenen Vorstellungen durchzusetzen, ohne die Frau merken zu lassen, dass sie die Fäden aus der Hand gab, oder sie schwiegen, weil sie sich eigene Meinungen längst abgewöhnt hatten.

Es gab Paare, die vom ersten Augenblick an einen unsicheren und eher ärmlichen Eindruck machten, so dass Hanna ihren Wunsch, ein Haus oder eine Wohnung zu kaufen, sofort als Traumgebilde erkannte. „Wir suchen eine Villa in bester Lage mit allem Komfort." Wenigstens die Phantasie war tröstlich, und Träumen ist schließlich erlaubt. Hanna kannte ein ähnliches Verhalten bei potentiellen Käufern, wenn im Reitverein oder bei Freunden ein Pferd verkauft wurde. Am Telefon oder auch per E-Mail gaben sich vor allem Frauen als große Pferdekenner, nur um sich über Pferde unterhalten zu können und einen Gesprächspartner zu haben, der zwar auch Sachverstand haben durfte, aber ihrer Meinung nach doch nicht ganz ebenbürtig war.

Hanna musste Kunden, die Luftschlösser bauten, mit Takt und Geschick schon im Büro abwimmeln, um einen unnötigen Besichtigungstermin zu vermeiden.

Es kamen aber auch reiche Kunden, die tatsächlich nur teure Objekte ansahen und häufig auch dem Makler zu einer ordentlichen Provision verhalfen. Es gab Kunden mit ausgefallenen Wünschen, die gar nicht realisierbar waren, und es gab müde, ruhebedürftige Rentner, die Arzt, Apotheke, Läden und einen Park vor der Tür haben wollten, aber keinen Verkehr und keinen Kinderspielplatz im Umkreis von zehn +Kilometern.

Hanna war zu allen gleich bleibend zuvorkommend und freundlich, auch wenn ihr manchmal zum Kotzen zumute war. Jedenfalls waren die persönlichen Gespräche diejenige Seite ihres Jobs, die ihr am besten gefiel. Sie hätte gern selbst als vollverantwortliche Maklerin gearbeitet. Objekte an Land zu ziehen und zu veräußern schien ihr eine Herausforderung, aber ihr Chef verwehrte ihr jede selbständige Tätigkeit. Da war er eigen. Hanna wusste, dass er Frauen gegenüber voreingenommen war, weil sie möglicherweise mit weiblichem Einfühlungsvermögen Erfolg haben könnten. Er hatte seine eigenen jugendlich-dynamischen, sehr selbstsicher wirkenden Taktiken, die allerdings nicht bei allen Kunden gleichermaßen verfingen.

Hanna sah mit ihrem Magister als Studienabschluss in Slawistik und Französisch kaum eine Chance, eine Arbeit zu finden, die mit ihrer Ausbildung zu tun hatte. Manchmal dachte sie daran, sich in Stuttgart oder Frankfurt bei einem Verlag zu bewerben, aber eigentlich wollte sie Hamburg nicht verlassen, was sehr viel mit ihrem Freund Carsten zu tun hatte.

Beim Durchsehen der Stellenanzeigen im Abendblatt stieß

Hanna auf ein Angebot, von dem sie sofort fasziniert war:

„Berittführer/in, Pferdepfleger/in
auf Reiterhof im Wendland gesucht."

Hanna besaß alle Voraussetzungen, um dieser Arbeit gerecht zu werden. Als kleines Mädchen hatte sie mit Voltigieren angefangen, später alle möglichen Prüfungen im Reitverein abgelegt, und schließlich hatte sie einige Turniererfolge in Vielseitigkeit aufzuweisen. Im Augenblick konnte sie allerdings kaum Zeit für ihr Hobby erübrigen, weil der Anweg von Barmbeck, wo sie sich mit ihrer Freundin Annette eine Wohnung teilte, zu ihrem Reitverein in Quickborn nach ihrem Arbeitstag zu aufwändig war. Sie kam nicht mal jedes Wochenende dazu, auf dem Pferd zu sitzen, da sie häufig am Sonnabend – Großkampftag ihres Maklers – im Büro anwesend sein musste. Viele Makler machten keine Termine am Wochenende (der Mensch muss sich auch mal erholen!), vor allem diejenigen, die für die Immobilienabteilung einer Bank arbeiteten. Am Sonnabend erschienen die Annoncen mit den Angeboten, aber leider konnten potentielle Käufer die Objekte erst in der folgenden Woche ansehen, wenn sie wieder arbeiten mussten und eigentlich keine Zeit hatten.

Durch seine Arbeit am Wochenende hatte ihr Arbeitgeber einen Bonus, aber für seine Mitarbeiter bedeutete es, dass sie sich nicht richtig über das ganze Wochenende erholen konnten. In Hannas Vertrag war keine Extrabezahlung für das Wochenende vorgesehen, also gab es auch nichts zu meckern.

Hanna las noch einmal die Anzeige aus dem Wendland durch und griff zum Telefon. Glücklicherweise war in der Anzeige eine Telefonnummer als Kontakt angegeben und nicht eine Chiffrenummer. Hanna wusste von ihren vielen Bewerbungen, dass Briefe unter einer Chiffre fast nie beantwortet wurden, und sie fragte sich, wie die Inserenten je dazu kamen zu finden, was sie suchten, wenn sie auf keinen Brief reagierten.

Hanna wählte die angegebene Nummer im Wendland, und nach längerem Läuten meldete sich eine Frau Wallraff und stellte sich als Eigentümerin des Reiterhofes vor. Frau Wallraff erklärte gleich, dass sie selber zu alt und wegen einer falsch behandelten Hüftluxation schlecht zu Fuß sei und deshalb die Leitung des Reiterhofes aus der Hand gegeben habe. Sie stellte Hanna ein paar Fragen zu ihrer Qualifikation und wollte die Beweggründe genannt bekommen, die eine junge Frau veranlassten, sich um eine Stelle in einer der abgelegensten Gegenden Deutschlands zu bemühen und dafür Hamburg zu verlassen.

Hanna beantwortete knapp die sachlichen Fragen zu ihren Voraussetzungen und überlegte dann kurz, was sie zu den Gründen für ihre Bewerbung sagen sollte. Sie beschloss, ehrlich zu sein, weil ihr die alte Dame – der Stimme nach zu urteilen – sehr sympathisch war, und sie nichts davon hielt, irgendetwas aus reinem Opportunismus vorzubringen. Sie nannte also den Hauptgrund für ihr Interesse an der Stelle, der rein privater Natur war: Ihr Freund Carsten arbeitete mit einem Zeitvertrag als Archäologe auf der Burg Lenzen.

Er wohnte bei seiner Großmutter in Pevestorf, einem kleinen Ort an der Elbe, der einige Bedeutung durch die nach der Grenzöffnung zur DDR wieder aufgenommene Fährverbindung über die Elbe zum Städtchen Lenzen bekommen hatte. Wie sie von Frau Wallraff bereits erfahren hatte, befand sich der Reiterhof auf dem Gelände eines ehemaligen Bauernhofs in der Nähe von Gartow. Gartow und Pevestorf liegen nur wenige Kilometer voneinander entfernt.

Hanna nannte natürlich auch ihren zweiten, diesmal zweckdienlichen Beweggrund für ihre Bewerbung: Sie erzählte von ihrer langweiligen Arbeit beim Makler und von ihrer Begeisterung für alles, was mit Pferden zusammenhing.

Frau Wallraff bedankte sich für die ehrlichen Informationen und lud Hanna zu einem Vorstellungsgespräch gleich am nächsten Wochenende ein, sofern Hanna den Besuch bei ihr zeitlich möglich machen könnte. Und ob Hanna konnte!

Am darauffolgenden Sonnabend nahm Hanna den Zug nach Dannenberg. Sie fuhr die Strecke nicht zum ersten Mal. Bevor Carsten die Stelle in Lenzen angetreten hatte, waren sie etliche Male zu Demonstrationen gegen Atomkraft nach Gorleben gereist, vor allem während der Castor-Transporte. Sie hatten eine Zeitlang im Wald bei Gorleben mit anderen Demonstranten ein Zeltlager errichtet, das von der Polizei wegen Ordnungswidrigkeit zwangsgeräumt wurde, sie hatten an friedlichen Demonstrationen teilgenommen, sich auch mit der Polizei heftig auseinandergesetzt bis zur Illegalität, sich wunderbar solidarisch gefühlt mit den anderen Atomkraftgegnern und das Wendland mit seiner Kultur, seiner einmaligen Vogel-und Pflanzenwelt kennen-und lieben gelernt.

Hanna fuhr gern die Strecke von Hamburg nach Lüneburg, weil sie die norddeutsche Landschaft mit den ruhigen Wiesen, den beschaulichen Dörfern - zumindest sahen sie vom Zug beschaulich aus - und den Wasserflächen dazwischen sehr schön fand. Aber richtig fasziniert war sie jedes Mal von der Teilstrecke Lüneburg-Dannenberg. Sie kam sich vor wie im Ausland - einem wenig besiedelten Land mit fast keinen richtigen Bahnhöfen, sondern nur Haltestellen in der Landschaft, gerade mal mit Beleuchtung und einem blechernen Namensschild. Von Lüneburg kommend stieg fast niemand zu, aber es gab immerhin Reisende, die in Wendisch Evern, Vastorf oder Neetzendorf ausstiegen. Hanna kamen sie vor wie die letzten versprengten Lemminge, die davon eilten, um im Nirgendwo zu verschwinden.

Häufig waren ausgefallene Typen im Zug: Ewig gestrige Hippies, Bauwagenbewohner mit Bärten und langen Haaren, Frauen in bunten Röcken mit kunstvoll gewickelten Tüchern auf dem Kopf, Intellektuelle mit schwieriger Lektüre für die Bahnfahrt. Einige Mitreisende saßen muffig auf ihrer Bank -

9

hatten wohl keine Lust aufs Wendland. Die Jugendlichen im Zug waren oft unhöflich, vor allem, wenn sie in Gruppen auftraten. Sie telefonierten in unangenehmer Lautstärke für alle im Wagen zum Mithören ihrer spannenden Gespräche: „Hey, was geht? Ich bin jetzt bei Dahlenburg. Was, du kommst heute nicht? Na ja, ich könnte mich auch mal früh in die Koje hauen. Gestern war es echt geil! Was? Der soll sich doch ins Knie ficken! Muss jetzt Schluss machen, nächste Haltestelle ist mein Scheisskaff".

Auf der Fahrt zum Vorstellungsgespräch bei Frau Wallraff hatte Hanna eine besondere Begegnung. Ein nicht mehr ganz junger, großer und spindeldürrer Mann setzte sich ihr gegenüber. Er hatte einen dünnen, graublonden Bart und lange, ungepflegte Haare, die aus einem kompliziert geflochtenen Kranz aus Kunstblumen in blau und türkis bis auf die Schultern hingen. Das Merkwürdigste an ihm war seine Kleidung: Er trug eine weiße Hose, die so weit war, dass man sie eher für einen Rock hielt, hatte einen selbstgestrickten, bunten Poncho um die Schultern und hatte ausgelatschte Sandalen ohne Socken an den Füßen, was für die Jahreszeit höchst befremdlich war. Er saß eine Zeitlang schweigend da und sah zum Fenster hinaus. Plötzlich wandte er sich Hanna zu und fragte: „Weißt du, wer ich bin?" Hanna schüttelte den Kopf. „Keine Ahnung, ich kenne dich doch gar nicht". „Wirklich nicht? Liest du denn nicht die Bibel?" „Bitte keine Bekehrungsversuche", sagte Hanna entsetzt. „Ich stehe sofort auf und setze mich woanders hin." „Das brauchst du nicht, ich wollte dir nur sagen, dass ich am 24. Dezember Geburtstag habe, und damit ist alles klar."

Zu Hannas Erleichterung war das das Ende der Unterhaltung. Nur wenige Mitreisende fuhren bis Dannenberg, Jesus dabei. Hanna kletterte mit ihrem Rucksack aus dem Zug und wurde sofort von Carsten in die Arme geschlossen. Nach einem kurzen, innigen Augenblick der Umarmung schob Carsten sie ein Stück von sich und verharrte bewegungslos, die Hände locker auf ihre Oberarme gelegt. Hanna wartete einen

10

Augenblick schweigend und sagte dann lächelnd: „Na, wann sagst du's endlich?" Carsten legte zärtlich zwei Finger unter ihr Kinn, hob ihren Kopf an und flüsterte: „Schau mir in die Augen, Kleines." Sie sahen sich intensiv in die Augen und fingen schließlich an zu lachen.

Als sie in Carstens alten Caddy steigen wollten, stand Jesus plötzlich neben ihnen. „Hallo, fahrt ihr nach Gartow? Ich brauche eine Fahrgelegenheit." Das klang höflich und völlig normal. Carsten zeigte auf sein Auto: "Du siehst doch, dass ich nur zwei Plätze habe, und auf der Ladefläche darf ich niemanden mitnehmen. Außerdem ist es viel zu kalt, um offen mitzufahren. Tut mir leid!" Ehe Carsten es verhindern konnte, war Jesus schon auf die Ladefläche geklettert und setzte sich, den Rücken an die Fahrerkabine gelehnt. Carsten zuckte mit den Achseln, stieg ein und fuhr los. Carsten erklärte, dass Jesus im irdischen Leben Pitten hieß, zumindest behauptete er das, und ein ortsbekanntes Phänomen in der Gegend war. Niemand wusste so recht, ob er sich nur verstellte, um die Leute hochzunehmen, oder ob er wirklich so verwirrt war, wie es den Anschein hatte. Er galt als nicht gemeingefährlich und hatte von irgendwoher ein Auskommen ohne zu arbeiten, bezog aber kein Hartz IV. Carsten prophezeite Hanna, dass Pitten ihr mit Sicherheit oft über den Weg laufen würde, falls sie die Stelle bekam, weil er ständig auf Achse war. Dem Gerede nach war er abgebrochener Student aus Berlin, der an Drogen hängengeblieben war.

Dann redete Hanna ein bisschen hektisch über ihre Chance und die Hoffnungen, die sie hegte. Carsten unterbrach sie hin und wieder, um sie auf etwas Sehenswertes am Wegrand aufmerksam zu machen – Wildgänse auf einem Acker, eine Stute mit noch staksigem Fohlen auf einer Koppel, ein Gerüst an einem Vierständer, den man begonnen hatte zu renovieren, zwei Kraniche auf einer Wiese. Er fuhr nicht schnell, aber ziemlich unkonzentriert, und als er völlig auf die linke Straßenseite kam, um sie auf einen Hasen aufmerksam zu machen,

sagte Hanna leicht panisch: „Carsten, was machst du denn?"
Carsten antwortete völlig ernst: „Das siehst du doch, ich ignoriere die Fahrbahn." Hanna musste lachen, obwohl Carstens unkonzentrierter Fahrstil sie immer ein bisschen nervös
machte. Es war aber bis auf gelegentlich Kratzer und Beulen
beim Ein-oder ausparken nie etwas Ernsthaftes passiert, denn
die Verkehrsdichte im Wendland war ja nicht gerade beängsti-
gend hoch. Hanna drehte sich immer wieder besorgt um, aber
Pitten saß ganz ruhig auf seiner Ladefläche.

Kurz vor Gartow im Wald klopfte er an die Scheibe und
machte Zeichen, dass er aussteigen wollte. Sie fuhren an den
Straßenrand, und Pitten kletterte herunter. Als Carsten und
Hanna tschüs sagten, hielt er sie mit einer Geste auf. „Ich wollte mich noch bedanken. Moment." Er öffnete die abgeschabte,
uralte Aktentasche, die er an einem Riemen über der Schulter
hängen hatte, und zog ein verknicktes Blatt Papier heraus. Darauf war ein wunderschöner Baum gezeichnet. „Schenke ich
euch. Das Blatt kann man bügeln und einrahmen." Er winkte
und ging davon in den Wald.

In Pevestorf angekommen, bog Carsten auf den Hof seiner
Großmutter ein, Elinor Kurbjuweit, die von allen Elli genannt
wurde. Das schlichte Bauernhaus stand etwas zurückgesetzt
parallel zur Straße, und links und rechts vom Wohnhaus
schlossen sich einige kleinbäuerliche Wirtschaftsgebäude an.
Der Hof war schon seit Großvaters Tod in den achtziger Jahren nicht mehr in Betrieb, war aber mit bescheidenen Mitteln
einigermaßen gut erhalten worden.

Carstens Großmutter legte vor allem Wert auf ihren sehr
großen und ordentlichen Gemüsegarten mit Kräuterschnec-
ken, einem Hochbeet und einem Steingarten, den sie liebevoll pflegte. Sie verbrachte jeden Tag einige Zeit im Garten,
obwohl ihr allmählich gewisse Arbeiten schwerfielen, was sie
ungern zugab. Zu ihrem Leidwesen lag der Garten unterhalb
des Hauses in den Elbwiesen im Überschwemmungsgebiet,
und alle paar Jahre wurde der Garten vollständig unter den

Wassermassen begraben und musste nach Rückgang des Wassers neu angelegt werden. Bei einem der schlimmsten Hochwasser vor Erhöhung des Elbdeichs war sogar der Gartenzaun weggeschwommen und musste in Einzelteilen wieder eingesammelt werden.

Carstens Großmutter hatte eine Blumenrabatte um die Hoflinde angelegt. Der Hof war nicht befestigt und deshalb bei schlechtem Wetter ziemlich matschig. Carstens Großmutter kam damit aber gut zurecht, und sie hatte jeden Versuch von Vertretern, ihr den Hof mit Betonknochen oder edleren Materialien zu verschönern, energisch abgelehnt, zum Teil aus Überzeugung, zum Teil aus Geldmangel. Man konnte immer noch erkennen, wie man mit den Wagen rangiert hatte, als der Hof noch in Betrieb war. Jetzt gab es als letzte Reste der Landwirtschaft nur noch ein paar Hühner in einem mit Maschendraht umzäunten Auslauf und eine sehr betagte Katze, die vor der Haustür in der Sonne lag, als Hanna und Carsten ausstiegen. Carstens Großmutter hatte das Auto schon gehört und wartete vor der Haustür. Hanna gab ihr links-rechts-links Küsschen auf die französische Art, und sie gingen miteinander ins Haus.

Es duftete bereits nach Essen, und Hanna freute sich schon auf das gemeinsame Mittagessen. Elli war eine gute Köchin voller Ideenreichtum, und wenn die Jahreszeit es erlaubte, gab es Gemüse und Kräuter aus dem eigenen Garten.

Carsten schlug Hanna vor, zunächst ihre Sachen auszupacken, und sie gingen hinüber zu Carstens Domizil. Carsten hatte sich mit bescheidenen Mitteln und mit Hilfe von Freunden den ehemaligen Schweinestall ausgebaut, der wie bei vielen Höfen üblich in einiger Entfernung im rechten Winkel zum Wohnhaus gebaut worden war. Jede Schweinebucht besaß eine Tür zum Hof hin, durch die die Schweine früher nach Belieben ins Freie gelangen konnten. Jedes Mal, wenn Hanna bei Carsten zu Besuch war, dachte Hanna voll Trauer und Wut an die Schweinehaltung auf den meisten modernen Höfen. Kein

Auslauf, häufig kein Tageslicht, Spaltenboden ohne Einstreu, keine Möglichkeit zu wühlen, sich zu suhlen und zu spielen. Einzig der Aspekt Wirtschaftlichkeit spielte eine Rolle, und die artgerechte Haltung blieb dabei auf der Strecke. Hanna mochte Schweine ganz besonders gern, und sie wünschte sich, vielleicht in ferner Zukunft die Möglichkeit zu haben, selbst ein Schwein als Spielgefährten zu besitzen.

Carsten hatte die ehemaligen Türöffnungen belassen, aber fest verglast. In der Mitte des Schweinestalls hatte er eine Terrassentür eingebaut und davor einen kleinen Sitzplatz angelegt. Die Eingangstür rechts am Gebäude führte direkt in die kleine Küche, für einen Flur gab es nicht genug Platz. Die Küche war bescheiden mit dem Notwendigsten ausgestattet – Kühlschrank, Herd und ein paar Regale. Von der Küche führte eine Tür ins Wohnzimmer, das ebenfalls sehr bescheiden ausgestattet war. Als einzigen Luxus hatte Carsten eine sehr gute Musikanlage, denn auf Qualität beim Hören von Jazz oder klassischer Musik legte er großen Wert. Vom Wohnzimmer führte eine selbstgebaute Sambatreppe nach oben, wo sich Carsten über der Küche ein kleines Duschbad eingerichtet hatte. Das Schlafzimmer lag über dem Wohnzimmer, war aber wegen der starken Dachschräge schwierig zu möblieren. Jedenfalls war alles Lebensnotwendige da, und Carsten fühlte sich in seinem Stall sehr wohl.

Hanna trug ihren Rucksack nach oben, und Carsten ging mit hoch. Noch in der Tür fing Carsten an, sie begierig zu küssen, und Hanna reagierte mit einer Wildheit, die sie schwindlig und leicht zittrig machte. Sie warfen sich auf das breite Bett und konnten die Hände nicht voneinander lassen. Aber als Carsten ihr unter den Pullover griff, richtete Hanna sich plötzlich heftig auf und wehrte ihn ab. „Nicht jetzt", sagte sie. „Es ist mir peinlich, dass Elli diesen wissenden Blick haben wird, wenn wir zu lange nicht zum Essen kommen. Sie hat ja volles Verständnis und bestimmt auch so manche schöne Erinnerung, aber trotzdem möchte ich nicht, dass sie sich zu offensichtlich ausmalen kann, warum wir zum Auspacken so lange brauchen."

Carsten ließ sie sofort los, zeigte aber doch leicht verstimmt seine Enttäuschung. Er half ihr, ihre paar Sachen in den Schrank zu legen, aber er konnte es sich nicht verkneifen, dabei zu lästern „Ich helfe dir, damit wir schneller wieder bei Elli sind." Hanna spürte auch einen Anflug von Ärger, konnte ihn aber schnell wieder unterdrücken, weil sie keine Lust hatte, sich und Carsten wegen irgendwelcher dummen Missstimmigkeiten den Aufenthalt zu verderben.

Sie gingen wieder ganz friedlich eng umschlungen ins Haus hinüber, wo Elli bereits den Tisch gedeckt hatte. Elli legte nicht nur Wert auf ein gut zubereitetes Essen, sondern sie liebte auch eine gewisse Förmlichkeit, wenn sie Besuch hatte. So gab es zuerst einen Sherry im Stehen, dann setzten sie sich an den Tisch, falteten die Stoffservietten auf, und Elli ließ es sich nicht nehmen, Hanna und Carsten zu bedienen.

Erst als sie anfingen zu essen, kam die Unterhaltung in Gang. Elli wollte natürlich von Hanna die Details über den möglichen neuen Job wissen, und es stellte sich heraus, dass sie Frau Wallraff gut kannte und natürlich auch über den Pferdehof Bescheid wusste. Sie und Frau Wallraff waren im Kulturverein ehrenamtlich tätig und sahen sich auch gelegentlich privat bei einem Geburtstagskaffee oder auf einer Hochzeit.

Carsten erzählte vom neuesten Stand in seinem Prozess. Beim Castortransport im Herbst des Vorjahres hatte er auf dem letzten Stück Straßentransportstrecke an einer Sitzblockade teilgenommen, die ziemlich ruppig von der Polizei beendet wurde. Ein Polizist hatte versucht, Carsten an den Haaren von der Straße zu schleifen, woraufhin Carsten ihn in die Eier getreten hatte. Carsten war in Gewahrsam genommen worden, seine Personalien festgehalten, und als Folge war ein Verfahren anhängig. Natürlich hatte niemand von der Polizei gesehen, warum Carsten ausgerastet war, aber es gab immerhin Zeugen auf Seiten der Demonstranten, die von der Brutalität einzelner Polizisten beim Räumen der Straße berichteten, wenn auch erkennbar war, dass die Polizei insgesamt nicht mehr mit der gleichen Rohheit vorging wie bei früheren Demonstrationen. Carstens Chancen, glimpflich davonzukommen, standen nicht schlecht, denn die Bürgerinitiative gegen Atomkraft hatte ihm einen guten Rechtsanwalt gestellt, den er privat nicht hätte zahlen können.

Elli erzählte den neuesten Dorfklatsch, wozu sie sich durchaus berechtigt fühlte mit der Begründung, dass man auch über sie klatschte, vielleicht sogar manchmal ungerecht und bösartig. Elli nahm ihre Geschichten eher von der humorvollen Seite, sie war nicht gemein und nur in sehr seltenen Fällen konnte sie sich ein bisschen Schadenfreude nicht verkneifen.

Beim neuesten Ereignis, das die Gemüter des Dorfes bewegte, stand eine sehr unternehmungslustige Kuh im Mittelpunkt. Elli berichtete mit viel Gusto die vergnügliche Geschichte, wie die Kuh über die Elbe geschwommen war und überhaupt keine Neigung zeigte, in den Viehhänger zu steigen, als man sie abholen kam. Sie rückte aus und galoppierte auf den Elbwiesen umher mit mehreren Männern im Gefolge. Als sie schließlich ermüdete und sich in die Enge getrieben sah, gab sie nicht auf, sondern senkte die Hörner und ging auf Attacke. Daraufhin stoben die Männer auseinander und hielten respektvoll Distanz. Natürlich verlor die Kuh letztendlich die Schlacht und wurde wohlbehalten zurückgebracht. Elli vermutete, dass ihre Hormone durcheinander geraten waren, weil sie einen Bullen brauchte.

Elli erinnerte an eine ähnliche Geschichte aus ihrer Zeit mit eigener Landwirtschaft. Vor ungefähr dreißig Jahren war auch aus ihrer Herde eine Jungkuh ausgebrochen und über die Elbe geschwommen, aber das ging nicht so glimpflich ab. Die Kuh war schließlich illegal in die DDR eingereist und wurde zunächst in Quarantäne gehalten, da aus dem Westen stammend und deshalb vermutlich verseucht oder als Spionin abgerichtet. Nach vier Wochen wurde sie als harmlos deklariert, nach

Berlin verfrachtet und konnte von dort abgeholt werden. Die Geschichte hätte lustig sein können, wenn nicht hohe Ausgaben und ein enormer Papierkrieg damit verbunden gewesen wären. Die Kosten für den Quarantäneaufenthalt mussten von den Kurbjuweits getragen werden, dazu kamen heftige Verwaltungsgebühren - alles in Westmark -, die Fahrt nach Ostberlin mit Visum und Autobahngebühren, um die Kuh in die Bundesrepublik zurückzuholen. Elli und ihr Mann beschlossen, wenn es ein nächstes Mal geben sollte, die Kuh lieber abzuschreiben und dem sozialistischen Staat zu schenken. Das war preiswerter.

Hanna fühlte sich richtig wohl. Sie genoss nicht nur das hervorragende Essen, sondern auch die Unterhaltung und die Anwesenheit Carstens, der über den Tisch immer mal nach ihrer Hand griff und signalisierte, dass er sich über das gute Einvernehmen zwischen Hanna und seiner Großmutter, auf die er nichts kommen ließ, freute. Nach der Hauptmahlzeit gab es noch ein selbstgemachtes Tiramisu und anschließend einen Espresso. Nur die Käseplatte fehlte, um ein sonntägliches Menu, wie Hanna es bei ihrer französischen Austauschfamilie während ihrer Schulzeit kennengelernt hatte, perfekt zu machen. Hanna hütete sich aber, den Vergleich mit französischem Essen zu erwähnen, denn bestimmt würde Elli beim nächsten Mal jede Menge Käse auffahren.

Für Hanna wurde es langsam Zeit zu gehen, aber Elli musste noch schnell eine andere Geschichte loswerden. Elli hatte einige Jahre zuvor das Jugendamt bei einer Hartz IV-Empfängerin (damals noch Sozialhilfeempfängerin) eingeschaltet, weil deren älteste Tochter Anita ihr sehr verwahrlost vorkam. Sie verpasste oft den Schulbus, weil ihre Mutter verschlafen hatte, sie hatte nie alle Schulsachen eingepackt, und am Essen fehlte es auch. Was aber Elli bewog, das Amt einzuschalten, war die Tatsache, dass Anitas Mutter oft ziemlich miese Männer zu Besuch hatte, von denen Elli sich vorstellen konnte, dass sie sich an Anita vergreifen könnten, als Anita nicht mehr ganz klein war.

Anita bekam auch eine Zeitlang vom Jugendamt eine Nachmittagsbetreuung mit Hausaufgabenüberwachung, und das verhalf ihr wohl dazu, dass sie einen ganz ordentlichen Hauptschulabschluss machte. Leider nahm dann das Schicksal seinen Lauf, wie das Jugendamt es vorausgesagt hatte: Anita fand keine Lehrstelle, da sie sich weder ausreichend bewarb noch mobil war dank der schlechten Busverbindungen. Mit sechzehn war sie schwanger, bekam fürchterlich Krach mit ihrer Mutter, die ja nun selbst nicht gerade ein Vorbild war, und riss von zu Hause aus. Sie wurde nach wenigen Tagen völlig zugedröhnt in Lüneburg aufgegriffen, als sie dabei war, sich in der Umkleidekabine eines kleinen Ladens ein Kleid unter ihre Jeans zu ziehen, um damit hinauszuspazieren. Ihre Mutter weigerte sich voller Entrüstung, sie wieder nach Hause kommen zu lassen, und so wurde sie in einem ziemlich strengen Heim bei Lüneburg untergebracht. Elli war sehr traurig über die Geschichte, denn Anita war als kleines Mädchen oft zu ihr auf den Hof gekommen und hatte sich eigentlich sehr nett benommen.

Der Termin mit Frau Wallraff war für den frühen Nachmittag angesetzt. Hanna hatte sich darüber gewundert, denn sie hatte angenommen, dass Frau Wallraff in ihrem Alter ein ordentliches Schläfchen nach dem Essen genießen würde, so wie es Hanna von ihren Eltern gewohnt war. Frau Wallraff hatte ihr aber versichert, dass sie mittags nur eine Kleinigkeit zu sich nahm, weil sie keine Lust zum Kochen hatte und außerdem auf ihre Figur achten musste. Hanna hatte am Telefon gekichert bei der Vorstellung von der alten Dame, die offenbar dem Schlankheitswahn verfallen war, und sie war richtig neugierig geworden.

Elli trug Grüße auf, und Hanna machte sich mit Carstens Auto auf den Weg. Mit Carsten gab es noch im letzten Moment eine kleine Auseinandersetzung wegen seines Angebots, mitzufahren und ihr Beistand zu leisten. Hanna reagierte etwas heftig. „Du weißt, dass ich selber groß bin und auf männliche Hilfe verzichten kann. Außerdem möchte ich mit Frau Wallraff..." Carsten unterbrach sie lachend. „Ich wollte dich doch bloß ärgern. Ich weiß doch, wie selbständig du bist, wie gern du allein zurechtkommst und das auch betonst. Werde doch nicht immer gleich so zickig!" Er gab ihr einen Kuss auf die Stirn und winkte ihr noch nach, als sie vom Hof auf die Straße einbog.

Da Hanna schon häufig bei Carsten zu Besuch gewesen war, kannte sie sich einigermaßen aus und fand das Haus von Frau Wallraff sofort. Vor dem Haus war ein wunderschöner Garten angelegt, in dem Osterglocken, Tulpen, blaue Scillateppiche und Büsche wie Felsenbirne, Magnolie und Forsythie üppigst blühten. Hanna blieb bewundernd stehen und sah sich das Ensemble von Garten und Haus an. Das Backsteinhaus mit einem Mansarddach hatte eher städtischen Charakter, war behutsam renoviert, aber offenbar nicht auf den neuesten Stand der Technik gebracht. Die alten Doppelfenster waren neu gestrichen, die doppelflügelige, verzierte Haustür sah aus, als sei sie nicht ganz zugfrei, aber alles wirkte liebevoll gepflegt. Eine Klingel konnte Hanna nicht finden, und so klopfte sie erst zaghaft, dann energischer, bis eine Frauenstimme rief: „Kommen Sie herein, es ist offen!"

Hanna musste tatsächlich erst eine dicke Decke zur Seite schieben, die innen vor die Haustür gehängt war wegen der Zugluft. Sie stand in einer großzügigen Diele, von der einige weiß gestrichene Kassettentüren abgingen. Während Hanna überlegte, wo sie nochmal klopfen sollte, ging hinten eine Tür auf, und eine ältere Dame kam munter, aber leicht hinkend, auf sie zu. Sie begrüßte Hanna mit festem Händedruck und stellte sich als Frau Wallraff vor. „Ich habe Sie schon erwartet und einen Kaffee aufgesetzt. Wenn es Ihnen nichts ausmacht, gehen wir in die Küche, denn da ist es jetzt bei Sonne der angenehmste Platz im Haus."

Frau Wallraff war sehr groß und sah trotz einfacher Kleidung – lila Pullover und schwarzer Wollrock – sehr elegant aus. Sie trug im linken Ohr einen langen, silbernen Ohrring und eine wunderschöne Brosche auf dem Pullover. Sie war nicht so schlank, wie Hanna erwartet hatte, sondern eher um die Hüften breit gebaut, was sie aber durch ihre Kleidung geschickt kaschierte.

Während sie den Kaffee fertigmachte, sah Hanna sich in der Küche um. Frau Wallraff hatte keine moderne Einbauküche, sondern die Einrichtung mit einem schön verzierten, fast monströsen Schrank und einzeln stehenden Geräten wirkte eher altmodisch, aber nicht ungemütlich. Der großzügige Küchentisch hatte gedrechselte Beine und eine polierte Holzplatte mit deutlichen Gebrauchsspuren. Frau Wallraff legte zwei brokatene Platzdeckchen mit eingearbeiteten Spiegelchen auf, die vermutlich aus Indien stammten, und goss den Kaffee in schwarze Becher mit Goldrand. „Sie wundern sich vielleicht darüber, dass ich relativ altmodisch bin, was mein Haus und meine Einrichtung angeht. Meine Kinder meckern immer mit mir, aber ich habe keine Lust auf große Modernisierungen. Ich bin das Haus so gewöhnt – es ist übrigens mein Elternhaus, das ich nach dem Tod meines Mannes wieder bezogen habe – und wenn einmal mein Sohn oder meine Töchter es übernehmen wollen, können sie es umkrempeln, wie sie wollen.

Dagegen kann ich ganz gut mit dem Computer umgehen, was ja in meinem Alter nicht unbedingt selbstverständlich ist. Aber jetzt erzählen Sie von sich!"

Frau Wallraff war begierig, alles über Hannas Hintergrund und Werdegang zu erfahren. Sie gab sogar zu, die Leute ganz gern auszufragen, meinte aber sofort, sie sei auch nicht beleidigt, wenn Hanna nicht so viel erzählen wollte. Am meisten zeigte sie sich an Hannas Studium interessiert. Französisch konnte man ja leicht nachvollziehen, Frau Wallraff beherrschte die Sprache selber recht gut, aber Slawistik?

Hannas Erklärung war einfach und sehr einleuchtend. Hannas Großeltern lebten in Bromberg, und als 1945 die

Deutschen fliehen mussten, weigerte sich die Großmutter mit ihrem kleinen Sohn, der später Hannas Vater wurde, mit dem Flüchtlingstreck gen Westen zu ziehen, weil Hannas Urgroßmutter schwer erkrankt war. Irgendwie waren sie auch bei der Vertreibung der letzten Deutschen aus dem damaligen Bromberg nicht erfasst worden und geblieben. Die Urgroßmutter war bereits ein Jahr nach dem Krieg gestorben, aber ein Umsiedeln kam nicht mehr in Frage. Es ging ihnen nicht gut, aber immerhin konnte Hannas Vater studieren und Bauingenieur werden. Er heiratete eine Polin – Hannas Mutter – und sie lebten im heutigen Bydgoszcz bis einige Jahre nach dem Zusammenbruch des Systems. So war Hanna ein paar Jahre in eine polnische Schule gegangen und zweisprachig aufgewachsen. In Deutschland wurde das Studium ihres Vaters nicht anerkannt, aber er hatte eine Stelle als Bauzeichner gefunden. Hannas Mutter war Musiklehrerin und unterrichtete an einer Musikschule Cello. Was Hanna noch als bemerkenswert erwähnte, war die Tatsache, dass sie in Polen zu Hause fast nur deutsch gesprochen hatten, wenn sie unter sich waren. Jetzt, in der neuen Heimat, sprachen sie häufig polnisch, und in der Erinnerung wurden die Zeiten in Polen immer besser. Hanna fuhr häufig in die alte Heimat, meistens mit ihrer Mutter, und durch ihre Kindheit und ihr Studium in Krakau hatte sie viele Freunde in Polen.

Hanna blieb über zwei Stunden, bekam vor ihrer Abfahrt nicht nur einen Sekt aufgedrängt, weil ihre Anstellung perfekt gemacht worden war, sondern auch Frau Wallraffs kleinen Hund Arthüür (unbedingt französisch auszusprechen, da aus Belfort stammend). Arthüür liebte Pferde, und Frau Wallraff sorgte dafür, dass er immer mal mitgenommen wurde, auch wenn sie selber keine Zeit für Hund und Pferde hatte.

Endlich kam Hanna los und machte sich auf zu ihrem ersten Besuch auf zum Luisenhof, wo der Verwalter sie nach telefonischer Ankündigung erwartete. Arthüür saß während der Fahrt artig neben ihr, schoss aber wie eine kleine Kanonenkugel aus dem Auto, als sie ihm auf dem Hof die Tür öffnete, und raste freudig bellend in Richtung Ställe.

Hanna konnte zunächst niemanden entdecken, der sie erwartete, und fing deshalb an, auf eigene Faust ihre neue Arbeitsstätte zu besichtigen. Im Giebel einer alten Scheune war das Tor zum Hof halb aufgeschoben, und Hanna ging hinein. Sie stand in einem Futtergang, von dem zu beiden Seiten die Pferdeboxen abgingen. Wegen der veralteten Architektur der Scheune genügte der Gang mit seiner geringen Breite kaum modernen Ansprüchen. Am Ende des Mittelgangs entdeckte sie aber einen Bobcat, der zum Ausmisten diente und gerade so in der Breite passte. Die Boxen waren hell und geräumig und hatten moderne Metalllschiebetüren, die alle offenstanden, nur in einer Box trauerte ein einsames Pferd mit einem Verband am Bein und streckte den Kopf bettelnd über die Halbtür. Hanna strich ihm mit der Hand über die Nüstern und verließ den Stall am anderen Ende des Futtergangs. Als sie das Tor aufschob, stand sie in einem Auslauf mit Kunststoffmatten als Boden, in dem Arthüür vergnügt bellend zwischen einer Herde von ungefähr zwölf Pferden herumtobte und versuchte, sie zum Spielen zu animieren, unter anderem, indem er in die Pferdeäpfel biss.

Als Hanna einen Schritt in den Auslauf machte, sagte eine männliche Stimme in ziemlich barschem Ton: „Was tun Sie hier?" Hanna fuhr zusammen, obwohl sie eigentlich recht unerschrocken war, und dachte sich, dass das ein schlechter Anfang war. Außerhalb des Absperrgitters vom Auslauf erschien ein junger Mann, den Hanna auf Anhieb nicht mochte. Er war groß und im landläufigen Sinn gut aussehend, aber irgendetwas an seiner Haltung und seinem Gesichtsausdruck missfiel Hanna. Sie beschloss aber sofort zu versuchen, in ihrem Urteil neutral zu bleiben, denn Carsten hatte ihr schon oft gesagt, dass sie vorschnell urteilte und damit oft nicht richtig lag (aber manchmal schon, und das war eine Genugtuung!).

Hanna stellte sich vor und entschuldigte sich für ihr Eindringen. Der junge Mann reichte ihr etwas herablassend die Hand durch das Gitter und erklärte seinerseits, dass er Frau Wallraffs Verwalter sei und Henning von Bützow hieße. Er bat Hanna, durch die Stallgasse zurückzugehen und mit ihm einen Rundgang durch den Hof und die Gebäude zu machen, wobei er ihr alles Wesentliche erklären würde.

Zunächst einmal hörte Hanna, dass er „Arthüür" albern fand und Frau Wallraff unmöglich, weil sie ihren Hund immer mal mit fremden Leuten mitschickte und auf dem Hof spielen ließ.

Hanna war auch nicht gerade eine Hundenärrin, aber sie fand Arthüür ganz putzig und Frau Wallraff fair, weil sie ihrem Hund – wenn auch auf etwas ungewöhnliche Weise – die Möglichkeit zu dem für Hunde notwendigen Auslauf gab, den sie ihm selber durch ihr Hüftleiden nicht mehr gewähren konnte.

Als nächstes schlug er vor, sie solle ihn einfach Henning nennen, der von Bützow sei nicht nötig, da sie ja zusammenarbeiten würden. Hanna wäre überhaupt nicht auf die Idee gekommen, einen Altersgenossen nicht zu duzen, wenn sie näher mit ihm zu tun hatte, aber sie bedankte sich für das Angebot, immer noch gewillt, den Verwalter zu mögen.

Sie besichtigten zunächst die Koppeln, und Henning erklärte in aller Ausführlichkeit, wie die Zäune zu öffnen waren, wie man das Elektrogerät anstellte, welche Wege die Pferde zu welcher Koppel getrieben wurden und wann sie ins Freie kamen, wann sie wieder in den Auslauf kamen, wie man eventuell notwendiges Zusatzfutter nach draußen brachte, wann und warum aufgestallt wurde. Die Erklärungen wurden immer grundsätzlicher, und Henning schien im Lauf seines Redeschwalls völlig vergessen zu haben, dass Hanna schließlich keine Anfängerin mit null Ahnung war. Eine Zeitlang versuchte Hanna ein Gähnen zu unterdrücken, aber schließlich unterbrach sie die Ausführungen, indem sie erklärte, sie habe im Augenblick nicht viel Zeit und könne den Rest lernen, wenn sie im Juni die Stelle antreten würde. Henning war ein bisschen aus dem Tritt gebracht, aber er entschloss sich doch, die Gebrauchsanleitung für die Koppeln abzukürzen und Hanna das Wohn- und Gästehaus zu zeigen.

Das ehemalige Bauernhaus war nicht sonderlich freundlich, ein schlichter Backsteinbau verschattet durch riesige Linden, die zwar wunderschön waren, aber die Sonne fast vollständig aussperrten. Hier war natürlich Konfliktstoff. Henning wollte die Bäume gnadenlos umsägen, aber dazu hatte er keine Befugnis. Wie er erzählte, hatte Frau Wallraff einen Spezialisten bestellt, der einen gangbaren Weg finden sollte, die Bäume zu retten und gleichzeitig das Haus lichter zu machen und vor Schäden zu bewahren. Tatsächlich bedrohten die Wurzeln der Bäume das Fundament des Hauses mit Feuchtigkeit und schlimmstenfalls Pilzbefall, also musste dringend etwas geschehen.

Das Haus hatte eine große, dunkle Küche mit einem riesigen, klobigen Esstisch, und einige freundlich eingerichtete Mehrbettzimmer, in die jeweils ein vorgefertigtes Duschbad aus beigem Kunststoff eingefügt war. Henning erklärte die Vorteile eines ins Zimmer integrierten Bades: Die Ferienkinder – meistens waren es Mädchen – konnten nicht mehr nachts auf den Gängen herumrennen und behaupten, sie hätten aufs Klo müssen. Man hatte zumindest nächtliche Massenversammlungen zwecks rauchen, trinken, herumalbern abgestellt. Henning betonte aber gleich, dass nächtliche Aufsicht nicht seine Angelegenheit sei, und dass Hanna sehen müsste, wie sie mit ihrer Aufsichtspflicht umging.

Es gab auch einen großen Aufenthaltsraum mit etwas unmodernen Sesseln und Sofas und einem sehr alten offenen Kamin mit einem eichenen Balken über der Feueröffnung, der ein ständiges Ärgernis für den Schornsteinfeger war, weil er in keinster Weise modernen Vorschriften entsprach. Henning erzählte, dass Frau Wallraff eisern alle vorgeschriebenen Änderungen ablehnte mit der Begründung, das Haus sei in zweihundert Jahren nicht abgebrannt und würde es auch jetzt nicht tun. Hanna hatte Spaß an dieser kleinen Anekdote und stellte sich sofort Frau Wallraff in voller Kampfaufrüstung vor, gegen die der Schornsteinfeger keine Chance hatte.

Er zeigte ihr auch ihren zukünftigen Wohnbereich, obwohl Hanna das eigentlich ungehörig fand, weil Sylvie, die im Juni mit der Arbeit als Pferdepflegerin aufhören würde, um ihren Freund in Stuttgart zu heiraten, nur am Wochenende weggefahren war und die Wohnung noch voll in Beschlag genommen hatte. Hanna versuchte, nicht mal innerlich für sich die Unordnung zu kommentieren und begutachtete nur ihre künftigen Räumlichkeiten: Zwei kleine Zimmer unterm Dach, eine Küche und ein vorgefertigtes Bad wie die anderen, nur in grün, was sie scheußlich fand. Ihr Wohnteil hatte einen Riesenvorteil: Es gab eine Doppeltür zum Flur hin, so dass sie den Krach der halbwüchsigen Gäste nur gedämpft mitbekommen würde. Sie wunderte sich etwas, dass Henning einen Schlüssel zu der Wohnung besaß. Auf ihre Frage erklärte er mit einem Lächeln, das alle möglichen Rückschlüsse zuließ, dass er als Verwalter für Notfälle zu allen Räumlichkeiten Zugang haben müsste. Hanna beschloss sofort, diesem Zustand ein Ende zu machen, denn sie hatte keine Lust, jemanden in ihre Privatsphäre eindringen zu lassen, wie er es gerade bei Sylvie getan hatte. Sie sagte aber nichts dazu und verabschiedete sich ziemlich abrupt mit einem kurzen Händedruck, den er versuchte, zu verlängern, und einem leicht hingeworfenen „Wir sehen uns", eine Wendung, die sie eigentlich abscheulich fand, die ihr aber hier zu passen schien.

Sie sammelte Arthüür wieder ein, der einen leicht erschöpften Eindruck machte, denn er hatte die Aufforderungen zum Spielen im Auslauf so weit getrieben, bis die Pferde sich belästigt fühlten und warnend auf ihn losgingen. Er hatte sich durch das Auslaufgitter gerettet und saß hechelnd in sicherem Abstand davor. Er war sichtlich froh, als er wieder auf den Beifahrersitz klettern konnte und nach Hause gefahren wurde.

Als Hanna zurück durch Gartow fuhr, sah sie Pitten vor

der Eisdiele stehen. Er hatte ein Blöckchen in der Hand und schrieb eifrig etwas auf, immer wieder mit wichtiger Miene um sich blickend. Hanna fuhr langsamer und winkte aus dem Fenster. Aber Pitten zeigte keine Reaktion, und Hanna wusste nicht, ob er sie nicht erkannt hatte oder gerade keine Lust auf Kommunikation hatte. Er sah jedenfalls sehr malerisch aus mit einem himmelblauen, bodenlangen Rock und einem goldenen Reif im Haar.

Als Hanna in Pevestorf ankam, stand Carsten im T-Shirt auf dem Hof und hackte Holz. Unpassenderweise hatte er nur das T-Shirt an, denn der Apriltag war nicht wirklich warm. Er legte sofort die Axt weg, nahm Hanna in den Arm und sagte: „Du brauchst eigentlich nichts mehr zu sagen. Man merkt dir im Gesicht und an deiner ganzen Körperhaltung an, dass es gut gelaufen ist. Du siehst mich etwas kritisch an wegen meiner leichten Bekleidung. Aber du weißt auch, wie es mit dem Holz ist: Es wärmt dreimal: Erst beim Fällen, dann beim Sagen und Hacken, und zuletzt im Ofen. Ich bin gerade in der zweiten Phase." Hanna lachte glücklich, umarmte Carsten ihrerseits und berichtete kurz von ihrem erfolgreichen Nachmittag. „Der einzige Wermutstropfen ist der sogenannte Verwalter Henning. Ich kann bis jetzt noch nicht beurteilen, wie gut er die Sache mit dem Hof macht, aber jedenfalls findet er sich gut, und das scheint die Hauptsache zu sein. Ich werde mich bemühen, mit ihm zurecht zu kommen, das muss ich ja, aber ich brauche ihn nicht näher kennenzulernen. Jetzt könnte ich aber ein bisschen Erholung gebrauchen nach all den Aufregungen. Wollen wir einen Spaziergang machen?"

Carsten holte seine Jacke vom Holzstapel, wo er sie abgelegt hatte, als ihm zu warm wurde, zog sie über und legte Hanna den Arm um die Schulter. „Gehen wir zur Elbe, du wirst eine Überraschung erleben." Sie liefen den asphaltierten Feldweg zwischen den Elbwiesen entlang, wo friedlich eine Herde schwarzer Angus grasten, die fast das ganze Jahr draußen waren und ein entsprechend dichtes Winterfell hatten. Hanna versuchte, sie an den Zaun zu locken, aber sie waren nicht einmal neugierig und nahmen keine Notiz.

Sie durchquerten ein kleines Auwäldchen, und dann hörte Hanna ein fernes, leises Läuten von Kirchenglocken, das von der anderen Seite der Elbe von Lenzen her zu kommen schien. „Nanu", sagte Hanna, „seit wann sind denn die drüben fromm geworden und läuten abends die Glocken? Das habe ich ja noch nie gehört!" Carsten lächelte nur und ließ sie weiter im Ungewissen. Als sie sich dem Elbdeich näherten, hörte Hanna, dass das Läuten nicht von Lenzen kam, sondern von den Pevestorfer Elbwiesen. Allmählich dämmerte ihr, was es war: Unkenrufe in der Paarungszeit.

Sie näherten sich vorsichtig, und dann sah Hanna, dass sie recht hatte: In den leicht überschwemmten Wiesen saßen Hunderte von Unken, die melancholische Rufe in verschieden hohen und tiefen Tonlagen hervorbrachten. Als Hanna und Carsten sich näherten, wurde es für einige Augenblicke still, aber als die Unken keine bedrohliche Bewegung mehr wahrnehmen konnten, weil Hanna und Carsten vollkommen erstarrt dastanden, fingen sie ihren Hochzeitsgesang wieder an. Hanna konnte beobachten, wie die kleinen Blasebälge links und rechts vom Rücken sich aufbliesen und dabei zarte hohe Töne hervorriefen, dann größer wurden und damit die Töne tiefer. Das Zusammenspiel der verschiedenen Stadien des Aufblasens brachte den Effekt von zartem Glockenläuten hervor.

Hanna und Carsten blieben so lange unbeweglich stehen, bis sie zu frösteln anfingen. Es dämmerte auch bereits, und sie beschlossen, zurückzugehen. Hanna war tief beeindruckt und flüsterte noch, als sie längst die Unken nicht mehr stören konnten. „Das ist so schön, dass man glauben könnte, die Welt sei noch in Ordnung. Ich freue mich so, hier demnächst zu leben! Du hast mir wirklich eine wunderschöne Überraschung geboten!"

Sie blieben mitten auf dem Weg stehen und küssten sich innig und immer wilder, bis ein Schnösel auf dem Fahrrad vorbeikam und „Halbzeit" rief. Sie mussten lachen, aber der Zauber war ein wenig verflogen.

Als sie in Ellis Hof einbogen, waren bereits die ersten Fledermäuse unterwegs und schossen in der Dämmerung blitzschnell durch den abendlichen Himmel. „Ich weiß nicht, ob ich dir davon schon erzählt habe", sagte Hanna. „Als ich in Grenoble studiert habe, habe ich eine Kirche in einem kleinen Bergdorf auf dem Weg nach Chamrousse besichtigt. Die Kirche hatte innen ein Gerüst, weil sie renoviert wurde. Während ich mich umsah, hörte ich mehrmals ein „plopp" auf dem Steinboden und entdeckte sehr schnell, was es war: Fledermäuse fielen von den Deckenbalken und lagen zerschmettert auf dem Kirchenboden. Ich machte die Arbeiter darauf aufmerksam, aber die wussten das schon und fanden es nicht weiter bemerkenswert. Ich habe bei der Gemeindeverwaltung angerufen, und die schickten Gott sei Dank ziemlich schnell einen Tierarzt vorbei. Es stellte sich heraus, dass die Fledermäuse betäubt wurden durch die giftigen Schutzmittel, mit denen man die Balken einließ gegen allen möglichen Befall, sich nicht mehr halten konnten und zu Tode stürzten. Die Arbeiter hatten nicht mal einen Mundschutz an! Der Tierarzt, der in einem Umweltverband organisiert war, konnte veranlassen, dass die Arbeiten schnell eingestellt wurden."

„Solche Unfälle hat es bei uns auch noch vor nicht allzu langer Zeit gegeben. Jetzt weiß man Bescheid, und bei derlei Arbeiten gibt es strengste Vorschriften. Wir haben bei den Renovierungsarbeiten in der Burg Lenzen natürlich mit Massen von Fledermäusen zu tun gehabt. Wir haben die Arbeiten im ersten Jahr zur Zeit des Winterschlafs der Fledermäuse in den entsprechenden Räumen eingestellt und erst im Frühjahr wieder aufgenommen. So hatten die kleinen Kerlchen Zeit, sich ein neues Quartier zu suchen."

Elli rief vom Haus her, ob sie zum Abendessen kommen wollten, aber sie lehnten gleichzeitig ab. Ohne sich darüber zu verständigen, hatten beide den dringenden Wunsch, ein bisschen Zeit allein miteinander zu verbringen.

Carsten hatte etwas zum Essen eingekauft, aber sie hatten beide keine Lust auf größere Umstände. Sie begnügten sich mit einem Brot und Käse in der Hand, dazu ein paar Oliven und ein Gläschen französischen Wein, den Hanna mitgebracht hatte. Der Wein stammte von einer befreundeten Familie in der Camargue, denen Hanna regelmäßig allein oder auch mit Carsten einen Besuch abstattete.

Nach dem Essen holte sich Hanna ein großes Handtuch aus dem Schrank und verschwand im Badezimmer. Sie ließ die Tür offen, und es dauerte kaum ein paar Sekunden, bis Carsten rief: „He, ich bin auch schmutzig vom Holzhacken. Das ist meine Dusche!" Hanna war bereits ausgezogen, kam an die Tür und hielt sich züchtig das Handtuch vor bis ans Kinn. „Kann ich nicht ändern, ich war zuerst da." Carsten war mit einem Schritt bei ihr, sie rauften miteinander, bis Carsten ihr das Handtuch entwunden hatte und sie sich in die Dusche flüchtete und das Wasser aufdrehte. Carsten hatte sich auch blitzschnell ausgezogen, aber als er die Schiebetür öffnete, um einzusteigen, stellte Hanna das Wasser auf kalt und verpasste ihm einen ordentlichen Schauer. „Na warte", sagte Carsten, schob die Tür hinter sich zu und biss sie etwas unsanft in die Schulter. Sie stellten das Wasser wieder auf warm, und ihre Plänkeleien gingen mehr und mehr in Zärtlichkeiten über. Sie seiften sich gegenseitig liebevoll ein, brausten sich ab und fielen endlich aufs Bett ohne sich richtig abzutrocknen, weil sie nicht länger warten konnten.

Als Carsten zufrieden neben ihr lag in eine dicke Daunendecke gewickelt, brummelte er nur noch: „Wolltest du eigentlich nicht lieber deine Zeit mit einer von deinen alten Tanten verbringen?" Hanna kniff ihn durch die Decke in den Po und befahl ihm, Ruhe zu geben.

Am Montag suchte sie sofort ihren Chef auf und teilte ihm mit, dass sie im Frühsommer einen neuen Job antreten würde.

Der Makler zeigte sich ziemlich schockiert und reagierte genauso, wie sie es sich gedacht hatte. Er lobte sie über den grünen Klee als wertvolle Arbeitskraft und sagte ihr, er habe daran gedacht, sie als vollwertige Mitarbeiterin einzustellen und ihr Gehalt entsprechend anzupassen. Er wisse ja sehr wohl, dass sie gern eine verantwortungsvolle Tätigkeit ausüben würde und er halte sie für überaus geeignet, in Eigenverantwortung Immobilien zu makeln.

Hanna ließ sich durch seine schönen Worte nicht blenden, denn sie wusste, dass er sein Angebot nicht umsetzen würde, falls sie einwilligte zu bleiben, und eine freiwillige Lohnerhöhung sah ihm schon gar nicht ähnlich. Hanna hängte an der Uni einen Zettel auf, um ihre bescheidene Wohnung anzubieten, und abends kamen bereits mehrere Studentinnen und Studenten, die sich die Wohnung ansahen.

Nach zwei Tagen hatte Hanna die Weitervermietung perfekt gemacht, vor allem mit ihrem Vermieter, der immer fair und freundlich gewesen war und ihr wohl auch kaum Schwierigkeiten bei der Abnahme der Wohnung machen würde. Leider täuschte sich Hanna in dem Punkt, und sie hatte eine Menge Ärger und Streitereien, bis sie endlich wenigstens einen Teil ihrer Kaution zurückbekam, aber erst nach Monaten.

Da Hanna noch ein paar Urlaubstage gut hatte, konnte sie am Wochenende vor Pfingsten umziehen. Die Tage nach ihrer Kündigung im Maklerbüro waren auch ziemlich unerfreulich. Als ihr Chef merkte, dass sie auf keine Weise umzustimmen war, wurde er unfreundlich und wollte ihr unter allen möglichen Vorwänden den letzten Monat nicht voll bezahlen. Hanna musste mit einer Klage drohen, wozu sie überhaupt keine Neigung hatte. Schließlich gingen sie doch noch gütlich auseinander, aber Hanna blieb ein bitterer Nachgeschmack zurück, wenn sie bezüglich ihres Jobs und ihrer Wohnung Bilanz zog.

Hanna veranstaltete noch ein Abschiedsfest für ihren engsten Freundeskreis. Viele Freundschaften hatten sich aus der gemeinsamen Studienzeit gehalten, auch wenn sich die äußeren

Bedingungen stark verändert hatten. Mit der relativen Freiheit war es vorbei, fast alle arbeiteten, waren umgezogen oder hatten sogar schon Nachwuchs, waren irgendwie erwachsen geworden. Hannas Fest war gelungen, aber die Unbeschwertheit von Parties während der Studienzeit fehlte, auch wenn schon im studentischen Alltag seit langem das Damoklesschwert von schwieriger Finanzierung des Studiums, Arbeitslosigkeit nach Abschluss, Unsicherheit bezüglich der sozialen Versorgung ständiges Thema gewesen waren. Hanna war gerührt, dass alle ihr Weggehen bedauerten, und die Beteuerungen, sie bald im Wendland zu besuchen, da das Wendland von Hamburg leicht erreichbar ist, taten ihr richtig gut.

Am Wochenende holte Carsten sie mit seinem praktischen Fahrzeug ab. Hanna besaß wenig Möbel, bei denen es sich lohnte, sie mitzunehmen, und ihre Eltern, die bei Celle wohnten, hatten versprochen, alles zu ihr ins Wendland zu fahren, was sie in der Wohnung in Hamburg zurücklassen musste. Hanna konnte vor allem ein paar Bücherkisten nicht mitnehmen, einen Sessel, den sie von einem Onkel geerbt hatte, und ein paar Bilder, die sie nicht auf der Ladefläche des Caddy transportieren wollte, falls das Wetter sich verschlechtern sollte und die Bilder durch Regen beschädigen.

Carsten half ihr noch vor der Abfahrt beim Saubermachen. Richtig Arbeit machte nur die Küche, weil alle Schränke ausgewaschen und rund um den Herd Fettspritzer entfernt werden mussten. Carsten sang die ganze Zeit ein albernes Lied, das er als Kind von seiner Schwester aufgeschnappt hatte, die als kleine Balletteuse an einer Werbeveranstaltung mitgewirkt hatte. „Immer weg mit dem Deck, immer weg mit dem Dreck, jetzt muss es sauber sein, und wir fegen jedes Eck, wir machen alle Stuben rein." Nach einer Weile hielt Hanna sich die Ohren zu, und Carsten sang daraufhin nur noch die Melodie zu denm-Seintönigen Text „Da, da, da."

Als sie losfuhren, sangen alle beide. Hanna hatte eine schöne, dunkle Stimme, und sie konnte nach Gehör die zweite Stimme singen. Carsten war nicht so musikalisch, und es passierte ihm immer wieder, dass er allein seine Stimme nicht halten konnte. Sie lachten darüber und machten wiederholt mehr oder weniger misslungene Versuche, ein zweistimmiges Lied zu Ende zu bringen. Carsten musste lauter singen, um sich selbst zu hören, und mittendrin fing er an zu kichern. Schließlich gaben sie es auf und schalteten statt ihrer Eigenproduktion das Radio ein.

Es regnete nicht auf der Fahrt, und Hanna meinte, es hätte bestimmt geregnet, wenn sie ihre Bilder mitgenommen hätte. Es wurde immer wärmer und sonniger, je weiter sie nach Osten kamen. Sie freuten sich besonders über das schöne Wetter, weil sie vorhatten, in der Woche vor Pfingsten während der Kulturellen Landpartie so viele Veranstaltungen wie möglich zu besuchen. Sie waren von Hamburg aus schon mehrfach zu Pfingsten ins Wendland gefahren, um an diesem in Deutschland einmaligen Ereignis teilzuhaben. Die Kulturelle Landpartie fand 1989 zum ersten Mal statt, damals noch stark politisch geprägt von der im Wendland überall spürbaren Teilung Deutschlands. Nach der Öffnung der DDR und der Wiedervereinigung hatten sich die Akzente verschoben, aber das Interesse an politischen und gesellschaftlichen Themen war geblieben.

In ungefähr 80 Dörfern im Landkreis Lüchow-Dannenberg und der näheren Umgebung finden in der Pfingstwoche Veranstaltungen wie Kunstausstellungen, Handwerkermärkte, Konzerte, Theateraufführungen, Kabarett, Kleinkunst, politische Diskussionen, Filme zum Thema Gorleben, Vorträge zur Gartengestaltung statt. Die Veranstaltungsorte zeichnen sich durch eine Besonderheit aus: Einwohner der Dörfer - Einheimische sowie Zweithausbesitzer aus der Stadt - stellen ihre Gärten, Wohnräume und ausgeräumte Scheunen zur Verfügung. Der Besucher erhält Einblicke in die Privatsphäre, indem er durch wunderschöne Gärten spazieren kann, von deren Existenz man von der Straße aus nichts ahnt, er darf sich in den zum Teil liebevoll restaurierten Zwei-Drei-und Vierständern umsehen und sich dabei mit Künstlern und Hausbesitzern unterhalten, die meist sehr gern Fragen beantworten und erzählen.

Außerdem gibt es viele improvisierte Essensstände mit Sitzgelegenheiten im Freien. Man kann wählen zwischen Bio, vegetarisch, vegan, exotisch und herkömmlich. Kaffee und selbstgebackener Kuchen werden überall angeboten, häufig auf Bauernhöfen vor dem Wohnhaus, im Garten oder auch in der Tenne.

Voraussetzung für das Gelingen der Kulturellen Landpartie war gutes Wetter. Einige Jahre zuvor war extrem schlechtes Wetter den Pfingsttagen sehr abträglich gewesen. Es war kalt gewesen und hatte fast ohne Unterbrechung geregnet. In manchen Höfen turnte man über ausgelegte Bretter, um nicht im Matsch zu versinken, Veranstaltungen im Freien mussten abgesagt werden, und Marktstände, die mit Plastikplanen abgedeckt waren, wirkten nicht sehr attraktiv.

Umso mehr freuten sich Hanna und Carsten über das schöne Frühsommerwetter, das dank eines ausgedehnten Hochs eine Weile bleiben sollte. Carsten konnte leider in der Woche vor Pfingsten nicht freinehmen, aber sie hatten die Möglichkeit, zusammen zu Abendveranstaltungen zu gehen. Manchmal gab es keine Karten mehr, weil der Veranstalter die Besucherzahlen falsch eingeschätzt und einen zu kleinen Raum gewählt hatte, aber man konnte spontan woanders hinfahren wegen des häufig zeitversetzten Beginns der Abendveranstaltungen.

Hanna, die ja selber kein Auto besaß, hatte gleich zwei Angebote, um an den Tagen der Kulturellen Landpartie beweglich zu sein: Elli wollte ihr Auto zur Verfügung stellen, sofern nicht etwas ganz Dringendes anlag, und Carsten fand, er könne bei dem angenehmen Wetter sowieso mit dem Fahrrad nach Lenzen fahren, was er im Übrigen auch sonst häufig tat, zum einen, um die Umwelt zu schonen, zum anderen, um bei angenehmem Wetter die Landschaft zu genießen, ohne im Auto wie in einer Kiste zu sitzen, in der man nichts hört von der Natur, nichts riecht und immer den Asphalt wie ein hässliches schwarzes Band vor sich sieht.

Hanna konnte nicht in ihre Wohnung auf dem Hof einziehen, weil Sylvie noch nicht ausgeräumt hatte. Über Pfingsten waren etliche Mädchen zum Reitkurs angemeldet, und da Hanna erst zum ersten Juni anfangen sollte, musste Sylvie noch den Kurs übernehmen. Hanna hatte zugesagt, immer mal einzuhelfen, zum Teil, weil sie Sylvie die letzten Tage erleichtern wollte, zum Teil, weil sie froh war, einige Einsichten in ihre künftige Arbeit zu bekommen, ohne die Verantwortung tragen zu müssen.

Hanna bekam von einer jungen Frau, die in der Küche herumwirtschaftete, den Schlüssel für ein leerstehendes Zimmer hinter dem Wohnraum. Sie räumte mit Carsten die Sachen ein, die sie nicht unbedingt brauchte, und schloss ab. Sie dachte an Hennings Neugier, aber im Augenblick sah sie keine Möglichkeit, ihn daran zu hindern, seinen Schlüssel zu benutzen,. Eigentlich war es auch egal, ob er in ihren Sachen herumstöberte, denn alles Persönliche und Wertvolle nahm sie zunächst mit zu Carsten. Vielleicht war er ja auch gar nicht neugierig, und sie sah ihn viel zu negativ.

Hanna hatte Sylvie bisher nur am Telefon gesprochen und hätte sie gern persönlich kennengelernt. Auf dem Reitplatz fand sie aber nur eine ältere Frau vor, die auf einem dicken, eher faulen Haflinger im Schritt ihre Runden drehte. Sie sagte Hanna, dass Sylvie ausgeritten sei, und auch Herr von Bützow befände sich nicht auf dem Hof. Hanna sah keine Notwendigkeit, länger zu bleiben, und sie fuhren nach Pevestorf.

Das Dorf hatte sich sehr verändert gegenüber dem ersten Frühlingserwachen. Überall blühte üppigst der Flieder in verschiedenen Lilatönen und in Weiß und verströmte einen betäubenden Duft. Dazwischen blühte der Schneeball, und die Rhododendren waren ebenfalls kurz davor aufzubrechen. Hanna fand die Blütenpracht wunderschön und hatte Hochachtung vor den Wendländern, die vielerorts liebevoll ihre Gärten pflegten. Als sie in Carstens Häuschen eintraten, fanden sie auf dem Küchentisch einen riesigen Fliederstrauß vor, der natürlich nur von Elli sein konnte.

Zum Abend hatte Carsten ein paar Freunde eingeladen und eine Menge eingekauft. Er holte zunächst Holz für die Grillstelle im Hof, und Hanna richtete Tisch und Stühle im Freien her. Nach einem langen Spaziergang auf dem Elbdeich, einer Dusche vor und nach einer leidenschaftlichen halben Stunde im Bett, fingen sie an, Salate zuzubereiten. Hanna lief schnell zu Elli hinüber, um sie auch einzuladen. Aber Elli lehnte ab. Sie sagte, sie käme sich dumm vor mit all den jungen Leuten, und das war keine Ziererei, sondern ernstgemeint. Elli hatte schließlich ihren eigenen Kreis, in dem man sich gegenseitig einlud und durchaus Spaß an geselligem Beisammensein hatte, gern auch einiges trank und viel lachte.

Als abends die Gäste anfingen einzutrudeln, erlebte Hanna eine Überraschung. Aus dem Auto von Carstens Freund Leo kletterte Pitten in voller Scheichausrüstung, diesmal mit grünem Turban und einem lila, kunstvoll gewickelten Gewand. Pitten hatte die Haare zu einem Knoten geschlungen und eine schwarze Schleife darum gebunden, was ihn sehr veränderte und gepflegter aussehen ließ. Er verneigte sich theatralisch vor Hanna, gab ihr einen Handkuss und bedankte sich mit blumenreichen Worten für die Einladung. Hanna antwortete huldvoll, wie es sich für die perfekte Gastgeberin gehörte und beteuerte, wie sehr sie sich freute, dass er es möglich gemacht hatte, sich den Abend für sie freizuhalten. Insgeheim musste sie einerseits lachen, andererseits wusste sie nicht recht, was sie von Pittens Anwesenheit halten sollte. Sie wusste natürlich nicht, wie er sich an einem Grillabend in Gesellschaft verhalten würde, vor allem, ob er Alkohol trinken würde und dann möglicherweise die Kontrolle über sich verlieren, was sehr störend sein konnte. Sie wunderte sich etwas, dass Carsten ihr einen so merkwürdigen Streich spielte, aber sie hatte schon öfter erlebt, dass er manchmal abstruse Gedanken hatte.

Wie sich herausstellte, hatte Carsten nicht das Geringste mit Pittens Anwesenheit zu tun. Leo erzählte, dass Pitten hinter Gartow praktisch auf der Straße gestanden und dringend signalisiert hatte, dass es etwas Wichtiges gab. Leo hatte also angehalten, und auf Pittens Frage, wohin des Wegs und zu welchem Zweck, wahrheitsgemäß geantwortet, woraufhin Pitten beschloss, dass ein Grillfest in Pevestorf gerade gut für ihn sei, und ehe Leo etwas erklären konnte oder ihn daran hindern, war er ins Auto geklettert.

Alle gaben sich richtig gut gelaunt, was sicher zum Teil auf das schöne Wetter zurückzuführen war, und es wurde viel gelacht. Leo führte ein kurzes Einmannstück vor, „aus eigener Feder", wie er sagte.

Leo hatte eine sehr gute Mimik und Gestik, nur seine Wortwahl glitt öfter ins Ordinäre, wenn nicht gar Obszöne ab. Das machte aber nichts, weil alle schon ein bisschen angeheitert waren und heftig lachten.

Gitta, die Frau von Carstens Arbeitskollegen Thomas, sprach den ganzen Abend in Reimen und kommentierte das Geschehen spontan in Versform, was ihr mehr oder weniger gut gelang. Als einem der Gäste ein Würstchen vom Teller rutschte und unter allgemeinem Gelächter im Dreck landete, fiel Gitta sofort ein Vierzeiler dazu ein: „Das Grillgut hier beim Schweinestall, bringt unser Wolfi gern zu Fall. Er isst es dann ganz ungeniert, als sei es nicht mit Mist paniert." Gittas Mann ermahnte sie verschiedentlich, an sich zu halten, aber völlig erfolglos.

Hanna beobachtete Pitten aufmerksam und stellte fest, dass er erstaunliche Mengen aß, was man ihm ja wirklich nicht ansah, sich aber den ganzen Abend mit einem Glas Bier begnügte. Er saß still dabei, hatte Ellis Katze auf dem Schoß und gab Rätsel auf. Hanna konnte nicht erkennen, ob er der Unterhaltung folgte, sich amüsierte, ohne es äußerlich erkennen zu lassen, ob er sich langweilte oder in Gedanken in einer anderen Welt weilte. Jedenfalls störte er in keiner Weise, verabschiedete sich beim allgemeinen Aufbruch zu sehr später Stunde wieder artig, und ließ sich mitnehmen zurück nach Gartow, wobei er keine Einladung abwartete, sondern sich seinen Fahrer aussuchte.

Hanna und Carsten hatten keine Lust mehr aufzuräumen, und da es überhaupt nicht nach Regen aussah, ließen sie alles stehen, schütteten Wasser auf das sowieso verglimmende Feuer, um auf der sicheren Seite zu sein, und gingen gleich schlafen. Sie waren beide beschwipst, und Hanna sagte nur noch vor dem Einschlafen: „Carsten du musst ziemlich blau sein, ich sehe dich doppelt." „Blöder alter Witz", sagte Carsten, „ich glaube, du schläfst jetzt besser."

Am Sonntagmorgen. war Hanna leicht verkatert. Sie duschte lange und sehr heiß in der Hoffnung, sich deutlich besser zu fühlen. Die Hoffnung war vergeblich, denn der Duft nach Kaffee, der das Häuschen durchzog, verursachte ihr leichte Übelkeit. „Carsten, du bist richtig rücksichtslos. Mir ist schlecht, und du wagst es, Kaffee zu kochen! Hast du wenigstens ein Aspirin für mich?"

Sie hörte Carsten irgendwelche Schubladen in der Küche aufziehen, aber er fand kein Aspirin. „Geh zu Elli", rief Carsten aus der Küche. „Elli hat alles."

Hanna war es überaus unangenehm, zu Elli zu gehen und um Aspirin zu bitten. Sie konnte ihr vormachen, wirklich erkrankt zu sein, was Elli sowieso durchschauen würde, oder sie konnte ehrlich sein. Sie kämpfte mit sich, ob sie überhaupt hinüber gehen sollte, aber der Kopfschmerz siegte.

Elli lächelte, als Hanna etwas unsicher in der Tür stand und um Aspirin bat. „Komm rein", sagte sie, „ich mache dir einen frischen Ingwertee, und dann knabberst du noch ein Stück trockenes Brot, um deinen Magen zu beruhigen. Du siehst so schuldbewusst aus. Mach bloß nicht den Fehler, dich mit

Vorwürfen zu quälen, das passiert fast jedem hin und wieder, meine Person eingeschlossen, und es ging ja wirklich lustig bei euch zu gestern Nacht. Ihr habt ganz schön Krach gemacht. Wie geht's Carsten?" „Der hat bestimmt mehr getrunken als ich, aber er ist hart im Nehmen."

Hanna bedankte sich und nahm ihren Tee mit in Carstens Häuschen. Carsten aß vergnügt einige Toastbrote und stand auf, um sich auch noch ein Ei zu kochen. „Willst du auch eins?" fragte er grinsend, und Hanna schlug blitzschnell mit der Serviette nach ihm. „Dein Reaktionsvermögen ist ja soweit noch intakt. Falls du auch deine Gliedmaßen noch normal bewegen kannst, sollten wir heute über die Elbe setzen und eine Radtour auf dem Deich auf der anderen Seite machen".

Hanna fühlte sich immer noch nicht zum Bäume ausreißen, aber sie stimmte etwas matt zu. Das Wetter war verlockend, und die Radtour von Lenzen nach Dömitz war jedes Mal ein Highlight während ihrer bisherigen Aufenthalte gewesen. Insgeheim verfluchte sich Hanna, dass sie wegen ihres leichten Katers manches nicht so genießen konnte, wie es sein sollte, und sie nahm sich vor, sich künftig bei Festen zusammenzureißen und nur noch Mineralwasser zu trinken. Aber eigentlich wusste sie aus Erfahrung, dass es bei den guten Vorsätzen bleiben würde.

Nach ihrem kläglichen Frühstück legte sie sich kurz hin. Nach etwa einer halben Stunde fühlte sie sich besser und stand wieder auf. Carsten empfahl ihr, einen Strohhut aufzusetzen, um ihr alkoholumnebeltes Gehirn zu schonen, aber eine derartige Kopfbedeckung besaß Hanna nicht. Carsten bot ihr seinen australischen Lederhut an (mit diskret am Hutband angebrachtem echten Opal aus Coober Pedy!), aber da Hanna das Gefühl hatte, dass er sich schon wieder über sie lustig machte, lehnte sie ab.

Hanna hatte ihr eigenes Fahrrad auf dem Pferdehof gelassen und lieh sich Ellis fast neues Rad aus. Elli hatte ausnahmsweise beim Kauf des Rades eine Konzession an ihr Alter gemacht:

Das Rad hatte einen extra tiefen Einstieg für die älteren Semester, und Elli musste zugeben, dass das nicht unangebracht war. Elli fand andrerseits, dass das Rad mit hochmoderner Technik ausgerüstet sei, wie sie vorher noch nie eins besessen hatte : Einer Gangschaltung, von der Elli behauptete, dass man sie auf dem flachen Land nicht brauchte, einer Lampe mit Batterie, die Elli ebenfalls überflüssig fand, da sie nicht vorhatte, im Dunkeln zu fahren, hydraulischen Bremsen und einem Sattel, der mit einem Handgriff zu verstellen war.

Als Elli mit Hanna in die Scheune ging, um ihr zu zeigen, wo das Rad stand, kam sie ins Schwärmen vom Radfahren in ihrer Kindheit: Die Mädchen lernten damals erst mit sechs, sieben oder noch später – je nach sportlicher Begabung - Fahrradfahren, weil es keine der Größe angepassten Kinderräder gab. Die meisten Räder, wenn es in den Familien überhaupt eins gab, gehörten den Vätern und hatten deshalb eine Stange. Mangels Größe trat man die Pedale unter der Stange durch und musste das Rad dabei seitlich von sich weghalten. Das verlangte einige Geschicklichkeit, und der Gleichgewichtssinn musste schon sehr ausgeprägt sein. Zudem hatte Elli als kleines Mädchen nur Röcke getragen und lief Gefahr, sich in der Kette zu verheddern. Es war herrlich, so etwas Schwieriges wie das Radfahren zu bewältigen, aber Elli hatte ihre waghalsigen Fahrten mit häufigen Stürzen bezahlt und war meistens mit mehr oder weniger schlimm aufgeschürften Knien herumgelaufen. Hanna konnte nicht recht nachvollziehen, was daran so toll war, aber sie bewunderte Elli für ihre positive Einstellung zu ihrer vergleichsweise harten Kindheit und der schwierigen Zeit nach dem Krieg.

Hanna, die nur wenig größer war als Elli, stellte sich den Sattel geringfügig höher, fuhr eine Proberunde um den Hofbaum und rief Carsten zu, dass sie fertig sei. Sie radelten in aller Ruhe die Dorfstraße und am Höhbeck entlang Richtung Fähre. Carsten meinte, man würde in dieser Jahreszeit wohl kaum Kraniche in den Elbwiesen sehen, weil die Kraniche mit

Brüten beschäftigt waren und erst wieder als Paar mit meist nur einem Jungen zum Vorschein kamen, wenn das Junge fähig war, mit den Eltern mitzuhalten ohne fliegen zu können, immer streng bewacht zwischen den zwei Alten. Die Stellen, wo die Kraniche in Auwäldern mit Wasserflächen und moorigem Grasland versteckt zwischen Büschen und Bäumen brüteten, waren bekannt. Sie waren streng geschützt, man durfte in der Umgebung von Pevestorf viele Wege und Auwälder vom frühen Frühjahr bis in den Hochsommer überhaupt nicht betreten. Der Kranichschutz hatte großen Erfolg gezeigt, immer mehr Paare hatten sich im Wendland niedergelassen, weil sie absolut störungsfrei brüten konnten und Futter nicht das Problem war wie bei Störchen.

Hin und wieder sah man allerdings auch im Frühsommer vereinzelt Kraniche, die meist noch nicht geschlechtsreif waren und deshalb noch keine Familie gegründet hatten.

Sie mussten an der Fährstelle kurz warten, da die Fähre gerade auf der anderen Seite angelegt hatte. Der Fluss wirkte mächtig und träge und glitzerte im hellen Sonnenlicht. Die Sandbuchten zwischen den Buhnen, die man aus groben Steinbrocken gebaut hatte, um die Fließgeschwindigkeit zu erhöhen, waren weitgehend trocken, weil es schon lange nicht mehr richtig geregnet hatte.

Überall sah man die Spuren von Tieren, die sich in Flussnähe aufhielten, vor allem von Vögeln verschiedenster Größe, aber auch von Mäusen, Bisamratten, von Rehen und Hirschen. Neuerdings gab es auch Beweise, dass der Biber wieder da war. Man konnte deutlich die Schleifspuren des breiten Schwanzes erkennen, und an vielen Stellen waren die Büsche abgenagt und Bäume bis zu beachtlicher Größe umgelegt.

Hanna dachte daran, wie sie im Jahr zuvor zum ersten Mal in der Elbe geschwommen war. Sie war auf dem weichen Sand zwischen zwei Buhnen langsam ins Wasser gewatet, hatte sich vom überraschend lauen Wasser umspülen lassen und war dann auf dem Rücken mit den Füßen voran in die Strömung hinausgeglitten. Sie war jedoch einigermaßen erschrocken, wie sehr sie die starke Strömung unterschätzt hatte. Da sie eine versierte Schwimmerin war, machte ihr die Rückkehr ans Ufer keine Probleme, aber sie war in kurzer Zeit gewaltig weit flussabwärts getrieben, und sie rief Carsten, dem es zu kalt zum Baden war, zu, er könne sie abends in Hamburg wieder einsammeln. Sie würde künftig über diese kostenlose Art der Heimreise nach Hamburg nachdenken.

Die kleine Fähre hatte abgelegt und kam schnell auf das westliche Ufer zu, in der starken Strömung der Flussmitte geradezu schleudernd, wie es Hanna vorkam. Sie schoben ihre Räder über die Anlegerampe, nachdem zwei Autos und ein paar Radfahrer die Fähre verlassen hatten. Außer Hanna und Carsten kam niemand mehr, und die Fähre legte gleich ab, da sie nach Bedarf und nicht nach einem festen Fahrplan fuhr. Carsten hatte eine Monatskarte und fing gleich ein Schwätzchen mit dem sehr freundlichen Fährmann an, den er von seinen täglichen Fahrten zur Arbeit natürlich gut kannte. Als Hanna ihren Obolus entrichtet hatte, fragte sie, wo denn die alte Tafel mit Preisliste geblieben sei, die bis vor kurzem ausgehängt gewesen war. Dort hatte man den Preis für das Übersetzen einer Kuh, eines Pferdes, eines Schafes, einer Ziege oder eines Handwagens ablesen können, was Hanna bemerkenswert und sehr lustig fand. Der Fährmann erzählte ihr, dass der Gemeinderat von Lenzen beschlossen hatte, die Fähre zu modernisieren, und jetzt gab es Werbeschilder für Hotels und Gasthäuser statt der alten Preisliste. Hanna fand das sehr bedauerlich, und sie dachte sich, dass andere Touristen sicher auch mehr Spaß an dem alten Schild gehabt hätten als an einer Einladung, im Dorfkrug zu essen oder im Storchen zu übernachten.

Hanna genoss die Überfahrt sehr, und Carsten versicherte ihr, dass auch ihm die Elbe nie langweilig wurde, obwohl er sie jeden Tag zweimal überquerte. Carsten schlug vor, später in der Burg Lenzen in dem neuen Restaurant mit Terrasse zum Park hin zu „speisen", aber Hanna hatte mehr Lust auf Hausmannskost und meinte, sie sollten bei „Futtern wie bei Muttern", einer ehemaligen LPG-Kantine nahe Dömitz, Schweinebraten mit Rotkohl essen. Hanna hielt Braten mit Rotkohl für ein ausgesprochenes Winteressen, aber bei Muttern gab es das auch bei fünfunddreissig Grad im Schatten. Da Hanna immer dafür war, die örtlichen Traditionen zu achten, war Carsten einverstanden, wollte aber dafür auf dem Rückweg in der Burg einkehren zum Kaffeetrinken. Immerhin hatte „Futtern wie bei Muttern" eine Konzession an die Moderne gemacht. Es gab ein paar Tische fast auf Höhe des Elbdeichs, wo man unter nicht gerade schönen Schirmen mit Bierwerbung im Schatten saß und einen guten Rundumblick hatte.

Da sie auf dem Deich völlig der Sonne ausgesetzt waren, zog Hanna eine Sonnenmilch aus ihrem Rucksack und schmierte sich das Gesicht und die Arme ein. Sie bekam zwar nicht gleich einen Sonnenbrand, aber ihre Nase war nach Sonnentagen gesprenkelt mit Sommersprossen. Carsten fand das süß, wie er sagte, aber Hanna ärgerte sich eher darüber.

Sie waren erst ein paar hundert Meter gefahren, als ihnen eine junge Frau mit Fahrradanhänger, in dem ein kleines Kind saß, entgegenkam. Carsten blieb stehen, küsste die junge Frau rechts und links, und zwar nicht wie üblich in der Luft, sondern richtig auf die Wangen, und stellte sie als seine enge Mitarbeiterin Saskia vor. Hanna fand Saskia beneidenswert gutaussehend mit ihren langen, sehr dunklen Haaren und einem leicht fremdartigen Aussehen, das Hanna nicht recht einordnen konnte. Sie hörte später von Carsten, dass Saskia einen bolivianischen Vater hatte. Saskia war sehr freundlich und fing gleich ein Gespräch an. Sie war ziemlich temperamentvoll, und Hanna mochte ihren leichten Akzent, vor allem das gerollte „r".

Das Kind im Anhänger war ein entzückendes kleines Mädchen, das aussteigen wollte, weil das Rumstehen ihm langweilig wurde. Da Carsten und Saskia nach kurzer Zeit anfingen, ein Problem bezüglich der Gestaltung eines der Museumsräume in der Burg Lenzen zu erörtern, nahm Hanna die Kleine an der Hand und ging mit ihr ein Stück den Deich entlang, um ihr einen Storch zu zeigen, der in seinem gewaltigen Nest stand, das auf einem hölzernen Mast in vielen Jahren der Benutzung bedrohlich hochgewachsen war. Die Kleine war nicht sonderlich beeindruckt, aber als der Storch den Hals zurückbog und zu klappern anfing, lachte sie laut heraus. Der Storchpartner kam auch prompt angeflogen, und Hanna beobachtete begeistert die ausführliche Begrüßungszeremonie.

Die kleine Nina konnte gerade erst laufen, aber sie steckte voller Schabernack. Sie wackelte zu ihrer Mutter, versteckte sich hinter ihr und juchzte vor Vergnügen, wenn Hanna so tat, als würde sie sie suchen und sie schließlich entdecken, ein Spiel, das in alle Ewigkeit weitergehen konnte.

Saskia stellte Hanna noch ein paar Fragen bezüglich des Arbeitsbeginns auf dem Pferdehof und fragte, ob sie mit Nina einmal kommen könnte, um den Hof und die Pferde anzusehen. Schließlich verabschiedeten sie sich von Saskia, Carsten wieder mit Küsschen, stiegen auf ihre Räder und fuhren weiter.

„Gib zu, dass du was mit ihr hast", sagte Hanna und lachte etwas unverschämt. „Ich kenne doch diesen versonnenen Blick." Carsten sagte nichts und versuchte, noch versonnener auszusehen. Hanna drängte ihn mit ihrem Rad immer mehr ab auf die linke Seite des Deichs. „Gib's zu", sagte sie immer wieder, bis Carsten schließlich in vollem Tempo den Deich hinunterpreschen musste, um eine Kollision mit ihrem Fahrrad zu vermeiden. Unten angekommen, tat er so, als würde er umfallen und blieb im Gras liegen. Hanna fuhr einfach weiter, ohne ihn zu beachten. Als sie sich schon ein ganzes Stück entfernt hatte, holte er sie ein und wirkte tatsächlich ein bisschen angestrengt. „Du bist das mitleidloseste Biest, das ich kenne", sagte er. „Ich hätte mir den Hals brechen können, die Zähne ausschlagen oder eine Gehirnerschütterung davontragen, und alles nur, weil ich ein Verhältnis mit einer schönen Frau habe, die dazu auch noch viel netter ist als du. Aber jetzt mal ohne

Blödeln, ganz im Ernst: Ihr Töchterchen ist süß, und ich finde, dir würde so etwas auch stehen."

„Hör bloß auf", sagte Hanna, „das Thema hatten wir schon." Eine Zeitlang fuhren sie schweigend nebeneinander her, aber als sie in einem Hof eine freilaufende Ziege entdeckten, die versuchte, ein Laken von der Wäscheleine zu ziehen, es schließlich auch herunter bekam und sich darin verwickelte, lachten sie herzlich zusammen mit ein paar anderen Radfahrern, die auch auf dem Deich stehengeblieben waren, um das Schauspiel zu beobachten. Ihre Missstimmung war verflogen, und auf dem Weg zu „Futtern wie bei Muttern" kommentierten sie die Häuser, die Gärten und die Tiere, an denen sie vorbeikamen. Die Störche hatten leider wieder gegenüber dem Vorjahr drastisch abgenommen, und in den Grundstücken der ehemaligen Höfe sah man kaum noch Schafe oder Federvieh. Die meisten Häuser waren inzwischen an Ferienleute verkauft, die sie zwar mehr oder weniger gelungen renovierten oder wieder aufbauten, aber natürlich keine Tiere mehr hielten, so dass die Häuser entlang des Deichs immer steriler wurden. Auch die Gärten wurden pflegeleichter gestaltet mit rechteckigen Rasenflächen und wenigen Büschen am Rand, so dass man sie ungehindert mähen konnte. Obwohl Sonntag war, hörte man auch hin und wieder einen Rasenmäher brummen.

Carsten hatte eine sehr detaillierte Karte dabei, auf der die Höfe und die ehemaligen Fischerhäuser verzeichnet waren und vor allem die Stellen markiert, wo früher Häuser gestanden hatten, die in Zeiten der DDR geschleift worden waren. Carsten erzählte ihr von Häusern, deren Bewohner von Nachbarn angezeigt worden waren wegen defätistischer Umtriebe oder einer nichtkonformen Gesinnung, die man im Grenzstreifen mit seinen eigenen, restriktiven Gesetzen nicht dulden konnte. Man hatte die vermeintlichen Verräter umgesiedelt von der Westgrenze weg, und deren Grundstücke den Nachbarn überlassen, was meist Sinn der Anzeigen gewesen war. Die Häuser wurden im Winter, wenn wenig zu tun war, von Angestellten der LPGn abgebaut. Man brauchte die Häuser nicht mehr, da die Einwohnerzahl im Grenzstreifen immer mehr zurückging, konnte das Abbruchmaterial anderweitig verwenden und hatte gleichzeitig das Schussfeld in Richtung Westen freigemacht. An einigen Stellen konnte man noch die erhöhten Warften erkennen und Ruinenreste entdecken. Hanna fand die Geschichten von den Vertreibungen sehr hässlich und meinte, man könne an der Menschheit verzweifeln, wenn man von solchen Gemeinheiten hörte.

Hanna bedauerte, dass sie Carstens Hut nicht mitgenommen hatte. Ihr war sehr heiß, und ihr Gesicht glühte. Sie war froh, als sie sich unter einem Schirm im Restaurant niederlassen konnte und auch schnell ein kühles Bier serviert bekam. Der Schweinebraten mit Rotkohl war wieder köstlich, obwohl er wirklich nicht zu den sommerlichen Temperaturen passte.

Nach zwei Bier, dem guten, aber schweren Essen und der Sonne waren sie beide auf dem Rückweg etwas schlapp und freuten sich auf den aufmunternden Kaffee in der Burg. Während sie auf dem Hinweg vor allem auf die Häuser hinter dem Deich geachtet hatten, konzentrierten sie sich jetzt beide mehr auf die Elbe. Sie sahen nicht einen einzigen Frachtkahn oder Schubverband, worüber sie sich nicht wunderten, weil die Elbe auch nach der Öffnung der Grenze kaum für Frachtverkehr genutzt wurde, und schon gar nicht am Sonntag. Vereinzelt paddelte mal ein Kajakfahrer elbeabwärts oder ein Sportboot rauschte vorbei, ansonsten standen zwischen den Buhnen nur Fischreiher, Kormorane und hin und wieder ein Storch.

Als sie in Lenzen bei der Burg ankamen, wunderten sie sich über die vielen teuren Autos, die auf dem Parkplatz standen. „Hoffentlich kriegen wir einen Platz auf der Terrasse", sagte Hanna. „Oder sind das alles Museumsbesucher?"

Die Terrasse war tatsächlich völlig besetzt, in einer Ecke spielte eine Jazzband, und schon von weitem wurde ihnen bedeutet, dass sie nicht willkommen waren. Carsten, der die Bedienung flüchtig kannte, fragte nach, und ihm wurde erklärt, dass das gesamte Restaurant für eine private Veranstaltung vermietet war. Es gab weder Kaffee noch Kuchen für nicht geladene Gäste, und so mussten sie nach Pevestorf übersetzen, ohne sich noch einmal gestärkt zu haben.

Als sie die Räder in die Scheune geräumt hatten, merkte Hanna, wie müde sie nach der Radtour und dem geselligen Abend vom Vortag war und legte sich hin. Carsten schnappte sich einen Liegestuhl und ein Buch und machte es sich unter dem Hofbaum im Schatten gemütlich.

Die Pfingstwoche verging für Hanna wie im Flug. Sie verbrachte den halben Tag auf dem Pferdehof, um sich mit ihren künftigen Aufgaben vertraut zu machen, lernte bei Ausritten mit Silvie allein oder mit einer Gruppe die Umgebung zu Pferde kennen, traf hin und wieder mit Henning zusammen und ärgerte sich über seine Arroganz und sein machohaftes Gehabe. Sie merkte, dass Henning sich auch über sie ärgerte, weil er sie nicht beeindrucken konnte und mit seinen Flirtversuchen überhaupt nicht landete.

Nachmittags fuhr sie mit Ellis oder Carstens Auto in eines der Dörfer, die an der Kulturellen Landpartie teilnahmen. Am Anfang der Woche war es noch überall sehr ruhig, und Hanna lernte viele Künstler und Bewohner der bereitgestellten Häuser kennen, die bereitwillig ihre Kunstwerke oder die Umbauten ihrer Häuser erklärten. Hanna verstand nicht viel von Malerei, sie sah die Bilder einfach nach Kategorien wie Gefallen oder Nichtgefallen, Angesprochensein oder Abgestoßensein an. Sie wunderte sich oft über Besucher, die überaus sachverständig klingende Fragen stellten und sich bestens auskannten, oder zumindest so taten. Sie hatte das schon oft bei Vernissagen erlebt, wo man möglichst viele Besucher bei Canapes und Small Talk an seinem Fachwissen teilnehmen ließ und beeindruckte.

Anders sah es bei Instrumenten aus. Durch den Beruf ihrer Mutter war Hanna von klein auf mit Musik konfrontiert gewesen, sie spielte selber sehr passabel Klavier und Querflöte und hatte sich auch in der Oberstufe am Gymnasium in ihrem

Musikleistungskurs mit Musiktheorie und -geschichte auseinandergesetzt. In einem der Zentren der Kulturellen Landpartie
gab es einen Musiker, der selber Didgeridoos baute, vorspielte
und die Besucher probieren ließ, ob sie dem Instrument einen Ton entlocken konnten. Bei einer anderen Künstlerin gab
es Klangschalen und Windspiele aus Metall und Holz, denen
der kleinste Hauch zarte Töne entlockte. Aber diese Art von
Musik war Hanna zu esoterisch, zumal der Raum auch von
diversen Düften erfüllt war, die einen beruhigen sollten und in
eine angenehme Stimmung versetzen. Die Künstlerin erklärte,
wie man sich mit Hilfe der Klangschalen in einen Zustand versetzen konnte, in dem man zu seinem innersten Ich fand, aber
das wollte Hanna gar nicht, dazu war sie viel zu bodenständig.

Carsten war in der Woche vor Pfingsten sehr eingespannt
und kam oft spät und müde nach Hause. Sofern Hanna keine
Abendveranstaltung hatte, machte sie noch einen Salat oder
ein Rührei, sie saßen eine Weile unter der Eiche im Hof, und
Carsten erzählte begeistert von den Erfolgen seiner Ausgrabungen. Sie hatten Grundmauern von einer Befestigungsanla-
ge entdeckt, wahrscheinlich einer germanischen Burg aus dem
achten Jahrhundert. Da leider ein Großteil der Wehranlagen
damals aus Holz gebaut worden war, ließ sich natürlich nicht
mehr viel finden, und das meiste musste erschlossen, ergänzt
oder rekonstruiert werden. Aber es gab Hinweise, dass Slawen
und Germanen nebeneinander existiert hatten.

Am Donnerstagabend gingen sie zu einem mongolischen
Obertonkonzert. Hanna war skeptisch, ob ihr dieser für unsere Ohren unnatürlich klingende Gesang gefallen würde, aber
sie war von Anfang an richtig begeistert. Auch die Musik mit
den Pferdekopfgeigen gefiel ihr ausnehmend gut. Sie konnte
sich die auf der Steppe dahingaloppierenden Reiter sehr gut
vorstellen, und so war die Musik ja auch gedacht. Die mongolischen Musiker hatten festliche bunte Gewänder an mit vielen
Goldverzierungen und aufwändige Kopfbedeckungen. Hanna war es etwas peinlich, dass viele der Zuhörer dagegen in

Schmuddeljeans und ausgeleierten T-Shirts auf ihren Stühlen saßen. Die Musiker machten einen gleichmütigen Eindruck, und sie wusste nicht, ob sie die Diskrepanz in der Kleidung wahrnahmen, und am Ende konnte sie nur feststellen, dass sie sich über den begeisterten Beifall sehr freuten, egal, ob die Zuhörer sie mit festlichem Aufzug ehrten oder nicht. Die Vorstellung sollte in anderem Rahmen noch einmal stattfinden, und Hanna und Carsten hatten große Lust, sich den musikalischen Genuss ein zweites Mal zu gönnen. Als Hanna am nächsten Tag Karten vorbestellen wollte, musste sie leider feststellen, dass die Vorstellung bereits ausverkauft war.

Am Pfingstsonntag statteten sie dem Hauptmarkt in Satemin ihren obligatorischen Besuch ab. Der Markt begeisterte sie aber nicht mehr so wie im Jahr zuvor trotz des wunderschönen Rahmens in einem der bekanntesten Rundlingsdörfer des Wendlands. Einiges an Ausstellungen wiederholte sich zum dritten oder vierten Mal, es kostete mittlerweile Eintritt, überhaupt den Markt besuchen zu dürfen, sie fanden keinen Parkplatz und mussten schließlich lange zwischen parkenden Autos entlanglaufen und immer wieder ausweichen, wenn ihnen ein Fahrzeug entgegenkam. Zudem stank es nach Benzin, und einige der Ausstellungsbesucher wirkten nicht gerade bestens gelaunt.

Abends wurden sie mit einer tollen Kabarettveranstaltung entschädigt, in der einige politische, soziale und gesellschaftliche Themen, die gerade auf den Nägeln brannten, rückhaltlos und gekonnt frech behandelt wurden. Hanna und Carsten lachten viel, obwohl die pointierte Kritik zum Teil richtig wehtat, und die Reaktionen des Publikums zeigten, dass die Truppe genau richtig lag. Die Kabarettisten waren nicht nur sprachlich und mit ihrem Ideenreichtum sehr gut, sondern auch musikalisch hervorragend. Hanna bewunderte Menschen sehr, die so vielseitig begabt waren und es verstanden, etwas daraus zu machen.

In der Woche nach Pfingsten musste Hanna ihre neue Stelle

antreten und zog auf dem Pferdehof ein. Sie war froh, dass die erste Gruppe Reiter erst zum kommenden Wochenende angemeldet war. So konnte sie in aller Ruhe während der ersten Tage herausfinden, wie sie ihr Arbeitspensum am besten einteilen konnte, und vor allem konnte sie die Pferde mit ihren individuellen Eigenheiten kennenlernen. Sie sollte in der Lage sein, einigermaßen einzuschätzen, welches Pferd zu welchem Reiter passte, und beurteilen können, ob es Besonderheiten gab, die für die Sicherheit während der Ausritte oder auch bei der Arbeit im Stall und im Auslauf relevant waren.

Henning war bei diesen Vorbereitungen sehr hilfreich, aber er warnte sie vor allzu hohen Erwartungen. Während seiner Zusammenarbeit mit Silvie hatte er immer wieder erlebt, dass ihre Planungen über den Haufen geworfen werden mussten. Die Formulare, die mit der Anmeldung eingeschickt wurden, waren häufig nicht korrekt ausgefüllt, vor allem von pferdenärrischen Mädchen. Die Mädchen kreuzten gute Reitkenntnisse an, wenn sie schon einmal im Zoo oder im Zirkus einen Ritt mit einem am Halfter geführten Pony gemacht hatten, oder sie behaupteten, sich mit Stallarbeit und Pferdepflege auszukennen, wenn sie schon mal ein Pferd mit der Bürste vorsichtig am Rücken gestreichelt hatten. Derlei Übertreibungen waren eigentlich nicht als Lügen gemeint, sondern entstanden aus Wunschdenken und einer unkritischen Selbsteinschätzung.

Anders sah es bei Erwachsenen aus. Deren Kreuzchen waren eher gemacht bei „wenig Kenntnissen, eher ängstlich, keine Erfahrung bei der Stallarbeit", was sich häufig als Understatement herausstellte, wie Henning ihr erklärte.

Jedenfalls sah Hanna ein, dass sie erst nach Ankunft einer Gruppe sondieren musste, was sie dem Einzelnen wirklich abverlangen konnte.

Hanna arbeitete mit Henning einen Plan aus, wer welche Aktivitäten am kommenden Wochenende übernehmen würde. Henning wollte am Freitagnachmittag Anfänger oder ängstliche Reiter in der Bahn unterrichten, nachdem Hanna eine allgemeine Einführung gegeben hatte. Hanna plante mit der restlichen Gruppe einen kleinen Ausritt in die Umgebung, um die jeweiligen Fähigkeiten zu testen. Für den Sonnabendvormittag war Theorie und Stallarbeit angesagt, und nachmittags würde Hanna mit der ganzen Gruppe an den Laascher See reiten und mit Pferd und Reiter ein Bad nehmen, was sicherlich für die meisten ein spannendes Abenteuer bedeutete. Nach dem Ritt war abends Lagerfeuer mit Grillen geplant, und sonntags ein Tagesritt an den Arendsee. Hanna machte einen detaillierten Zeitplan, überprüfte bei allen Pferden den Zustand der Hufe und harrte der Dinge, die das erste Wochenende bringen würde.

Frau Wallraff schaute im Lauf der Woche zweimal vorbei – natürlich mit Arthüür – und Hanna zeigte ihr die halbfertig eingerichtete Wohnung und freute sich, dass Frau Wallraff offensichtlich mit allem sehr einverstanden war. Auch Elli ließ sich mehrfach blicken und blieb auf einen Kaffee. Am meisten war Hanna überrascht, als am Donnerstagnachmittag Pitten auftauchte, diesmal als Tuareg in Vollendung. Man sah zwischen den um den Kopf gewickelten, dunkelblauen Tüchern nur die Augen, und Hanna erkannte ihn erst, als er sie ansprach. „Vielleicht komme ich auf einem Ausritt mit", sagte er. „Ich weiß aber nicht, ob du einen edlen Araberhengst für mich hast. Ich könnte jedenfalls die entsprechende Aufzäumung mitbringen."

Als Hanna ihm ganz platt erklärte, dass sie nur drei Haflinger, zwei Hannoveraner und sechs Kreuzungen zur Verfügung hatte, seufzte er enttäuscht und nahm Abstand von seinem Wunsch, die Gruppe als Tuareg zu begleiten. Er ging ohne ein weiteres Wort, und Hanna wusste nicht, ob sie ihn beleidigt hatte, ob es ihm egal war, oder ob er es überhaupt ernst gemeint hatte. Sie konnte einfach nicht mit seiner Art umgehen, aber es gab wohl niemanden, der bei ihm richtig durchblickte. Frau Wallraff kannte ihn schon, seit er im Landkreis aufgetaucht war und erzählte, dass er von Anfang an merkwürdig gewesen sei, aber sie wusste auch nichts Genaues. Sie konnte sich aber gut vorstellen, dass er tatsächlich an irgendwelchen Drogen hängengeblieben und dadurch nicht mehr ganz zurechnungsfähig war. Jedenfalls war er gut für Klatsch und Spekulationen, und es machte vielen Leuten Spaß, ihm alles Mögliche anzuhängen.

Am Freitag traf die erste Gruppenteilnehmerin bereits ein, während Hanna noch zu Mittag aß. Sie hieß Marie, war zwölf Jahre alt, etwas stämmig und sehr freundlich. Hanna schickte sie erst mal zum Auslauf, die Pferde ansehen. Sie hatte Marie den gemütlichen Haflinger zugedacht, den sie beim ersten Besuch auf dem Hof auf dem Reitplatz gesehen hatte, und sie lächelte in sich hinein, als sie feststellte, dass jedenfalls diese beiden gut harmonieren würden, und sie freute sich über den gelungenen Auftakt.

Kurz darauf fuhr ein alter VW-Bus in den Hof, und drei kichernde Mädchen wurden ausgeladen: Tanja, Britta und Silke. Sie kamen aus der Nähe von Uelzen und gingen in dieselbe Klasse einer Realschule. Sie waren sich in ihrer Aufmachung so ähnlich, dass Hanna sie sofort das Dreigestirn taufte: Gleiche Jeans, bunte T-Shirts mit Aufdrucken wie „Alles echt" oder „Kinder ärgern ihre Eltern nur bis dreißig", auf die sie offensichtlich stolz waren, offene Haare, die sie pausenlos aus dem Gesicht schütteln mussten. Sie wirkten nett und harmlos, aber ihr ständiges Gekicher konnte schon nerven. Hanna schickte sie auf ihr Zimmer und ließ sie erstmal ihre Sachen auspacken, um wenigstens noch einen Espresso nach dem Essen trinken zu können.

Als nächstes kam die einzige Erwachsene, Frau Wagner, eine Lehrerin, die einen etwas strengen und unzugänglichen Eindruck machte. Frau Wagner stellte sofort klar, dass sie nichts von der allgemeinen Duzerei hielt und auch Hanna nicht mit Vornamen ansprechen wollte, sondern auf Frau Wiekmann bestand. Hanna hatte ihr selbstverständlich das einzige Einzelzimmer, zu dem ein eigenes Bad gehörte, reserviert, denn mit den kichernden Teenagern konnte man kaum eine vernünftige Person zusammensperren, und schon gar nicht eine Lehrerin. Das wäre für beide Seiten grausam gewesen. Hanna gab ein paar Erklärungen ab, aber es stellte sich heraus, dass die Lehrerin schon mehrfach Wochenenden auf dem Hof verbracht hatte und sich bestens auskannte. Sie war enttäuscht, dass Hanna ihren Hannoveraner dem einzigen Jungen der Gruppe, Markus. zugedacht hatte, und Hanna musste zusehen, wie sie die Pferde tauschen konnte, ohne alles durcheinanderzuwerfen.

Markus traf als nächster ein, diesmal mit dem Fahrrad. Hanna wusste, dass er von Lüchow kam, und obwohl die Strecke durchaus für einen einigermaßen sportlichen Jungen machbar war, fand sie es bemerkenswert, dass er sich nicht hatte fahren lassen. Er schien ein bisschen vorlaut, aber sie wollte nicht schon wieder ein vorschnelles Urteil fassen und dachte daran, wie recht Carsten hatte, wenn er sie immer wieder ermahnte abzuwarten. Markus hatte ein Dreibettzimmer für sich allein, das der am wenigsten ansprechende Raum im Haus war, da er nach Norden ging und mit den ältesten Möbeln ausgestattet war. Anders hatte Hanna das Problem der Unterbringung nicht lösen können, aber Markus war es auch offenbar egal.

Als sie bereits alle zusammen zu den Pferden gegangen waren, hörten sie die lauten Bässe eines Bum-Bum-Autos. Hanna nannte Autos so, deren Fahrer die Musik so laut aufgedreht hatten, dass alle in der Umgebung Herzrhythmusstörungen bekamen. Weder der Motor noch die Musik des tiefergelegten Golfs wurden abgestellt, während ein junges Mädchen in ziemlich knapper Bekleidung ausstieg und eine Reisetasche vom Rücksitz zerrte. Hanna ging auf sie zu und sagte freundlich. „Du musst Jasmina sein. Alle anderen sind schon da. Sag bitte deinem Freund, er soll die Musik und den Motor abstellen, wenn er hier auf dem Hof stehenbleiben will." Jasmina winkte ab. „Das ist mein Bruder, und der lässt sich von mir sowieso nichts sagen." Hanna wollte selber mit dem jungen Mann sprechen, aber als sie sich dem Golf näherte, grüßte Jasminas Bruder lässig mit zwei Fingern an der Baseballmütze, legte einen gekonnten Kavaliersstart hin und verschwand. Nur die Bässe seiner lauten Anlage hörte man noch eine Weile.

Hanna musste sich schon wieder ermahnen, keine Vorurteile zu haben. Abgesehen von dem tollen Hecht von Bruder, der ihr Jasminas Anverwandte nicht sehr sympathisch erscheinen ließ, entdeckte sie auch noch gleich, dass Jasmina mit offenem Mund Kaugummi kaute. Über Kaugummikauen in Gesellschaft konnte sich Hanna wirklich aufregen, und sie sah überhaupt nicht ein, dass sie derlei Unhöflichkeiten einfach hingehen lassen musste, auch wenn die Jugendlichen sie manchmal als alte Ziege bezeichneten. Sie bat Jasmina – in sehr freundlichem Ton - in ihrer Gegenwart nicht zu kauen und stieß damit auf völliges Unverständnis. Jasmina wollte nicht unhöflich sein, aber sie erklärte, dass sie eigentlich immer kaute und sogar in der Schule bei den jüngeren Lehrern nicht damit aufhören musste, auch während des Unterrichts. Hanna vermutete, dass Jasmina durch das Kauen unwissentlich eine innere Unsicherheit verbergen wollte, und sie beschloss, keine Machtspielchen deswegen anzufangen. Jasmina teilte das Zimmer mit Marie, was Hanna nicht für sehr glücklich hielt, nachdem sie die beiden Mädchen kurz kennengelernt hatte. Aber sie würden ja nicht viel Zeit miteinander verbringen müssen außer im Schlaf, und so hoffte Hanna, dass alles friedlich verlaufen würde.

Sie setzten sich auf Bänke um einen riesigen Eichentisch, der vorm Haus stand. Hanna stellte zunächst einige Fragen, und es entspann sich schnell eine lebhafte Diskussion zu jedem Thema, das sie anschnitt. Einige Antworten kamen sehr unüberlegt vom Dreiergestirn, in deren Augen das Pferd der beste Kumpel war, Verständnis hatte, wenn man traurig war und in Notsituationen sogar Menschenleben retten konnte. Hanna musste anmerken, dass alle drei wohl zu viele Hannis und Nannis gelesen hatten. Sie bemühte sich, das romantische Bild vom vermenschlichten Pferd nicht allzu brutal zu zerstören, aber sie musste doch einiges zurechtrücken

Die meisten Fragen wurden aber sachgemäß von der Gruppe selbst beantwortet, hauptsächlich von Jasmina, die wirklich einiges Fachwissen beitragen konnte, wobei sie allerdings deutlich machte, dass sie sich sehr überlegen fühlte. Hanna fand das sehr schade, weil es die Stimmung nicht aufbesserte. Andrerseits war Hanna zufrieden, dass sie mehr voraussetzen konnte, als sie angenommen hatte. Sie klärte ab, wer sich gleich einen kleinen Ausritt zutraute, und wer lieber erstmal in die Bahn gehen wollte. Sie drang dabei sehr auf Ehrlichkeit, um eventuelle Schwierigkeiten vorab zu vermeiden.

Für den Ausritt meldeten sich die Lehrerin, Markus und Jasmina. Die vier Mädchen wollten erst einmal auf dem Reitplatz bleiben, wobei Marie aus Vernunft handelte, während für das Dreiergespann aus Uelzen wohl eher ausschlaggebend war, dass nach einem einzigen Blick auf Henning schon feststand, dass der äußerst attraktive junge Reitlehrer anzuschwärmen war. Also lieber den Schwarm anhimmeln als mit Hanna, einer Lehrerin, einem nicht ernstzunehmenden Knäblein und Jasmina, die sie überhaupt nicht mochten, ins Gelände zu gehen.

Nachdem die Pferde gestriegelt, die Hufe ausgekratzt, die Sättel aufgelegt und die Trensen mehr oder weniger geschickt im Pferdemaul gelandet waren, wollten sie losgehen. Aber Hanna bemerkte, dass der Hannoveraner der Lehrerin gerade seine bockigen fünf Minuten hatte. Er nahm zwar anstandslos das Gebiss, warf dann aber den Kopf hoch und ließ seine Reiterin verzweifelt versuchen, das Halfter über die Ohren zu streifen, ohne ein Treppchen zu benutzen. Die anderen fingen zu kichern an, als sie sahen, wie Frau Wagner mit einer Hand versuchte, das Gebiss nicht wieder aus dem Maul rutschen zu lassen, mit der anderen Hand vor dem Kopf herumfuchtelte, bis ihr Pferd sich ganz plötzlich entschloss, die Blödeleien zu lassen und gehorsam den Kopf senkte. Als die Gruppen sich trennten, warf Henning Hanna noch einen nicht ganz ernst gemeinten Verzweiflungsblick zu, auf das kichernde Dreiergespann deutend, aber Hanna war nicht beeindruckt. Irgendwie gönnte sie ihm schon ein paar schwierige Momente mit den entbrannten Teenagern, aber sie wusste natürlich auch, dass er sich geschmeichelt fühlte.

Hanna führte ihre Gruppe im Schritt am Gartower See entlang und bog dann ab in Richtung Pevestorf. Zunächst ging es durch ein kleines Auwäldchen, dann auf einem Grasweg zwischen den Wiesen weiter über eine Holzbrücke, vor der der Hannoveraner heftig scheute, als er zwischen den Holzbohlen Wasser schimmern sah. Frau Wagner versuchte tapfer, ihn anzutreiben, aber er ging eher rückwärts und wurde immer bockiger. Hanna riet ihr, einfach abzusteigen und neben ihm herzugehen, was Frau Wagner als Niederlage empfand. Schließlich stieg sie doch ab, aber ihr Pferd hatte sich inzwischen so darauf versteift, die Brücke nicht zu betreten, dass es auch an der Hand nicht mehr folgen wollte. Schließlich kehrte Hanna um, griff sich den Zügel, und siehe da, der Hannoveraner ging ohne Zögern mit über die Brücke. Frau Wagner war fast am Weinen über diese Niederlage. „Wie haben Sie das gemacht?" wollte sie wissen. Hanna lächelte ihr ermutigend zu und sagte: „Ich glaube, ich flöße den Pferden Vertrauen ein. Ich habe keine Angst, und letzte Woche habe ich Ihrem Pferd schon beigebracht, dass ich der Boss bin und nicht er."

Frau Wagner stieg wieder auf, immerhin wollte sie nicht aufgeben, und Hanna fragte sich, warum sie unbedingt den Hannoveraner reiten wollte, der zu groß für sie war und der keinen Respekt vor ihr zeigte. Warum konnte sie nicht eine der Kreuzungen, die viel umgänglicher waren, vorziehen? Hanna nahm sich vor, Frau Wagner beim nächsten Mal – sofern es eins geben würde – unmerklich davon zu überzeugen, dass sie sich in das falsche Pferd verliebt hatte. Vielleicht war sie durch ihren Beruf geschädigt und meinte nach vielen Jahren des Unterrichtens eine Autorität an sich zu sein, was Hanna allerdings auch hinsichtlich ihrer Tätigkeit als Pädagogin bezweifelte. Sie fand Frau Wagner jetzt aber eigentlich ganz in

Ordnung, nachdem sie auch Schwäche hatte zeigen können.

Der Weg war wunderschön, die Frösche quakten in den Wiesen, und Hanna genoss es, kein Auto zu hören und sich in einer riesigen unbesiedelten Fläche zu wähnen, in der es nur Natur gab. Natürlich war das eine komplette Illusion, denn auch das Wendland wurde immer mehr von der Moderne überrollt im wahrsten Sinne des Wortes: mit Allradfahrzeugen, zum Fürchten großen Traktoren mit gigantischen Ackergeräten, Manitous und Unimogs, die jeden Winkel nutzen und umgestalten konnten.

Hanna wollte aber jetzt den Augenblick genießen und schob alle Gedanken an eine Umwelt, die sich ständig negativ veränderte, von sich. Sie ritt nach vorne neben Markus und fing eine Unterhaltung an. Aber Markus hatte offenbar keine Lust auf sie einzugehen, und antwortete mit einsilbigen „yeahs" und „nös". Er fragte nur, ob man nicht mal galoppieren wollte, und Hanna war einverstanden, nachdem sie sich zu den anderen zwei umgedreht hatte und ihr o.k. eingeholt hatte.

Sie galoppierten bis kurz vor Pevestorf, wo der Weg einen Knick nach links machte, und drehten dann um. Der Heimweg wurde gemütlich mit ein paar kurzen Trabeinlagen zurückgelegt. Aber kurz bevor sie den See wieder erreichten, trat Jasminas Pferd in ein Loch, das vermutlich ein Fuchs gebuddelt hatte, und fing leicht zu lahmen an. Jasmina stieg sofort ab und verkündete, dass sie den Rest des Weges zu Fuß gehen würde, was Hanna überraschend vernünftig fand. Hanna als Verantwortliche bot ihr sofort an, die Pferde zu tauschen, aber davon wollte Jasmina nichts wissen.

Sie brauchten für die letzten paar hundert Meter ein bisschen länger, aber schließlich waren die Pferde versorgt, und sie gingen zum Haus. Hanna sah sich den Huf von Jasminas Pferd noch einmal an, konnte aber nichts Auffälliges feststellen und hoffte auf die Stallruhe über Nacht.

Hanna zog Bilanz. Der Ausritt war im Großen und Ganzen zufriedenstellend gewesen bis auf Frau Wagners kleines

Malheur und Jasminas Missgeschick. Aber was Hanna sehr bedauerte, war die Tatsache, dass die Gruppe in dieser Zusammensetzung überhaupt nicht zusammengewachsen war, und es ihr auch nicht gelungen war, den richtigen Draht zu finden, um dem abzuhelfen. Sie musste sich eingestehen, dass sie wohl noch viel Erfahrung brauchte, um eine Wochenendgruppe so zu leiten, dass alle nach Hause gingen mit dem Hochgefühl, das Glück der Erde auf dem Rücken der Pferde gefunden zu haben.

Zum Abendessen gab es Würstchen und Kartoffelsalat. Es wäre ziemlich still gewesen, wenn das Dreiergestirn aus Uelzen den Mund gehalten hätte. Alles war Anlass zum Kichern, und alle Drei sprachen laut und wichtig, weil Henning mit am Tisch saß. Er wurde mit Fragen bombardiert, die zum Teil witzig sein sollten, aber ziemlich persönlich waren, und entsprechend kamen die Antworten. Henning erfand das Blaue vom Himmel herunter. Er behauptete, verheiratet zu sein und drei Kinder zu haben, deren Namen er sogar bekanntgab, das nutzte aber gar nichts, um einen gewissen Abstand herzustellen. Die Mädchen waren sich nie sicher, was stimmte und was frei erfunden war, und das machte ihren Angehimmelten noch interessanter.

Henning verabschiedete sich schließlich ziemlich früh und erklärte, dass er noch aufs Schützenfest gehen wolle, das an diesem Wochenende mit viel Birken an den Straßen, Blasmusik und einem großen Festzelt auf dem Schützenplatz begangen wurde. Die Mädchen, einschließlich Jasmina, die sich bis dahin zurückgehalten hatte, wollten mitgehen. Hanna verweigerte rundheraus die Erlaubnis mit einem kritischen Blick auf Jasminas Ausschnitt, der Üppiges erahnen ließ. Die Stimmung wurde etwas gedämpfter, aber niemand traute sich, offen zu maulen. Schließlich hatten die Eltern alle unterschrieben, dass Hanna die Verantwortung während des Wochenendes hatte, und nachdem Henning gegangen war, besserte sich die Laune auch wieder.

Als es zu dämmern anfing, gingen sie alle noch einmal in den Stall und kontrollierten, ob bei den Pferden alles in Ordnung war. Kurz darauf waren alle in ihren Zimmern verschwunden. Jasmina hatte ihren Discman aufgesetzt, kaute ihr unvermeidliches Kaugummi und würdigte Marie keines Blickes, während sie ihr aufs Zimmer folgte. Hanna hoffte sehr, dass Marie sich nicht so viel aus der Nichtbeachtung durch die anderen machen würde. Marie hatte keine Stöpsel mit Musik im Ohr und tickte offenbar so anders, dass sie das Interesse der übrigen Mädchen nicht zu wecken vermochte, es allerdings offenbar auch nicht wünschte. Markus wirkte etwas düster, weil er merkte, dass man ihn als potentiellen Verehrer nicht ernst nahm, und es nutzte auch nichts, dass er sich nach dem Essen offen eine Zigarette ansteckte, dabei cool an einen Baum gelehnt. Hanna musste ihn daran erinnern, dass er noch nicht rauchen durfte, und es gab eine kleine Auseinandersetzung, als sie ihm erklärte, dass es ihr nicht nur um die Gesetzeslage ging, sondern rauchen auf dem Hof überhaupt nicht erwünscht war. Natürlich berief sich Markus auf Henning, der sich an derlei Regeln leider nicht hielt, aber immerhin machte Markus die Zigarette aus und hob schließlich sogar die Kippe auf, die er elegant auf den Boden geworfen hatte. Die Mädchen kicherten, Markus hatte noch mehr an Boden verloren, und Hanna seufzte innerlich, wenn sie an die beiden Tage dachte, die noch kommen würden.

Warum waren die Jugendlichen bloß so blöde in dem Alter? Hanna musste sich eingestehen, dass sie vermutlich mit ihrer Clique als Teenager auch nicht anders gewesen war und ihre Eltern und Lehrer genervt hatte. Manchmal war sie ja mit ihren fast dreißig Jahren immer noch nicht reif und weise. Hanna beneidete Frau Wagner immer weniger, die sich täglich in der Schule mit Jugendlichen herumschlagen musste, die für nichts motiviert waren und eigentlich gegen alles eingestellt, wohingegen ihre Gruppe schließlich freiwillig ein schönes Wochenende haben wollte und sich deshalb einigermaßen gutwillig den Regeln unterwarf.

Hanna telefonierte noch mit Carsten und ging dann mit einem Schwedenkrimi ins Bett. Es war schon ziemlich spät, und sie beschloss gerade, den Krimi wegzulegen, als es leise an ihre Tür klopfte. Sie zog schnell ein T-Shirt über und öffnete. Marie stand in der Tür und wirkte sehr verlegen. „Man soll ja nicht petzen, aber ich dachte, ich muss es doch sagen. Jasmina ist weggegangen und bis jetzt noch nicht wiedergekommen. Ich war schon eingeschlafen, bin aber wach geworden, als sie die Tür aufmachte und hinausschlich."

„Verdammte Scheiße", entfuhr es Hanna. „Das wollte ich nicht sagen, aber es ist einfach Scheiße. Vielen Dank, es ist gut, dass du mir das gesagt hast." Hanna ging in Maries und Jasminas Zimmer, um sich zu überzeugen, dass Jasmina wirklich ausgerückt war und nicht etwa im Bad stand und irgendetwas an sich verschönerte. Das Badezimmer war leer, und Hanna dachte an das Schützenfest. Jasmina würde es doch nicht wagen, einfach abzuhauen!

Hanna zog sich in fliegender Eile an und rannte die Treppe hinunter ohne Licht zu machen. Auf der untersten Stufe rutschte sie auf etwas Weichem aus und konnte sich gerade noch abfangen ohne hinzufallen. Sie fluchte und machte doch das Licht an um zu sehen, welcher Idiot irgendwelches Zeug hatte herumliegen lassen. Im schwachen Licht der Treppenhausbeleuchtung fand sie einen etwas zermalmten Blumenstrauß, den sie wütend mit dem Fuß zur Seite fegte, da jetzt keine Zeit war, sich mit derlei Dingen zu beschäftigen. Sie holte ihr Fahrrad aus der Scheune, an dem natürlich das Licht nicht funktionierte, und sie fluchte schon wieder, diesmal weil gerade Neumond war und man kaum die Hand vor Augen sehen konnte. Sie hatte es eben geschafft, sich bis zur Hofausfahrt vorzuarbeiten, als ihr ein Auto entgegenkam und neben ihr anhielt. Es war Henning, der ziemlich wütend berichtete, dass er Jasmina bei irgendwelchen Jugendlichen am Tisch im Festzelt entdeckt hatte. Sie hatten alle schon ziemlich gebechert, und Jasmina war mehr als unwillig, Henning zu folgen, der darauf bestand, sie ins Auto zu laden und auf den Pferdehof zurückzufahren. Vor den Jugendlichen wollte er sie nicht blamieren, und deshalb fing er erst im Auto an, sie anzuschreien. Jasmina saß bockig neben ihm und hielt sich die Ohren zu.

Als sie ausgestiegen war, bedankte sich Hanna bei Henning und sagte ihm, dass sie sehr erleichtert sei, Jasmina wieder im Haus zu wissen. Als sie ihr Fahrrad weggestellt hatte und die Treppe hinaufging, hörte sie einen Wortwechsel zwischen Jasmina und Marie und ein Klatschen, das sich wie eine Ohrfeige anhörte. Sie wollte schnell ins Zimmer stürzen, um Schlimmeres zu verhüten, aber die Tür war abgeschlossen. In ihrem schärfsten Ton sagte Hanna: „Wenn du nicht sofort die Tür aufmachst und mir Rede und Antwort stehst, schleife ich dich heute noch an den Haaren nach Hause. Bis jetzt bin ich noch bereit, dich anzuhören und dir zu sagen, was Sache ist, aber nicht mehr lange".

Nach kurzer Zeit ging die Tür auf, und Hanna sah, dass beide Mädchen weinten. Hanna nahm Marie in den Arm und schickte sie mit ihrem Bettzeug in ihre eigene Wohnung. „Warte auf mich, du hast nichts falsch gemacht. Du schläfst heute bei mir, und mit Jasmina werde ich die Sache klären".

Als Marie gegangen war, wendete sie sich Jasmina zu. Erstaunlicherweise wirkte Jasmina richtig verstört. „Es tut mir Leid", sagte sie schluchzend. „Zu Hause kann ich kommen und gehen, wann ich will, und ich habe es einfach nicht ernst genommen, dass es hier anders ist. Bitte lass mich bleiben! Ich habe es zu Hause nicht schön, und die einzige Person, die mich mag, ist meine Großmutter. Sie bezahlt mir den Reitunterricht und hat mir dieses Wochenende in Gartow zum Geburtstag geschenkt. Wenn ich nach Hause fahren muss und mit dem Jugendamt zu tun bekomme, wird sie wahnsinnig sauer sein und streicht mir das Reiten. Das ist mir echt wichtig. Mit dem Jugendamt hatte ich sowieso schon zu tun, das war eine echt hirnrissige Veranstaltung. Ich will morgen und übermorgen alles tun, was du ansagst.“

„Du wirst dich morgen früh erstmal bei Marie entschuldigen. Ich fürchte, du hast ihr eine geklebt, und das ist eigentlich unverzeihlich. Marie ist viel jünger als du und hat mir nur von deinem Verschwinden erzählt, weil sie sich Sorgen gemacht hat. So wie du dich heute mit deinem Pferd verhalten hast, glaubte ich, eine vernünftige Person vor mir zu haben. Jetzt geh schlafen, und morgen sehen wir weiter.“

Hanna ging zurück in ihre Wohnung, tröstete Marie, die versprach, den anderen nichts von dem nächtlichen Vorfall zu erzählen, und legte sich ins Bett. Am liebsten hätte sie noch einmal Carsten angerufen, um von ihren Problemen zu berichten und sich beraten oder auch trösten zu lassen, aber es war viel zu spät und wäre ihr rücksichtslos vorgekommen, ihn zu wecken. Sie konnte lange nicht einschlafen und quälte sich mit ihren Gedanken herum. War es richtig, Jasmina nicht nach Hause zu schicken? Eigentlich entsprach das nicht ihrem Verantwortungsgefühl, aber irgendwie tat ihr das Mädchen Leid. Offenbar hatte Jasmina keine Grenzen und Leitlinien kennengelernt, und wohl auch nicht gerade Vorbilder an Rücksicht und Pflichtbewusstsein gehabt. Hanna konnte nicht entscheiden, ob sie ihr Weinen nur vorgespielt hatte, um sich aus der misslichen Situation zu retten, oder ob ihre Vorsätze echt gemeint waren, und wenn ja, ob sie in d er Lage sein würde, sie durchzuhalten. Sie merkte jedenfalls, dass sie an den Reitwochenenden eine riesige Verantwortung hatte, und dass ihr neuer Job kein Zuckerlecken sein würde. Es lag ihr gar nicht, sofort zu resignieren, aber der Gedanke hatte sich schon eingeschlichen, ob es vielleicht doch unklug war, sein Hobby zum Beruf zu machen, wie sie häufig hatte sagen hören.

Hanna schlief endlich ein, und morgens schien ihr alles klar. Sie würde Jasmina nicht nach Hause schicken und sie vielleicht durch das gezeigte Vertrauen positiv beeinflussen. Allerdings wollte sie zuerst eine einsichtige, ernst gemeinte und reumütige Entschuldigung von Jasmina hören wegen ihres unfairen Benehmens Marie gegenüber. Marie war schon wach, als Hanna leicht missmutig auf den Wecker schlug, der sie aus tiefstem Schlaf geholt hatte. Sie richtete sich im Bett auf und sah, dass Marie immer noch sehr verunsichert wirkte. Marie fragte schüchtern, ob sie ihr Waschzeug holen sollte oder in das gemeinsame Zimmer zu Jasmina zurückkehren, um sich fertig zu machen und anzuziehen. Hanna schickte sie hinüber, zog sich einen Bademantel an und kam gleich nach, um zu kontrollieren, ob alles ordnungsgemäß ablief. Jasmina entschuldigte sich sofort wortreich bei Marie, versprach richtig nett zu sein und umarmte sie sogar. Das kam Hanna nicht ganz echt vor, aber sie ließ es hingehen, da sich die Wogen – jedenfalls oberflächlich - geglättet hatten.

Das Frühstück verlief friedlich. Marie hielt sich an die Abmachung, nichts zu sagen, Jasmina wirkte bemüht freundlich und hatte sogar ein paar nette Worte für Markus übrig, und das Dreigestirn aus Uelzen kicherte wie eh und je die ganze Zeit. Frau Wagner hatte nicht gut geschlafen, weil ihr die Matratze zu hart war, aber sie behauptete trotzdem, guten Mutes für den Ausritt zu sein. Hannas Stimmung wurde besser, zumal Beate, die für die Küche zuständig war, ein tolles Frühstück gezaubert hatte: Französischen Toast mit Ahornsirup, verschiedene Brötchen wie Elbcrosser und Weltmeister, Marmeladen und Honig aus eigener Produktion vom Hof ihrer Eltern, Orangensaft, Kaffee, Tee, Milch und Joghurt. Hanna kam sich vor wie im Grandhotel. Wochentags musste sie sich natürlich selbst versorgen, weshalb das Frühstück häufig etwas kärglich ausfiel. Es lag ihr gar nicht, gleich nach dem Aufstehen mit Elan loszulegen. Am wichtigsten war ihr der Kaffee als Muntermacher, alles andere kam meist erst später. Hanna bemerkte, dass auch die anderen das Frühstück genossen, und die Stimmung hob sich immer mehr. Hanna war unendlich dankbar, dass Beate sich mit der Küche so große Mühe machte, denn das Essen war schließlich ein wichtiger Faktor, der zum Gelingen des Wochenendes beitrug.

Als Hanna nach dem Frühstück nach oben ging, um sich ihre Arbeitsklamotten anzuziehen, fiel ihr der Blumenstrauß vom Vorabend ein. Sie hob die malträtierten, inzwischen auch angewelkten Blumen auf, die immer noch von den anderen unbemerkt auf der untersten Treppenstufe lagen, wo sie sie bei ihrem eiligen Aufbruch auf der Suche nach Jasmina am Abend zuvor hingekickt hatte.

Die Blumen sahen nicht aus, als seien sie gekauft worden, sondern eher auf Wiesen und am Wegrand gepflückt. Allerdings waren drei wunderschöne blaue Lilien dabei, und Hanna dachte sofort an die sibirischen Lilien, die sie auf ihrem letzten Spaziergang in Pevestorf auf dem Weg zum Deich gesehen hatte. Diese Lilien waren eine absolute Rarität und deswegen unter höchsten Schutz gestellt. Sie waren vor einiger Zeit eingezäunt worden und mit einer aufklärenden Tafel versehen, da es in den Jahren zuvor ganz schlaue Gartenfreunde gegeben hatte, die sich Teile davon ausgegraben hatten, um ihren eigenen Garten zu bereichern.

Hanna dachte zunächst an Carsten, der am Abend zuvor vielleicht zu später Stunde nochmal vorbeigekommen war, um ihr mit den Blumen eine Freude zu machen, aber eigentlich waren sie und Carsten nach jahrelanger Freundschaft schon ein bisschen über das Stadium romantischer Liebesbezeigungen hinaus. Carsten hätte außerdem niemals den Frevel begangen, geschützte Lilien zu klauen. Also blieb die Frage, wer die Blumen auf die Treppe gelegt hatte und ob die Lilien tatsächlich aus Pevestorf stammten. Henning vielleicht? Der Gedanke war ihr äußerst unangenehm, und sie verwarf ihn gleich wieder. Als nächstes fiel ihr Pitten ein, aber warum sollte der ihr eine solche Aufmerksamkeit zukommen lassen? Er hatte bisher mit keinem Wort und mit keiner Geste zu erkennen gegeben, dass sie ihm wichtig war, aber wenn sie berücksichtigte, wie undurchschaubar er war, konnte sie ihn nicht ganz ausschließen.

Während sie darüber spekulierte, wer möglicherweise den

Strauß auf die Treppe gelegt hatte, kam ihr plötzlich ein ganz neuer Gedanke. Vielleicht waren die Blumen gar nicht für sie gedacht, sondern für eines der Mädchen – höchstwahrscheinlich für Jasmina? Hanna schalt sich eine unverbesserliche Egoistin, dass sie zunächst nur an sich gedacht hatte und auf gar keine andere Möglichkeit verfallen war. Ihr wurde etwas leichter zu Mute, denn sie wollte auf gar keinen Fall von irgendwem verehrt werden, außer von Carsten. Sie beschloss, während der morgendlichen Stallarbeit die Mädchen ein bisschen auszuhorchen, aber schließlich wollte sie einem Blumenstrauß auf der Treppe kein zu großes Gewicht beimessen. Sie ärgerte sich nur darüber, dass die Lilien vermutlich nicht rechtmäßig in den Strauß gekommen waren. Für Rücksichtslosigkeiten dieser Art hatte sie überhaupt nichts übrig.

Sie nahm die Blumen, warf sie in der Küche in den Komsteimer und dachte nicht mehr weiter darüber nach.

Der Vormittag verlief sehr friedlich. Nachdem die Zäune kontrolliert worden waren, brachten sie die Pferde auf die Koppel. Das Pferd von Jasmina, das beim Ausritt am Tag zuvor so unglücklich in ein Loch getreten war, ließen sie im Auslauf, weil es leicht lahmte, und der Huf sich am Kronenrand warm anfühlte. Hanna beschloss, einen kühlenden Umschlag zu machen und beauftragte Jasmina damit, ihn anzulegen. Sie erklärte, was zu machen war, und alle verfolgten ihre Anweisungen aufmerksam. Jasmina gab sich große Mühe, und man merkte ihr an, dass sie sich furchtbar wichtig vorkam. Der Umschlag saß schließlich perfekt, und Hanna sprach ein großes Lob aus, was das Dreiergestirn mal wieder zum Kichern brachte.

Während die Boxen und die Paddocks gemistet wurden, erschien Henning mit Arthüür im Schlepptau. Arthüür fiel nichts Besseres ein, als sich in den frischen Mist zu werfen und zu wälzen. Nachdem er sich ausgiebig als laufender Misthaufen getarnt hatte und entsprechend duftete, kam er schwanzwedelnd auf die Mädchen zu und rief lautes Gekreisch und Gelächter hervor. Natürlich wollte niemand ihn anfassen, und als er versuchte, ausgerechnet an Frau Wagner hochzuspringen, wurde er heftig abgewehrt. Beleidigt zog er ab auf die Koppel, um vielleicht die Pferde für ein Spiel zu gewinnen.

„Ihr könnt Arthüür nachher einseifen und baden", sagte Henning. „So kommt er mir nicht wieder ins Auto. Dass dieses Mistvieh auch immer hierher mitgenommen werden muss!" Silke wollte sich kaputtlachen über den Ausdruck „Mistvieh", denn der passte im Augenblick im wahrsten Sinne des Wortes.

Nach einer knappen Stunde Theorie holten sie zunächst das Pferd von Frau Wagner und ließen es an der Longe laufen. Hanna wollte ganz sicher gehen, dass ihm damit die Flausen ausgetrieben wurden. Frau Wagner durfte schließlich selbst die Longe übernehmen, und es machte ihr offensichtlich Freude, wie brav das Pferd auf die Kommandos reagierte. Hanna wurde an diesem Vormittag nur ein einziges Mal ungehalten, als sie entdeckte, dass das Dreiergestirn die Taschen voller Zuckerstücke hatte und gar nicht einverstanden war, als Hanna ihnen verbot, sie zu verfüttern. Sie behaupteten, immer ein Zuckerstück als Belohnung dabeizuhaben, aber schließlich zeigten sie sich doch nach einschlägigen Erklärungen über die Zusammenhänge von Futter und Gesundheit einsichtig, vor allem, als Hanna ihnen zeigte, wo eine Tonne mit Pferdeleckerli stand und sie sich daraus bedienen durften. Sie versprachen, künftig den Unfug mit Süßigkeiten zu lassen, auch wenn sie insgeheim die Pferde bedauerten, denen ein Hochgenuss entgehen würde.

Henning sprach sie auf ihr Verhalten gegenüber Jasmina an und zeigte sich leicht befremdet, dass sie Jasmina nicht nach Hause schicken wollte. Er wiederholte noch einmal, wie unmöglich er sie gefunden hatte, angetrunken, aufreizend und patzig. Hanna fragte bei der Gelegenheit, ob sich Henning vorstellen könnte, dass einer der Besucher des Schützenfestes vielleicht Jasmina schon vorher gekannt und ihr den Blumenstrauß auf die Treppe gelegt hatte. Henning lachte bei dieser romantischen Vorstellung. „Nach dem, was ich gesehen habe, waren alle Burschen bei ihr am Tisch darauf aus, sie mal hinterm Zelt flachzulegen, und es wäre ihnen wahrscheinlich auch gelungen, wenn ich nicht dazu gekommen wäre. Blumen aus Liebe für Jasmina, so ein Scheiß!" Damit war das Thema erledigt.

Henning hatte den Nachmittag frei und wollte noch vor dem Essen nach Hause fahren. Also wurde Arthüür gerufen und in eine alte Zinkwanne mit Regenwasser gesetzt, was ihm sichtlich nicht behagte. Hanna seifte ihn kräftig ein, tunkte ihn anschließend und spritzte ihn schließlich als Krönung auch noch ab. Er sah nach dieser Reinigungsprozedur ziemlich unglücklich aus mit seinem triefnassen Fell, aber nachdem die Mädchen ihn mit einem alten Handtuch kräftig abgerubbelt hatten, wurde sein Blick wieder munter, und er ließ sich anstandslos in Hennings Auto verfrachten, wo er sich artig und duftig auf einer alten Decke niederließ.

„Na, ob der wiederkommt?" fragte Frau Wagner. Hanna bezweifelte, dass Arthüür etwas gelernt hatte, denn anfangs war ja alles mit Spaß verbunden gewesen, und ob er den Zusammenhang zwischen Mist und Schaumbad herstellen konnte, war sehr fraglich.

Als Henning abgefahren war, rief Beate zum Mittagessen. Sie gingen alle sofort zum Haus hinüber. Der Tisch war unter den Linden vor dem Haus gedeckt, da das herrliche Wetter dazu einlud, im Freien zu bleiben. Jasmina blieb hinter ihrem Stuhl stehen, während sich die anderen schon gesetzt hatten und sagte unvermittelt: „Ich geh nochmal schnell nach meinem Pferd gucken, ob der Verband richtig sitzt. Bin wie der Blitz wieder da." Hanna warf ihr einen warnenden Blick zu, der ausdrücken sollte, „Untersteh dich, uns mit dem Essen warten zu lassen!"

Silke konnte sich nicht verkneifen, Jasmina in geziertem Tonfall hinterherzurufen: „Unsere Tierärztin hat noch einen Notfall!" Die beiden anderen vom Dreiergestirn fanden das natürlich wieder lustig und kicherten, Frau Wagner warf einen strafenden Blick auf Silke und murmelte etwas von taktlos, Hanna verkniff sich jede Reaktion.

Nach einigen Minuten war Jasmina noch nicht zurück, und Markus flitzte in den Stall, um sie zu holen. Auch er blieb eine Zeitlang weg, und Frau Wagner zitierte: „Der Bauer schickt den Jockl aus" und nahm an, die anderen würden die Geschichte kennen, was aber nicht der Fall war. Zu ihrer Enttäuschung fragte auch niemand nach, was damit gemeint sei. Beate schimpfte aus der Küche, dass alles kalt würde, und Hanna, sagte ihr, sie solle jetzt auftragen. Die Stimmung war mal wieder ziemlich im Keller, als Markus etwas atemlos zurückkam und berichtete, dass er überall nach Jasmina gesucht hatte, sie aber weder im Stall, noch irgendwo auf dem Hof hatte entdecken können. Hanna war nun richtig sauer, wünschte trotzdem einen guten Appetit, und das Essen war wieder so gut, dass die Stimmung sich erheblich besserte.

Nach dem Essen schwärmten alle noch einmal aus, um nach Jasmina zu fahnden, erfolglos. Hanna fluchte innerlich, dass sie Jasmina nach dem Vorfall am Abend zuvor nicht nach Hause geschickt hatte, sondern sich auf ihr Ehrenwort verlassen, keine Extratouren mehr zu machen. Sie konnte sich nur vorstellen, dass Jasmina in einem spontanen Entschluss zum Schützenfest abgehauen war, weil irgendein Galan auf dem Hof erschienen war, und sie wie eine läufige Hündin blind ihrem Instinkt gefolgt war und den Verstand ausgeschaltet hatte.

Mittlerweile war es zwei Uhr, und das war eigentlich die Zeit zum Aufbruch an den Laascher See. Hanna beschloss, das Problem mit Jasmina erstmal zu verdrängen und das Programm planmäßig durchzuführen. Die Pferde wurden gestriegelt, die Hufe ausgekratzt, die Sättel aufgelegt und schließlich die Stallhalfter gegen die Trensen ausgetauscht. Es verlief alles ruhig und ohne Zwischenfälle, sogar Frau Wagners Hannoveraner zeigte sich überaus artig und willig.

Da es sehr warm war und leicht schwül, zeigte sich leider nach kurzer Zeit nach dem Abritt - zumal als die Pferde warm geworden waren - dass vermehrt Insekten auftauchten und anfingen, Pferd und Reiter zu plagen. Beim Trab blieben Schwärme von Mücken um den Kopf der Pferde hängen und flogen in gleicher Geschwindigkeit mit, beim Galoppieren konnten sie kurz abgehängt werden, erschienen aber nach dem Ende des Galopps sofort wieder in noch größerer Zahl, weil die Pferde mittlerweile richtig gut nach Schweiß rochen. Hanna warf sich vor, dass sie vor lauter Aufregung wegen Jasmina versäumt hatte, die Pferde vor dem Ausritt mit einem Mückenmittel einzusprayen, um wenigstens für eine Weile die Plagegeister abzuhalten. Zum Glück hielt sich die Reaktion der Pferde in Grenzen. Sie waren etwas unkonzentriert, schlugen mal mit der Hinterhand unter den Bauch, was sie kurz aus dem Rhythmus brachte, bissen sich hin und wieder in die Brust oder in die Flanken, wobei sie schon mal den Reitstiefel treffen konnten, versuchten aber nicht, durchzugehen, um dem Mückenschwarm zu entkommen. Hanna sah wenigstens einen positiven Effekt: Sie würden bestimmt gern ins Wasser gehen, um die Plagegeister abzustreifen und die juckenden Stellen zu kühlen.

Als sie am Laascher See ankamen, sattelte Hanna ab, zog ihre Reithosen, das T-Shirt und ihre Stiefel aus und führte im Bikini, den sie unter ihrer Reitkleidung angezogen hatte, ihr Pferd am Halfter ins Wasser. Es drängte sofort ins Tiefe, und Hanna schwamm neben dem Kopf her, eine Hand auf die Mähne gelegt. Markus machte sein Pferd ebenfalls zum Schwimmen bereit und folgte Hanna ins tiefe Wasser. Die anderen Pferde blieben im flachen Wasser stehen und bespritzten sich heftig mit den Vorderbeinen den Bauch, wagten sich aber nicht weiter ins Tiefe.

Nach einigen Minuten Badevergnügen kehrte Hanna mit ihrem Pferd um und schwamm mit Markus im Gefolge zum Ufer zurück. Sie trieben die Pferde aus dem Wasser und stellten sie – nach Verträglichkeit sortiert – in zwei Paddocks am Ufer ein, die extra für Wanderreiter errichtet worden waren.

Der Tourismusverein und einige Privatleute hatten einige Jahre zuvor Initiativen entwickelt, um das Wanderreiten zu fördern, indem sie Paddocks an Aussichtspunkten, an Seeufern in der Nähe von Pferdeschwemmen oder auch neben Gastwirtschaften errichtet hatten. Leider wurde das Angebot nicht recht angenommen, und einige der Paddocks waren schon wieder von Unkraut überwuchert, und die Holzteile begannen auseinanderzufallen.

Hanna bedeutete der Gruppe, es sich auf dem schmalen Sandstreifen zwischen Wiese und See gemütlich zu machen und den sommerlichen Tag zu genießen. Weit draußen wiegten sich malerisch zwei Schwäne im leichten Wellengang, hin und wieder hörte man das Schnarren eines Haubentauchers, und bunte Schmetterlinge gaukelten zwischen den Wiesenblumen hin und her. Ein kleiner Schachbrettfalter ließ sich auf Silkes Kopf nieder, was natürlich wieder Gekicher hervorrief. Silke saß ganz still und bedauerte, dass sie selber ihren Kopfschmuck nicht sehen konnte. Hier erwies sich Markus als hilfreich. Er hatte eine kleine Kamera dabei und machte mehrere Fotos. Als der Schmetterling weggeflogen war und Silke wieder wagte, sich zu bewegen, zeigte er ihr die Fotos mit der Bemerkung: „Unsere Sommerkönigin." Silke war offensichtlich geschmeichelt und lächelte ihn richtig nett an. „Ich lasse dir Abzüge machen und schicke sie dir", sagte Markus daraufhin liebenswürdig.

Hanna startete einen Versuch, die verschiedenen Arten zu benennen – Pfauenauge, kleiner Fuchs, Zitronenfalter, Kohlweißling, aber sie bemerkte schnell, dass das Interesse an Schmetterlingen sich sehr in Grenzen hielt. Nur als ein Trauermantel sich auf einer Distel niederließ, bewunderten alle seine wunderschöne Zeichnung. Offenbar hatten sie noch nie einen solchen Falter gesehen oder beachtet.

Hanna hätte gern ganz ruhig dagelegen und auf die Stille der Natur gehört, aber das Dreiergestirn kicherte und flüsterte ohne Pause, und Markus machte hin und wieder eine spöttische Bemerkung. Nur Frau Wagner und Marie sagten nichts und versuchten wie Hanna, die sommerliche Stimmung zu genießen.

Auf dem Heimritt war Hanna wieder in Gedanken bei Jasmina und spielte alle Möglichkeiten durch, falls Jasmina nicht zurück sein sollte: Sie war aus einem unerfindlichen Grund nach Hause getrampt ohne Bescheid zu geben, ein Verehrer vom Schützenfest hatte sie abgeholt zu einem Picknick mit Nachtisch, sie war einfach ins Gelände gelaufen, um allein zu sein und mit sich ins Reine zu kommen. Jedenfalls war Hanna eher wütend als besorgt und beschloss, Jasmina umgehend mit einer scharfen Rüge nach Hause zu schicken, sofern sie nach ihrer Rückkehr wieder auf dem Hof war und eine läppische Entschuldigung vorbrachte. Hanna rechnete fest damit, sie mehr oder weniger zerknirscht vorzufinden. Keinerlei Überredungskünste und Schauspielereien würden diesmal helfen, Hannas Entschluss ins Wanken zu bringen und Gnade vor Recht ergehen zu lassen.

Als sie auf dem Hof einritten, kam Beate ihnen schon entgegen gestürzt. „Jasmina ist nicht zurückgekommen. Ich finde, wir sollten uns allmählich Sorgen machen. Ich jedenfalls denke, ihr Verschwinden ist nicht normal. Schließlich nimmt sie das Reiten sehr ernst, und es ist mir unverständlich, dass sie sich den spannendsten Ausritt mit Wasserplantschen entgehen lässt. Wie war es übrigens? Habt ihr alle gebadet?"

Hanna musste zunächst über ihre widerstreitenden Gefühle nachdenken, aber schließlich antwortete sie: „Eigentlich war es ein sehr gelungener Nachmittag, wenn ich bloß das blöde Problem mit Jasmina hätte ausblenden können. Die anderen waren ganz locker, vor allem das Dreiergestirn konnte sich ab und zu eine mehr oder weniger anzügliche Anspielung auf Jasminas vermeintliches Treiben mit Jungs nicht verkneifen und nahm das zum Anlass, wieder mal zu kichern. Ich habe sie allerdings zurechtgewiesen, und in meiner Gegenwart haben sie nur noch flüsternd gewagt, ihre Mutmaßungen zu äußern.

Frau Wagner war allerdings sehr still. Ich vermute, sie bezieht alles, was mit Jugendlichen zusammenhängt, auf ihre schwierige Tätigkeit als Lehrerin."

Hanna beaufsichtigte das Absatteln und Füttern und entließ alle zum Duschen und Umziehen. Anschließend versammelte sich die Gruppe um die Grillstelle. Da Hanna Grillkohle ablehnte, musste Feuer gemacht werden. Markus erbot sich, diese Aufgabe zu übernehmen. Hanna hatte Zweifel, ob er das hinkriegen würde, denn die meisten Jugendlichen – wenn sie nicht bei den Pfadfindern oder ähnlichen Gruppen engagiert waren – konnten mit Feuer nicht mehr umgehen. Hanna ihrerseits hatte keine Probleme damit, weil sie schon als Kind in Bydgosc gelernt hatte, den Küchenherd und den Kohleofen im Wohnzimmer anzuzünden, da ihre Familie weder einen Elektroherd noch eine Zentralheizung besaß. Markus gelang das Anzünden auf Anhieb, und sie musste ihm gedanklich Abbitte tun, weil sie ihn vorschnell zu negativ eingeschätzt hatte und jetzt doch Qualitäten an ihm entdeckte. Sie war froh, dass sie öfter mal den Mund hielt und nicht gleich bei allem Bedenken äußerte.

Während alle darauf warteten, das Feuer so weit herunterbrennen zu sehen, dass man mit dem Grillen beginnen konnte, ging Hanna ins Büro und sucht die Telefonnummer von Jasminas Eltern heraus. Sie war ziemlich nervös und hoffte inständig, Jasmina zu Hause vorzufinden. Nach längerem Läuten meldete sich eine weibliche Stimme mit einem etwas ruppigen „ja". Hanna nannte ihren Namen und fragte, ob sie Jasminas Mutter am Apparat hätte. Als dies bejaht wurde, verlangte sie, Jasmina zu sprechen. Jasminas Mutter wurde sofort ungehalten, und Hanna bemerkte, dass sie wohl schon etwas getrunken hatte. „Wieso soll Jasmina zu Hause sein? Meine Tochter müsste bei Ihnen in Gartow sein. Schließlich hat sie das Wochenende von ihrer Oma geschenkt bekommen, und jetzt ist erst Sonnabend. Sie wollen doch nicht sagen, dass sie nicht wissen, wo Jasmina ist?" Hanna erklärte kurz, worum es ging, wurde aber von Jasminas Vater unterbrochen, der einfach den Hörer übernommen hatte. „Ich habe mitgekriegt, dass Jasmina zu Hause sein soll. Einen Dreck ist sie! Sie haben die Verantwortung, und lassen Sie uns in Ruhe, bis Sie etwas Vernünftiges zu sagen haben. Jasmina soll anrufen, wenn sie wieder da ist, aber nicht vor morgen früh, wir brauchen auch mal unsere Ruhe". Damit wurde aufgelegt, und Hanna stand betreten und den Tränen nah neben dem Telefon. Was waren das nur für Verhältnisse! Sie konnte gar nicht mit der offensichtlich schwierigen Situation in Jasminas Elternhaus klarkommen. Jasmina wuchs auf in einer Atmosphäre von Gleichgültigkeit und Lieblosigkeit, und Hanna wurde sich klar darüber, dass sie eigentlich nie mit sogenannten „asozialen" Verhältnissen konfrontiert gewesen war. Bei ihr war auch nicht immer alles reibungslos gelaufen, aber sie hatte sich doch geborgen, behütet und geliebt gefühlt. Wie musste Jasmina bei einer Kindheit und Jugend ohne Liebe und Unterstützung seelisch verkommen und verdorrt sein!

Sie tat Hanna wieder leid, denn eigentlich konnte man nur ihrem Elternhaus die Schuld für ihr Benehmen in die Schuhe schieben.

Als sie sich einigermaßen beruhigt hatte, ging sie zu den anderen zurück und setzte sich auf einen der Holzklötze, die als Sitzgelegenheit kreisförmig um die Feuerstelle angeordnet waren. „Jasmina ist nicht zu Hause", sagte sie. „Ich werde nachher die Polizei benachrichtigen."

„Das wird keinen Sinn haben", sagte Frau Wagner. „Am Wochenende sind die Dienststellen kaum besetzt, und nach einer Sechzehnjährigen, die eben mal verschwindet, wird nicht gleich gefahndet. Man wird Ihnen sagen, Sie sollen erstmal ruhig schlafen und gegebenenfalls am Sonntag oder viel besser noch am Montag wieder anrufen, falls das Mädchen entgegen allen Erwartungen bis dahin nicht wieder aufgetaucht ist".

Hanna ging gleich zum Telefon. Die Außenstelle in Gartow war nicht besetzt, und nach langem Läuten bekam sie in Lüchow einen Beamten an den Apparat. Sie hörte fast wörtlich das, was Frau Wagner prophezeit hatte, und auch durch inständiges Bitten konnte sie den Polizeibeamten nicht erweichen, wenigstens die Daten von Jasmina, ihr Aussehen und die Situation insgesamt skizzenhaft aufzunehmen. Täglich verschwänden Hunderte von Mädchen im Teenageralter, die aus Gründen, die sie im Augenblick für Tragödien hielten, von zu Hause abhauten. Im Laufe der nächsten Tage tauchten sie wieder auf, weil sie kein Geld hatten, weil sie sich mit ihrem Freund, von dem sie in der ersten Verliebtheit glaubten, dass er ein Halbgott sei, bei ihrem ersten näheren Zusammensein sofort fürchterlich gestritten hatten, und alle Illusionen dahin waren, oder weil sie überhaupt nicht überlegt hatten, bei wem sie bleiben konnten. Bevor der Beamte, der wohl gerne Erklärungen und Belehrungen von sich gab, ausführlicher werden konnte, bedankte sich Hanna und legte auf. Sie versuchte noch, Carsten zu erreichen, aber er war nicht zu Hause und das Handy bot ihr nur eine Unterhaltung mit der Mailbox an. Sie hinterließ eine kurze Nachricht in der Hoffnung, ihn am selben Abend noch zu sehen oder wenigstens zu sprechen. Sie brauchte ihn jetzt ganz dringend, um sich mit ihm zu beraten und sich aufbauen zu lassen. Carsten konnte zuhören und richtig gut auf sie eingehen, wenn sie sich in einer misslichen Situation wie gerade jetzt befand, oder wenn sie mit sich selbst oder anderen Probleme hatte.

Sie fragte sich, wo Carsten sein könnte, denn er hatte nichts von irgendwelchen Unternehmungen am Sonnabend gesagt. Vielleicht hielt er sich irgendwo auf, wo es – wie so oft im elektronisch unterprivilegierten Wendland – ein Funkloch gab. Sie ärgerte sich sofort über sich selbst, weil sie genau das tat, was sie von Carsten nicht wollte, um die Beziehung nicht zu eng werden zu lassen: über ihr Tun Rechenschaft ablegen zu jeder Zeit. Es war aber völlig klar, dass sie an den Wochenenden mit Reitbetrieb gar nicht mit Carsten zusammen sein konnte, weil sie rund um die Uhr eingespannt war.

Nach ihrem vergeblichen Versuch, Carsten zu erreichen, ging sie zu Beate in die Küche um zu fragen, ob Beate Hilfe brauchte. Zu ihrer Überraschung fand sie Marie in der Küche vor, die Teller auf ein Tablett stapelte, die Bestecke dazulegte und Gläser aus dem Schrank nahm. Sie lächelte Hanna schüchtern und zugleich vertraulich an, da sie ja ein Geheimnis miteinander hatten. Hanna war tief berührt von Maries selbstverständlicher Hilfsbereitschaft und ihrem auch ansonsten vernünftigen Verhalten. Sie nahm sich vor, nach Maries Hintergrund zu fragen, um Vergleiche anstellen zu können.

Beate hatte einige Schüsseln Salat vorbereitet und einen großen Teller mit Würstchen, eingelegten Koteletts und Nackensteaks zum Grillen. Das Fleisch stammte wie das Gemüse und der Salat vom Biohof ihrer Eltern. Hanna war froh, so problemlos an Fleisch zu kommen, dessen Verzehr sie gutheißen konnte, denn in den Supermärkten im Wendland gab es im Allgemeinen nur konventionelles Fleisch aus Massentierhaltung. Beate konnte zumindest aus ihrer Erfahrung die Behauptung des Bauernverbands, von Vorständen von Tierfabriken und gewissen Parteimitgliedern, dass der Kunde kein teures Bioerzeugnis wolle, widerlegen. Der Hof von Beates Eltern lief gut, dank der hervorragenden Erzeugnisse und der gezielten Vermarktung.

Hanna trug die große Holzplatte mit dem „Grillgut" - ein Ausdruck, den sie ordinär fand, aber immer ironisch benutzte, weil ihr kein besserer einfiel – zur Feuerstelle und setzte sich zu den anderen. Frau Wagner erkundigte sich sofort nach dem Telefongespräch mit der Polizei, zeigte sich gleichzeitig entrüstet und befriedigt, weil sie Recht behalten hatte. Das Dreiergestirn hörte höchst gespannt zu und begann zu tuscheln. Hanna konnte heraushören, dass sie die Ereignisse wahnsinnig aufregend fanden und insgeheim auf eine Lösung mit Entführung, schauerlicher Folter und vielleicht sogar Mord hofften, was sie aber vor den anderen nicht zugeben wollten. Laut sagte Silke, dass sie auf ein schnelles Auftauchen von Jasmina hofften, und die beiden anderen pflichteten ihr kopfnickend bei. Hanna amüsierte sich und stellte sich vor, dass sie vermutlich in Ohnmacht fallen würden und einen Schock davontragen, wenn wirklich etwas Entsetzliches herauskäme.

Beate setzte sich zu ihnen, und Markus als einziger Mann in der Runde nahm selbstverständlich die Fleischzange, rückte die Würstchen und Fleischstücke zurecht und sah geflissentlich nach, ob man schon etwas wenden konnte. Beate lächelte offensichtlich amüsiert über sein Verständnis von der Rolle, die er als Mann beim Grillen übernehmen musste. Es war wohl so eine Art Atavismus, dass die Männer Feuer machten, es bewachten und das Fleisch auflegten, was viele Frauen gar nicht schlecht fanden, weil sie die Hitze scheuten und ein bisschen Angst davor hatten, dass das Feuer außer Kontrolle geraten könnte. Die Rolle der Frauen stand im allgemeinen völlig im Einklang mit dem, was sich bei den meisten Familien oder Paaren in der Küche abspielte: Die Frau bereitete alles vor, trug das Geschirr auf und kümmerte sich nach dem Essen um den Abwasch, der oft mit rußverschmiertem Grillrost und fettverkrusteten Wendewerkzeugen nicht gerade ein Vergnügen war. Beate war allerdings mit ihrem Arbeitsanteil völlig zufrieden, denn zum einen wurde sie dafür bezahlt, und zum andern gab es immer größtes Lob.

Die Stimmung wurde deutlich lockerer, als die ersten Grillstücke fertig waren, und Markus anfing, sie zu verteilen. Sie bedienten sich mit Salaten und wollten von Hannas Vorschlag, zum Essen an den Tisch zu gehen, nichts hören. In unbequemster Haltung balancierten sie die Teller auf dem Schoß und hantierten vorsichtig mit Messer und Gabel. Tanja musste den Spaß, am Feuer zu bleiben, teuer bezahlen. Ihr Teller klappte plötzlich um, und ihr Steak mitsamt Salaten landete im Sand. Tanja wurde feuerrot und murmelte etwas von „oberpeinlich", was aber nicht verhinderte, dass die anderen ihr Missgeschick unter Gelächter und Gejohle kommentierten. Beate half, die panierten Salate und das Steak aufzusammeln und in den Abfalleimer zu werfen, und Tanja holte sich einen neuen Teller.

Gegen neun Uhr - es war immer noch völlig hell – tauchte ein malerischer Besucher auf, den sie zunächst voller Staunen für eine Inderin hielten. Britta fragte leise, in welch exotischer Gegend sie hier gelandet sei, aber Hanna hatte gleich den richtigen Gedanken: Es konnte sich nur um Pitten handeln. Diesmal war er mit einer dunkelblauen Hose bekleidet und trug darüber einen perfekt gewickelten roten Sari. Um den Kopf hatte er einen blauen Seidenschal farblich passend zur Hose geschlungen. Er war barfuß, was Hanna in Anbetracht der ansonsten gepflegten Kleidung sehr unpassend fand, denn seine Füße waren rabenschwarz vom Staub der Sandwege und vom Schmutz der Asphaltstraßen.

Pitten zog sich wortlos einen Holzklotz heran und setzte sich ans Feuer. Hanna stellte ihn vor und nannte die Namen der anderen, wobei sie nicht den Eindruck hatte, dass es ihn interessierte. Beate fragte ihn, ob er etwas mitessen wolle, und als er nickte, holte sie Teller und Besteck aus der Küche, packte Würstchen, ein Kotelett und Salate auf den Teller. Aber Pitten streckte ihr abwehrend die Hände entgegen. „Ich esse nichts, was Augen und ein Herz hat, denn zu Augen und Herz gehört eine Seele." Beate nahm überrascht das Würstchen und das Fleisch wieder vom Teller, und Pitten akzeptierte den Salat.

Eine Weile herrschte Schweigen, bis Pitten in die Runde sah und bedeutungsvoll sagte: „Eine fehlt." Hanna fragte ihn, woher er das wisse, und Pitten antwortete, es sei doch selbstverständlich, dass ihm nichts verborgen blieb. Die anderen wunderten sich, weil sie nichts über ihn wussten, nur Beate kannte vom Hörensagen die Geschichten, die man von ihm erzählte und hatte ihn auch einmal von seiner skurrilen Seite beim Einkaufen erlebt. Er kam zur Tür hereingestürzt mit etwas in der Hand, das aussah wie ein Revolver. Ein paar ältere Frauen, die hinter dem Eingang ein Schwätzchen machten, waren fürchterlich erschrocken, als er laut in den Laden rief: „Keine Bewegung, dies ist ein Überfall!" Der Filialleiter kam hinter einem Regal hervor und sagte ruhig: „Pitten, lass den Quatsch." Pitten lachte und fuchtelte mit der kleinen Astgabel herum, die er als angebliche Waffe in der Hand hielt. Beate nahm sich vor, diese Geschichte zum Besten zu geben, wenn Pitten gegangen war, denn sie fand sie sehr unterhaltsam.

Hanna sagte zu Pitten: „Wenn du weißt, dass eine fehlt, dann sage uns, wo sie ist. Wir haben nämlich deine Fähigkeit nicht, Dinge zu wissen, die nicht offensichtlich sind und deshalb machen wir uns große Sorgen." „Ihr werdet es schon zu gegebener Zeit herausfinden", antwortete Pitten leicht ungnädig und beschäftigte sich von da an schweigend mit seinem Salat.

Pitten blieb nicht der einzige Gast von außerhalb. Sie hörten plötzlich ein Auto röhren, das sich näherte, und ein dunkler Golf kam auf den Hof geschossen und bremste kurz vor ihrer Runde so scharf, dass Kies und Sand aufspritzten. Das Dreiergestirn hatte schon mit Angstschreien die Arme schützend über den Kopf geworfen, weil sie den Eindruck hatten, das Auto würde sie alle plattmachen.

Hanna hatte das Auto sofort als das Bum-Bum-Auto von Jasminas Bruder erkannt. Ohne den Motor abzuschalten sprang der junge Mann aus dem Auto. Er brüllte mit wutverzerrtem Gesicht: „Wo ist meine Schwester?" Hanna versuchte, einen ruhigen Ton beizubehalten, um die Situation nicht eskalieren zu lassen, als sie antwortete: „Wir wissen es nicht. Ich habe Ihren Eltern bereits gesagt, dass sie vor dem Mittagessen nochmal in den Stall gegangen und seitdem nicht mehr aufzufinden ist." „Und was haben Sie unternommen? Sind Sie ausgeschwärmt und haben Sie den ganzen Nachmittag gesucht, oder was?" „Das ist doch lächerlich", sagte Hanna. „Jasmina ist sechzehn und kann ja wohl nicht mehr in ein Laufställchen gesteckt werden und jede Sekunde beaufsichtigt. Wir haben ganz normal den Nachmittag mit den Pferden am Laascher See verbracht und..." Er unterbrach sie mit einem wütenden „fuck, fuck, fuck", und Hanna spürte, dass sie mit ihrer Geduld am Ende war und innerlich zu kochen anfing. Sie sagte schneidend: „Ihr Englisch ist ja hervorragend, aber verschonen Sie uns mit weiteren Demonstrationen Ihrer Sprachkenntnisse. Ihre Ausdrucksweise trägt nicht zur Klärung bei." „Ich kann es auch auf Deutsch", brüllte Jasminas Bruder. „Fick dich doch ins Knie, alte Schlampe!" Nach kurzem Zögern, vermutlich überlegend, ob er handgreiflich werden sollte oder den Rückzug antreten, sprang er ins Auto, legte den Rückwärtsgang ein und preschte davon. Seine verbalen Ergüsse hatten ihm wohl doch letztendlich gereicht, um sich als Sieger zu fühlen.

Frau Wagner war sehr bleich und unterbrach die Stille als erste. „Oh, mein Gott, ich dachte schon, er würde Sie schlagen. Ich habe selten jemanden so außer sich gesehen."

„Wir hätten zurückgeschlagen. Schließlich sind wir gewaltig in der Überzahl, nicht wahr, Pitten?" Pitten hatte einen todtraurigen Gesichtsausdruck und zitierte im Gehen: "We are not amused." Damit verschwand er in der Hofeinfahrt.

Hanna war der Abend gründlich verdorben, und obwohl sie wusste, dass die Anschuldigungen und Beschimpfungen von Jasminas Bruder ungerechtfertigt waren, fühlte sie sich getroffen und damit unwohl. Zur Entschuldigung für Jasminas Bruder konnte sie sich nur denken, dass er sich ernsthaft Sorgen machte und nie gelernt hatte, seine Gefühle in anderer Form als mit Ausbrüchen von verbaler oder tätlicher Gewalt in den Griff zu bekommen. Immerhin war er der einzige in der Familie, der eine enge Beziehung zu Jasmina hatte und sich um sie kümmerte. Durch ihre Überlegungen war Hanna schon wieder etwas weicher gestimmt. Sie ging zum Haus und versuchte noch einmal, Carsten zu erreichen. Wieder nur die Mailbox. Am liebsten hätte sie auch „fuck" gesagt, aber sie verkniff es sich, um sich nicht auf eine Stufe mit Jasminas Bruder zu stellen.

Hanna ging wieder zum Feuer und half Beate, das Geschirr in die Küche zu tragen und die Salat-und Fleischreste in getrennten Kühlschränken, wie es Vorschrift war, zu versorgen.

Jeder von der Gruppe nahm auch auf dem Weg in die Zimmer ein Geschirrteil mit in die Küche, denn Hanna hatte ihnen von dem überaus nützlichen Spruch ihrer Mutter „nie leer laufen" erzählt, und erstaunlicherweise hatten sich alle den Spruch zu Herzen genommen. Hanna wunderte sich immer, wie unpraktisch manche Menschen sich verhielten, vor allem in Restaurants war ihr das aufgefallen. Die Bedienung kam häufig an den Tisch, um nach den Wünschen zu fragen, und musste gleich wieder loslaufen, um die Speisekarten zu holen. Wenn man ins Restaurant ging, war wohl ziemlich klar, dass man essen wollte, folglich konnten die Kellnerinnen und Kellner ihre Wege mit ein bisschen System rationalisieren. Hanna erwischte sich selber oft dabei, dass sie nicht nachdachte und zweimal laufen musste.

Bevor sich die Gruppe trennte, um ins Bett zu gehen, hielt Hanna sie noch kurz zurück. „Ich glaube, wir alle fühlen uns nicht besonders gut. Mal sehen, was morgen passiert, es wird sich ja hoffentlich alles als harmloser Zwischenfall aufklären. Es tut mir leid, dass es heute Abend nicht so gelaufen ist, wie wir uns das vorgestellt haben. Schlaft trotzdem gut und denkt an den tollen Ritt morgen an den Arendsee."

Alle nickten freundlich, wünschten ihr trotz allem eine gute Nacht und verschwanden in ihren Zimmern.

Es war noch sehr warm und eigentlich zu früh, um zu schlafen. Hanna legte sich ohne sich zuzudecken aufs Bett, nur mit einer sommerlichen kurzen Hose bekleidet. Ihr Fenster stand weit offen, die Luft von draußen brachte aber keine Kühlung. Sie angelte sich den Krimi vom Tisch, den sie einige Tage zuvor angefangen hatte, und versuchte zu lesen. Nach einigen Seiten Lektüre musste sie feststellen, dass sie nichts vom Inhalt aufgenommen hatte, weil sie ständig nach draußen lauschte in der Hoffnung, ein Auto in den Hof fahren zu hören, dem Jasmina gesund und munter entstieg. Sie zwang sich, sich auf das Buch zu konzentrieren, aber die Handlung des Krimis kam ihr plötzlich unheimlich und brutal vor, weil eine junge Frau entführt worden war und jämmerlich zu Tode kam. Normalerweise konnte sie sich gut bei der Lektüre von Krimis entspannen, obwohl ihr die Schilderungen von Grausamkeiten oft zu weit gingen, und sie sie lieber überblätterte. Jetzt konnte sie überhaupt nicht weiterlesen, aber an Schlaf war auch nicht zu denken. Sie stand wieder auf, holte ihre Querflöte heraus und fing an zu spielen. Aber auch beim Musizieren war sie zu unkonzentriert und machte dauernd Fehler. Seufzend legte sie die Flöte wieder weg und stieg ins Bett.

Sie versuchte noch einmal, Carsten zu erreichen, wieder vergeblich. Schließlich drehte sie sich auf den Rücken in der Hoffnung, mit Hilfe von autogenem Training von ihren düsteren Gedanken loszukommen – nicht nur Jasmina betreffend, sondern auch Carsten. In Gedanken stieg sie ganz langsam eine Treppe in einem Gewölbe hinunter, Stufe für Stufe und gelangte schließlich vor eine verschlossene Tür. Als sie die Klinke anfasste, um die Tür zu öffnen, war es mit einem Schlag mit ihrer Autosuggestion vorbei, und sie war wieder hellwach.

Irgendwann war sie doch eingeschlafen, denn sie wurde von vielstimmigem Vogelgezwitscher geweckt, als der Morgen dämmerte. Eigentlich war es viel zu früh zum Aufstehen, aber da sie sich keine Hoffnung machte, noch einmal einschlafen zu können, beschloss sie, aufzustehen. Als erstes ging sie zum Zimmer von Jasmina und Marie, öffnete vorsichtig die Tür und sah nach, ob inzwischen beide Betten belegt waren. Sie hatte die Haustür offengelassen, um Jasmina die Möglichkeit zu geben, unbemerkt in ihr Zimmer zu schleichen, aber Jasmina war nicht da. Enttäuscht schloss sie die Tür wieder, ging in ihr Zimmer zurück und machte ein paar halbherzige Gymnastikübungen, um ihren Kreislauf in Schwung zu bringen. Nach einer ausgiebigen Dusche mit abwechselnd heißem und kaltem Wasser fühlte sie sich besser als am Abend zuvor und sah das Problem mit Jasmina etwas optimistischer.

Sie ging in die Küche, machte sich einen Kaffee und nahm die Tasse mit nach draußen. Es war bereits warm und versprach, ein herrlicher Tag zu werden. Hanna lauschte eine Weile auf die Vögel und beobachtete ein Eichhörnchen, das geschäftig auf einer Linde herumturnte und schließlich über den Hof in Richtung Stallungen davonlief. Hanna war von Eichhörnchen ganz besonders fasziniert wegen ihres putzigen Aussehens und wegen der Geschicklichkeit, mit der sie kopfüber und kopfunter an den Stämmen entlangliefen, und besonders wegen ihrer Lust am Spielen miteinander.

Sie hatte schon oft über lange Zeit beobachtet, wie sie hintereinander herjagten, sich hinter dem Baumstamm versteckten, zum nächsten Baum übersprangen, immer mal eine kurze Erholungspause einlegend, in der nicht angegriffen werden durfte. Wie sie sich dabei verständigten, war für Hanna nicht erkennbar, aber es klappte wunderbar.

Beate kam schon kurz nach sechs, um das Frühstück vorzubereiten. „Na, hat sich was getan?" fragte sie, aber sie brauchte die Antwort gar nicht abzuwarten, als sie Hanna ansah. „Hast du wenigstens schlafen können?" Hanna winkte ab. „Stellenweise", sagte sie, „aber jetzt geht's einigermaßen. Ich werde später nochmal die Eltern und die Polizei anrufen. Falls Jasmina nach Hause gekommen ist, wird wohl kaum jemand von ihrer widerwärtigen Familie es für nötig halten, mich zu benachrichtigen. Ich freue mich jedenfalls nicht darauf, den Anruf zu machen. Aber jetzt ist es sowieso noch viel zu früh."

„Soll ich den Anruf für dich machen?" fragte Beate. „Nettes Angebot", sagte Hanna, „aber lass mal. Ich mach das schon selber."

Beate schenkte sich auch einen Kaffee ein und setzte sich Hanna gegenüber an den Tisch. „Ich sollte versuchen, weniger Kaffee zu trinken", sagte sie. „Ich habe zu Hause schon gefrühstückt, und mindestens schon drei Tassen getrunken. Wenigstens trinke ich den Kaffee nicht schwarz wie du, was ja wirklich äußerst ungesund ist. Wahrscheinlich kriegen wir beide ein Magengeschwür, wenn das so weitergeht." „Das ist im Moment nicht wirklich mein Problem", sagte Hanna. „Wenigstens mein Frühstück will ich heute noch genießen."

Beate stand auf und begann, den Tisch zu decken. Hanna half ihr dabei, war aber in Gedanken ganz weit weg. Sie versuchte vor allem, sich gegen die zu erwartenden Fragen von der Gruppe zu wappnen. Alle würden wissen wollen, ob es Neuigkeiten gäbe, und Hanna kannte sich gut genug um zu wissen, dass sie manchmal ziemlich ungeduldig werden konnte.

Frau Wagner kam als erste, und prompt wurde die unvermeidliche Frage gestellt: „Hat sich über Nacht etwas ergeben?" Hanna verneinte, rang sich aber immerhin dabei ein Lächeln ab.

Nach und nach kamen die anderen, zuletzt das Dreiergestirn. Wie meistens spielte Silke die Sprecherin für alle drei. „Gibt es Neuigkeiten?" fragte sie. Als Hanna den Kopf schüttelte, fuhr sie fort. „Wir haben uns etwas überlegt. Bevor wir heute ausreiten, sollten wir die nächste Umgebung des Luisenhofes absuchen. Vielleicht ist Jasmina ja in die Scheune gegangen, um etwas zu holen und dabei von der Leiter gefallen, oder sie ist in ein Loch gerutscht, und jetzt liegt sie hilflos da und wartet auf ihre Errettung." Markus sagte sofort, er hielte das für ausgeschlossen, weil er am Vortag, als Jasmina nicht zum Essen erschienen war, bereits in der Scheune nachgesehen und nach ihr gerufen hatte. Silke wirkte enttäuscht, und Hanna merkte dem Dreiergestirn an, wie aufregend sie das Verschwinden Jasminas fanden und wie gern sie sich als Detektive, Kriminalbeamtinnen oder heldenhafte Retterinnen gesehen hätten.

Nach dem Frühstück rief Hanna wieder bei der Polizei in Lüchow an. Der Beamte vom Dienst hatte inzwischen gewechselt, und Hanna trug wieder den Sachverhalt vor. Sie bekam fast wörtlich die gleichen beschwichtigenden Argumente wie bei ihrem ersten Anruf zu hören und wurde auf den Wochenanfang vertröstet. Montag würde man den Fall zu Protokoll nehmen, falls das Mädchen bis dahin nicht aufgetaucht war oder sich gemeldet hatte, was der Beamte aus Erfahrung - wie er sagte – für unwahrscheinlich hielt.

Resigniert legte Hanna den Hörer auf und ging zu den anderen zur Koppel hinüber, um die Pferde zu holen und für den Ausritt fertig zu machen.

Als sie gerade ein paar Grashalme aus dem Schweif ihres Wallachs klaubte, rief Beate sie ans Telefon. „Jasminas Mutter", flüsterte sie ihr zu.

Vollkommen überrascht, aber mit der leisen Hoffnung auf positive Nachrichten, nahm Hanna das Telefon entgegen und meldete sich. Sie wurde enttäuscht. Jasminas Mutter hatte nichts gehört und rief nun an, am sich ihrerseits nach ihrer Tochter zu erkundigen. Als Hanna ihr mitteilte, dass sie auch nichts wusste und die Polizei nicht willens war etwas zu unternehmen, kam eine überraschende Reaktion. Jasminas Mutter fing zu weinen an und stammelte, dass sie schon immer mit Jasmina Probleme gehabt hätte und Jasminas Vater ein böses Ende prophezeit hatte. Aber diesmal machte sie sich ernsthaft Sorgen, weil sie sich nicht vorstellen konnte, dass Jasmina freiwillig ihr Reitwochenende abgebrochen hatte. „Nicht mal irgendein Kerl wäre ihr wichtiger gewesen", sagte sie unter Schluchzen. „Ihr muss etwas Schlimmes passiert sein."

Obwohl Hanna insgeheim auch dieser Meinung war, versuchte sie, Jasminas Mutter zu beruhigen, die aber ganz unvermittelt auflegte. Hanna nahm an, dass ihr Mann oder Sohn hereingekommen war, und sie sich nicht traute, in deren Gegenwart zu weinen und ein Gespräch zu führen, das dem Rest der Familie vermutlich zuwider war.

Hanna stand einen Augenblick mit dem Telefon in der Hand da und kam sich vor, als hätte man ihr eine kalte Dusche verpasst. „Verdammt", sagte sie, als Beate zu ihr kam um den Grund des Anrufs von Jasminas Mutter zu erfahren. „Ich mache mir allmählich solche Sorgen, dass ich am liebsten den Ritt und die Fortsetzung des Reitwochenendes abblasen würde. Mir ist nicht nach fröhlichem Geplapper und zünftigen

Galopps zumute. Was glaubst du, würden unsere Gäste sagen, wenn ich vorschlage, alles abzublasen?"

„Na ja, sie werden nicht begeistert sein, aber es vermutlich einsehen. Es ist nur die Frage, ob die Jugendlichen abgeholt werden können, weil die Eltern ja eigentlich erst den Abend für ihre Rückkehr eingeplant haben. Möglicherweise sagst du den Ritt ab, bleibst aber auf deiner Gruppe sitzen, für die du ja verantwortlich bist, und damit ist nichts gewonnen. Im Gegenteil, du musst dir dann ein anderes Programm überlegen, und erreicht ist nichts."

Das fand Hanna ein hilfreiches Argument für die Fortsetzung des Programms und ging zu ihrem Wallach zurück, um ihn weiter vorzubereiten. Als sie dabei war, den Sattel aufzulegen, hörte sie das Knirschen von Kies, das typische Geräusch, das jedes Fahrzeug anmeldete, das in den Hof einfuhr.

Kurz hoffte sie, es konnte jemand sein, der Jasmina zurückbrachte, aber diesmal war es Carsten. Ihre Freude, dass er endlich auftauchte, überwog die leise Enttäuschung. Sie zog schnell den Sattelgurt fest und ging ihm entgegen. Carsten drückte sie so fest an sich, als hätte er sie wochenlang vermissen müssen, aber Hanna löste sich schnell von ihm, obwohl sie sich eigentlich gerne angelehnt hätte und sich von seiner Fürsorglichkeit einhüllen lassen. Es war ihr unangenehm, die neugierigen und taxierenden Blicke des Dreiergestirns auf sich und Carsten zu fühlen. Unter normalen Umständen hätte sie sich kaum um ihre Umgebung geschert, aber im Augenblick war sie angespannt und nervös und fühlte sich durch die Anwesenheit der anderen befangen.

Carsten war befremdet und fragte mit bekümmertem Ausdruck: „Findest du die kleine Macke im Auto so schlimm, dass du mich gar nicht richtig begrüßt?" Hanna sah erst jetzt, dass die Fahrertür von Carstens Auto völlig verbeult war, und sie fing zu lachen an. „Nein", sagte sie, „du hast bestimmt wieder mal die Leitplanke, den Betonpfeiler am Rand oder andere Autofahrer ignoriert, wie du es nennst. Das sind wir ja gewöhnt.

Du kannst mir später erzählen, was dich wieder angesprungen hat, denn ich habe jetzt ein wirkliches Problem. Ich habe gestern Abend dauernd versucht, dich anzurufen, aber du hast irgendwo gesteckt, wo es keinen Empfang gibt." „Ich war auf einer Party bei meiner Kollegin Saskia, die du neulich am Deich kennengelernt hast. Schade, dass du nicht mitkommen konntest. Es war sehr lustig, und es gab tolle Sachen zum Essen."

„Bei mir ist zurzeit überhaupt nichts lustig!" Hanna berichtete in Kurzfassung von Jasminas Verschwinden und machte deutlich, dass sie allmählich starke Befürchtungen hatte, Jasmina könnte einem Verbrechen zum Opfer gefallen sein.

Carsten dachte eine Weile nach und meinte dann, sie solle den Ausritt absagen und lieber versuchen, auf eigene Faust etwas herauszubekommen. Hanna wollte nicht über die Köpfe der anderen hinweg entscheiden und stellte das Thema zur Diskussion. Zu ihrer Erleichterung war man sich schnell einig, dass in Anbetracht der sowieso schon ziemlich verdorbenen Stimmung die Unternehmung abgebrochen werden sollte. Frau Wagner bot sogar an, das Dreiergestirn und Marie nach Hause zu fahren.

Markus wollte sich mit dem Fahrrad ein bisschen in der Umgebung umsehen, und nachdem Hanna versprochen hatte, einen Anteil des bereits bezahlten Wochenendes zurückzuzahlen, fuhr Frau Wagner mit den Mädchen ab. Das Dreiergestirn ließ Henning Grüße ausrichten und fragte an, ob es wiederkommen könne, denn das Wochenende hatte ihnen bis auf den Schluss prima gefallen. Außerdem musste Hanna ihnen zusagen, sie auf dem Laufenden zu halten. Selbstverständlich würde Hanna alle unterrichten, sobald sich das Problem gelöst hatte.

Endlich war sie mit Carsten allein. Sie schlenderten Hand in Hand zum Haus, und Carsten erzählte ihr, wie er zu der Beule im Pick-up gekommen war. „Ich habe am Ende der Party aus der Einfahrt zurückgesetzt, da es zum Wenden zu eng war, und leider nicht viel sehen können, weil ein Rückfahrscheinwerfer kaputt ist. Ich habe wohl zu stark eingeschlagen und dabei das Metallgitter vom Tor erwischt, das halb zugefallen war."

„Wieso bist du eigentlich vorbeigekommen?" fragte Hanna. „Du lässt dich doch sonst nicht blicken, wenn ich am Wochenende arbeiten muss." Carsten lächelte sie liebevoll an. „Ich hatte Sehnsucht, und ich dachte, ich könnte dich noch vor dem Abritt erwischen, was sich ja als richtig erwiesen hat. Außerdem hatte ich irgendwie das Gefühl, du könntest mich brauchen, und auch das stimmte. Ist es nicht merkwürdig, dass man oft unerklärlicherweise so eine Ahnung hat, was man machen sollte?" Hanna küsste ihn gerührt und kuschelte sich auf dem Sofa in ihrem Wohnzimmer in seine Arme.

„Mir geht es schon viel besser. Wie sollen wir jetzt vorgehen?" Carsten schlug vor, zunächst mal Henning anzurufen und zu fragen, ob er etwas von Jasminas Verbleib wusste. Hanna kicherte bei dem Gedanken, dass Jasmina es geschafft haben könnte, sich so heftig an Henning ranzuschmeißen, dass er schwach geworden war und sie irgendwohin für das Wochenende entführt hatte. Der Gedanke war natürlich lächerlich, zumal Henning stinksauer auf sie gewesen war wegen ihres Ausrückens zum Schützenfest. Aber es war dennoch einen Versuch wert Henning zu fragen, ob sie ihm etwas anvertraut hatte.

Sie erreichte Henning sofort auf seinem Handy. Er wunderte sich über ihre Frage und meinte ziemlich unbeeindruckt, die Ziege sei wohl mit einem Galan abgehauen und würde schon wieder auftauchen. Sie solle sich bloß keine Gedanken machen, und es sei bedauerlich, dass sie das Wochenende abgebrochen hatte. Er sei schließlich für den Hof verantwortlich und hätte dazu gehört werden müssen.

Die Idee war Hanna gar nicht gekommen, und sie war verärgert über seinen rüden Ton. Carsten strich ihr beruhigend über die Stirn und meinte, es lohne sich wirklich nicht, sich wegen dieses Snobs auch nur eine Sekunde aufzuregen.

Sie beschlossen, als nächstes zum Festzelt auf dem Gartower Schützenplatz zu gehen, um etwas herauszufinden. Carsten meinte, sie würde ja wohl nicht die Stirn haben, putzmunter da rumzusitzen nach einer Nacht, die sie vermutlich nicht zum Schlafen genutzt hatte. Er konnte sich vorstellen, dass sie ein paar Leute treffen würden, die Carsten kannte und mit ihnen reden.

Da das Wetter so herrlich war, gingen sie zu Fuß. Als sie sich dem Schützenplatz näherten, hörten sie schon von weitem Blasmusik und ziemlich laute Stimmen, die zum Teil versuchten mitzusingen, und zum Teil die Musik durch lautes Reden zu übertönen. „Vielleicht wäre es besser für einige, doch mal sonntags morgens in die Kirche zu gehen, um sich zu läutern", meinte Hanna. „Die Predigten hier sollen ja gar nicht langweilig sein." „Du kannst doch wirklich nicht erwarten, dass man in die Kirche geht statt zum Schützenfest! Es wäre allerdings ganz gut, wenn es bei den Evangelischen danach eine Ohrenbeichte gäbe, da würde mancher sich wieder wohler fühlen, wenn er seine Sünden abbüßen könnte. Aber so schlimm ist es auch wieder nicht: Es wird nur ein bisschen zu viel getrunken (was wir ja auch durchaus hinkriegen), und Schützenfestkinder müssten auch nicht unbedingt entstehen. Das bisschen Autofahren in betrunkenem Zustand ist hier im Wendland verzeihlich, weil es so wenig Verkehr gibt, und praktisch alle, die am Schützenfestwochenende fahren, sind im gleichen unzurechnungsfähigen Zustand."

Hanna lachte über Carstens Spott und wollte gerade zu einer Verteidigungsrede ansetzen, als sie Pitten am Eingang des Festzelts entdeckten, der auf einer kleinen Mundharmonika eine Art Choral spielte, aber überhaupt nicht gegen die Blaskapelle und den Gesang ankam. „Siehst du, da haben wir's! Der Weltverbesserer ist schon da und missioniert." Pitten war diesmal nicht auffällig gekleidet. Er hatte eine weiße Hose und ein indisches Hemd an und trug Sandalen ohne Socken.

Nur seine Haare fielen aus dem Rahmen. Sie waren offen

und lagen malerisch ausgebreitet über seinen Schultern. Hanna kam es vor, als hätten sie einen goldenen Glanz, den sie vorher nicht bemerkt hatte, und Carsten bestätigte ihr, dass Pitten manchmal die Haare der jeweiligen Situation anpasste: mal rot für eine gewisse Aggressivität, mal schwarz für düstere Weltuntergangsstimmung. Carsten meinte, er trüge wohl Perücken, aber das wusste er nicht so genau. Jedenfalls war deutlich, dass Pitten an diesem Schützenfestmorgen sein wahres zweitausend Jahre altes Gesicht zeigte, was allerdings nicht verhinderte, dass er sich eine Zigarette ansteckte, als er seinen Choral zu Ende gespielt hatte und ein Bier entgegennahm, das ihm ein gutmütiger junger Mann brachte.

Hanna wollte ihn begrüßen, aber er gab nicht zu erkennen, dass er sie schon mal gesehen hatte. Sie war sehr befremdet, aber Carsten wies sie darauf hin, dass man sich nie auf sein Verhalten verlassen konnte und nicht ärgerlich sein musste, wenn er in keiner Weise den Erwartungen entsprach.

Sie gingen an ihm vorbei ins Festzelt. Die Musik machte gerade eine Pause, und sie stellten fest, dass noch gar nicht besonders viele Gäste da waren. Einige trugen Uniformen mit allen Orden, Männer wie Frauen. Die Frauen hatten zwar in alter Tradition keine langen Hosen an, sondern trugen Jacke und knielange grüne Röcke, aber auch sie hatten Orden angeheftet, da sie ja heutzutage bei den Schießwettbewerben teilnehmen konnten und sogar Schützenkönigin werden, was allerdings die Ausnahme war. Überhaupt war das Amt des Schützenkönigs nicht mehr so beliebt wie früher, da es Ausgaben und viel Aufwand in der Freizeit mit sich brachte. Hanna hatte beobachtet, dass in Gartow eine erkleckliche Anzahl von Häusern die Schützenkönigsscheibe mit der entsprechenden Jahreszahl über der Haustür hängen hatte und schloss daraus, dass die Teilnahme am Schützenfest immer noch sehr populär war und von einigen als Höhepunkt des Jahres angesehen wurde.

Hanna verglich das Schützenfest in Niedersachsen mit den

gängigsten Festen in Polen, die fast aller religiöser Natur waren. Sie selbst gehörte keiner Religion an, weil ihre Eltern sich nicht hatten einigen können auf katholisch (polnische Mutter!) oder evangelisch (deutscher Vater!)

Vor allem die polnische Verwandtschaft von Hannas Mutter hatte sich sehr aufgeregt über die Lösung des Konflikts, aber da bei beiden Eltern die Religion keine Rolle spielte, war es am einfachsten, die Kinder gar nicht taufen zu lassen. Hanna hatte also keine enge Beziehung zu den religiösen Gepflogenheiten Polens, aber sie konnte sich mit dem Schützenfest erst recht nicht anfreunden, weil es ihr zu militärisch war. Sie konnte den Uniformen, die mit viel Stolz getragen wurden, nichts abgewinnen, ebenso wenig den feschen Federbüschen auf den Hüten, den Orden, den militärischen Umzügen mit entsprechender Musik.

Carsten hatte ihr Einiges von der historischen Bedeutung erklärt und erwähnt, dass die alten Traditionen wie Schützenfeste und Osterfeuer auch in den Bundesländern der ehemaligen DDR wieder aufgelebt waren. Er erzählte auch von seinem Großvater Kurbjuweit, der als Kind noch die Schützenfeste in Ostpreußen erlebt hatte, die dort eine große Rolle gespielt hatten. Viele der Flüchtlinge fühlten sich in Niedersachsen wohl, weil die gemeinsamen Traditionen an die Heimat erinnerten.

Hanna war also noch nie zuvor in einem Schützenzelt gewesen, auch nicht während ihrer Schulzeit, wo einige Klassenkameraden versucht hatten sie zu überreden, mitzukommen, um mal richtig einen draufzumachen.

Bei näherem Hinsehen stellte Hanna fest, dass Jasmina nicht da war. Während sie noch am Eingang standen, kam ein Schütze in seiner grünen Uniform auf sie zu und schlug Carsten freundschaftlich ins Kreuz. „Hey, das ist ja ganz was Neues, Carsten. Du auf dem Schützenfest? Stell mir doch gleich deine bezaubernde Freundin vor und kommt mit an unseren Tisch!" Carsten stellte Gunter aus Pevestorf und Hanna einander vor und erklärte, dass sie nur jemanden suchten und keine Zeit zu bleiben hatten. Er beschrieb Jasmina, und es stellte sich heraus, dass sein Bekannter sie am Abend zuvor sehr wohl bemerkt hatte, vor allem wegen ihres freizügigen Ausschnitts, des Arschgeweihs und der saloppen Art, mit den jungen Männern zu flirten. Er erinnerte sich auch vage, mit wem sie am Tisch gesessen hatte, aber keiner von ihren Mitzechern war jetzt am Vormittag schon da.

Sie verabschiedeten sich, vorgeblich mit Bedauern, und schlenderten weiter durch das Städtchen. „Was machen wir jetzt? Wir können doch nicht zu den einzelnen Typen fahren, die mit Jasmina zusammengesessen haben, und sie womöglich aus dem Bett klingeln oder hier mangels Klingeln eher klopfen und befragen? Schließlich sind wir ja nicht von der Polizei, und es macht eigentlich keinen Sinn, jetzt am Wochenende wild zu spekulieren", sagte Hanna. „Wenn du den Sonntag nicht anderweitig verplant hast, da du mich ja nicht einrechnen konntest, schlage ich eine Fahrradtour vor, zum Beispiel zum Baden an den Stresower See." „Einverstanden", antwortete Carsten, „und anschließend gehen wir zu Elli, die mir schon verraten hat, dass sie einen Kuchen gebacken hat und außerdem gern ein bisschen Gesellschaft hätte. Das lenkt dich ab, und vielleicht hat sie mit ihrer längeren Erfahrung eine zündende Idee."

Da Carsten sein Fahrrad in Pevestorf hatte, lieh er sich das Rad von Henning, das in einer Stallgasse angelehnt stand. Er war sich nicht sicher, ob Henning das Verleihen seines Rades ohne vorherige Anfrage locker genug nahm, und so heftete er einen Zettel an die Stallwand, der Henning eigentlich keine Wahl ließ in seiner Reaktion. „Vielen Dank für deine Großzügigkeit. Ich stelle heute Nachmittag das Fahrrad unbeschadet zurück. Du kannst mir auch mal einen Stein in den Garten werfen."

Dann radelten sie los und verbrachten ein paar schöne Stunden mit Baden und Sonnen. Am späten Nachmittag fuhren sie zurück und stellten fest, dass Henning inzwischen nicht zurückgekommen war. Carsten lehnte das Fahrrad wieder an die gleiche Stelle und nahm den Zettel ab. Er hatte nicht mehr vor, Henning von dem Ausflug zu unterrichten.

Sie fuhren mit Carstens Pickup zu Elli nach Pevestorf. Elli deckte sofort unter der Hoflinde den Kaffeetisch und brachte ihren gerade gebackenen Kirschkuchen nach draußen. Dann lächelte sie verschmitzt und kündigte an, dass sie nun auch die Schlagsahne holen würde. Carsten wusste Bescheid, aber Hanna wunderte sich doch sehr, als Elli zum alten Ziehbrunnen ging und einen abgedeckten Keramiktopf nach oben holte. „Ich bin in manchen Dingen altmodisch und sparsam. Früher hat man die Sahne immer im kalten Wasser des Brunnens aufbewahrt, und das klappt auch heute noch. Warum soll ich Strom verbrauchen, wenn es nicht nötig ist?"

Hanna fand das witzig, aber sie fragte gleich, ob Elli die Sahne auch mit der Hand geschlagen hatte, denn das kostete wirklich Zeit und Geduld. Nun musste Elli lachen und gab zu, dass sie – diesmal auf der Höhe der Zeit und umweltfeindlich - das elektrische Rührgerät benutzt hatte. „So weit, so konsequent", sagte sie.

Während sie Ellis hervorragenden Kuchen genoss, erzählte Hanna von ihrem Problem mit Jasmina. Elli schüttelte nachdenklich den Kopf. „Ich würde zunächst ausschließen, dass etwas Schlimmes passiert ist. Hier hat es schon mal einen Gaffer gegeben, wenn junge Mädchen nackig in ein Brack gesprungen waren, und hin und wieder wurde auch mal eingebrochen. Wir lassen aber immer noch im Allgemeinen die Haustür offen, wenn wir nicht gerade den ganzen Tag weg sind. Meine Nachbarn schräg gegenüber schließen überhaupt nie ab, auch nicht, wenn sie verreisen. Sie sind der Ansicht, dass man dann bei einem Einbruch wenigstens nicht Tür oder Fenster kaputt machen muss, und so der Schaden gering gehalten wird. Bisher ist tatsächlich auch nicht das Geringste weggekommen.

Ich neige also eher dazu zu glauben, dass dein Mädchen freiwillig mit irgendjemandem mitgegangen ist und einfach ihren Kopf, mit dem sie ja eigentlich denken sollte, fürs Wochenende abgeschaltet hat. Kann es denn sein, dass sie inzwischen zurückgekommen ist?"

„Ja, natürlich", antwortete Hanna. „ Ihre Sachen sind ja alle noch in ihrem Zimmer. Ich habe ihr einen Zettel aufs Bett gelegt und draufgeschrieben, wann ich ungefähr wieder da sein werde und sie solle mich unbedingt auf dem Handy anrufen. Ich kann ja sowieso nicht allzu lange bleiben, weil ich nachher die Pferde noch versorgen muss."

„So", sagte Elli, „und jetzt ein bisschen Dorfklatsch. Hanna, du erinnerst dich an Anita, die so jung ein Kind erwartet hat und deren Mutter sie rausgeschmissen hat? Sie war letzte Woche hier und hat mir ihr ein paar Tage altes Söhnlein vorgestellt. Ihr könnt euch gar nicht vorstellen, wie er heißt".

„Kevin, Marcel, Justin?" rief Carsten, denn das waren Namen, die immer wieder bei Familien auftauchten, die in ärmlichen Verhältnissen lebten. Man durfte das ja nicht laut sagen, denn es war ein erbärmliches Vorurteil, aber Carsten hatte festgestellt, dass es wie andere Vorurteile auch, immer wieder bestätigt wurde.

Carsten dachte an das krasseste Beispiel von einem Vorurteil, das bei der Vorbereitung zu einer Trekkingtour durch Irland mit harschen Worten negiert wurde. Hanna und er hatten einen viel gelobten, alternativen Reiseführer gefunden, um sich einzulesen. Da stand wahrhaftig, dass die Iren nicht mehr rothaarige Vertreter ihrer Rasse hatten als andere europäische Völker auch. Sie mussten in Irland jedes Mal lachen, wenn ihnen wieder ein Ire oder eine Irin begegnete, die das angeblich falsche Vorurteil widerlegten. Es gab rot in allen Schattierungen, und Hanna beneidete viele der Frauen um ihr dickes, wunderschönes Haar, denn sie fand ihr eigenes, aschblondes Haar nicht gerade aufregend.

Ähnliche Aussagen fanden sich zum Wetter. Da stand, es könne schon mal regnen, aber die allgemeine Meinung von unbeständigem Wetter sei falsch. Das Vorurteil von häufigen

Regenfällen fanden Hanna und Carsten bestätigt, es regnete fast jeden Tag, wenigstens stundenweise, und trotz Hochsommers war es teilweise so neblig, dass sie bei ihrer Wanderung auf den Cliffs of Mohair das Meer unten gar nicht gesehen hatten und ständig Gefahr liefen, sich in der Landschaft zu verlieren. Sie fragten sich, warum die Autorin des Reiseführers versucht hatte, ein anderes Bild von den Iren zu vermitteln, was einfach nicht stimmte, und kamen zu dem Schluss, dass das wohl mit alternativ gemeint war.

Hanna klopfte ihm mit den Knöcheln an die Stirn und holte ihn damit in die Gegenwart zurück. Als er wieder zuhörte, machte sie noch ein paar Vorschläge zu passenden Jungsnamen, die häufig von berühmten Schauspielern oder bekannten Fußballern übernommen wurden, um dem von den Familienverhältnissen her benachteiligten Kind Glanz zu verleihen. Schließlich gab sie auf.

Jetzt will ich's verraten", sagte Elli. „Er heißt Iwan". „Oh du liebe Zeit", entfuhr es Carsten, „hoffentlich ist das kein böses Omen!" Elli meinte, dass Anita wohl von der russischen Zarengeschichte keine Ahnung hätte. Zu Ellis Bedauern war Anita aber auch nicht mit dem Grund für die Namensgebung herausgerückt. Möglicherweise glaubte sie, dass der Vater Russe sei, das war aber nur Ellis Spekulation.

Das Sensationelle an der Geschichte lag an der Tatsache, dass Anitas Mutter plötzlich ganz entzückt von dem Enkel war und Anita angeboten hatte, nach Hause zurückzukommen mitsamt dem Kleinen, und ihn zu hüten, damit Anita Geld verdienen konnte oder gar eine Lehre machen. Elli glaubte aber nicht, dass die gute Stimmung anhalten würde und bezweifelte zudem, dass der kleine Iwan bei Oma „der Schrecklichen" in guten Händen war.

Elli erzählte munter noch dies und das von ihrer Jugend, mit der sie sich immer mehr beschäftigte, und Hanna fühlte sich sehr gut unterhalten. Am späten Nachmittag fuhren sie zurück nach Gartow.

Die Sachen von Jasmina lagen unverändert in ihrem Zimmer, es war auch nichts auf den Anrufbeantworter gesprochen. Hanna bedauerte, dass Carsten nicht über Nacht bleiben konnte, weil er noch eine Arbeit fertig ausarbeiten musste und am nächsten Morgen sehr früh losfahren, um mit einem Team an Grabungen teilzunehmen.

Hanna brauchte fast zwei Stunden, um die Koppeln abzulesen und die Pferde mit Kraftfutter zu versorgen. Zuletzt versorgte sie noch den Huf von Jasminas Pferd. Es sah nicht schlimm aus, und sie kam zu der Überzeugung, dass sie die Tierärztin am nächsten Tag nicht zu holen brauchte.

Sie hatte keine Lust mehr, noch etwas zu essen nach dem guten Kuchen, setzte sich nach draußen und nahm das Telefon mit heraus. Zunächst rief sie ihre Eltern an, was sie schon länger versäumt hatte, und sprach lange mit ihrem Vater. Anschließend versuchte sie ihren Bruder, aber der war nicht erreichbar. Sie las noch in ihrem Krimi weiter, bis es zu dunkel wurde, und ging ins Bett. Sie schloss wieder die Haustür nicht ab, um Jasmina die Gelegenheit zu geben, ins Haus zu kommen.

Sie schlief diesmal besser, vermutlich weil sie den ganzen Tag im Freien verbracht hatte mit sportlichen Betätigungen. Elli hatte es außerdem fertiggebracht, sie abzulenken und ihr eine positivere Einstellung zu vermitteln.

Am nächsten Morgen fiel ihr ein, dass sie auch Frau Wallraff von den Umständen des abgebrochenen Reitwochenendes berichten musste. Zudem wollte sie sich noch einmal mit Jasminas Familie in Verbindung setzen, um die Telefonnummern von Freunden und Freundinnen herauszubekommen, bei denen sich Jasmina vielleicht aus unerfindlichen Gründen aufhielt. Es war aber noch zu früh, um irgendwelche Aktivitäten zu entfalten, und so begann sie nach einem schnellen Frühstück mit viel Kaffee mit den Arbeiten auf der Koppel.

Um acht ging sie zum Haus und rief zunächst bei der Polizei an. Diesmal wurde sie angehört. Der Beamte schrieb ihre und Jasminas Personalien auf und machte sich Notizen zu Jasminas Verschwinden: Zeitpunkt, Ort, Jasminas Alter und Kleidung. Er sagte ihr zu, sofort eine Fahndung herauszugeben. Man würde zunächst die Krankenhäuser der Umgebung anrufen um festzustellen, ob jemand nach einem Unfall eingeliefert worden war. Der Beamte bat Hanna, die Polizei auf jeden Fall zu unterrichten, falls eine Änderung der Situation eintrat. Hanna versprach ihm selbstverständlich, sich sofort zu melden, falls sie etwas erfahren sollte und sagte ihm auch, dass sie auf eigene Faust versuchen wollte, sich mit Freunden und Freundinnen von Jasmina in Verbindung zu setzen.

Dann rief sie Frau Wallraff an, die sehr erschrocken wirkte. Sie könne im Augenblick leider nicht vorbeikommen, weil sie einen Arzttermin hatte, aber im Lauf des Vormittags wollte sie Hanna aufsuchen, um Näheres zu erfahren.

Henning kam kurz darauf und wirkte weder so frisch und elegant wie sonst, noch so überheblich, dafür schlecht gelaunt. Hanna dachte sich, dass er wohl ein nicht so gutes Wochenende gehabt hatte, vermutlich wegen irgendeiner Frau. Sie war überrascht, dass er sie bezüglich des Abbruchs des Reiterwochenendes in Ruhe ließ und gleich zur Koppel ging, um einen Eckpfahl auszuwechseln, der etwas windschief dastand, weil der untere Teil verfault war.

Sie rief wieder bei Jasminas Eltern an. Sie bekam den Vater an den Apparat, der ihr mürrisch zuhörte, als sie ihm berichtete, dass inzwischen die Polizei eingeschaltet war, und er damit rechnen musste, dass sie sich bei ihm melden würde. Von Jasminas Freundeskreis wusste er nicht viel. Er erinnerte sich nur an eine Tammy, die vermutlich Tamara hieß und in ihre Klasse ging. Hanna konnte nichts erreichen, da Tamara in der Schule sein sollte. Sie vermutete, dass die Polizei sich im Lauf der Ermittlungen mit der Schule in Verbindung setzen würde und dann selbst die Klassenkameraden befragen.

Jasminas Vater verhielt sich für seine Verhältnisse einigermaßen höflich und sah davon ab, ihr die Schuld zu geben und sie womöglich noch zu beschimpfen. Hanna war froh, als auch dieser Anruf erledigt war, und sie zunächst nichts mehr unternehmen musste.

Leider hatte sie sich getäuscht. Sie hatte kaum aufgelegt, da rief der Polizeibeamte an, mit dem sie kurz zuvor gesprochen hatte. „Ich sehe eben eine Meldung, die gestern hereingekommen ist, als mein Kollege hier Sonntagsdienst hatte. In Salzwedel ist ein junges Mädchen im Krankenhaus eingeliefert worden, das bis jetzt nicht identifiziert werden konnte. Sie wurde im Gartower Forst in der Nähe von Rucksmoor gefunden. Ich nehme an, Sie kennen Rucksmoor? Das Mädchen liegt im Koma und ist deshalb nicht ansprechbar. Jetzt wollte ich Sie bitten, so bald wie möglich nach Salzwedel zu fahren und sie sich anzusehen, vielleicht können Sie uns helfen?"

Hanna merkte, dass sie eine Gänsehaut bekommen hatte. „Das ist ja schrecklich", sagte sie. „Ich bin natürlich bereit, das zu machen. Ehrlich gesagt, tue ich das nicht gern, weil ich es unangenehm finde, aber es muss ja wohl sein. Kann man nicht die Eltern von Jasmina hinschicken?" „Das wäre verfrüht, da wir ja keinerlei Anhaltspunkte haben. Sie sind schließlich diejenige, die die Vermisstenanzeige aufgegeben hat."

„O.k., das sehe ich ein. Aber ich habe kein Fahrzeug, und Sie können sich vorstellen, was es heißt, von Gartow mit öffentlichen Verkehrsmitteln nach Salzwedel zu gelangen. Das ist praktisch unmöglich." „Gut, ich werde sehen, dass ich Ihnen so bald wie möglich einen Beamten vorbeischicke, der mit Ihnen ins Krankenhaus fährt. Können Sie jederzeit weg?" „Ja", sagte Hanna, „das kann ich hinkriegen."

Sie war so nervös, dass ihre Hand zitterte, als sie Carsten auf seinem Handy anrufen wollte, um ihm von der neuen Situation zu berichten. Sein Handy war abgeschaltet, vermutlich stand er bis zu den Knien im Dreck und buddelte nach irgendwelchen Grundmauern, die sich bis auf wenige Ausnahmen als nicht wichtig für die Frühgeschichte von Niedersachsen, Mecklenburg-Vorpommern, Brandenburg oder Sachsen-Anhalt herausstellten, weil es bis auf ein paar Holzstücke von ehemaligen Palisaden und ein paar Steinen nichts zu finden gab.

„Oh Gott, bin ich gemein", dachte Hanna. „Jetzt unterstelle ich schon, dass Carstens Arbeit nicht wichtig ist, bloß weil sein Handy abgeschaltet ist. Ich meckere mich an!"

Hanna suchte Henning, um ihm zu sagen, dass sie wegmusste und warum. Sie fand ihn immer noch auf der Koppel, wo er lustlos mit Elektrodraht herumhantierte. „Henning", sagte sie. „Ich werde gleich von der Polizei abgeholt, um ein Mädchen in Salzwedel im Krankenhaus anzusehen, das vielleicht Jasmina ist. Du hast die Sache wohl doch ein wenig leicht genommen. Ich weiß nichts Näheres, aber die Polizei geht jetzt meiner Anzeige nach. Nimm das Festnetztelefon mit raus, es könnte ja ein wichtiger Anruf kommen, während ich weg bin." Henning war deutlich blass geworden. „Tut mir Leid wegen meiner Reaktion. Ich hatte ein scheußliches Wochenende. Hoffentlich geht die Sache gut aus. Was ist mit dem Mädchen?" „Ich sagte schon, das weiß ich nicht." „Komm gleich zu mir, wenn du aus dem Krankenhaus zurück bist, oder noch besser, ruf mich an, wenn du etwas erfahren hast."

Hanna ging zurück zum Haus und schenkte sich noch eine Tasse Kaffee ein. Jedes Mal, wenn sie schon wieder einen Kaffee trank, musste sie an Beates Prophezeiung denken und nahm sich vor, wirklich ihren Konsum einzuschränken. Sie dachte an den für Kinder schwer verständlichen Kanon, den sie noch in Polen von ihrer Großmutter gelernt hatte: „Ce A eF eF E E, trink nicht so viel Kaffee. Nicht für Kinder ist der Türkentrank, schwächt die Nerven, macht dich blass und krank. Sei doch kein Muselmann, der ihn nicht lassen kann!" Jetzt wusste sie, wovon die Rede war, fand das Lied aber immer noch albern und in gewisser Weise diskriminierend.

Sie ging ins Büro und sah den Kalender an, in dem Henning die Buchungen für die nächsten Wochen notiert hatte. Am nächsten Wochenende stand nichts an, aber danach waren ständig Eintragungen. Einerseits war es natürlich zu begrüßen, dass der Reiterhof lief, andererseits fand Hanna es bedauerlich, dass sie fast immer am Wochenende arbeiten musste, wenn Carsten frei hatte. Im Augenblick hatte sie natürlich überhaupt keine Lust mehr auf Gäste, die ganz schön Scherereien machen konnten.

Sie ärgerte sich, dass sie auf das Polizeiauto eine ganze Weile warten musste. Schließlich fuhr ein sehr junger Polizist in den Hof, dem sie kaum zugetraut hätte, dass er schon legal den Führerschein besaß. Er stellte sich höflich vor – Sascha Roggenkamp – und wirkte zudem so freundlich, dass Hanna ihm persönlich jedenfalls nichts übelnahm.

Unterwegs entschuldigte er sich dafür, dass sie hatte warten müssen und erklärte ihr, dass die Polizei total unterbesetzt war und sowohl der Staat als auch die Länder vorhatten, trotzdem bei der Polizei weitere Stellen einzusparen. Sie unterhielten sich über die Probleme, die mit Sicherheit bei den Castortransporten auftreten würden, wenn nicht genügend Polizei eingesetzt werden konnte. Obwohl Hanna natürlich auf der Seite der Atomgegner stand, brachte sie ein gewisses Verständnis für die Polizisten auf, die zu gefährlichen und nicht immer ihrer Überzeugung entsprechenden Einsätzen abberufen wurden, die für sie Überstunden, Müdigkeit und Überforderung bedeuteten, die weder mit Bezahlung noch mit Freizeitausgleich abgegolten wurden mangels Geld.

Sie fragte ihn, warum er unter solchen Bedingungen Polizist geworden sei, und er erzählte ihr, dass sein Vater auch Polizist gewesen war und ihm das Bild vom Freund und Helfer vermittelt hatte. Er meinte, im Augenblick würde sein Auftrag ja auch dem Bild entsprechen, denn er konnte vielleicht dazu beitragen, die Identität des Mädchens im Krankenhaus aufzuklären.

Hanna unterhielt sich gut mit ihrem Begleiter während der Fahrt. Sie fragte ihn zunächst, ob sie ihn Sascha nennen dürfe, wenn er sie auch mit Hanna anreden würde. Normalerweise war ja der Umgangston unter den Jüngeren bedeutend lockerer geworden, aber bei einem Polizisten meinte Hanna doch, ein etwas förmlicher Umgangston sei vielleicht angebracht. Aber es fiel ihr schwer, Herr Roggenkamp zu sagen, weil er so jung wirkte.

Erst als sie vor dem Krankenhaus ausstiegen, wurde ihr wieder richtig beklommen zumute. Ihr Begleiter meldete sie an, und sie wurden in die Intensivstation der Chirurgie geschickt. Sie mussten an der Glastür, die die Station von den anderen trennte, klingeln, und eine ältere Dame, die keine Schwesterntracht oder einen Arztkittel trug, kam an die Tür. Sie wurden von ihr zunächst sehr ernst und streng darüber aufgeklärt, was zu tun war vor Betreten der Intensivstation: Händewaschen mit einem Desinfektionsmittel, eine Haube aufsetzen und einen grünen Kittel anziehen. Dann ging die Dame mit ihnen an einer Reihe offener Krankenzimmer vorbei, sodass Hanna einen Blick auf die Patienten werfen konnte. Eigentlich wollte sie woanders hinschauen, aber sie war so fasziniert von dem, was sie im Vorbeigehen sah, dass sie es nicht fertigbrachte, den Kopf zur anderen Seite zu drehen und die Augen auf die Wand des Flurs zu richten. Die meisten Patienten waren wohl nicht bei Bewusstsein, überall waren piepsende und blinkende Geräte angeschlossen, und weiße unbewegliche Gesichter lagen in den Kissen. Hanna war noch nie zu Besuch bei jemandem in der Intensivstation gewesen und konnte ihr Erschrecken kaum verbergen. „Sie sehen, dass hier alle gut betreut werden", sagte ihre Begleiterin. Die Türen lassen wir offen, falls wir ganz schnell in ein Zimmer kommen müssen. Die Geräte melden sich im Notfall, und dafür sind wir gerüstet."

Am Ende des Ganges bogen sie in eins der Zimmer ab. Im Bett lag ein totenbleiches Wesen mit Schlauch in der Nase, Tropf am Arm, Atemgerät und einem riesigen Kopfverband. Zögernd näherte sich Hanna und erkannte trotz aller Entstellungen Jasmina sofort. „Sie liegt seit ihrer Einlieferung gestern im Koma", sagte die Dame. „Sie können kurz mit dem behandelnden Arzt sprechen. Offenbar haben Sie das Mädchen erkannt. Sind Sie verwandt?"

„Nein", antwortete Jasmina. „Ich habe aber die Suchanzeige aufgegeben, weil sie zuletzt bei mir an einem Reiterwochenende teilgenommen hat und dort Sonnabendvormittag nicht mehr aufgetaucht ist."

„Ich denke, in dem Fall darf der Arzt Ihnen nicht allzu viel sagen, sondern wird die Ankunft der nächsten Angehörigen abwarten. Geben Sie mir inzwischen die Personalien des Mädchens und die Telefonnummer der Eltern, dann werden wir alles Weitere veranlassen." „Die Telefonnummer habe ich auf meinem Handy nicht gespeichert, aber Namen und Anschrift kann ich Ihnen geben."

Nach einigen Minuten kam ein junger Arzt und bat Hanna, mit ihm in einen kleinen Raum zu kommen, der mit einem ansprechenden Tischchen und einigen bequemen Stühlen möbliert war und wohl als Besprechungszimmer diente, damit man mit dem Arzt weder im Krankenzimmer noch auf dem Flur herumstehen musste, was in Anbetracht der offenen Türen äußerst unangenehm gewesen wäre Der Arzt bedeutete dem Polizisten, dass er bleiben könne und schloss die Tür. Er bat sie, Platz zu nehmen und setzte sich Hanna gegenüber.

„Ich werde Ihnen ein paar notwendige Informationen geben. Ich habe mitbekommen, dass Sie nicht verwandt sind, sich aber offenbar Sorgen um den Verbleib der jungen Dame gemacht haben. Sie wurde Sonntagvormittag im Gartower Forst auf einem abgelegenen Waldweg bei Rucksmoor von einem Jäger gefunden, der mit seinem Offroader eine morgendliche Inspektionsrunde fuhr. Sie hat einen Schädelbruch, und ein Schultergelenk ist ausgekugelt. Zudem hat sie einen Bänderriss im rechten Knöchel. Bisher können wir keine Prognosen abgeben, inwieweit ihr Gehirn wieder in Ordnung kommt. Ihr Überleben war knapp. Sie hat großes Glück gehabt, dass das Wetter so sommerlich ist. Falls es geregnet hätte oder kalt gewesen wäre, wäre sie vermutlich an Unterkühlung gestorben."

„Können Sie etwas dazu sagen, wie lange sie schon dort gelegen hat und was eigentlich passiert ist? Wurde Gewalt angewendet, oder war es ein Unfall? Wurde sie vergewaltigt?" „Sie hat ein paar blaue Flecken am Hals, die kaum von einem Sturz stammen können. Ich darf Ihnen weiter nichts sagen, und unsere Erkenntnisse beruhen sowieso mehr oder weniger auf Spekulation. Wir kümmern uns um den medizinischen Teil. Es ist jetzt Sache der Polizei, den Fall aufzuklären. Die Polizei in Lüchow wird sich damit befassen und vermutlich die Kriminalpolizei in Lüneburg hinzuziehen, falls es sich um ein Verbrechen handelt.

Wenn sie am Gesundheitszustand der jungen Dame weiterhin interessiert sind, können Sie anrufen oder auch herkommen. Sie müssen sich aber ausweisen, weil nicht jeder, der nicht zu den engsten Angehörigen gezählt werden kann, die Berechtigung hat, in der Intensivstation ein- und auszugehen

Ich würde Ihnen aber raten, ein paar Tage abzuwarten, da sich im Augenblick der Zustand der Patientin kaum ändern wird. Vielleicht kann sie aber bald selbst erzählen, was passiert ist, falls ihr Gehirn sich nicht gegen die Erinnerung mit Hilfe einer Amnesie wehrt. Jetzt habe ich wieder zu arbeiten und wünsche Ihnen noch einen schönen Tag."

Hanna ärgerte sich über die sehr verbreitete Floskel „schönen Tag noch". Warum sollte ihr Tag noch schön werden nach diesem niederschmetternden Anfang? Noch schlimmer war „schönen Abend noch". Wie schön sollte ein Abend weit nach Mitternacht werden, wenn man todmüde mitten in der Nacht aus einer Kneipe nach Hause wankte?

Sie schüttelten sich trotzdem freundlich die Hand, und Hanna folgte Sascha zum Auto.

„Wie soll es jetzt weitergehen?" fragte Hanna. „Wir werden zunächst natürlich die Eltern benachrichtigen", antwortete Sascha. Wie es aussieht, wird Jasmina wohl nicht in allernächster Zeit aufwachen, so dass wir von ihr nichts erfahren können. Wir werden zuerst einige Kollegen nach Gartow schicken und alle befragen, die zuletzt mit ihr zu tun hatten. Falls wir nichts herausbekommen, wird die Kriminalpolizei von Lüneburg eingeschaltet, wie der Arzt schon vermutet hat."

Sascha fragte Hanna nach ihren Erfahrungen mit Reiterferien und ihren Aufgaben auf dem Reiterhof. Es stellte sich heraus, dass er bisher eine einzige Erfahrung mit Pferden gemacht hatte. Sein Onkel hatte ihn als kleinen Jungen auf sein Pferd gesetzt, und er war prompt heruntergerutscht, als das Pferd einen kleinen Satz machte. Seither hatte er keine Ambitionen mehr gezeigt, sich näher mit der Reiterei zu beschäftigen, und er bewunderte Hanna wegen ihres Mutes.

Er setzte Hanna auf dem Hof ab und fuhr los. Hanna suchte zunächst Henning im Büro auf, um ihm Bericht zu erstatten, und kündigte an, dass er vermutlich noch im Lauf des Tages befragt werden würde. Henning zeigte deutlich, dass ihm die ganze Geschichte sehr unangenehm war, und Hanna dachte zum wiederholten Mal, dass er vielleicht doch in irgendeiner Weise mit Jasminas Verschwinden zu tun haben könnte.

Dann rief sie ihre Eltern an, um mit irgendjemandem über die neueste Lage der Dinge zu sprechen. Natürlich war nur der Anrufbeantworter dran. Als nächstes versuchte sie ihren Bruder, aber auch da hatte sie wieder kein Glück. Als sie überlegte, wem sie sonst noch von ihrer misslichen Lage berichten könnte, hörte sie ein Auto in den Hof fahren. Im nächsten Moment sprang Arthüür an ihr hoch und konnte sich vor Freude gar nicht lassen. Offenbar hatte er keine schlechten Erinnerungen an sein erzwungenes Bad vom letzten Mal und sauste gleich fröhlich bellend auf die Koppel.

Frau Wallraff brauchte eine ganze Weile, um aus ihrem Auto zu steigen. Hanna wollte ihr helfen, aber das lehnte sie ab. „Ich habe heute wieder ziemliche Schmerzen in der Hüfte", sagte sie. „Aber so lange es geht, will ich allein zurechtkommen. Es ist ja nicht immer jemand da, der einem helfen kann. Als ich jung war, habe ich immer ein bisschen auf alte Leute herabgesehen, die unbeholfen wirkten und häufig nur noch von ihren

Beschwerden redeten. So wollte ich nie werden, aber jetzt hat es mich doch erwischt."

Sie hörte sich an, was Hanna zu berichten hatte und schüttelte besorgt den Kopf. „Wir leben hier doch in einer ungefährlichen Gegend", sagte sie „Ich würde zwar manchen Städtern, die die Ansicht vertreten, auf dem Land sei die Welt noch in Ordnung, überhaupt nicht recht geben, aber die Vorkommnisse hier in Gartow haben nichts mit Raub und Totschlag zu tun. Es gibt Ehebruch, Kinder werden misshandelt von ihren Eltern, uneheliche Kinder sind an der Tagesordnung, Erbstreitigkeiten vorprogrammiert. Aber jemanden halbnackt bei Rucksmoor auflesen mit Schädelbruch? Verschwinden aus einem Reiterhof, wo Dutzende von Leuten um die Wege sind? Da mache ich mir keinen Reim drauf."

Hanna zeigte sich ebenfalls ratlos. Sie saßen unter der Eiche vor dem Haus und tranken Kaffee.

Hanna fielen plötzlich die Blumen ein, die sie vor ein paar Tagen achtlos von der Treppe beiseitegetreten hatte. Sie erzählte davon und fragte: „Was halten Sie davon? Ich habe sie völlig vergessen, aber vielleicht haben sie mit den Vorfällen zu tun. Ich habe niemandem davon erzählt, nicht mal meinem Freund Carsten, aber eben kommt es mir vor, als hätten sie vielleicht eine Bedeutung."

Frau Wallraff teilte ihre Ansicht nicht, und sie ließen das Thema fallen. Hanna versuchte vorsichtig, über Henning etwas zu erfahren, aber Frau Wallraff hatte sie sofort durchschaut. „Sagen Sie doch ehrlich, dass Sie sich über meinen Neffen Gedanken machen. Ich kann Ihnen versichern, dass ich für ihn meine Hand ins Feuer lege. Er kann arrogant sein und sich manchmal nicht gut verhalten, aber er ist bestimmt kein Vergewaltiger oder Gewalttäter. Bevor ich ihn hier eingestellt habe, hat er bei einer Firma in Hannover als Berater gearbeitet. Da er sich nicht gern etwas sagen lässt, ist er rausgeflogen, und meine Schwester war ziemlich besorgt um seine Zukunft. Seit er hier arbeitet, läuft alles gut. Ich sage ganz ehrlich, dass ich kein besonders enges Verhältnis zu ihm habe – und ich weiß vor allem, dass er Arthüür nicht leiden kann, was er versucht, wenig diplomatisch zu verheimlichen – aber ich brauche ihn als Verwalter und vertraue ihm absolut."

Hanna schämte sich ein bisschen, dass sie Henning in Verdacht hatte und so plump angefangen hatte, Fragen zu stellen, dass Frau Wallraff sie gleich durchschaut hatte. Frau Wallraff machte ihre große Handtasche auf und zog eine Flasche Sherry heraus. „Ich finde, zum Kaffee vor dem Essen kann man ruhig einen Aperitif gebrauchen. Trinken Sie ein Schlückchen mit mir?" Hanna hatte eigentlich nicht so recht Lust auf Alkohol, aber aus Höflichkeit holte sie zwei Gläser aus der Küche und ließ sich einschenken.

Arthüür kam wieder angesaust und war mit einem Satz auf dem Schoß seiner Herrin gelandet. Als er aufdringlich an ihrem Glas schnupperte, warf Frau Wallraff ihn mit einer unwirschen Handbewegung hinunter. „Ich weiß nicht, was ich mit diesem Hund habe. Er ist frech, hört nicht – na ja, ich habe mir auch nicht die Mühe gemacht, ihn zu erziehen – und trägt pausenlos Dreck ins Haus. Trotzdem mag ich ihn, und er leistet mir immer schön Gesellschaft." „Ich finde ihn ausgesprochen putzig", sagte Hanna. „Er ist immer munter, nie beleidigt, und man kann oft über ihn lachen."

„Er kann auch ein paar Kunststücke", sagte Frau Wallraff. „Soll ich mal eins vorführen?" Hanna nickte, und Frau Wallraff nahm ein Stück Zucker aus der Dose und zeigte es dem Hund. Arthüür stand ganz still, als sie ihm das Zuckerstück auf die Nase legte. Er verharrte eine Weile voller Konzentration, dann warf er mit einer plötzlichen Bewegung seines Kopfes den Zucker in die Luft und fing ihn geschickt im Runterfallen mit den Zähnen auf. Während er zufrieden das Zuckerstück zerkaute, tätschelte ihn Frau Wallraff liebevoll und sagte: „Na, alter Junge, das klappt doch immer! Aber das machen wir nicht zu oft, das bekommt deinen Zähnen nicht." Arthüür sah sie erwartungsvoll an, aber als er merkte, dass sein Kunststück nicht noch einmal gefragt war, zog er ab Richtung Stall. Hanna hatte richtig Spaß.

Frau Wallraff verabschiedete sich kurz darauf. „Können Sie laut pfeifen?" fragte sie. „Das ist auch so etwas, was man im Alter nicht mehr kann. Da meine Zähne nicht mehr alle Original sind, kriege ich es nicht mehr fertig, durch die Finger zu pfeifen. Ich konnte das mal richtig gut, ich habe es vor allem meinem Vater zum Possen geübt. Er pflegte nämlich zu mir und meiner Schwester zu sagen, wenn wir etwas taten, das nicht damenhaft war: „Mädchen, die pfeifen und Hühnern, die krähn, denen muss man beizeiten die Hälse umdrehn." Mich hat das geärgert. Immer durften die Jungs alles, und die Mädchen hatten lauter Einschränkungen. Jedenfalls konnte ich früher jeden Hund herbeipfeifen. Machen sie mal." Hanna pfiff gekonnt durch die Finger, und Arthüür kam angeflitzt. Als er merkte, dass es nach Hause ging, wollte er nicht recht einsteigen, aber ein Klaps von Frau Wallraff half ihm schnell auf den Rücksitz, wo er auf einer alten Decke liegen durfte.

Als Frau Wallraff mit einiger Mühe eingestiegen war, sprang er allerdings auf die Lehne des Fahrersitzes und leckte ihr den Hals, was lachend abgewehrt wurde.

Frau Wallraff hatte schon den Motor angelassen, als ihr noch etwas einfiel. Sie ließ das Fenster herunter und sagte: „Ich habe ganz vergessen zu fragen, ob Sie zu meiner plattdeutschen Lesung übermorgen im Schwarzen Hahn kommen wollen. Ich mache das nicht ganz freiwillig, aber der Vorstand des Kulturvereins hat mich gebeten, einen plattdeutschen Abend mitzugestalten. Die meisten Jugendlichen können kein Platt mehr, und es ist schade, wenn die alten, landschaftlichen Sprachen verloren gehen."

„Vielen Dank für die Einladung", sagte Hanna. „Aber können Sie nicht Polnisch oder Französisch lesen? Das verstehe ich nämlich, Platt aber nicht."

„Dann ist es umso wichtiger, dass Sie sich daran gewöhnen. Elli kommt selbstverständlich auch, sie gehört ja auch zu dem Kreis der Einheimischen, die noch Platt sprechen können. Nach dem Krieg ist leider das Plattdeutsch hier mehr oder weniger verloren gegangen, weil die vielen Flüchtlinge aus Ostpreußen und Pommern ihre eigene Sprachform mitgebracht haben, und das einheimische Platt dadurch zurückgedrängt wurde. Wir sprechen ja untereinander auch kaum noch Platt, höchstens bei landwirtschaftlichen Veranstaltungen wie Pferdeauktionen oder Fahrturnieren. Na ja, die ganzen Dialekte und Ausdrucksformen aus den ehemaligen Ostgebieten werden bald ganz verschwunden sein. Ich bedaure das, aber wir sind ja nicht ganz unschuldig am Verlust von Pommern, Ostpreußen und Schlesien, oder? Kleiner unpassender Exkurs, aber der Verlust von sprachlichen Eigenheiten von riesigen Landstrichen beschäftigt mich und macht mich traurig. Sie halten mich auf dem Laufenden bezüglich der Ereignisse hier?" Hanna versprach natürlich, sie in Kenntnis zu setzen, falls es neuere Erkenntnisse gab, und Frau Wallraff fuhr schließlich ab.

Sie war gerade zum Stall hinübergegangen, um nach dem verletzten Pferd zu sehen, als ihr Handy klingelte. Eigentlich wollte sie jetzt wirklich mit der täglichen Routinearbeit beginnen, aber sie konnte es sich nicht leisten, ihr Telefon klingeln zu lassen, da es ja die Polizei sein konnte mit dringenden Fragen.

Es war ihre Mutter, die den Anrufbeantworter abgehört hatte und wissen wollte, warum Hanna angerufen hatte. Hanna freute sich, als sie das vertraute Polnisch hörte und fühlte sich ihr gleich sehr nah. Sie berichtete von den Ereignissen, ihre Mutter stellte viele Fragen und machte Vorschläge, wie man weiter vorgehen sollte.

Hanna fühlte sich getröstet, brach aber das Gespräch ab, um endlich zu ihrer Arbeit zu kommen.

Sie sattelte zunächst den Haflinger und ging auf den Reitplatz, um ihn ernsthaft zu bewegen. Sie wusste, dass er von Natur aus faul war und musste sich anfangs sehr anstrengen, um ihn – im wahrsten Sinne des Wortes – auf Trab zu bringen. Nach einer Weile fing es an, Spaß zu machen, er sprach auf ihre Hilfen an und wurde zusehends geschmeidiger unterm Sattel.

Nach einer guten halben Stunde nahm sie sich das nächste Pferd vor, aber allmählich wurde es zu warm für schweißtreibende Arbeit, denn die Sonne knallte ungehindert auf den Platz. Sie beschloss, sich die anderen beiden Pferde, die trainiert werden sollten, erst am Abend vorzunehmen.

Sie ging zum Haus hinüber, legte ihre Reitkleidung ab und duschte mit kaltem Wasser. Sie zog sich eine sommerliche Hose an und ein leichtes Top und fühlte sich gleich richtig wohl. Sie mochte die sommerlichen Temperaturen und konnte auch flirrende Hitze genießen, wie in ihren Sommern während des Studiums in der Provence. Sie hatte oft bei Aix-en-Provence unter einem Olivenbaum gelegen und schläfrig den schrillenden Zikaden zugehört.

Sie machte sich einen Salat, nahm ein Glas Rotwein mit ins Freie und setzte sich in den Schatten der Linden vor dem Haus. Es war richtig schön, nicht in einem öden Hamburger Maklerbüro zu sitzen, Telefonanrufe entgegenzunehmen und auf Kunden zu warten. Vor allem war es angenehm, sich bei ihrem derzeitigen Job die Zeit selber einzuteilen, was sie während der Woche weitgehend tun konnte, und nicht zu festgelegten Zeiten präsent sein zu müssen. Es störte sie überhaupt nicht, dass sie nicht besonders viel verdiente, denn mit der Wohnung, die ihr gestellt worden war, dem kostenlosen Reiten und der Benutzung aller Einrichtungen des Hofes kam sie bestens zurecht. Das einzige, was ihr manchmal fehlte, war ein eigenes Auto. In Gartow war man überhaupt nicht beweglich ohne eigenen fahrbaren Untersatz wie in Hamburg mit S-Bahnen, U-Bahn, Bussen und Schiffen auf der Binnen-und Außenalster. Im Augenblick kam sie mit dem Fahrrad ganz gut zurecht, aber es gab doch einige Situationen, wo ein anderes Fortbewegungsmittel unverzichtbar war. Sie konnte nicht immer das Auto von Elli ausleihen, und Carstens Pick-up fiel während der Woche weitgehend aus, weil er für Carstens Arbeit unverzichtbar war

Sie dachte darüber nach, dass vielleicht ein kleines, älteres Auto, das wenig verbrauchte und billig im Unterhalt war, eigentlich finanziell machbar sein sollte. Sie holte sich ein Stück Papier und einen Stift und fing an, ihre Ausgaben aufzulisten. Für den Unterhalt müsste es reichen, aber der Kauf war ein Problem. Sie hatte keinerlei Rücklagen, und sie wusste nicht, ob sie bei ihrem relativ geringen Verdienst einen größeren Kredit bekommen konnte. Es machte ihr jedenfalls Spaß, darüber nachzudenken und alle möglichen Varianten durchzuspielen.

Sie machte sich mal wieder einen Kaffee und fuhr anschließend mit dem Fahrrad zum See, um eine Runde zu schwimmen. Sie wunderte sich darüber, dass so wenige Leute das schöne Sommerwetter nutzten, um am See herumzuflacken und zu baden. Wahrscheinlich lag es daran, dass es Montag war. Nach dem Wochenende, das eigentlich alle mit Familie, Freunden und Hunden genossen, war es oft abgesehen von den Schulferien sehr ruhig.

Hanna radelte zurück, hörte ihren Anrufbeantworter ab, auf dem erstaunlicherweise nicht eine einzige Nachricht war und ging ins Büro, um einiges an Papierkrieg zu erledigen. Henning kam nach einer Weile herein, um sich zu erkundigen, ob es Neuigkeiten gäbe und kündigte an, dass er zu seiner Tante fahren würde, um ihr einige Neuerungsvorschläge zu unterbreiten. Er wollte Hanna nicht sagen, worum es genau ging, beteuerte allerdings, dass sie nichts damit zu tun hätte.

Am späten Nachmittag, als Hanna gerade zum Reitplatz hinübergehen wollte, um mit dem Training der Pferde weiterzumachen, rief die Polizei an. Sie kündigten an, dass sie am nächsten Morgen vorbeikommen wollten, um einige Fragen zu stellen. Außerdem wollten sie wissen, wer sonst noch auf dem Hof arbeitete und eventuell am nächsten Vormittag zur

Verfügung stehen könnte. Hanna versprach, Beate und Henning Bescheid zu sagen.

Hanna beschäftigte sich noch eine gute Stunde mit den Pferden. Sie hatte ihr Handy in eine der Taschen ihrer Reitweste gesteckt, um jederzeit erreichbar zu sein. Eigentlich wartete sie auf Carstens Anruf. Er musste längst von seiner Feldforschung zurück sein, ließ aber nichts von sich hören.

Nachdem sie das dritte Pferd, das sie auf dem Reitplatz bewegt hatte, abgesattelt hatte, ging sie wieder zum Haus zurück, duschte noch einmal und setzte sich wieder unter die Linde. Ihr fiel ein, dass sie den Teilnehmern des Reitwochenendes versprochen hatte, sie zu informieren, und so führte sie die nötigen Telefongespräche, wozu sie überhaupt keine Lust hatte. Es dauerte natürlich wieder eine ganze Weile, bis sie die Runde gemacht hatte. Wie immer waren nicht alle erreichbar, und sie war froh, dass es Anrufbeantworter gab. Auf dem Anrufbeantworter konnte sie sich kurz fassen und nur das Nötigste aufsprechen.

Sie holte sich ihren Krimi, den sie nicht mehr weitergelesen hatte seit zwei Tagen, machte es sich auf einer Gartenliege bequem und fing zu lesen an. Sie brauchte einen Augenblick, um wieder voll im Bild zu sein. Es passierte ihr häufig, wenn sie eine Lektüre unterbrach, die sie nicht vollkommen gefesselt hatte, dass sie sich an Personen oder Ereignisse nicht sofort erinnerte und den Faden verloren hatte. Es kam auch vor, dass sie im Bett las und dabei mit ihren Gedanken woanders oder einfach zu müde war, um den Inhalt eines Buches noch zu erfassen. Sie las deshalb häufig Krimis oder nicht zu anspruchsvolle Bestseller vor dem Schlafengehen. Klassiker und schwierige Autoren nahm sie sich manchmal vormittags oder an Wochenenden vor. Sie musste bedauernd feststellen, dass sie nicht mehr mit der gleichen Begeisterung wie während ihres Studiums mit hochkarätigen Büchern umgehen konnte oder wollte. Sie war häufig nach der Arbeit einfach zu müde, um sich noch wirklich anzustrengen und geistigen Herausforderungen gewachsen zu sein.

Schließlich schaffte sie es, die Realität auszuschalten und sich auf ihren Krimi zu konzentrieren. Sie fand die Geschichte bis auf die geschilderten Brutalitäten recht spannend und hatte wie immer keine Ahnung, wer hinter den Morden steckte und was für Motive ausschlaggebend sein könnten.

Leider stellte sich mit zunehmender Dämmerung die übliche Sommerplage des Wendlands ein. Nach dem Frühjahrshochwasser schwirrten regelmäßig Scharen von Mücken in der Luft herum und stürzten sich blutgierig auf jedes Opfer, das sich darbot. Hanna schien die Plagegeister besonders anzuziehen, und sie reagierte extrem empfindlich auf die Stiche. Im Freien gab es kaum eine Möglichkeit, sich zu schützen, und so brach man häufig Aktivitäten im Freien früher ab, als man eigentlich vorgehabt hatte.

Hanna zündete mehrere Kerzen an, die die Mücken mit ihrem Rauch vertreiben sollten, und schmierte sich mit Antimückenöl ein. Das half, und sie ging erst ins Bett, als man wegen der zunehmenden Dunkelheit wirklich draußen nicht mehr lesen konnte. Aber kaum hatte sie das Licht ausgemacht, fing ein hohes Sirren an. Sie hatte zwar ein Moskitonetz über ihrem Bett, aber das Geräusch der Mücken, die nie zur Ruhe kamen, machte sie richtig wild. Sie stand auf und fing mit ihrer großflächigen Fliegenklatsche, die sie als Werbegeschenk auf einem Kasten Bier vorgefunden hatte, an, die kleinen Ungeheuer nach und nach zu erschlagen. Es war nicht leicht, sie zu erwischen, und sie dachte an die Geschichte von Wilhelm Busch, in der der Herr Inspektor versucht, eine Fliege zu erlegen, die ihn am Mittagsschlaf hindert. Kaum hat er es sich gemütlich gemacht, sitzt die Fliege auf der Glatze, fliegt unerreichbar an die Decke und entwischt trotz des Verlusts eines Beinchens, als er sie endlich in der Hand gefangen hat. Beim neuerlichen Versuch, sie zu erlegen, geht so einiges im Zimmer zu Bruch. Aber das Ende ist dennoch befriedigend, denn die Fliege liegt schließlich zerquetscht auf dem Boden unter seinem Pantoffel.

Hanna machte zwar mit ihrer Klatsche nichts kaputt, aber die Jagd auf die Quälgeister war trotzdem nicht gerade vergnüglich.

Endlich hatte sie – wie sie meinte – die letzte Mücke erwischt und schlüpfte wieder unter ihr Netz. Sie schlief auch schnell ein, aber als sie während der Nacht einmal aufwachte, hörte sie wieder das verhasste Sirren. Sie stand nicht mehr auf, weil sie zu verschlafen war, nahm sich aber vor, ihre Tür künftig immer geschlossen zu halten und zu kontrollieren, ob ihr Fliegengitter vor dem Fenster richtig saß.

Der nächste Morgen bot wieder Sommerwetter wie im Bilderbuch. Hanna dachte beim Frühstücken an die Bauern, die sich allmählich Sorgen wegen der zunehmenden Trockenheit machten. Einige Bauern hatten bereits begonnen, ihre Felder zu beregnen, worüber Hanna sich ärgerte, wenn es sich um Felder handelte, auf denen Mais für Biogasanlagen angebaut wurde, oder um Kartoffeln, die nicht zum Verzehr gedacht waren, sondern für die Stärkefabrik in Lüchow zur industriellen Nutzung. Sie hätte es ja noch einsehen können, dass der Grundwasserspiegel durch die Beregnung drastisch gesenkt wurde für die Erzeugung von Lebensmitteln, aber nicht für Projekte, die in vieler Hinsicht nicht umweltverträglich waren und zudem noch subventioniert wurden. Sie seufzte und beneidete Leute, die sich mit all dem einfach nicht auseinandersetzten und deshalb ruhiger schlafen konnten.

Am nächsten Morgen kamen Henning und Beate ziemlich früh fast gleichzeitig. Sie tranken mal wieder Kaffee und warteten auf die Polizei. Henning wirkte nervös und verzog sich nach einer Tasse Kaffee ins Büro, um einige Arbeiten zu erledigen. „Glaubst du, dass er was mit der Sache zu tun hat?" fragte Beate. „Das glaube ich nicht", antwortete Hanna. „Ihm ist am Wochenende irgendwas passiert, was ihn aus dem Gleichgewicht gebracht hat, aber ich habe keine Ahnung, was es war. So etwas erzählt er mir nicht."

Beate war es nicht gewöhnt, einfach dazusitzen und zu warten. Sie sah sich deshalb um, ob es irgendetwas für sie zu tun gab. Sie machte zunächst einen Essensplan für die nächste Gruppe, die aber erst am übernächsten Wochenende zu erwarten war und fing an, in der Küche Schubladen auszuräumen und auszuwaschen. Hanna schimpfte mit ihr und sagte, das sei jetzt nicht ihre Aufgabe und dafür würde sie an diesem Morgen auch nicht bezahlt. Aber Beate ließ sich nicht beirren und behauptete, froh zu sein, die Wartezeit mit einer nützlichen Arbeit zu verbringen. „Es könnte jederzeit jemand vom Gewerbeaufsichtsamt mal zur Kontrolle vorbeikommen, und wehe uns, wenn sie etwas finden, was nicht den Vorschriften entspricht. Ich halte im Grunde manches an Vorschriften, die wir einhalten müssen, für total überflüssig, aber lieber gehen wir doch das Risiko nicht ein, den Betrieb eingestellt zu bekommen."

Hanna ging zum Auslauf und fing an, die Pferdebollen aufzulesen. Sie hatte bereits gehört, dass einige Gartower ihr den Ehrennamen „Bollenkönigin" verliehen hatten, weil sie häufig mit Schaufel und Mistkratzer anzutreffen war. Eigentlich wäre es ihr lieber gewesen, man hätte ihr einen Spitznamen verpasst, der mit ihren reiterlichen Fähigkeiten zu tun hatte, aber deswegen war sie nicht beleidigt oder ehrenkäsig.

Am späten Vormittag kam endlich ein Polizeiauto in den Hof gefahren. Ein Mann mittleren Alters und eine jüngere Frau, die – geschmeichelt ausgedrückt – sehr korpulent war, stiegen aus. Die Frau musste sich regelrecht hinter dem Lenkrad hervorquälen, aber sie ging mit energischen Schritten auf Beate zu, die sofort aus der Küche gekommen war.

„Sind Sie Frau Wiekmann?" fragte die Polizistin. Beate zeigte zu Hanna hinüber, die bereits die Schaufel und den Kratzer beiseite gestellt hatte und zum Haus kam. Die Polizeibeamtin reichte Hanna die Hand, und plötzlich erschien ein breites Lächeln auf ihrem Gesicht. „Hanna?" sagte sie. „Hanna Wiekmann vom Wolfgang-Goethe-Gymnasium?" Hanna zögerte und konnte die Polizeibeamtin nicht einordnen. Aber plötzlich dämmerte ihr, wen sie vor sich hatte: Ihre ehemalige Klassenkameradin Edda, die mit ihr den Leistungskurs in Musik besucht hatte, und die bei der Abifeier eine richtig gute, kritische und zugleich witzige Rede für den ganzen Jahrgang gehalten hatte.

Hanna schüttelte ihr die Hand, bemühte sich aber dabei, sich nicht anmerken zu lassen, wie schockiert sie war. Edda hatte zwar nie besonders aufregend ausgesehen, aber sie war während der Schulzeit einigermaßen schlank gewesen, gekleidet wie sie alle, manchmal nett frisiert. Jetzt – gute zehn Jahre nach dem Abitur – hatte sie vermutlich fünfzig Kilo zugelegt und sah nicht gerade ansprechend aus mit ungepflegten Haaren, die mit einem Gummiband zu einem Pferdeschwanz zusammengebunden waren, mit Jeans, die ihre mächtigen Oberschenkel betonten, und einem kurzärmligen viel zu engen Jäckchen, das über der Brust mit viel Mühe durch große Knöpfe zusammengehalten wurde.

„Gott sei Dank trägt sie keine Uniform", dachte Hanna. „Das müsste eine Sonderanfertigung sein!"

Hanna fühlte sich mal wieder gemein und schäbig, und wie so oft, war sie durchschaut. „Über mich können wir später reden", sagte Edda. „Jetzt werden wir erst mal professionell. Ich bin Kommissarin bei der Kripo in Lüneburg, und mein Kollege ist Kommissar Müller-Lindemann. Man hat den Fall gleich nach Lüneburg weitergegeben, weil es sich um eine sehr ernste Angelegenheit zu handeln scheint. Wir wissen noch nicht viel, aber wir hoffen, hier Einiges herauszufinden."

Hanna stellte Beate vor, die gleich wieder in der Küche verschwand, um neuerlich Kaffee anbieten zu können, und sie setzten sich unter die Linde an den Tisch.

„Soweit ich weiß, ist Jasmina vor dem Mittagessen am Sonnabend nochmal in den Stall gegangen und nicht wiedergekommen. Korrekt?" Hanna bejahte. Edda bat sie, den Verlauf des Wochenendes zu schildern von Anfang an und nichts auszulassen, das irgendwie in Beziehung zu Jasmina stand. Herr Müller-Lindemann machte sich Notizen, stellte selber hin und wieder eine Zwischenfrage und wirkte hochkonzentriert.

Beate kam mit dem Kaffee, setzte sich dazu und folgte aufmerksam den Ausführungen von Hanna. Als sie einmal unterbrechen wollte, hob Edda die Hand und bedeutete ihr, dass sie im Augenblick nichts sagen solle und im Anschluss an Hannas Bericht alles noch einmal aus ihrer Sicht erzählen.

Es dauerte erstaunlich lange, bis Hanna geendet hatte. Abwechselnd stellten Edda und Herr Müller-Lindemann ihr Fragen bezüglich ihrer ganz persönlichen Empfindungen und Vermutungen und wollten genau wissen, welche Eindrücke sie von der Familie hatte, vor allem von Jasminas Bruder. Hanna fühlte sich richtig ermüdet, als die beiden Kommissare signalisierten, dass sie zufrieden mit ihren Informationen waren und sie sich damit als entlassen betrachten konnte. Sie wendeten sich sofort Beate zu, und Hanna bewunderte, mit welcher Geduld und nicht nachlassender Konzentration sie die im Prinzip gleiche Geschichte anhörten, die gleichen Fragen stellten und den Eindruck erweckten, als sei alles für sie neu und wissenswert. Bei der Beantwortung der Fragen zu Beates persönlicher Meinung wirkte Herr Müller-Lindemann besonders aufmerksam und schrieb mehr in sein Notizheft als zuvor.

Hanna wurde etwas ungeduldig, weil sie alles Denkbare schon etliche Male in Gedanken herumgewälzt, sich mit allen möglichen Leuten besprochen und sich nicht sehr mit anderem beschäftigt hatte. Sie fragte, ob sie während des restlichen Gesprächs mit Beate gehen könne, um mit ihrer Arbeit weiterzukommen. Sie meinte, es gäbe wohl nicht viel hinzuzufügen, aber Beate rief sie erst nach einer guten halben Stunde, damit sie Henning Bescheid sagen konnte.

Henning saß immer noch im Büro, machte aber nicht den Eindruck, als habe er die ganze Zeit gearbeitet. Er stand sofort von seinem Bürostuhl auf, als Hanna ihm ausrichtete, er solle kommen, um mit den Kommissaren zu sprechen, aber er murmelte im Hinausgehen etwas Unfreundliches vor sich hin, so dass für alle unübersehbar war, dass er keine sonderliche Lust zu Vernehmungen hatte.

Hanna stellte ihn vor, aber es kam nicht einmal zu einer Begrüßung mit Handschlag, weil Henning seinen Unwillen deutlich machte. Beate schlug vor, eine Kleinigkeit zum Mittagessen zu machen, was Edda freudig annehmen wollte, Herr Müller-Lindemann aber strikt ablehnte. So fragte Beate, ob man sie noch brauchen würde, und als dies verneint wurde, verabschiedete sie sich und fuhr nach Hause.

Hanna war jetzt doch neugierig zu erfahren, wie das Gespräch mit Henning laufen würde. Zunächst wurde alles noch einmal durchgesprochen, was sie und Beate schon gesagt hatten. Interessanter wurde der subjektive Bericht vom Schützenfest am Freitagabend, bei dem Hanna ja nicht dabei gewesen war. Henning schilderte, wie er Jasmina vorgefunden und gegen ihren Willen zum Hof zurückgebracht hatte.

Er wurde ausführlich über die Personen befragt, die mit Jasmina am Tisch gesessen hatten, und da fiel natürlich der Name von Gunter aus Pevestorf. Henning musste auch dessen Adresse angeben, die er allerdings nicht genau wusste, und Herr Müller-Lindemann notierte sich, dass man ihn als nächsten befragen wollte, weil er sicherlich die anderen jungen Männer benennen konnte, die mit Jasmina zusammengesessen hatten. Hanna bekam den Eindruck, dass die Polizei sich auf den Abend im Festzelt einschoss, aber sie fand auch, dass es logisch war, hier einen Ansatz zu suchen.

Henning wurde als nächstes zum Verlauf seines persönlichen Wochenendes befragt. Hanna fand, dass er unsicher und ungewöhnlich nervös wirkte. „Ich hatte das Wochenende frei", sagte er. „Ich glaube nicht, dass ich mich über meine Aktivitäten in meiner Freizeit äußern muss. Mit Jasmina hat das überhaupt nichts zu tun, ich bin ja abgefahren, bevor zum Mittagessen gerufen wurde, und alle waren meines Wissens da. Was ich danach gemacht habe, tut nichts zur Sache, und ich möchte dazu nichts sagen."

Edda sagte ihm, dass er das auch nicht tun müsse, aber dass sie es für klüger halten würde, wenn er den Verlauf seines Wochenendes schildern würde. „Es ist Ihnen klar, Herr von Bützow, dass Sie durchaus zum Kreis der Verdächtigen gehören könnten. Sie sind zwar vor dem Mittagessen gegangen, aber es wäre ja nicht auszuschließen, dass Sie draußen auf Jasmina im Auto gewartet und sie irgendwohin mitgenommen haben. Ich unterstelle nicht, dass Sie ihr etwas angetan haben, aber es besteht doch die Möglichkeit, dass Sie etwas mit der Sache zu tun haben, oder?" Eddas Ton war schärfer geworden, und Henning reagierte entsprechend ungehalten. „Was geht eigentlich in Ihrem Kopf vor? Ich habe Ihnen doch gesagt, dass ich Jasmina vom Schützenfest weggeholt habe und ihr gründlich die Meinung gesagt. Ich muss auch gestehen, dass ich Hannas Verhalten unmöglich fand. Jasmina hätte sofort nach Hause geschickt werden müssen nach ihrem Verstoß gegen die Regeln. Was glauben Sie eigentlich, wer ich bin? Habe ich es nötig, mich mit einer ordinären Rotzgöre abzugeben, die noch nicht einmal den Kinderschuhen entwachsen ist? Sie würde mich bei näherem Umgang zu Tode langweilen, und wenn Sie es drastischer hören wollen: ihr heraushängender Busen hat mich überhaupt nicht angetörnt."

„Das mag ja stimmen, aber wenn Sie uns nicht sagen, wann Sie wirklich losgefahren sind und was Sie vorhatten, müssen Sie sich gefallen lassen, das wir Sie weiter befragen. Sie können ganz leicht aus der Sache raus sein, wenn sie uns zum Beispiel sagen, wen Sie besucht haben, auf welchen Veranstaltungen Sie waren, wohin Sie genau gefahren sind und welche Strecken Sie genommen haben."

„Was wäre, wenn ich Ihnen sage, dass ich einfach ein faules Wochenende zu Hause verbracht habe? Ich besitze eine nette Wohnung mit Garten, kann im Schatten herumliegen und ein Buch lesen. „

„Wenn es so ist, könnte ja jemand Sie auf dem Festnetz angerufen haben oder zum Kaffee vorbeigekommen sein. Nennen Sie einfach Namen." „Blödsinn", sagte Henning. „Mein häusliches Wochenende ist eine reine Hypothese. Ich war nicht da, und jetzt reicht es mir."

Hanna wollte ihm gut zureden, um ihn zu besänftigen, aber er war bereits aufgestanden und ging mit energischen Schritten zu seinem Auto und fuhr davon.

„Ihr verdächtigt ihn doch nicht im Ernst", sagte Hanna nach einem kurzen Augenblick des Schweigens. „Ich fand ihn zwar heute auch schon die ganze Zeit merkwürdig. Ich kenne ihn als ziemlich überheblich und total von sich überzeugt. Er muss etwas für ihn sehr Unangenehmes am Wochenende erlebt haben, so dass sein Ego einen Knick bekommen hat. Aber ich kann mir überhaupt nicht vorstellen, dass er irgendwas mit Jasmina zu tun hat. Ihr hättet ihn am Freitagabend sehen sollen, als er Jasmina anbrachte. Er war so wütend, dass ich dachte, er würde gleich handgreiflich. Und dass er am Sonnabend sich so verändert haben sollte, dass er sich mit Jasmina verabredet hat, passt in keinster Weise ins Bild."

Edda und Herr Müller-Lindemann baten Hanna, die Namen und Telefonnummern der anderen Teilnehmer am Reiterwochenende aufzuschreiben, damit sie sich mit jedem in Verbindung setzen konnten. Hanna äußerte den beiden Kriminalbeamten gegenüber ihr Bedauern über ihre Arbeit, denn sie fand, dass diese Befragungen, bei denen man wie bei einer Mühle ständig Kreise drehte und immer wieder am gleichen Punkt vorbeikam, ohne merkliche Fortschritte zu machen, langweilig und ziemlich nutzlos.

Herr Müller-Lindemann lächelte und fand ihre Ansicht ganz freundlich gemeint, aber naiv. „Wie sonst sollte man auf irgendetwas stoßen, das aus dem Rahmen fällt und Licht ins Dunkel bringt?" fragte er. Hanna hatte natürlich keine bessere Idee und musste zugeben, dass sie punkto Polizeiarbeit ein absoluter Laie war, abgesehen von ihren literarischen Kenntnissen aus der Lektüre von Krimis.

Um ihr klar zu machen, dass man nicht nur Leute befragte und endlos in etwa die gleiche Geschichte zu hören bekam, erzählte Edda ihr, dass man morgens die Spurensicherung an die Unfallstelle bei Rucksmoor geschickt hatte. Aber es waren so viele sich kreuzende Spuren von Allradfahrzeugen von Jägern, Förstern und Forstarbeitern aufgefunden worden, dass es unmöglich war, irgendwelche Reifenspuren genauer zu identifizieren, zumal auf dem ausgetrockneten Sandweg nicht einmal deutlich zu erkennen war, welche Spuren älter oder neuer waren. Dieser Ansatz hatte sich also als völlig wertlos erwiesen.

Edda und Herr Müller-Lindemann standen auf, um sich zu verabschieden. Hanna holte ihnen wenigstens noch ein Glas kaltes Wasser für den Heimweg, da es schon wieder sehr heiß war. Sie tranken beide ihr Glas im Stehen, bedankten sich, schüttelten Hanna die Hand. Im Weggehen rief Edda noch, sie würde sich bald melden, um privat den Kontakt mit Hanna aufzunehmen, und gingen zu ihrem Auto.

Als sie aus dem Hof fuhren, kam ihnen eine äußerst bemerkenswerte Gestalt entgegen: ein Mann mit langem Haar und einem aus bunten Stoffen geflochtenen Stirnband, das mit grünen und roten Steinen besetzt war. Er war barfuß und trug ein schneeweißes Wickelgewand. Edda hielt unwillkürlich an und starrte den Mann unverhohlen an. Er lächelte und kam zum Auto geschlendert. Edda ließ die Scheibe herunter und lächelte ihrerseits in abwartender Haltung. „Wollen Sie mich nicht auch vernehmen?" sagte der Fremde. „Wieso?" fragte Edda. „Wissen Sie, warum wir hier sind, und haben Sie uns etwas zu sagen?"

Hanna kam zu ihnen hinüber und stellte den merkwürdigen Menschen vor. „Das ist Pitten", sagte sie. „Er kommt hier öfter vorbei." Edda und ihr Begleiter stiegen wieder aus, und sie gingen alle zusammen zum Tisch unter der Linde zurück. „Setzen Sie sich doch", sagte Herr Müller-Lindemann. Pitten blieb lächelnd stehen.

„Wollen Sie uns etwas mitteilen?" fragte Edda wieder. Pitten lächelte weiterhin und sagte nach einer langen Pause, in der er zu überlegen schien: „Wissen Sie, wann ich Geburtstag habe?" Edda bekam einen unfreundlichen Gesichtsausdruck und erwiderte scharf: „Das ist wohl hier nicht relevant. Ich frage Sie zum dritten Mal, ob Sie etwas zur Aufklärung des Falles beitragen können." Pitten lächelte weiterhin und fragte: „Was für ein Fall?" Edda sah Hanna hilfesuchend an und seufzte. Hanna machte mit den Händen eine hilflose Geste. „Pitten, Du weißt sehr wohl, dass Jasmina verschwunden ist. Ich kann dir jetzt auch sagen, dass sie gefunden wurde und mit schweren Verletzungen im Krankenhaus in Salzwedel liegt. Du bist doch immer hellsichtig, vermutlich weißt Du schon von ihrem Zustand. Jetzt sei so lieb und verrate uns, was geschehen ist."

„Ich fühle mich geschmeichelt, dass du mich erkannt hast. Heute hat aber die Kornmuhme mir verboten, über etwas anderes als über meine Person zu reden. Ich werde mich also wieder verabschieden. Leider darf ich das eben jetzt nicht mit den entsprechenden Zeichen tun." Damit drehte er sich um und entfernte sich langsam Richtung Straße.

„Oh Gott, was ist denn das für ein schräger Vogel?" fragte Edda. „Ich glaube, Du kennst hier eine Menge merkwürdiger Leute, und es geschehen ungewöhnliche Dinge. Ich habe mal was läuten hören, dass man den Landkreis Lüchow-Dannenberg Psycho-Pannenberg nennt. Möchtest du dich dazu äußern?" Hanna lächelte und versprach Edda, mit ihr über diese Dinge zu reden, wenn sie privat mal Zeit füreinander hatten. „Ich bin ja auch noch nicht so sehr lange Einwohnerin hier, also keine ganz echte Psycho-Pannenbergerin. Aber manches habe ich natürlich mitbekommen, zumal der Vater meines Freundes von hier stammt. Also, wir sehen uns bald. Wie versprochen, werde ich dich über alles auf dem Laufenden halten, was ich höre. Ich hoffe natürlich, du wirst dasselbe tun, schließlich bin ich in den Fall Jasmina heftig verwickelt."

Diesmal fuhren die beiden Kommissare wirklich ab. Es war

inzwischen Nachmittag geworden, und Hanna fiel ein, dass sie um vier eine Anfängerreitstunde mit Kindern hatte. Sie machte sich schnell einen Kaffee, aß ein Knäckebrot und holte anschließend die Pferde, die für die Reitstunde vorgesehen waren, von der Koppel in den Auslauf. Die meisten Kinder waren schon ein paarmal gekommen, aber ein Junge war zum ersten Mal angemeldet, und sie würde ihm zeigen müssen, wie man den Sattel auflegte und das Kopfstück mit Trense handhabte, ohne das Pferd zu verwettern.

Wenn es nicht so heiß gewesen wäre, hätte sie sich auf die Stunde gefreut, denn die Kinder waren im Allgemeinen aufmerksam und motiviert. Hin und wieder gab es Fälle, wo die Eltern meinten, es gehöre zum guten Ton, reiten zu können, oder ihr Sohn oder ihre Tochter könnte von einer extremen Ängstlichkeit therapiert werden. Hanna hatte bereits im Quickborner Verein, wo sie gelegentlich Stunden gegeben hatte, immer versucht, die Motive für Reitunterricht herauszuhören. Wenn die Kinder selbst nicht überzeugt waren, hatte es meist keinen Zweck, ihnen etwas abzuverlangen, was ihnen Angst machte. Hanna sprach dann mit den Eltern und versuchte, sie zu einer anderen Sportart für ihren Nachwuchs zu überreden. Manchmal klappte es, aber es gab auch Fälle, wo die Eltern aus Ehrgeiz oder Unkenntnis der kindlichen Wünsche und Begabungen nicht nachgeben wollten, und das endete in manchen Stunden mit Tränen der Enttäuschung oder der Wut, und konnte auch zu üblen Stürzen führen.

Bisher hatte Hanna in Gartow gute Erfahrungen gemacht. Sie war nur etwas besorgt wegen des Wetters, eigentlich sollte man die Reitstunde auf den Abend verlegen. Auf dem Reitplatz gab es ja keinen Schatten, was sie schon die Tage zuvor veranlasst hatte, ihr Training auf später zu verschieben, aber jetzt sah sie keine Möglichkeit, noch irgendetwas zu korrigieren.

Der kleine Manuel, der seine erste Stunde hatte, wurde als erster gebracht. So hatte Hanna Zeit, sich mit ihm vorab ein bisschen zu beschäftigen. Da Manuel zu klein war, um allein den Sattel aufzulegen, zeigte Hanna ihm im Prinzip, wie es ging, und erklärte ihm den Sinn der Trense. Die anderen vier Kinder trafen nach und nach ein, und Hanna begann mit dem Unterricht. Wegen der Hitze und auch mit Rücksicht auf Manuel ließ sie die Pferde nur im Schritt gehen, was von den geübteren Reiterinnen natürlich mit Gemaule quittiert wurde. Erst ganz zum Schluss nahm sie Manuel aus der Gruppe und ließ die anderen ein paar Runden leicht traben, um sie über die Enttäuschung ein wenig hinwegzutrösten. Manuel hatte sich jedenfalls gar nicht ängstlich sondern sehr anstellig gezeigt, so dass sie der Mutter, die ihn abholte, mit gutem Gewissen empfehlen konnte, ihn weiterhin zu schicken.

Hanna fühlte sich erhitzt, obwohl sie ja selbst nicht reiterlich aktiv gewesen war, sondern nur in der Mitte gestanden hatte, Anweisungen gegeben, Haltungen korrigiert und zum Schluss die Sättel mit weggeräumt. Sie duschte, nachdem alle abgeholt worden waren oder davongeradelt, und zog sich wiedermal um.

Sie kam gerade erfrischt und wunderbar kühl nach einer langen, kalten Dusche aus dem Bad, als Carsten in den Hof fuhr. Er hatte eine total verdreckte Jeans an und Gummistiefel, die bis oben hin mit Lehm verschmiert waren. „Ich war noch nicht zu Hause, wie du siehst", sagte er fröhlich. „Hast du einen Moment Zeit?"

„Klar doch, für dich immer", antwortete Hanna leicht ironisch. Sie konnte sich allerdings die Frage nach seinem Schweigen am Tag vorher gerade noch verkneifen. Am Anfang ihrer Beziehung waren sie beide ganz großzügig und locker miteinander umgegangen, wenn auch häufig auf einer leicht spöttischen Basis, aber in letzter Zeit passierte es Hanna immer wieder, dass sie misstrauisch und ein bisschen eifersüchtig war. Sie ärgerte sich, dass sie diese Gefühle nicht einfach unterdrücken konnte, weil sie sich darüber klar war, dass Misstrauen und Eifersucht nicht dazu beitrugen, ihr und Carsten das Leben leichter zu machen.

Carsten hingegen zeigte keine Veränderungen in seinem Verhalten, außer der Tatsache, dass er immer mal stichelte wegen Hannas Weigerung, sich mit dem Thema Familiengründung zu beschäftigen.

„Ich wollte dich eigentlich abholen, um mit dir eine Runde zu schwimmen", sagte Carsten. „Ich habe einen Tag in der Sonne im Dreck stehend mit schwerster Arbeit hinter mir. Wir haben bisher nichts gefunden, was die Theorie einer frühmittelalterlichen slawischen Siedlung in der Nähe der Sanddünen an der Löcknitz bestätigt."

Hanna sah ihn abwartend an. „Willst du nicht weiter davon erzählen?" fragte sie. Henning sah sie lächelnd an. „Ich kenne dich doch. Du wartest im Grunde darauf, dass ich endlich nach deinem verschwundenen Mädchen frage. Ich habe das nicht vergessen, aber du unterstellst mir wohl, dass ich mich für deine Arbeit nicht interessiere. Das ist natürlich nicht der Fall, aber es kommt offensichtlich bei mir vor, dass mich meine eigenen Probleme mit der Arbeit so beschäftigen, dass anderes in den Hintergrund tritt. Also, ist sie gefunden worden, oder gibt es sonst etwas Neues?"

„Ich habe eigentlich gestern auf deinen Anruf gewartet, denn es gibt tatsächlich schwerwiegende Neuigkeiten. Jasmina liegt mit üblen Verletzungen im Krankenhaus in Salzwedel, und die Kripo in Lüneburg ist eingeschaltet, da es sich offenbar um ein Verbrechen handelt."

Sie fühlte sich sehr erleichtert, als Carsten sie liebevoll in den Arm nahm und sich für seine Nachlässigkeit entschuldigte. Hanna berichtete alles, was sie inzwischen erfahren hatte, und erzählte auch von Edda, von der Carsten noch nie gehört hatte, da sie bis zu diesem Zeitpunkt in Hannas Leben keine Rolle gespielt hatte.

Die leichte Missstimmung war verflogen, Hanna holte ihren Bikini und ein Handtuch und setzte sich neben Carsten in den verbeulten Pick-up. Sie fuhren zur Abwechslung an den Arendsee, dessen Wasser so durchsichtig war, dass man Schwärme von kleinen, ganz jungen Fischen am sandigen Grund stehen sah, die sofort als ganzer Schwarm in einer einzigen Bewegung davonjagten, wenn man sich näherte.

Außer ihnen lagerte nur noch ein älteres Ehepaar mit einem überfütterten, kurzbeinigen Mischlingshund mit Ringelschwanz – die Sorte Hund, die Carsten gemeinerweise als Brathund zu bezeichnen pflegte - auf der Wiese am Seeufer. Sie grüßten freundlich und gaben sofort mit unverwechselbarem, sächsischem Akzent einen Kommentar zum schönen Wetter ab.

Hanna schlug vor, statt vom Ufer aus lange durch das sehr seichte Wasser zu waten, über den baufälligen Holzsteg, der ein ganzes Stück in den See ragte, schneller ins Tiefe zu gelangen. Am Ende des Stegs umarmte Carsten Hanna und küsste sie, und Hanna ahnte schon, was kommen sollte: er gab ihr einen Schubs, aber Hanna konnte sich an ihm festhalten, und sie fielen zusammen ins Wasser. Einen Augenblick lang empfanden sie doch einen kleinen Kälteschock, obwohl das Wasser dank der letzten heißen Tage überhaupt nicht kalt war, aber der Unterschied zur Temperatur draußen war doch ganz schön merkbar.

Sie schwammen weit in den See hinaus und genossen die friedliche Stimmung. Auf dem Wasser paddelten nur ein paar Blässhühner und ein Haubentaucher, der sein Junges auf dem Rücken mitfahren ließ. Hanna hatte das noch nie gesehen, und sie war ganz entzückt von der elterlichen Fürsorge für den Nachwuchs, der offenbar vom Schwimmen ermüdet war. Am anderen Ufer sah man ein paar Segelboote, aber Carsten meinte, es sei wohl nicht recht der Mühe wert, ohne jede Hausforderung mangels Wind im Wasser herumzudümpeln.

„Hättest du eigentlich Lust, mit Surfen anzufangen?" fragte Carsten. „ In Arendsee werden Kurse angeboten, und es kann hier ja ganz schön heftig blasen. Es macht ungeheuer Spaß. Es würde sich doch lohnen, denn ich hoffe sehr, dass du mir in jedem Fall hier im Wendland erhalten bleibst."

Hanna lachte. „Sind wir wieder beim Thema?" fragte sie. „Surfen ja, tolle Idee, alles andere wird sich finden."

Als sie zum Ufer zurückschwammen, hatte das Ehepaar bereits gepackt und war beim Abmarsch. Sie wechselten noch ein paar freundliche Worte, und dann hatten sie die Wiese und den See für sich. Sie legten sich nackt in den warmen Sand und ließen sich von der Sonne trocknen.

„Ich hätte jetzt gleich hier Lust", sagte Carsten. Hanna griff nach einem Handtuch und zog ihn hoch. „Nicht doch, hier kann jeden Moment ein verspäteter Badegast kommen, und das ist vielleicht etwas störend. Ich habe eine bessere Idee." Sie führte ihn am Ufer entlang, bedeutete ihm, mit ihr unter einem Elektrozaun durchzukriechen auf eine Weide, auf der zwei friedliche Kälber grasten, und suchte eine trockene Stelle im Schilf. Sie zog Carsten auf das Handtuch, das sie mitgebracht hatte, und begann, ihn zu streicheln. Als sie an seinem Ohr zu knabbern, was ihn besonders erregte, flüsterte er ihr zu, dass er nicht mehr lange warten konnte, und sie liebten sich ausgehungert und heftig. Schließlich fielen sie erschöpft ins Gras und blieben eine Weile eng umschlungen liegen.

Als sie vom Badeplatz her Stimmen hörten, bahnte Hanna sich als erste einen Weg durchs Schilf in den See. Carsten folgte ihr, denn sie hatten keine Lust, unter den Augen von irgendwelchen Zuschauern nackt durch den Weidezaun zurückzukriechen. Zwischen dem Schilf hatten sich einige Algen angesammelt, und Hanna fand das etwas eklig. Sie kicherte trotzdem die ganze Zeit, und sie alberten im flachen Wasser herum wie Kinder. Sie schwammen nochmal eine Weile und stiegen schließlich wieder ans Ufer.

Zwei halbwüchsige Mädchen waren angekommen, hatten ihre Fahrräder an eine Pappel gelehnt und zogen sich gerade ihre Badeanzüge an. Sie waren in einem Alter, in dem man nicht recht weiß, ob man nackte Leute komisch oder abstoßend finden soll. Sie warfen jedenfalls nur aus den Augenwin-

124

keln einen diskreten Blick auf Carsten und taten dann so, als würden sie völlig unbeteiligt ins Wasser schlendern.

Hanna musste schon wieder lachen, als sie an sich selber in dem Alter dachte. Sie hatte mit zwölf Jahren mit ihren Eltern ein paar Tage an der Ostsee verbracht. Während des alten Regimes in Polen war es verpönt, sich in der Öffentlichkeit nackt zu zeigen, deshalb hatte Hanna keine Erfahrung mit dem freien Umgang mit dem Körper. Auch in ihrer Familie war es eher prüde zugegangen, was wohl auf die katholische Erziehung ihrer Mutter zurückzuführen war.

Als sie damals in den Wellen getobt hatte, war plötzlich ein nackter Mann im flachen Wasser nah an ihr vorbeigejoggt. Hanna fand den Anblick ziemlich lächerlich, zumal er als einziges Kleidungsstück eine weiße Pudelmütze mit einer dicken Bommel trug. Zugleich war sie aber auch verstört, drehte ihm schnell den Rücken zu und schwamm ein Stück vom Ufer weg.

Während sie an dieses Kindheitserlebnis dachte, fiel ihr etwas Dummes ein: Sie hatten das Handtuch auf der Kälberweide liegengelassen. Es gab nur die Möglichkeit, nochmal unter dem Zaun durchzukriechen, um es zu holen. Carsten opferte sich, aber diesmal richtete er sich zu früh unter dem Zaun wieder auf und bekam einen elektrischen Schlag. „Au, Scheiße", sagte er. „Das tut ganz schön weh."

Sie sammelten das zweite Handtuch auf und gingen zum Auto zurück, das sie einige hundert Meter vom See entfernt auf der Dorfstraße abgestellt hatten, da die Zufahrt bis zum See nicht erlaubt war. Carsten blieb barfuß, denn er wollte seine schmutzigen und viel zu warmen Gummistiefel nicht wieder anziehen.

„Ich muss nach Hause, um endlich aus den Arbeitsklamotten zu kommen. Hast du Lust, mit mir zu essen und draußen noch ein bisschen Musik zu hören?" fragte er. Hanna schüttelte den Kopf. „Die Polizei hat mir den ganzen Vormittag geklaut. Ich habe einiges an Arbeit nachzuholen. Schließlich bin ich ein berufstätiger Mensch und habe Pflichten. Es tut mir aber echt leid, ich hätte schon Lust, noch mitzukommen und vielleicht auch bei dir zu übernachten." Carsten drückte sie liebevoll an sich und küsste sie auf die Haare. „Schmeckt nach Arendsee", sagte er lachend.

Er lieferte Hanna auf dem Hof ab und fuhr weiter nach Pevestorf. Hanna bewegte noch zwei der Pferde, die nicht im Reitunterricht gegangen waren, auf dem Platz, las die Pferde-äpfel und sah nach dem verletzten Pferd. Die Fessel war fast ganz abgeschwollen, und Hanna machte noch einmal einen Verband mit einem Kühlmittel.

Als sie mit ihrem abendlichen Salat und dem obligatorischen Glas Rotwein unter der Eiche saß, rief ihr Bruder Marian an. Der Vorname Marian war eine Konzession an den polnischen Teil der Familie. Hanna mochte den Namen gern, und schließlich bereitete er in Deutschland keinerlei Schwierigkeiten bezüglich der Aussprache wie andere polnische Namen, an denen sich die Deutschen fast die Zunge abbrachen.

Marian war über die Ereignisse informiert, erkundigte sich nach Neuigkeiten bezüglich des Vorfalls mit Jasmina und erzählte dann von seinem neuesten Stand bezüglich der Liebe. Er hatte wieder eine Freundin nach einer langen Pause, wie er fand. Die neue Freundin war diesmal die Richtige, er schwärmte von ihrem Aussehen, von ihrem liebenswerten Charakter und von ihren vielseitigen Begabungen.

Hanna musste lächeln, weil sie all diese Schwärmereien schon kannte. Marian entflammte schnell, kam gut bei den Mädchen an und hatte alle paar Monate die Frau seines Lebens gefunden. Er oder auch sie beendete die Beziehung meist nach kurzer Zeit, weil sich herausstellte, dass er oder sie sich getäuscht hatte. Es gab doch einige Haken, und zumindest aus Marians Sicht waren Konzessionen und Nachgeben in einer Beziehung nicht möglich. Er suchte die perfekte Harmonie, die Frau, die zu hundert Prozent zu ihm passte, und die ebenfalls in ihm die große Liebe entdeckt hatte, genau wie er in ihr.

Hanna hörte sich kommentarlos die schwärmerische Beschreibung von der neuen Flamme namens Charlotte an und dachte sich, dass ihr Bruder vermutlich als Single enden würde, wenn er nicht irgendwann aus seinem Traum erwachte. Er war kein Teenager und auch kein Twen mehr, und deshalb hatte Hanna eigentlich die Hoffnung aufgegeben, dass er eines Tages bezüglich der Liebe wie ein vernünftiger Mensch denken würde.

Aber schließlich kam er zu einer Neuigkeit, die Hanna elektrisierte. Er wollte seinen relativ neuen Renault Kangoo loswerden, weil man ihm einen Firmenwagen zur Verfügung stellte, den er auch privat benutzen konnte. Er wollte wissen, ob Carsten vielleicht Bedarf hätte oder sonst irgendwer aus ihrem Bekanntenkreis. Er meinte, sie selber könnte ja jetzt, wo sie total in der Pampa wohnte, vielleicht auch etwas mit einem fahrbaren Untersatz anfangen, und er würde ihr das Auto halb schenken. Hanna wusste, dass er tatsächlich sehr großzügig war, aber als sie den brüderlichen Vorzugspreis hörte, vergingen ihr doch alle Illusionen. Sie sagte, sie wolle es sich überlegen, denn er hätte sie tatsächlich gerade zu einem Zeitpunkt erwischt, an dem sie anfing, über ein Auto nachzudenken. Allerdings hatte sie eher an etwas Älteres, Kleineres gedacht. Sie redeten noch eine Weile über Autos im Allgemeinen, ein Thema, über das Marian sich stundenlang theoretisch ausbreiten konnte.

Allerdings zeigte er sich in der Wahl der Autos, die er schließlich kaufte, überaus vernünftig. Seine Autos – er hatte bereits einige besessen – waren zweckmäßig und sparsam, und wenn er sie einmal in Händen hatte, betrachtete er sie nur als Mittel, um sich einigermaßen komfortabel fortzubewegen. Hauptsache, sie waren zuverlässig und nicht reparaturanfällig. Sein Kangoo war deshalb relativ einfach ausgestattet - sofern man eine nicht aufwändige Ausstattung heutzutage ohne Aufpreis bekam – und Hanna hatte sein Auto sehr gern gefahren, wenn sich die Gelegenheit bot, es mal auszuleihen. Aber sie brauchte keinen weiteren Gedanken an das verlockende Angebot zu verschwenden, denn schließlich war das Auto erst zwei Jahre alt, und den Vorzugspreis, der wirklich ein großzügiges Entgegenkommen war, konnte sie nicht entfernt aufbringen.

Marian versprach, bald mal bei ihr vorbeizukommen und Charlotte mitzubringen. Hanna hoffte, dass er wirklich in nächster Zeit auftauchen würde, denn sonst könnte sie die wunderbare Charlotte nie kennenlernen.

Sie bat ihn, das Auto noch ein paar Tage für sie aufzuheben, damit sie ihre finanziellen Möglichkeiten austesten konnte. Vielleicht wäre bei der Bank etwas zu machen, aber die Zinsen für einen Autokauf waren normalerweise sehr hoch, und bei ihrem Gehalt hatte sie Zweifel, ob man ihr einen Kredit gewähren würde. Sie dachte natürlich auch daran, ihre Eltern zu bitten, ihr das Geld zu leihen, aber das verwarf sie schnell wieder. Schließlich war sie über dreißig und sollte eigentlich in der Lage sein, selbst für sich zu sorgen.

Während sie ihren Salat knabberte, klingelte wieder das Telefon. Diesmal war es zu ihrer Überraschung Marie. Marie sprach so leise und schüchtern, dass sie sie bitten musste, etwas lauter zu sprechen. Marie erzählte ihr, dass die Polizei ihr telefonisch einige Fragen zum Wochenende gestellt hätte und ihr im Nachhinein etwas eingefallen sei, was vielleicht wichtig sein könnte. Da es ihr peinlich war, sich noch einmal bei der Polizei zu melden, hatte sie beschlossen, lieber Hanna anzurufen. „Ich habe am Sonnabend vor dem Essen, als wir zum Tisch unter der Linde gingen, auf dem Weg vor der Hofeinfahrt ein rotes Auto stehen sehen. Es saß aber niemand drin, und ich habe auch keinen Menschen in der Nähe gesehen. Deshalb hatte ich es auch völlig vergessen. Meinst du, das könnte wichtig sein?"

„Das denke ich schon", sagte Hanna. „Was für ein Auto war das denn?" „Das weiß ich nicht, da kenne ich mich nicht aus. Aber es war ein Kombi und ziemlich groß." Hanna versprach, am nächsten Morgen die Information weiterzugeben und bedankte sich bei Marie.

Sie spielte noch eine Weile auf ihrer Flöte – diesmal sehr

konzentriert – und holte sich anschließend wieder ihr Buch. Sie war bereits beim letzten Teil angelangt und ahnte, wer der Killer gewesen war. Sie konnte sich allerdings kein Motiv vorstellen, und sie war gespannt, ob die Auflösung befriedigend sein würde oder wie so oft an den Haaren herbeigezogen. In der Krimiwelt war es Gang und Gäbe, wegen irgendwelcher seelischen Schädigungen während der Kindheit zum Messer zu greifen oder um sich zu schießen, und Hanna fand das ziemlich realitätsfern. Zugleich fiel ihr ein, dass diesmal ein hartes Verbrechen in ihre eigene Wirklichkeit eingedrungen war.

Als sie nach Einbruch der Dunkelheit in ihre Wohnung ging, stellte sie befriedigt fest, dass diesmal keine Mücken oder andere Plagegeister in ihrem Schlafzimmer umherschwirrten. Sie hatte daran gedacht, die Türen geschlossen zu halten, und das hatte sich offenbar bewährt.

Am Mittwochmorgen stand sie sehr früh auf, weil die Vögel fast aufdringlich lärmten und einen neuen Sommertag ankündigten. Als sie mit ihrem Frühstückstablett die Treppe hinunterging, entdeckte sie zu ihrem Entsetzen auf der untersten Stufe wieder einen Blumenstrauß. Sie stellte das Tablett ab und hob den Strauß auf, um ihn näher zu betrachten. Diesmal waren es ausschließlich sibirische Lilien, und in der Mitte steckte eine Karte, auf die ein wunderschönes Foto von einem fliegenden Kranich geklebt war. Sie drehte die Karte um und las, was in Blockbuchstaben auf der Rückseite geschrieben stand: IN LIEBE, DD.

Hanna bemerkte, dass sich die Härchen in ihrem Nacken und auf den Armen hochstellten. Ihr war kalt, und sie musste ein paarmal schlucken, um wieder richtig zu sich zu kommen. Sie brachte den Strauß mit der Karte in die Gemeinschaftsküche im Erdgeschoss. Sie hatte überhaupt keine Lust, die Blumen in eine Vase zu stellen, obwohl sie wunderhübsch waren mit dem intensiven Blau der oberen Blätter und den zarten

Streifen im unteren Teil. Die Lilien konnten natürlich nichts dafür, auf so unheimliche Weise ins Haus gelangt zu sein, aber sie mochte sie trotzdem nicht gut behandeln. Diesmal gab es keinen Zweifel, wer der Adressat war. Außer ihr war niemand über Nacht auf dem Hof.

Sie mochte aber zunächst die Blumen auch nicht auf den Kompost werfen. Zuerst wollte sie darüber nachdenken, ob sie den Vorfall melden sollte. Schließlich war jemand wiederholt nachts in den Hausflur eingedrungen. Bisher hatte Hanna keinerlei Angst empfunden, allein in ihrer Wohnung auf dem Hof zu sein, aber jetzt schlich sich ein Gefühl der Unsicherheit ein. Sie beschloss, als erste Maßnahme die Türen besser zu sichern. Sie würde Henning gleich nach seiner Ankunft bitten, innen an der Haustür einen Riegel anzubringen.

Außerdem würde sie den Haustürschlüssel nachts innen stecken lassen und ihre eigene Wohnungstür ebenfalls abschließen, was sie bisher nicht getan hatte. Die Idee, Henning könnte nachts zu ihr hochschleichen, hatte sie inzwischen als lächerlich verworfen. Das war nicht seine Art, und sie hatte mittlerweile auch das Gefühl, dass er anfing, die Zusammenarbeit mit ihr zu schätzen und ihr ein klein wenig Achtung entgegenzubringen.

Sie trank ihren Kaffee, aß ihr Müsli mit Joghurt und dachte darüber nach, was die Buchstaben bedeuten konnten. Ihr fiel auf Anhieb niemand aus ihrem Bekanntenkreis ein, der die Initialen DD hatte, und auch sonst konnte sie sich keinen Reim aus den beiden Buchstaben machen. Ihre größte Sorge war, dass die Blumen in irgendeinem Zusammenhang mit dem Rätsel um Jasmina stehen könnten, aber sie verwarf den Gedanken als völlig abwegig.

Zunächst blätterte sie ihr Adressbuch durch, um ganz sicher zu sein, dass niemand die Initialen DD hatte. Dann beschloss sie, nach Pevestorf zu fahren und sich das Feld mit den sibirischen Lilien anzusehen. Vielleicht war es möglich festzustellen, ob die Blumen tatsächlich aus dem kleinen Naturschutzgebiet geklaut waren. Möglicherweise täuschte sie sich ja, und die Blumen kamen aus einem Laden, der die seltenen Lilien führte, woher auch immer sie bezogen waren.

Sie sah schnell nach den Pferden und stellte zu ihrer Erleichterung fest, dass alles in Ordnung war.

Sie hatte schon ein bisschen Befürchtungen gehabt, dass den Pferden etwas angetan worden sein könnte. Bei Uelzen hatte es vor kurzem wieder ein grässliches Vorkommnis mit einem Pferderipper gegeben, den man noch nicht gefasst hatte. Allerdings war es nicht wahrscheinlich, dass die Pferde auf der Hauskoppel, die nah am Hof war, verletzt wurden, und die Blumen passten natürlich gar nicht ins Bild. „Ich fange allmählich an, Gespenster zu sehen", sagte sich Hanna. „Schluss damit!"

Sie holte ihr Fahrrad heraus und machte sich auf den Weg nach Pevestorf. Sie überlegte, ob sie mit dem Auto gefahren wäre, falls sie eins gehabt hätte, aber sie kam zu dem Schluss, dass sie eine Radtour am frühen Morgen auf jeden Fall viel mehr genoss als eine Autofahrt, auch wenn der Anlass nicht gerade erfreulich war.

Sie hatte keine Lust, die Straße zu benutzen, und fuhr deshalb den geschotterten Weg zwischen herrlichen alten Eichen in Richtung Elbholz bis zum Elbedeich. Da das Gras auf der Deichkrone weder von Schafen abgefressen war noch gemäht, war ihr das Fahren im langen Gras auf der Deichkrone zu mühsam, und sie nahm den Verteidigungsweg am Fuß des Deichs. Leider hatte sie von dort keinen Blick auf die Elbe, aber wenigstens fuhr es sich bequem und schnell. Bevor sie vom Deich in Richtung Pevestorf abbog, stieg sie doch auf die Deichkrone und warf noch einen Blick auf die Elbe. Im klaren Morgenlicht sah man deutlich Lenzen am gegenüberliegenden Ufer liegen mit dem gewaltigen Burgturm, der mit seiner runden, grünen Kuppel einen einzigartigen Blickfang darstellte. Die Elbe wälzte sich breit und träge durch ihr Bett. Da sie im Augenblick weder Hochwasser führte noch einen extrem niedrigen Stand hatte, wie es sonst meist der Fall war, zierten die Buhnen mit ihren kleinen Sandstränden das Ufer wie lauter winzige Buchten. Weit und breit war kein Schiff zu entdecken, und Hanna dachte daran, dass immer wieder die unsinnigen Pläne auftauchten, die Elbe zu begradigen und zu vertiefen, um die Schiffbarkeit zu verbessern. Wenn man häufiger an die Elbe kam und sah, wie dünn der Schiffsverkehr war, kamen einem doch Zweifel an einem solchen Projekt.

Außer einem Angler, der auf einem Klappstühlchen am Ufer saß und einen gigantischen grünen Schirm aufgespannt hatte, um gegen die wärmer werdende Sonne gewappnet zu sein, sah Hanna nur ein paar einzelne Wasservögel am Ufer. Da die Zeit des Brütens bereits begonnen hatte, machten die Vögel sich rar und traten nicht wie im Frühjahr und Herbst in großen Scharen auf.

Hanna riss sich von dem überwältigenden Anblick los, da sie nicht allzu viel Zeit verlieren wollte, bevor sie mit der Arbeit anfangen musste. Sie radelte bis zu dem kleinen umzäunten Stückchen Wiese, auf dem die Lilien standen, und entdeckte sofort, dass vom Weg zum Zaun das Gras niedergetreten war. Obwohl sie so etwas normalerweise nie gemacht hätte, ging Hanna näher heran und sah tatsächlich, dass einige Stängel abgebrochen waren, und die Blüten fehlten.

Sie wurde richtig zornig über diesen Frevel. Was musste das für ein Idiot sein, der im Naturschutzgebiet Blumen klaute, um sie ihr nachts anonym auf die Treppe zu legen! Sie beschloss, auf dem Rückweg durchs Dorf zu fahren und gleich bei Carsten vorbeizugehen, um ihm Bericht zu erstatten und ihrer Wut Luft zu machen.

Als sie zu Ellis Hof kam, sah sie sofort, dass Carstens Auto nicht neben dem Schweinestall geparkt war. Also war er schon in aller Herrgottsfrühe zu seiner Grabung gefahren, womit sie nicht gerechnet hatte. Sie überlegte kurz, ob sie Elli einen morgendlichen Besuch abstatten sollte und ihr berichten, was vorgefallen war, aber da sie nicht wusste, ob Elli eine Frühaufsteherin war, fuhr sie weiter, diesmal auf der Straße. Eigentlich war das Radfahren auf der Straße auch nicht unangenehm, denn es herrschte kaum Verkehr.

Henning war noch nicht eingetroffen, als sie auf den Hof zurückkam, und sie holte sich den Hannoveraner, um ihn zu longieren. Er ging tadellos, und sie hatte richtig Spaß daran, wie er ihren Kommandos folgte. Er konnte schon mal bockig und widersetzlich sein, aber wenn er wollte, war er ein Pferd, mit dem man durch Dick und Dünn gehen konnte.

Sie brachte ihn nach getaner Arbeit auf die Koppel und ging zur Küche zurück, um sich neuerlich einen Kaffee zu machen. Die Küchenuhr, die über der Spüle hing, zeigte kurz vor neun, und sie dachte sich, dass das eine Zeit sei, zu der auch norma-le Menschen schon bei der Arbeit waren. Also rief sie Edda an, um ihr von dem roten Kombi zu berichten. Eddas Stimme wirkte nicht gerade frisch, sondern eher mürrisch, als sie sich meldete, aber sie wurde sofort hellhörig, als Hanna ihr sagte, worum es ging.

„Wir werden heute noch die Tischgenossen von Jasmina überprüfen und herausfinden, ob einer von denen einen roten Kombi fährt. Wenn dabei nichts herauskommt, müssen wir Maria – so heißt sie doch – bitten, sich verschiedene Autos anzusehen und genau zu lokalisieren, wo das Auto gestanden hat. Ich habe heute Morgen schon im Krankenhaus angeru-fen, der Zustand von Jasmina ist unverändert. Ich wünschte sehr, sie würde wieder zu sich kommen, natürlich um ihrer selbst willen, aber auch um zu erfahren, was vorgefallen ist. Das würde die Sache gewaltig vereinfachen. Hast Du übrigens heute Abend Zeit? Ich würde gern zu dir rauskommen und privat mit dir plaudern. Ich gebe zu, dass ich zurzeit etwas einsam bin." „Klar", sagte Hanna. „Ich habe nichts vor, und ich würde mich freuen, mit dir Erinnerungen auszutauschen und Neueres zu erfahren. Du weißt vielleicht ein paar Details von Klassenkameraden, die ich aus den Augen verloren habe. Die Schule ist mir eigentlich sehr weit weg, aber ich stelle fest, dass ich inzwischen interessierter an der Vergangenheit werde und vielleicht gewisse Verbindungen gern wieder aufnehmen möchte. Ist das bereits eine Alterserscheinung?"

Edda lachte, und sie verabredeten sich für den Abend.

Hanna freute sich auf den Besuch. Sie war vor allem neugierig zu erfahren, wie es Edda nach der Schule ergangen war. Irgendetwas musste gründlich schiefgelaufen sein, um Eddas Aussehen so unvorteilhaft zu verändern. Allerdings konnte es kaum an ihrer Berufswahl liegen, denn sie hatte mit ihren Anfang dreißig als Kommissarin schon ordentlich Karriere gemacht.

Henning traf am späten Vormittag endlich ein. Sie erzählte ihm von den Blumen und bat ihn, einen Riegel innen an der Haustür anzubringen. Zu ihrer Verwunderung mokierte sich Henning über ihre Ängste. Er meinte, sie müsse sich doch geschmeichelt fühlen, dass jemand ihr so liebevolle Gefühle entgegenbrachte und sich so viel Mühe gab, es ihr zu zeigen. Hanna ärgerte sich über sein dummes Gerede und fand ihn wieder genau so arrogant wie an dem Tag, als sie ihn kennengelernt hatte.

„Du redest Blödsinn", sagte sie. „Denke an deine Reaktion, als ich dir von Jasminas Verschwinden berichtet habe. Da hast du auch völlig falsch gelegen! Aber ich brauche deine Hilfe nicht, du bist ja schließlich hier nicht mein Hausmeister. Ich kann auch selbst mit einer Bohrmaschine umgehen. Du musst mir nur sagen, wo ich eventuell einen Riegel finden kann, sonst fahre ich zum Baumarkt und besorge mir einen."

Henning merkte, dass sie verärgert war und versuchte einzulenken, aber Hanna ließ ihn stehen und bot ihm nicht einmal von ihrem Kaffee an. Allerdings konnte sie im Augenblick nicht mit dem Anbringen des Riegels beginnen, weil sie keine Ahnung hatte, wo sich das Werkzeug befand.

Als sie zur täglichen Routine überging, verflog ihr Ärger, und sie dachte nicht mehr an Henning.

Im Laufe des Vormittags kam Elli vorbei, um sich nach dem neuesten Stand der Dinge zu erkundigen und ein bisschen zu klönen. Hanna musste sie eine Weile warten lassen, da sie ihre Arbeit an dem Haflinger, den sie gerade auf dem Platz trainierte, nicht unterbrechen wollte, und Elli setzte sich auf eine Bank am Rand des Reitplatzes und sah ihr zu. Nachdem sie eine Weile Volten, Schlangenlinien und Diagonalen in verschiedenen Gangarten geübt hatte, sattelte sie ab, führte den Haflinger auf die Hauskoppel und setzte sich auch auf die Bank. Elli klatschte ihr Beifall und sagte, es hätte ihr großen Spaß gemacht, Hanna bei der Arbeit zuzusehen.

Hanna berichtete zunächst kurz von den Ansätzen der Polizei, etwas über Jasmina herauszukriegen, und dann kam sie auf die Lilien zu sprechen. In Elli hatte sie eine überzeugte Sympathisantin, und das tat ihr nach Hennings schnoddriger Abfuhr richtig gut. Elli war voller Entrüstung über den Frevel an den geschützten Lilien, die sie als Pevestorfs kleines Heiligtum bezeichnete, und sie meinte, es könne niemand aus der Gegend sein, der so etwas tat. Und sie zeigte sich richtig besorgt wegen des mehrfachen, nächtlichen Eindringens in den einsam gelegenen Hof. Sie hielt Hanna für hochgradig gefährdet und machte einige Vorschläge, wie man dem Problem beikommen könnte: Hanna könnte grundsätzlich bei Carsten übernachten, Carsten könnte zu ihr ziehen, oder sie selbst könnte in der nächsten Zeit Hanna zu sich einladen.

Hanna freute sich über die Fürsorglichkeit, aber sie lehnte alle Vorschläge ab. „An eins hast du noch nicht gedacht", sagte sie, um den Ernst des Gesprächs etwas zu entschärfen. „Du hast mir gar nicht angeboten, zu mir auf den Hof zu ziehen und mich persönlich zu beschützen." Elli lachte, lehnte aber heftig einen Ortswechsel für sich ab. „Jetzt mach dich nicht lustig über meine Besorgnis. Eine alte Frau wie mich kann man nicht verpflanzen, und was sollte ich tun? Mit einer Bratpfanne bewaffnet auf der Treppe sitzen?"

Hanna wurde wieder ernst. „Ich habe nicht wirklich Angst",

sagte sie. „Mir ist ein bisschen unwohl, das gebe ich zu. Aber ich möchte nicht meinen ganzen Lebensstil verändern wegen eines Spinners. Ich denke nicht, dass Jasminas Verschwinden etwas mit mir zu tun hat. Glaubst du, der Verehrer mit den Blumen könnte Pitten sein?"

Elli dachte darüber nach. „Der Gedanke ist mir auch schon gekommen, man weiß bei ihm ja nie. Dann wäre es auf jeden Fall nicht böse gemeint, denn Pitten steht ja total auf Nächstenliebe, und er hat meines Wissens noch nie jemanden bedroht oder etwas Schlimmes angestellt. Aber du musst der Polizei unbedingt von den Blumen berichten. Zumindest ist es Hausfriedensbruch, wenn dir nachts jemand im Hof herumschleicht und dir Lilien auf die Treppe legt."

„Heute Abend kommt Edda von der Kripo Lüneburg mich besuchen. Ich werde sie noch einmal anrufen und ihr sagen, sie soll mit einem Polizeiauto kommen und es sichtbar parken, so dass zumindest der Eindruck erweckt wird, ich würde bewacht."

„Jetzt wollte ich dir noch etwas anderes erzählen, das mich beschäftigt", sagte Elli. „Du erinnerst dich an Anita mit dem kleinen Iwan?" „Klar", antwortete Hanna. „Sag bloß, denen geht es nicht gut." „Es geht überhaupt nicht. Ich habe Anita mit dem Kinderwagen auf der Dorfstraße getroffen, und sie fing heftig zu weinen an, als sie mich sah. Sie ist ja zurzeit bei ihrer Mutter untergekommen, aber es geht gar nicht gut. Der derzeitige Freund ihrer Mutter ist ein besonders übler Bursche. Er läuft in einem ordinär knappen Hemd in der Gegend herum, damit man sehen kann, dass er über und über tätowiert ist. Das finde ich richtig gruselig, aber viel schlimmer ist sein Begleiter. Er hat immer einen Kampfhund dabei, der sich furchtbar aufregt, sobald jemand ihm entgegenkommt. Ich habe ständig den Eindruck, dass sein Besitzer ihn im nächsten Moment nicht mehr halten kann, aber der macht einen sehr zufriedenen Eindruck, wenn er bemerkt, dass alle vor ihm und seinem Hund Angst haben. Widerlich! Jedenfalls hat Anita mir erzählt, dass er sich furchtbar aufregt, wenn der kleine Iwan schreit, und angedroht hat, den Hund auf Iwan anzusetzen, um ihn zur Ruhe zu bringen. Anitas Mutter hat schon signalisiert, dass der Freund in ihrem Leben wichtiger ist als alles andere, und Anita aufgefordert, sich mit ihrem Balg davonzuscheren. Wir haben es ja kommen sehen! Was soll das arme Mädchen bloß machen?"

„Kannst du nicht beim Jugend - oder Sozialamt vorstellig werden? Ich habe keine Ahnung, wie die Ämter mit so einem Fall umgehen, aber es müsste doch so etwas wie betreutes Wohnen geben oder Hilfe in anderer Form."

Elli hatte natürlich auch schon daran gedacht, sich in dem Fall Anita zu engagieren. Sie hatte sogar überlegt, ob sie Anita und Iwan für eine Übergangszeit bei sich aufnehmen könnte, aber bei genauerem Hinsehen war ihr klar, dass sie dem nicht gewachsen sein würde. Möglicherweise war Anita noch drogenabhängig und würde sonst was anstellen, um an Geld zu kommen. Es könnte auch passieren, dass sie sich davonmachte, und Elli mit dem Kind sitzenließ. Schließlich war sie total verwahrlost und mit ihren sechzehn Jahren selber noch völlig unreif.

Elli wollte nicht mit zum Haus kommen, um noch einen Kaffee zu trinken. Sie meinte, sie würde häufig genug Zeit mit Klönen verbringen und sollte mal daran denken, dass sie Besorgungen machen wollte und später im Garten arbeiten.

Sie verabschiedeten sich sehr herzlich, und Elli versprach, Carsten vorbeizuschicken, sobald er nach Haus gekommen war. Hanna musste lachen und erklärte, Carsten brauche niemanden, der ihn dazu anhielt, mit ihr zusammen zu sein. Das würde ihm schon von ganz allein einfallen." Das stimmt", sagte Elli. „ Ich sehe ihn ja kaum noch in seinem Schweinestall, übrigens ein Hausname, der nicht auf seine Wirtschaft bezogen ist. Wir haben uns verschiedenste Möglichkeiten ausgedacht, das Häuschen umzubenennen, aber es klappt einfach nicht. Es war nun mal der Schweinestall, und alles andere ist künstlich und sitzt bei mir nicht richtig."

Hanna war hellhörig geworden bei Ellis Erwähnung von Carstens Abwesenheit. Ihr wurde ganz kalt bei dem Gedanken, dass Carsten offenbar öfter nicht zu Hause übernachtete, aber auch länger schon nicht bei ihr gewesen war. Der Verdacht setzte sich fest, dass er eine Affäre mit Saskia hatte, und der Gedanke tat weh. Sie hatten zwar vereinbart, großzügig miteinander umzugehen, und schließlich waren sie ja nicht verheiratet, aber ihr wäre nie die Idee gekommen, einen anderen Mann mit Hintergedanken anzusehen. Carsten war der Partner, den sie sich wünschte, und bisher hatte sie angenommen, dass es ihm genauso ging. Jedenfalls hatte er das auch immer wieder gesagt und sie gedrängt, mit ihm eine Familie zu gründen, wozu sie sich aber im Augenblick nicht entschließen konnte.

Sie beschloss erst einmal, das Problem zu verdrängen und sich mit Carsten auszusprechen, bevor sie in Panik geriet. Bisher waren sie immer ehrlich miteinander umgegangen, und sie nahm an, dass Carsten auch in der derzeitigen Situation nicht kneifen würde.

Inzwischen war es schon fast Mittagszeit, und Hanna bekam Hunger, weil sie so früh aufgestanden war und nicht gerade wie ein König gefrühstückt hatte. Als sie die Haustür öffnete, bimmelte zu ihrer Überraschung ein feines Glöckchen. Sie entdeckte nicht nur ein Silberglöckchen, das oben an der Tür angebracht war und über einen kleinen Metallstab zum Klingeln gebracht wurde, wenn man die Tür bediente, sondern auch einen überdimensionierten Riegel, den man von innen zur Sicherung vorschieben konnte, und der jedem Burgtor alle Ehre gemacht hätte.

Hanna lachte lauthals, und gleichzeitig verzieh sie Henning sein ungezogenes Verhalten in manchen Situationen. Das war ein Meisterstück an Überraschung, und sie fand ihn wieder richtig nett. Aber gleichzeitig wurde ihr klar, dass sie überhaupt nicht mitbekommen hatte, dass Henning inzwischen im Haus gewesen war und sicherlich mit seiner Bohrmaschine viel Lärm gemacht hatte, um den Riegel und das Glöckchen anzubringen. Sie überlegte, ob sie künftig die Haustür abschließen sollte, wenn sie sich tagsüber irgendwo auf dem Gelände aufhielt, aber sie verwarf den Gedanken. Sie wollte sich nicht verrückt machen lassen, und Lilien vor die Tür gelegt zu bekommen, war schließlich noch kein Verbrechen.

Sie suchte Henning auf und lud ihn zum Dank zum Mittagessen ein. Er lehnte aber ab, da er schon verabredet war. Er wirkte richtig gut gelaunt, und Hanna fragte ihn ins Blaue, ob es mit seiner Freundin wieder klappen würde. Henning sagte nur lachend „und ob!" und verließ den Hof.

Hanna hatte gar keine Lust, für sich allein etwas zum Essen zu machen. Sie wünschte, Beate stünde ihr öfter zur Verfügung, um sie mit tollem Essen zu verwöhnen und sie dabei noch gut zu unterhalten. Aber Beate war unter der Woche nicht abkömmlich, da sie auf dem Hof ihrer Eltern mitarbeitete, und es war sowieso eine völlig verdrehte Idee, sich zu wünschen, jeden Tag bekocht zu werden.

Am Nachmittag hatte sie wieder eine Reitgruppe, diesmal Erwachsene. Die Stunde verlief ruhig und ohne Zwischenfälle, und nachdem sie mit allem fertig war, leistete Hanna sich wieder eine Runde Schwimmen im Gartower See.

Zurück auf dem Hof, machte sie den Computer an um herauszufinden, wie sich das Wetter entwickeln würde. Es sah nicht aus, als würde es im Lauf der nächsten Tage eine Änderung geben. Es gab wegen der anhaltenden Hitze eine Warnung vor zu hohem Wasserverbrauch, und Hanna musste feststellen, dass das Gras auf den Koppeln nicht mehr nachwuchs und anfing, braun zu werden. Sie würde in den nächsten Tagen anfangen müssen, Heu zuzufüttern und gegebenenfalls den Weidegang einschränken, damit die Grasnarbe nicht bis auf den sandigen Boden abgefressen wurde, oder die Pferde bei dem Versuch, ein Hälmchen zu ergattern, gleich die Wurzeln mit herausrissen.

Sie schickte schnell noch eine Mail an Carsten, um ihm mitzuteilen, dass sie abends die Kommissarin Edda zu Besuch hatte und hoffte, mehr über den Fall Jasmina zu hören. Anschließend bereitete sie ein kleines Essen vor und stellte eine Flasche Sekt in den Kühlschrank. Sie fand, der Zufall, der ihre Klassenkameradin auf so merkwürdige Art zu ihr geführt hatte, sei es wert, mit einem Gläschen Sekt anzustoßen.

Edda kam wenig später tatsächlich mit einem Dienstwagen und stellte ihn weithin sichtbar gleich am Eingang des Hofes ab. Sie begrüßten sich mit Küsschen, und Hanna kommentierte die neuen Gepflogenheiten. Während der Schulzeit wäre es beiden nicht eingefallen, so intim miteinander umzugehen, jetzt hatte sich das geändert. Hanna erzählte von ihrem Erstaunen, als sie als Teenager noch von der polnischen Schule aus zum Austausch nach Frankreich geschickt worden war, und nicht nur von ihrer Austauschpartnerin und deren Eltern, sondern auch gleich von Klassenkameradinnen mit Küsschen links-rechts-links empfangen worden war. Nach anfänglichem Befremden fand sie die Sitte eigentlich sehr nett und hatte sie gern übernommen.

Wie jeden Abend hatte Hanna den Tisch unter der Linde gedeckt. Der Sekt war leider noch nicht richtig kalt, weil sie zu spät daran gedacht hatte, ihn kühl zu stellen. Aber das störte Edda überhaupt nicht. Allerdings musste Hanna Edda bitten, die Flasche aufzumachen, denn sie hatte höllische Angst davor, dass der Korken zu früh herausfliegen könnte und Schlimmes anrichten. Eine Macke in die Zimmerdecke zu praktizieren war ja harmlos und wurde im Allgemeinen mit Gelächter quittiert, aber Hanna stellte sich bei jeder Flasche Sekt einen richtigen Unfall vor. Da sie vorhatten, den Sekt draußen aufzumachen, würde es nicht mal Dellen in der Zimmerdecke geben.

Hannas Panik bezüglich der Korken hatte einen tiefsitzenden Grund aus ihrer Kindheit: Bei einer Hochzeit, auf die sie als Blumenmädchen eingeladen gewesen war, hatte der Bräutigam nach der Trauung eine Flasche Sekt unter allgemeinem Beifall geöffnet, hatte dabei seine eben ihm angetraute Frau zärtlich angelächelt, und dank seiner Unaufmerksamkeit war ihm der Korken ins Auge geknallt. Er musste ins Krankenhaus gebracht werden, und seine Sehfähigkeit war seitdem stark eingeschränkt. Die Feier war natürlich durch den Unfall beendet, die Braut mitsamt ihrem Hochzeitskleid im Krankenwagen verschwunden, und einige der Verwandten weinten.

Man machte sich immer wieder über Hanna lustig - typisch Frau - wenn sie eine Sektflasche zum Öffnen weitergab, aber sie konnte ihre Panik einfach nicht überwinden. Edda entfernte versiert den Metallverschluss, und der Korken kam mit einer kleinen Drehung ganz leicht heraus. Sie stießen an und fanden den Sekt köstlich, obwohl er kühler bestimmt noch besser gewesen wäre.

Edda berichtete zunächst von den neuesten Erkenntnissen. Sie hatte über Gunter aus Pevestorf, dessen Adresse sie von Henning erfahren hatte, die Telefonnummern der anderen Tischgenossen von Jasmina beim Schützenfest herausgefunden und versucht, sie der Reihe nach anzurufen. Es stellte sich als schwierig heraus, sie tagsüber zu Hause zu erreichen, da sie bis auf zwei bei der Arbeit waren. Einer war arbeitslos und konnte wenigstens die Firmen nennen, bei denen die anderen beschäftigt waren, der andere hatte Nachtschicht gehabt und wurde von seiner Mutter aus dem Bett geholt.

Hanna kommentierte diesen Teil von Eddas Arbeit als ziemlich öde und meinte, Rumtelefonieren sei nicht so aufregend, wie man sich landläufig den Tagesablauf eines Kriminalbeamten vorstellte. Edda versicherte ihr, dass ein großer Teil ihrer Aufgaben aus solch „öden" Recherchen bestand, was sie selbst aber überhaupt nicht langweilig fand, weil man so und nicht anders Ergebnisse erzielen konnte.

Jedenfalls stellte es sich heraus, dass nur einer der Befragten ein rotes Auto besaß, und das war ein alter Golf und kein Kombi. Außerdem hatte der junge Mann versichert, dass er an dem fraglichen Morgen nach Uelzen gefahren war und das auch nachweisen konnte. Edda hielt es nicht für nötig, dieser Aussage im Augenblick nachzugehen, weil Marie ihr sofort versichert hatte, dass sie einen Golf mit Sicherheit erkennen würde, weil ihr Vater auch einen fuhr.

Sie hatte vor, Marie am nächsten Tag Fotos von roten Kombis zu zeigen und sie möglicherweise zum Hof mitzubringen, um den genauen Standort, wo sie das Auto gesehen hatte, festzustellen. Sie hoffte sehr, dass Marie imstande sein würde, sich auf einen Autotyp festzulegen. Allerdings half das aller Wahrscheinlichkeit nach auch kaum weiter, denn es war fast unmöglich, ohne Kenntnis der Autonummer ein Fahrzeug zu finden, das von überall gekommen sein konnte. Aber einen anderen Ansatzpunkt gab es im Augenblick nicht, und vielleicht war der Kombi ein Autotyp, der nicht von jedem Zweiten gefahren wurde. Hanna fiel natürlich auch nichts ein, das weiterhelfen konnte, und meinte, alle Spekulationen seien im Augenblick sinnlos und außerdem alle schon angesprochen. Es sei vernünftiger, erstmal was zu essen. Damit war Edda sehr einverstanden.

Hanna brachte den Salat, den sie vorbereitet hatte, nach draußen und holte das Knoblauchbaguette aus dem Backofen. Sie gingen vom Sekt zu Wein über, aber nach dem ersten Glas bat Edda um Mineralwasser, denn sie konnte es sich nicht leisten, mit ihrem Dienstwagen mit Alkoholfahne erwischt zu werden. Sie bedauerte das offensichtlich, aber es war nun mal nicht opportun, sich über die immer strengeren Gesetze bezüglich der Promillegrenze hinwegzusetzen.

Während des Essens erzählte Hanna von den Lilien, und Edda nahm die Sache sehr ernst. Sie wollte nicht ausschließen, dass die Liliensträuße und Jasminas Verschwinden in einem Zusammenhang standen, denn schließlich war beides praktisch zeitgleich passiert. Edda riet Hanna, offiziell Anzeige zu erstatten, da ja bei ihr eingebrochen worden war. Nur so hätte die Polizei die Möglichkeit, der Sache mit den Blumen nachzugehen. Ohne Anzeige konnte auch Edda nichts machen. Im Fall der Lilien war natürlich zunächst die örtliche Polizei zuständig, aber Edda wollte sich über die Nachforschungen auf dem Laufenden halten und gegebenenfalls nachhaken, wenn wegen Belanglosigkeit oder Personalmangel nichts passierte.

Edda langte kräftig zu. Vor allem futterte sie ein Baguettestück nach dem anderen, und Hanna schob ein weiteres Brot in den Ofen, konnte sich aber eine kleine Randbemerkung bezüglich des Appetits von Edda nicht verkneifen. Es tat ihr sofort leid, und sie entschuldigte sich, aber Edda winkte ab. „Ich bin Sticheleien gewöhnt und habe mir ein dickes Fell zugelegt. Dank mehrerer Therapien bin ich mir durchaus bewusst, dass ich zu viel esse und entsprechend aussehe. Ich bin nicht physisch krank, nur ein paar Nebenerscheinungen wie Bluthochdruck, Schweißausbrüche und Kurzatmigkeit. Ich werde dir erzählen, warum das aus mir geworden ist, was ich jetzt bin, wenn du es hören willst." Hanna signalisierte, dass sie sehr interessiert war.

Edda erzählte ihr, dass sie bereits in der letzten Klasse vor dem Abitur den Mann ihres Lebens kennengelernt hatte. Er war selber noch in Ausbildung, gerade mal zwanzig, und sie schwebten beide auf Wolke sieben, wie Edda sich ausdrückte. Kurz vor dem Abitur stellte sie fest, dass sie schwanger war. Schon im zweiten Monat war ihr permanent übel, und sie vertraute sich ihrer Mutter an. Sie meinte, das Abitur nicht schaffen zu können, weil sie sich dauernd übergeben musste und sich hundeelend fühlte. Ihre Mutter war einerseits schockiert und fühlte sich schuldig, weil sie Edda überbehütet hatte und sich nie mit ihr über Sexualität auseinandergesetzt hatte, andererseits war sie willens, die Verantwortung mitzutragen und redete solange auf Edda ein, bis Edda sich bereit erklärte, auf jeden Fall zu versuchen, die Prüfungen hinzukriegen, notfalls mit Tabletten, die die Übelkeit unterdrücken konnten. Hier allerdings sah ihre Mutter ein neues, ernstes Problem. Sie erinnerte an die Contergangeschichte aus den Sechzigern, und sie besprachen sich lange.

Eddas Mutter meinte, der Freund ihrer Tochter solle sofort eingeweiht werden. Die Zeiten hatten sich natürlich dahingehend geändert, dass man nicht gleich wegen der Schande heiraten musste, aber der künftige Vater sollte rechtzeitig informiert sein und sich auf seine Verantwortung vorbereiten können.

Edda fühlte sich erleichtert, und als sie ihren Freund das nächste Mal traf, um mit ihm ins Kino zu gehen, berichtete sie im Auto von ihrem Zustand in einem sehr positiven Licht. Seine Reaktion war entsetzlich. Er schrie sie an, er wolle jetzt und auch nicht später eine Familie am Hals haben, und sie solle zusehen, dass sie das Problem möglichst schnell aus der Welt schaffe. Er fühlte sich in keiner Weise verantwortlich, sondern machte ihr im Gegenteil Vorwürfe, dass sie so leichtsinnig gewesen sei und ihn hereingelegt hätte.

Edda versuchte sich mit ihrer Naivität zu verteidigen, aber sein Zorn eskalierte immer mehr. Es endete damit, dass er so abrupt anhielt, dass sie fast in die Frontscheibe geschleudert wurde. Er stieg aus, rannte um das Auto herum und riss die Beifahrertür auf. Sie glaubte, er wolle sie schlagen, aber er packte sie nur am Arm und versuchte, sie aus dem Auto zu zerren. Plötzlich war sie ganz ruhig und bedeutete ihm, dass sie immer noch angeschnallt war. Sie machte den Gurt auf, stieg aus und ging am Straßenrand in die Richtung davon, aus der sie gekommen waren. Sie drehte sich nicht um, als sie ihn mit kreischenden Reifen davonfahren hörte.

„Oh, Gott, das ist ja eine furchtbare Geschichte", sagte Hanna. „Du hast ihn wohl nur von einer Seite gekannt." „Da hast du Recht, und während ich im Dunkeln an der Straße entlanglief, wurde mir klar, dass ich froh sein konnte, ihn los zu sein. Wie grässlich, wenn ich ihn geheiratet hätte!

Jetzt kommt aber der eigentlich tragische Teil, der mir immer noch zusetzt. Du siehst ja, dass ich kein Kind habe. Ich habe den schriftlichen Teil des Abiturs gemacht, obwohl es mir jeden Tag schlechter ging. Während der Prüfungsanspannung legte sich meine Übelkeit, so dass ich mit den schriftlichen Klausuren ohne Kotzen zurechtkam, aber nachmittags und nachts war es ganz schlimm. Meine Mutter war mir ein großer Halt in dieser fürchterlichen Zeit.

Nach dem Schriftlichen fiel ich in ein furchtbares Loch. Du erinnerst Dich vielleicht, dass ich nicht mitgegangen bin, als fast alle aus unserem Jahrgang zum Feiern ein paar Tage an die Nordsee gefahren sind."

„Ja", sagte Hanna. „Ich erinnere mich auch, dass du krank aussahst, aber wir haben dir nicht sonderlich zugeredet, an der Fahrt teilzunehmen, weil niemand eigentlich so richtig mit dir befreundet war, und wir annahmen, dass du ein Spaßverderber sein könntest."

„Ja, ihr hattet auch irgendwie Recht. Ich habe mich immer ein bisschen rausgehalten und mich sogar ganz gut gefühlt, dass ich mich nicht wie ein Herdenvieh verhielt und den jeweiligen Trends aufsaß. Vor allem mein Freund war ja mein Geheimnis, und darauf war ich richtig stolz."

Edda wurde zusehends trauriger, und Hanna fürchtete schon, sie würde in Tränen ausbrechen. Aber sie fing sich wieder und erzählte weiter. „Während der Tage, als die Schule nach dem Schriftlichen für uns ausfiel - wenigstens inoffiziell und zwangsweise von der Schulleitung geduldet – stellte man bei meiner Mutter Krebs fest. Ich war völlig verzweifelt, und aller Mut verließ mich. Ohne die Unterstützung meiner Mutter konnte ich mir nicht vorstellen, ohne Ausbildung alleinerziehend zurechtzukommen. Und dass mein Freund seine Meinung ändern könnte, hielt ich für ausgeschlossen. Ich hätte ihn auch in keinem Fall wiederhaben wollen, seine garstige Seite hatte ich ja zur Genüge kennengelernt.

Also entschloss ich mich abzutreiben. Das war schnell geschehen, alles ist gut gegangen, und ich fühlte mich zunächst erleichtert.

Aber im Lauf der Zeit trauerte ich immer mehr um das kleine Wesen und konnte nicht über das hinwegkommen, was ich getan hatte. Ich fing an, mich mit Essen zu trösten, und die Folgen siehst du. Meine erste Therapie machte ich, als man mir während meiner Ausbildung klar machte, dass ich bei meinem Gewicht ein gesundheitliches Risiko darstellte und deshalb nicht verbeamtet werden könnte. Bei der Kripo zu arbeiten, war schon lange mein Wunsch gewesen, aber ohne den Beamtenstatus hatte ich keine Chance, höher aufzusteigen. Dank der Therapie, die sogar von der Krankenkasse bezahlt wurde, nahm ich so weit ab, dass ich Beamtin werden konnte, aber kaum war diese Hürde genommen, ging es mit der Fresserei wieder los. Ich kann einfach nicht widerstehen, und das ist natürlich schon krankhaft. Ich denke oft, ich könnte jetzt eine Tochter haben, die aufs Gymnasium geht und mir nur Freude macht. Naja, vielleicht wäre es ja auch ein Sohn geworden, ich habe nicht nachgefragt, aber zu einer Tochter hätte ich bestimmt eine engere Beziehung haben können."

Hanna war beeindruckt und fühlte tiefes Mitleid. Sie wollte Edda trösten, indem sie ihr sagte, dass sie beide ja noch jung waren und alle Chancen offen hatten. Aber Edda winkte ab. „So wie ich jetzt aussehe, beißt keiner mehr an, und ich fühle mich wie in dem Sprichwort „gebranntes Kind scheut das Feuer".

Hanna fragte vorsichtig, ob sie noch ein paar Fragen stellen könne. Sie wollte vor allem wissen, was aus Eddas Mutter geworden war. „Wir wohnen wieder zusammen, sie ist zu mir nach Lüneburg gezogen. Seit ein paar Jahren sieht es so aus, als sei sie dank einer abgenommenen Brust und der anschließenden Chemo über den Berg. Es geht ihr gut, aber das Thema Kind sprechen wir nie mehr an. Ich denke, meine Mutter war damals ziemlich entsetzt über mich, zumal sie gläubig ist."

Schließlich wollte Hanna wissen, was aus dem Freund geworden war. Edda erzählte ihr, dass er seine Lehre abgebrochen hatte und sich zunächst nach Australien abgesetzt, um dem Alimentezahlen zu entgehen. Das hatte sie erst kürzlich durch einen Bekannten erfahren. Sie hatte keine Ahnung, wie er es geschafft hatte, ein Visum für einen längeren Aufenthalt in Australien zu bekommen, denn er konnte ja keinen in Australien gesuchten Beruf vorweisen und hatte von Haus aus - soweit sie wusste - kein Geld. Aber irgendwie hatte er es geschafft. Jetzt sollte er angeblich zurücksein, aber Edda brachte für seinen Werdegang kein wirkliches Interesse mehr auf.

Sie unterhielten sich über einige Klassenkameraden, von denen Edda mehr wusste als Hanna. Hanna hatte sich bei der Jahrgangsfeier zum zehnjährigen Abiturjubiläum gerade in Frankreich aufgehalten, und es war ihr unmöglich gewesen, für ein paar Tage nach Haus zu reisen. Edda hingegen hatte das Fest besucht und war zu aller Überraschung gut mit ihrer ehemaligen Jahrgangsstufe klargekommen.

Edda wollte natürlich auch etwas über Hannas Werdegang hören, und sie stellten irgendwann fest, dass es furchtbar spät geworden war. Edda hatte noch eine lange Heimfahrt vor sich. Hanna schlug vor, sie solle bei ihr übernachten, und sie kicherten über den Polizeischutz, den Hanna genießen würde. Aber Edda zog es vor, noch nach Hause zu fahren. Sie wollte lieber die Fahrt noch nachts hinter sich bringen, weil sie am nächsten morgen früh anfangen musste. Hanna fühlte sich mal wieder privilegiert, weil es bei ihr auf eine halbe Stunde morgens hin oder her nicht ankam.

Sie verabschiedeten sich herzlich, und Edda schwang sich in ihr Dienstfahrzeug und verschwand in der Dunkelheit. Hanna hatte keine Lust mehr, den Tisch abzuräumen, sondern ging gleich ins Haus. Sie freute sich über ihren neuen Haustürriegel, denn mit der doppelt verschlossenen Tür fühlte sie sich sicher.

Sie machte nochmal schnell den Computer an und las ihre Mails. Carsten hatte ihr einen liebevollen Nachtgruß geschickt und kündigte sich für den nächsten Abend an. Hanna fiel wieder ein, wie misstrauisch sie sich morgens gefühlt hatte, und sie dachte daran, welch entsetzliches Ende Eddas Liebe genommen hatte. Wie konnte sie nur Zweifel haben! Aber sie würde trotzdem am nächsten Tag Carsten ganz geradeheraus fragen, wie er zu Saskia stand, und im schlimmsten Fall würde sie versuchen, eine Enttäuschung mit Fassung zu tragen, was aber eigentlich ein absurder Gedanke war.

Manchmal fand sie sich selber völlig bescheuert, weil sie sich über dieses oder jenes Gedanken machte, was sich letztendlich als völlig belanglos oder falsch herausstellte. Am schlimmsten war ihr Hang, ein schlechtes Gewissen zu haben, weil irgendjemand nicht anrief oder auf eine Mail nicht reagierte. Sie konnte sich tagelang überlegen, was sie falsch gemacht hatte, und am Ende stellte sich heraus, dass der - oder diejenige verreist gewesen war oder krank geworden oder Beziehungsprobleme hatte, die gar nichts mit ihr zu tun hatten.

Sie nahm sich zum hundertsten Mal vor, solche überflüssigen Gewissensbisse oder Zweifel auszuschalten, aber bisher hatte sie es nie ganz geschafft, sich völlig davon zu befreien. Sie wollte eigentlich immer souverän und locker sein, aber leider gelang ihr das über bewusste Anstrengungen nur teilweise, und wenn sie sich anstrengen musste, war sie natürlich eigentlich nicht locker.

Hanna ging ins Bett und überdachte noch einmal die Situation bezüglich Jasmina. Es gab diesen winzigen Anhaltspunkt mit dem Kombi. Ein Auto, das in der Nähe des Hofs geparkt war, hatte normalerweise mit dem Reitbetrieb zu tun. Wer hatte sein Auto diesmal beim Hof abgestellt, ohne sich zu zeigen? Ein Jogger? Ein Hundehalter, der einen kurzen Spaziergang mit seinem Hund machte, um ihn kacken oder pinkeln zu lassen? Jemand, der sich verirrt hatte? Kaum, denn ein normaler Mensch würde auf den Hof kommen und fragen, wo er hinfahren musste oder wen er wie finden konnte. Es war zwecklos, weiter zu spekulieren, ihr fiel einfach nichts dazu ein.

Sie schlief tief und fest bis zum frühen Morgen, ging als erstes die Treppe hinunter, um sich zu überzeugen, dass es keine Blumensträuße gab, und war erleichtert, dass sich die

Treppe unverändert präsentierte. Sie fühlte wieder Dankbarkeit gegenüber Henning. Es war in ihrer derzeitigen Situation wirklich angenehm, sicher hinter Schloss und Riegel – auf der richtigen Seite - zu schlafen.

Nach der Dusche fühlte sie sich gut erholt und ging in die Küche, um ihr morgendliches Ritual mit Kaffee und Müsli zu absolvieren. Erstaunlicherweise hatte der Abend mit Edda keinerlei negative Auswirkungen auf ihr Wohlbefinden. Weder der Alkoholgenuss machte ihr zu schaffen - sie hatte sich aber auch an Edda angepasst und war bei Mineralwasser gelandet – noch die relativ kurze Nachtruhe. Es musste wohl daran liegen, dass die Sonne so früh aufging, sie brauchte einfach weniger Schlaf.

Sie nahm ihr Fahrrad und begann den Tag mit der kleinen Fahrt zum Gartower See, um eine Runde zu schwimmen. Es waren nur zwei andere Unermüdliche unterwegs, ein älteres Ehepaar, mit dem sie ein paar freundliche Worte wechselte im Vorbeischwimmen.

Während sie in ruhigen Zügen schwamm, dachte Hanna daran, wie es sein würde, wenn der Herbst und Winter kam. Sie konnte sich gut vorstellen, nicht mehr barfuß zu laufen, im Haus einen dicken Pullover zu tragen, die lange Dunkelheit mit häuslichen Aktivitäten auszufüllen. Umgekehrt, in der kalten Jahreszeit, gelang es ihr dagegen überhaupt nicht, sich in T-Shirt und kurzer Hose zu sehen. Es kam ihr immer unwahrscheinlich vor, dass sich der Norden in den Süden verwandelte.

Sie beschloss, auf jeden Fall die Badesaison in den Herbst zu verlängern, bis es wirklich zu kalt zum Schwimmen wurde. Sie setzte sich mal zwölf Grad Wassertemperatut als Limit, dann würde man weitersehen.

Sie kam munter und erfrischt zurück und begann ihre tägliche Routine. Es wurde schon wieder richtig heiß, und gegen Mittag musste sie erneut darauf verzichten, mit den Pferden zu arbeiten. Die Hitze machte ihr eigentlich nicht viel aus, aber richtig störend waren die Insekten, die in Pulks überall herumschwirrten. Hanna wünschte sich, dass es mal kein Frühjahrshochwasser an der Elbe geben würde als Brutstätte für die Mücken, aber das war natürlich kaum denkbar wegen der Schneeschmelze.

Gegen Mittag erlebte sie eine unglaubliche Überraschung. Zuerst fuhr ihr Vater auf den Hof, was sie überaus erstaunlich fand, da er sich nicht angemeldet hatte. Ein paar Minuten später bog auch noch ihr Bruder Marian mit seinem Kangoo in die Auffahrt ein. Beide umarmten Hanna herzlich und wünschten sich zunächst mal einen Imbiss und ein kaltes Getränk. Hanna fragte, ob Bier genehm sei, und Marian nickte begeistert. Ihr Vater zog dagegen ein Mineralwasser vor, weil er ja wieder zurückfahren musste. „Und, wie sieht's mit dir aus, Marian?" fragte Hanna „Musst du nicht mehr fahren?"

Marian grinste und verneinte, woraus Hanna schloss, dass er über Nacht bei ihr bleiben wollte. Sie freute sich richtig über den Besuch. Sie verschwand in der Küche, um nachzusehen, was sie auf die Schnelle anbieten konnte. Sie hatte noch Schweinefilet von Beate in der Tiefkühltruhe und briet schnell das Fleisch mit Knoblauch an. Dazu setzte sie Reis auf und kam zurück zum Tisch unter der Linde.

„Wir haben eine Überraschung für dich", sagte ihr Vater, als sie sich zu ihren Gästen gesetzt hatte. „Mama und ich haben beschlossen, dir den Kangoo von Marian zu schenken. Du brauchst ja unbedingt ein Auto, und wir kennen dich gut genug, um zu wissen, dass du viel zu bescheiden bist, um uns um eine Anleihe zu bitten. Also würdest du auch im Winter Fahrrad fahren, bei Eis und Schnee auf alles Mögliche verzichten, oder mit einer Schrottkarre daherkommen, die alle Augenblick kaputt ist und ständig kostet. Nimmst du unsere kleine Gabe an?"

Hanna hatte Tränen der Rührung in den Augen. Sie umarmte ihren Vater und dann Marian und konnte gar keine

Worte finden. Sie ging zu dem Auto, öffnete die Türen und die Heckklappe, setzte sich hinein und ließ den Motor an. „Unglaublich", sagte sie. „Die Überraschung ist euch aber gelungen!"

„Schade, dass Mama nicht mitkommen konnte. Sie hat heute Unterricht, den sie nicht absagen konnte. Aber lass mich ein Bild machen, damit sie sehen kann, wie sehr du dich freust." Hanna wurde von ihrem Vater und ihrem Bruder vor dem Auto, neben dem Auto, hinter dem Lenkrad und unter der Heckklappe fotografiert.

Marian fing an zu blödeln, indem er ihr vorschlug, sie solle auf der Motorhaube einen eleganten Ballettschritt vorführen, wie man es gelegentlich bei Fiatwerbung sah, oder sich im Kofferraum räkeln in eindeutigen Posen, um die Betrachter der Fotos aufzugeilen, damit sie das Auto mitsamt der sexy Dame kaufen wollten. Hanna lachte und tat so, als wolle sie ihm die Kamera aus der Hand schlagen.

Es wurde ein überaus vergnügliches Mittagessen. Hanna rief ihre Mutter an, als sie annahm, dass der Unterricht vorbei sei, und bedankte sich auch bei ihr voller Rührung. Kaum hatte sich ihre Mutter gemeldet, fiel Hanna wieder ins Polnische, und Marian machte ein paar unflätige, polnische Bemerkungen um zu sagen, das könne er auch.

Hanna fragte nach der tollen Charlotte, und Marian versprach, in den nächsten Tagen mit ihr vorbeizukommen und sie und seinen neuen Dienstwagen vorzustellen. Beim Espresso nach dem Essen bekam sie die Fahrzeugpapiere und die Schlüssel überreicht, und das war wieder ein feierlicher Moment.

Hanna musste ihre Gäste mehr oder weniger hinauskomplimentieren, weil sich für den Nachmittag wieder eine Reitergruppe angemeldet hatte, mit der sie einen Spazierritt ins Gelände machen wollte. Ihr Vater versprach auch, bei nächster Gelegenheit mit ihrer Mutter für einen längeren Besuch vorbeizukommen. Er meinte, Übernachtungsmöglichkeit gäbe es ja zur Genüge auf dem Hof, und sie hätten große Lust, die wunderschöne Gegend zu erkunden. Hanna empfahl ihm, das Faltboot der Familie mitzubringen, weil es viele Möglichkeiten in der näheren Umgebung gab, die diversen Seen und Flüsse auf dem Wasserweg zu erkunden.

Als Hanna von dem Ausritt mit ihrer Gruppe zurückkam, parkte schon wieder ein Polizeiauto auf dem Hof. Am Weg zum Hofeingang sah sie Marie mit zwei Polizisten stehen. Die beiden jungen Männer redeten und gestikulierten heftig, und Marie stand stumm und ein bisschen unglücklich daneben. Hanna begrüßte sie herzlich und nickte ihr aufmunternd zu. Sie gab den beiden Beamten die Hand und fragte, ob sie Lust hätten, bei einer Tasse Kaffee zu berichten, was sich neuerdings ergeben hatte. Sie nickten beide freudig, und sie setzten sich an den Tisch. Marie bekam einen Saft, und Hanna hörte vom Stand der Dinge.

Marie hatte die Automarke weitgehend eingrenzen können. Es handelte sich um einen Volvo oder einen Mondeo, aber Hanna hörte aus dem Bericht der Polizisten heraus, dass es überaus schwierig gewesen war, Marie dazu zu bringen, sich festzulegen. Sie war durchaus willens mitzuhelfen, aber sie fürchtete sich davor, etwas falsch zu machen und vielleicht dadurch jemanden unter Verdacht geraten zu lassen, der überhaupt nichts mit der Sache zu tun hatte.

Der eine der Beamten hatte eine Skizze vom Standort des Autos angefertigt. Er hielt Hanna grinsend das Blatt hin und sagte: „Jetzt haben wir den Fall fast gelöst. Mein schönes Bild sagt ja beinah, was für ein Auto das war, wie der Fahrer heißt, und was er hier zu suchen hatte. Um das Rätsel noch schneller zu lösen, haben wir auch ein paar schöne Fotos gemacht. Ich habe mir übrigens erlaubt, gleich noch ein paar Fotos von der ganzen Anlage zu machen. Meine Freundin reitet nämlich, und ich könnte mir vorstellen, dass es ihr hier gut für ein Wochenende gefallen würde – Entführungen ausgenommen."

Sie tranken ihren Kaffee und hatten es plötzlich eilig, Marie wieder zu Hause abzuliefern und danach Feierabend zu machen.

Während sie die Pferdebollen aus dem Auslauf ablas, kam Henning herübergeschlendert. „Ich muss dir ein Kompliment machen", sagte er. „Seit du da bist, nehmen die Anmeldungen zu. Das liegt – wie ich neidlos zugebe – an deiner Art, mit den Leuten umzugehen. Ich habe jedenfalls bei Anmeldungen mehrfach gehört, dass du weiterempfohlen wirst. Jetzt kommt aber die Wahrheit: Ich denke, das ist nur vorgeschoben. In Wirklichkeit will man sich den Ort des Verbrechens ansehen, denn inzwischen hat ja die Zeitung den sensationslüsternen Lesern genügend Informationen vorgelegt, zwar mit Fragezeichen versehen, da man eigentlich gar nichts weiß, aber immerhin."

„Du verstehst es wirklich, einer Frau zu schmeicheln", sagte Hanna lachend. „Erst das Kompliment, dann die bittere Wahrheit. Ich dagegen bedanke mich ganz im Ernst für das allerliebste Glöckchen an der Haustür und den Riegel, den du vermutlich am Bohlentor einer Festung abgeschraubt hast." Henning machte eine Verbeugung und sagte: „Stets zu Diensten, Madam. Wir müssen uns übrigens mal bei Gelegenheit über Verbesserungsmöglichkeiten für den Betrieb hier unterhalten. Ich habe schon mit meiner Tante über meine Ideen gesprochen, und wir sind uns nicht ganz einig. Vielleicht finde ich bei dir Unterstützung. Jetzt muss ich aber schleunigst weg." Damit ging er zu seinem Auto und fuhr davon.

Als Hanna mit ihrer Arbeit fertig war, fuhr sie ihr neues Auto so nah wie möglich an den Tisch, weil sie sich einfach am Anblick ihres ungewohnten Eigentums erfreuen wollte. Allerdings stellte sie sehr schnell fest, dass sie sich ihre Aussicht völlig versperrt hatte.

Sie fing an, etwas zum Essen vorzubereiten, stellte aber fest, dass nicht mehr allzu viel Vorrat da war und dass sie am nächsten Tag einkaufen gehen musste. Sie freute sich schon darauf, ihr Auto einzuweihen, denn der Einkauf für mehrere

Tage war natürlich viel einfacher mit dem Auto als mit dem Fahrrad. Sie machte sowieso nicht besonders gern die notwendigen Besorgungen, und die Fahrt zum Supermarkt mit dem Rad bedeutete einen längeren Zeitaufwand und erhebliche Schwierigkeiten, alles zu verstauen. Es war ihr schon mehrfach passiert, dass eine Tüte oder Tasche unterwegs herunterfiel, und sie schätzte es nicht besonders, wenn die Tomaten auf der Straße herumkullerten, oder das Brot im Dreck landete.

Sie deckte den Tisch besonders liebevoll mit einem Tischläufer, hübschen Servietten und ein paar Kerzen. Allerdings blieb es so lange hell, dass sie vermutlich die Kerzen nicht anzünden würden, es sei denn, sie saßen nach elf immer noch unter der Linde. Hanna dachte an ihre französische Freundin Bernadette aus Aix-en-Provence, die sich immer schrecklich lustig machte über die deutschen Romantiker, für die ein Abend nur stimmungsvoll war mit Kerzenlicht. Sie war nach dem Studium schon mehrfach bei Hanna zu Besuch gewesen, und Hanna legte immer großen Wert darauf, Bernadettes Vorurteil bezüglich der notwendigen, romantischen Beleuchtung auch zu bedienen. Sie hatten häufig darüber gelacht, aber Hanna wusste, dass Bernadette ein klein bisschen ärgerlich werden konnte über die Kerzen und sich für moderner und aufgeklärter hielt.

Carsten kam ziemlich spät. Diesmal war er umgezogen und frisch geduscht, war also schon zu Hause gewesen nach der Arbeit.

Wie Hanna erfreut feststellte, regte er sich nach der Begrüßungsumarmung furchtbar über das Auto auf, das am Tisch stand, als sei es ein eingeladener Gast, und den Gesamteindruck der festlichen Tafel gründlich verdarb. „Was für ein Knallkopp ist denn noch zu Besuch?" fragte er. „Konnte er nicht einen Schritt zu Fuß gehen? Wieso hast du zugelassen, dass dein Gast so idiotisch parkt, dass der ganze Tisch nicht mehr zu sehen ist und man nicht mehr weiß, wo man sitzen soll? Ich dachte immer, du findest Leute auch blöd, die am liebsten ihren Tag direkt neben dem Auto verbringen, sich die Aussicht versperren und überhaupt nicht merken, wie bescheuert sie sind?"

Hanna musste herzlich lachen über seinen Ausbruch. Sie hatte so etwas erwartet - schließlich kannte sie ihn lange genug. Als er gar nicht aufhören wollte zu schimpfen, gab sie ihm einen Kuss und sagte: „Ich wollte dir nur meinen neuen Freund vorstellen, der künftig zur Familie gehören wird."

Carsten war völlig aus dem Tritt gebracht und sah staunend das fast neue Auto an, das offensichtlich plötzlich in Hannas Besitz war. Hanna erzählte ihm von der Überraschung, die ihre Eltern und Marian ihr bereitet hatten. Carsten gratulierte ihr zärtlich, sie stießen auf das überwältigende Geschenk an, und Hanna konnte jetzt den Autoschlüssel holen und das Auto hinter die Scheune außer Sichtweite fahren. Sie erwähnte noch, dass sie ihrem ersten Auto einen schönen Namen geben wollte, und Carsten musste lachen. „Wenn ich meine Autos auch noch taufen wollte, gingen mir allmählich die Namen aus. Wie viele habe ich schon geschrottet, und wie viele sind an Altersschwäche gestorben?"

Nachdem das Thema Auto abgehandelt war, und Carsten den neuesten Bericht über die Polizeiarbeit gehört hatte, holte Hanna tief Luft und stellte ihre knifflige Frage: „Wir sind bisher immer ehrlich miteinander umgegangen, aber im Augenblick mache ich mir Sorgen. Deine Großmutter hat gesagt, du seist kaum zu Hause, und bei mir bist du auch nicht. Was ist los? Hast du was mit Saskia?"

Carsten sah sie überrascht und völlig ungläubig an. „Ich fasse es nicht! Auf was für Ideen kannst du bloß kommen! Ich habe tatsächlich zweimal bei Saskia übernachtet, weil wir mit der Gruppe abends noch zusammen gesessen haben, und ich unvorsichtig mit ein paar Bierchen war. Es waren überhaupt keine Hintergedanken dabei von beiden Seiten. Saskia ist eine sehr nette Freundin, unkompliziert und großzügig. Ihre Kleine ist zudem allerliebst, aber schließlich liebe ich dich, und da ist kein Platz für Flirts oder Liebeleien."

„Entschuldige", sagte Hanna und wirkte sehr geknickt. „Manchmal weiß ich auch nicht, was mich packt, aber ich komme nicht dagegen an, wenn sich mal ein blöder Gedanke festgesetzt hat." Sie küsste ihn, und damit hatten sich die Wolken verzogen. Das Essen war Hanna gut gelungen, und Carsten war nicht einer von denen, die das als selbstverständlich nahmen. Er lobte ausführlich ihre Kochkünste, denn er konnte aus eigener Praxis beurteilen, was es hieß, alles frisch zuzubereiten und auch noch als Augenweide zu präsentieren.

Während des Essens erzählte Hanna von Edda, und Carsten war entsetzt. „Jetzt muss ich doch gegen mein eigenes Geschlecht Partei ergreifen", sagte er. „Eddas Freund bringt mal wieder alle Vorurteile gegen Männer aufs Tapet. Wir haben ja noch immer bei weitem keine Gleichberechtigung, aber fast schlimmer als die Benachteiligung der Frauen finde ich Männer, die sich aus der Verantwortung stehlen und sich alle Freiheiten bewahren wollen und das auch durchsetzen. Das ist doch mittelalterlich! Wenn ein Kind entsteht, ist das doch wohl nicht jedes Mal eine unbefleckte Empfängnis, die die Frau einfach so überkommt. Schließlich gibt es immer einen Vater, und der sollte verdammt noch mal einsehen, dass er die Frau nicht hängenlassen kann, auch wenn er biologisch das Kind nicht austragen oder stillen kann."

Carsten konnte sich über das Thema richtig ereifern, aber Hanna sagte nicht viel dazu, weil sie die Ungerechtigkeiten schon ein paarmal durchgesprochen hatten und völlig einer Meinung waren. Eigentlich war es müßig, sich immer wieder über ein Thema zu unterhalten, bei dem es gar keine Auseinandersetzung geben konnte.

Hanna erzählte von einer internen Umfrage, die ihre Jahrgangstutorin in der Oberstufe gemacht hatte. Die Mädchen wollten ausnahmslos einen Beruf erlernen und oft auch studieren. Aber zur Überraschung der Lehrerin hatten einige aufgeschrieben, dass sie den Beruf nur für alle Fälle erlernen würden, sich eigentlich aber später der Familie widmen und zu Hause bleiben wollten. Das waren Ansichten, die es zehn, zwanzig Jahre zuvor praktisch nicht gegeben hatte. Die Lehrerin sprach von einer Retrobewegung und bedauerte zutiefst, dass die Mädchen wieder in die alte – immerhin ganz bequeme – Rolle der Hausfrau und Mutter zurückfallen wollten.

Hanna kam dann aber doch auf die Ministerin von der Leyen zu sprechen, die alle möglichen wohllautenden Vorschläge bezüglich der Kinderbetreuung und der Vereinbarung von Beruf und Mutter machte.

Sah man sich die Realität an, dann waren das mehr oder weniger Luftschlösser. Es gab immer noch viel zu wenige Krippenplätze, und wenn man einen ergattern konnte, dann war er für viele Frauen unbezahlbar. Mit der Krippe, dem Zweitwagen, der oft nötig war, um den Arbeitsplatz zu erreichen, den Steuern und der eigenen Versicherungspflicht war das verdiente Geld aufgebraucht, es sei denn, man hatte den superbezahlten Job. Also arbeiteten nach wie vor viele Frauen nur zur eigenen Befriedigung, um sich zu Hause mit Kindern und Haushalt nicht tot zu langweilen.

Carsten bedauerte es natürlich auch, dass Deutschland in Hinsicht auf Berufstätigkeit beider Elternteile immer noch ein Entwicklungsland war. Er nutzte aber gleich die Gelegenheit um zu betonen, dass er große Lust hätte, sich Arbeit, Kinder und Haushalt mit seiner Frau zu teilen. Hanna lächelte. Sie waren wieder beim Thema, und Hanna lenkte schnell ab, indem sie von den Lilien erzählte. Es war ihr eingefallen, dass sie mit Carsten noch gar nicht über die Blumen gesprochen hatte. Aber Carsten wusste schon durch Elli Bescheid, und er versprach, über Nacht bei Hanna zu bleiben, aber nur um sie zu beschützen, wie er sagte.

Hanna hatte auch vergessen, bei der Polizei wegen der Blumen anzurufen, aber ihr kam es jetzt so vor, als sei das überflüssig. Sie wollte doch lieber abwarten, was weiter passieren würde, sofern es eine Fortsetzung gab.

Am nächsten Morgen standen sie früh auf, tranken die obligatorische Tasse Kaffee und fuhren mit Hannas Auto zum See, um den Sommermorgen wieder mit einer Runde Schwimmen zu beginnen. „Sind wir nicht privilegiert?" fragte Carsten. „Andere Leute müssen sich im Schwimmbad mit Menschenmassen im Wasser drängeln, wir haben den ganzen See für uns, abgesehen von ein paar Fröschen und Vögeln. Ich möchte hier überhaupt nicht wieder weg, aber leider ist ja mein Job zeitlich begrenzt, und die Chancen sind natürlich nicht groß, hier etwas anderes für mich zu finden. Wie geht es dir mit dem Wendland? Keine Sehnsucht nach der Großstadt?"

„Das merkst du doch. Aber wenn das Wetter mal nicht so schön ist, würde ich schon mal gern für ein, zwei Tage nach Hamburg fahren. Ich verliere ja meine Freunde völlig aus den Augen und muss feststellen, dass ich mich total auf dich verlasse, was meinen Umgang angeht. Du kennst hier Hinz und Kunz und bist richtig zu Hause, ich noch nicht."

„Da kann ich dir gleich eine Einladung aussprechen. Am Wochenende machen wir ein Festchen im Garten von einem Kollegen, der als Umwelttechniker auch auf der Burg in Lenzen arbeitet. Er hat kürzlich ein altes Haus bei Dömitz erworben und will Einweihung feiern."

„Prima", sagte Hanna. „Festchen sind immer gut. Sollen wir etwas mitbringen? Ich muss sowieso Besorgungen machen, da kann ich mir etwas einfallen lassen. Vielleicht fahre ich heute gegen Abend nach Salzwedel und schaue bei Jasmina vorbei. Laut Edda hat sich an ihrem Zustand ja nichts verändert, aber ich will mich selbst überzeugen. Vielleicht kann ich mich nochmal mit einem Arzt unterhalten und herausfinden, wie die Chancen stehen. Da kann ich auch gleich in den Baumarkt gehen und etwas Putziges für das neuerworbene Haus heraussuchen."

Als sie auf den Hof zurückkamen, stürzte Carsten nur noch schnell eine weitere Tasse Kaffee hinunter und fuhr los. Hanna ging in ihre eigene Küche, um dort mal ein bisschen aufzuräu-

men. Sie hatte in ihrer kleinen Wohnung keine Geschirrspülmaschine, und die Maschine in der Küche für die Gäste war zu
groß für sie allein. Sie scheute sich, die Maschine anzumachen,
wenn sie nur halb voll war, und so musste sie alles abwaschen,
was sie in den letzten Tagen hatte stehen lassen.

Als sie fast fertig war, rief Edda an. „Du hast ja gestern mitbekommen, was Marie zu der Automarke meinte. Kennst du
zufällig jemanden, der einen roten Volvo oder Mondeo fährt?"
Hanna musste lachen, denn es fiel ihr jetzt erst ein, dass ihre
Eltern einen alten Kombi aus der Zweierreihe von Volvo fuhren. „Mensch, Edda, das ist ja nicht zu glauben", sagte sie unter
Gelächter. „Mir ist gestern überhaupt nicht in den Sinn gekommen, dass ich persönlich betroffen bin. Aber den Volvofahrer,
den ich kenne, nämlich meinen Vater, können wir ausscheiden. Meine Eltern fahren seit Jahrzehnten oder Jahrhunderten
einen roten Volvo-Kombi, der offenbar nicht tot zu kriegen ist.
Der Gedanke ist einfach lächerlich, dass mein Vater etwas mit
der Sache zu tun haben könnte. Also, mein Vater ist schon mal
der erste, den wir von der Liste streichen. Lass mich aber überlegen, vielleicht fällt mir noch jemand ein. Ich achte eigentlich nicht so sehr darauf, was für Autos die Leute fahren, und
bei den ganz neuen Modellen kenne ich mich wahrscheinlich
nicht viel besser als Marie aus. Ich rufe dich an, wenn mir aus
dem Bekanntenkreis jemand einfällt."

„Rot bei Autos war ja eine Zeitlang ziemlich Mode, jetzt allerdings nicht mehr so. Das heißt, dass das Auto vermutlich
nicht ganz neu ist. Ich bin froh, dass es sich nicht um einen
silbergrauen VW oder ähnliches handelt, sonst könnten wir
gleich ein paar Jahre ansetzen, um das Auto einzukreisen."

Sie fragte nach den Blumen und schimpfte mit Hanna, weil
sie vergessen hatte, Anzeige zu erstatten. Sie erzählte noch,
dass sie in den nächsten Tagen in Jasminas Schule gehen wollte
und Lehrer und Klassenkameraden befragen. Wahrscheinlich
würde das nicht viel bringen, aber sie konnte nichts unver-
sucht lassen. Sie verabschiedete sich schnell, denn ein anderes

Telefon klingelte, und Hanna fuhr mit ihrer öden Beschäftigung in der Küche fort.

Als Hanna gerade mit ihrer Arbeit auf dem Platz beginnen wollte, kam Frau Wallraff auf den Hof gefahren, wie immer begleitet von dem unverwüstlichen Arthüür. Arthüür sprang mit atemberaubender Begeisterung an Hanna hoch, und sie war froh, dass er nicht groß genug war, um an ihr Gesicht zu kommen, um es vor lauter Liebe abzulecken. Diese Art von Liebesbezeigungen von Seiten der Hunde fand sie absolut abstoßend, aber auch ohne Küsschen war es schwierig, Arthüür abzuwehren.

Als er endlich davonschoss, um sich um seine Lieblinge, die Pferde, zu kümmern, setzte sich Frau Wallraff auf eine Bank am Rand des Reitplatzes und bedeutete Hanna, neben ihr Platz zu nehmen. Sie sah sehr ernst aus, und Hanna war ein bisschen erschrocken. „Habe ich was gemacht?" fragte sie besorgt. „Bis jetzt noch nicht", antwortete Frau Wallraff mit einem kleinen Lächeln „Das kann aber noch werden. Ich wollte mit Ihnen über die Pläne von Henning sprechen. Sie sind informiert?"

Hanna schüttelte den Kopf.

„Wir sind noch nicht dazu gekommen, darüber zu reden. Henning hat es häufig eilig, hier nach getaner Arbeit zu verschwinden, und ich bin oft unterwegs mit Reitergruppen oder irgendwo auf dem Gelände nicht auffindbar. Die Geschichte mit Jasmina nimmt auch ganz schön viel Zeit in Anspruch. Also?"

„Henning möchte, dass wir erstens den Betrieb vergrößern, d.h. mehr Pferde, mehr Werbung, aber vor allem mehr Einnahmen. Zweitens wünscht er sich eine Reithalle, damit man auch im Winter den Betrieb aufrechterhalten kann. Drittens hat er die Idee, dass wir uns einen Zuchthengst zulegen und als Beschälplatte fungieren. Jetzt möchte ich zu jedem einzelnen Punkt Ihre Meinung hören. Sie haben ja bestimmt schon erraten, wie ich zu diesen Plänen stehe, but anyway."

Hanna brauchte nicht zu überlegen. „Eine Vergrößerung

des Betriebs würde eine Menge Nachteile bringen, zunächst jedenfalls nur Kosten. Das einzige, was ich mir vorstellen könnte, wäre die Anschaffung von ein, zwei zusätzlichen Pferden, die aber zunächst mal bezahlt werden müssen. Ich kann nicht behaupten, dass ich mich totarbeite, aber alles am Laufen zu halten würde doch bedeuten, dass man wenigstens zeitweise mehr Personal haben müsste.

Die Reithallenidee halte ich für schlicht und einfach unsinnig. Es gibt in Gartow einen gut funktionierenden Reitverein mit Halle und allem, was dazu gehört. Ich denke nicht, dass wir mit Wettbewerben, Meisterschaften und ähnlichem in Konkurrenz treten wollen. Ich habe den Winter hier zwar noch nicht erlebt, aber ich denke, dass man wenigstens zeitweise auch den Platz nutzen kann und auf jeden Fall Ausritte ins Gelände anbieten kann, wenn das Wetter es zulässt. Im Winter gibt es sowieso fast keine Touristen, und das lässt sich auch mit einer Reithalle nicht ändern. Mit den Einheimischen allein können wir nicht rechnen, wenn wir den Betrieb vergrößern.

Zum dritten Punkt kann ich nur sagen, es ist aus einer Reihe von Gründen eine Schnapsidee. Hat Henning sich überlegt, wie wir den Hengst effektiv abtrennen sollen, wenn es hier rossige Stuten gibt? Wie soll das Decken vor sich gehen ohne größere Umbaumaßnahmen? Was für einen Hengst stellt er sich vor, der attraktiv für die hiesige Zucht wäre? Wir würden schließlich mit Beschälhengsten des Landesgestüts konkurrieren, und das ist in der derzeitigen Lage zum Scheitern verurteilt. Noch mehr Meinung gefragt?"

Frau Wallraff lachte erleichtert, stand auf und gab Hanna einen Kuss auf den Kopf. „Ich bin so froh, eine Bundesgenossin zu haben. Wollen wir uns duzen? Ich heiße Luise."

„Hanna", sagte Hanna, „aber das weißt du schon. „Da wir jetzt vertraulicher miteinander umgehen, habe ich auch eine sehr persönliche Frage. Wie sieht es mit den Finanzen bezüglich des Hofs aus? Die Abrechnungen, Steuererklärungen und all den Papierkram macht ja Henning, also habe ich keinen Einblick. Aber ich würde mal ganz kühn behaupten, dass sich der Betrieb nicht einmal trägt, geschweige denn Gewinne abwirft."

Luise lächelte wieder. „Du hast völlig Recht, und das ist der wunde Punkt bei Henning. Er möchte einen richtig ertragreichen Betrieb leiten, aber da ist er bei mir fehl am Platz. Ich leiste mir den Hof als Hobby, habe vor meiner Behinderung sehr viel Spaß daran gehabt, andere an meiner Freizeitbeschäftigung Reiten teilhaben zu lassen, hatte nach dem Tod meines Mannes eine reizvolle Beschäftigung und konnte auch meinen Kindern, die öfter ganz schön anspruchsvoll waren, sagen, dass ich nicht abkömmlich sei. Ich verrate dir eins: Geld ist nicht mein Problem. Ich habe von Haus aus einiges geerbt, und kürzlich hat mir noch eine unverheiratete Schwester, die ich sehr geschätzt habe, ihr gesamtes Vermögen hinterlassen. Unangenehmes Thema, aber Hennings Geschäftsideen locken mich in keiner Weise. Es klingt sicher arrogant, wenn ich sage, aus Geschäften mache ich mir nichts, denn ich habe es einfach nicht nötig, aber trotzdem ist es doch auch bei jemandem wie mir verzeihlich, der Ansicht zu sein, dass unsere heutige Gier auf Geld unmoralisch und mit nichts zu rechtfertigen ist."

Hanna war irgendwie beeindruckt. Sie hatte sich natürlich schon gedacht, dass Frau Wallraff nicht ganz arm war, aber man merkte ihr auch an, dass sie nicht zu den Neureichen gehörte, die protzen mussten. Und sie gehörte ganz offensichtlich nicht zu denen, die den Hals nicht vollkriegen konnten und versuchten, auf jede legale oder auch notfalls illegale Weise immer reicher zu werden. Hanna hatte sich schon immer gefragt, wo das hinführen sollte, und was man davon hatte, soviel Geld zu besitzen, dass man den Überblick verlor. Jedenfalls gefiel ihr Luises Einstellung gut, und sie konnte nicht recht nachvollziehen, was Henning eigentlich mit seinen Verbesserungsvorschlägen bezweckte. Ehrgeiz? Selbstverwirklichung? Bessere Bezahlung? Er musste doch seine Tante kennen und wissen, dass sie von Wachstum um jeden Preis nichts hielt.

Luise kommentierte noch kurz die Ereignisse der letzten Tage und ließ Hanna die Elbe-Jeetzel-Zeitung da, damit Hanna über alle Neuigkeiten aus dem Landkreis informiert war. Es gab noch einen weiteren Grund für Hanna, die Zeitung gern zu lesen, und Frau Wallraff hatte sich sehr amüsiert, als Hanna ihr davon erzählte. Hanna konnte sich sehr an den dichterischen Ergüssen ergötzen, die aus Anlass eines bedeutenden Ereignisses in der Familie oder im Freundeskreis veröffentlicht wurden. Von Versmaß oder passenden Reimen hatten die Dichter meistens nichts gehört oder zumindest kein Gefühl dafür, aber das rührende Bemühen war da, dem Jubilar eine Freude zu machen:

Kaum zu glauben, aber wahr,
unser Hans wird heute sechzig Jahr.
Hat sein Leben lang gearbeitet
und der Familie viel Freude bereitet.
Bleibe so wie du bist die nächsten dreißig Jahr
dann freuen sich die Freunde und die gesamte Verwandtenschar.

Oder:
Liebe Erika, schau gut hin,
heute stehst du in der Zeitung drin.
Deine Kinder und der Papa,
gratulieren dir zum Geburtstag, liebe Mama.

Besonders liebte Hanna die Gedichte zum frisch erworbenen Führerschein:

Leute im Wendland, gebt gut acht,
Paul hat seinen Führerschein gemacht.
Mit viel PS und noch mehr Schwung,
haut er bestimmt jedes Hindernis um.

Auch die Einladungen zum öffentlichen Fegen oder Klinkenputzen, die für Geburtstagskinder ausgesprochen wurden, die ihren dreißigsten Geburtstag feierten, aber noch nicht verheiratet waren, fand sie überaus belustigend:

Heute muss der Sascha fegen,
weil er seine Nina noch nicht konnte bewegen
Mit ihm den Bund der Ehe zu schließen.
Deswegen wollen wir mit ihm tüchtig saufen
Und hoffen, er kann sich wenigstens ein neues Auto kaufen.
Vielleicht erlöst sie ihn ja doch mit einem Kuss,
Damit er nicht bis in alle Ewigkeit weiterfegen muss.

Hanna überflog die Zeitung und schlenderte dann nach einer weiteren Tasse Kaffee zu den Pferden hinüber. Sie hatte keine sonderliche Lust, mit ihren täglichen Pflichten zu beginnen, aber es musste sein. Lieber wäre sie gleich nach Salzwedel gefahren, schließlich hatte sie ja jetzt ein Auto! Aber ihr Ausflug in die Stadt musste bis gegen Abend warten.

Im Lauf des Vormittags kam Henning auf den Platz und bat sie um ein Gespräch. Als sie mit dem letzten Pferd mit der Arbeit an der Longe fertig war, setzten sie sich in den Schatten, und Henning fing an, ihr seine Ideen bezüglich des Reiterhofes vorzutragen. Hanna sagte ihm, dass sie schon Bescheid wisse und mit seiner Tante bereits alles besprochen habe. Henning zeigte sich sehr enttäuscht von ihrer Haltung und versuchte, sie mit Hilfe von mehr oder weniger geschickten Argumenten zu überzeugen. Hanna hatte keine Lust, weiter darüber zu diskutieren und fertigte ihn mit einiger Schärfe ab.

Henning war merklich beleidigt und sagte, er habe gleich bemerkt, dass man mit ihr nicht zusammenarbeiten könne. Hanna ihrerseits fand das ungerecht und fing auch an, sich zu ärgern. Ihr Gespräch endete damit, dass Henning verkündete, er werde sich wohl einen wichtigeren und besser dotierten Job suchen, und sie könne ja seine Arbeit mit übernehmen, da sie sich ja sowieso nicht gerade überarbeitete. Hanna dachte sich, dass sie die Kritik an ihrer Arbeitshaltung eher an den Kritiker zurückgeben sollte, aber ihr Wille zur Friedfertigkeit siegte, und sie hielt den Mund.

Am späten Nachmittag fuhr sie nach Salzwedel. Beim Einparken in einer Seitenstraße hinter dem Krankenhaus traf sie Jasminas Bruder, der gerade von einem Besuch bei seiner Schwester kam. Diesmal gab er mit einem einigermaßen höflichen Nicken zu erkennen, dass er nicht mehr so schlecht auf sie zu sprechen war. Auf ihre Frage, wie es Jasmina gehe, zuckte er die Achseln. „Immer gleich", sagte er. „Bis jetzt macht sie keine Fortschritte. Tut die Polizei etwas, oder haben sie schon alle Nachforschungen aufgesteckt?" Sie hörte schon wieder den aggressiven Ton heraus, den sie an ihm kannte. „Es wird eine Menge getan, und einige Beamte beschäftigen sich mit dem Fall. Ich gehe jetzt zu Ihrer Schwester."

Sie schloss ihr Auto ab und ließ ihn stehen um zu vermeiden, dass er wieder irgendwelche unsachlichen Bemerkungen machen konnte.

Jasmina lag immer noch in der Intensivstation. Nachdem Hanna die Vorbereitungen, die notwendig waren, um eingelassen zu werden, hinter sich gebracht hatte, ging sie vorsichtig in Jasminas Zimmer. Jasmina war nicht mehr allein. Im zweiten Bett lag eine alte Frau, die vor sich hinstöhnte, aber wohl auch nicht richtig bei Bewusstsein war.

Jasmina kam ihr noch bleicher vor, und sie war ihr richtig unheimlich mit dem Schlauch in der Nase und den ganzen Apparaten neben dem Bett. Irgendein Gerät brummte leise und gleichmäßig, sonst hörte man nur auf dem Flur jemanden flüstern und in Abständen das Stöhnen der alten Frau.

Hanna hatte gelesen, dass man mit Komapatienten sprechen sollte, obwohl man nicht genau wusste, was sie aufnehmen konnten. Hanna nahm vorsichtig Jasminas linke Hand, die an keinen Tropf angeschlossen war und leblos auf der Bettdecke lag. Sie erzählte ihr irgendetwas von den Pferden und dem schönen Wetter, aber nach kurzer Zeit wurde sie unsicher, ob sie es richtig machte. Von Jasmina war keine Reaktion zu bemerken.

Sie ging hinaus und sprach eine Schwester an, die gerade vorbeikam. „Weiß man schon etwas mehr über den Zustand von Jasmina oder ihre Chancen, wieder ganz normal ins Leben zurückzukehren?"

Die Schwester wollte sich nicht äußern und verwies Hanna an den behandelnden Arzt. Hanna konnte aber keine weitere Auskunft bekommen, weil der Arzt in den OP gerufen worden und nicht abkömmlich war.

Hanna schlich total deprimiert aus dem Krankenhaus und fuhr zunächst zum Baumarkt. Als sie nach einem passenden Geschenkchen für den frischgebackenen Hausbesitzer aus Dömitz suchte, besserte sich ihre Laune. Es war natürlich schwierig, etwas zu finden, denn sie kannte weder den Gastgeber, noch hatte sie eine Vorstellung von dem Haus. Es war schon schwer genug, Verwandten oder Freunden, die man richtig gut kannte, etwas zu schenken, das gut ankam. Man ging ja immer von sich aus und überlegte, worüber man sich selber freuen würde. Das konnte völlig daneben sein für den Beschenkten. „Die Geschmäcker der Publikümer sind verschieden", hatte ihre ehemalige Deutschlehrerin immer gesagt, und das war gar nicht so verkehrt.

Sie entschloss sich schließlich für eine wunderschöne, kleine Seifenschale aus Metall, die man bestimmt in der Küche gut verwenden konnte. Hochzufrieden ging sie zur Kasse und fuhr dann weiter zum Supermarkt, um ihre Einkäufe zu erledigen.

Sie genoss es richtig, einfach die Klappe ihres Autos aufzumachen und alles zu verstauen, ohne überlegen zu müssen, was man wohin stapeln oder quetschen konnte. Das Auto war einfach enorm praktisch, und sie fühlte sich richtig glücklich, dass ihre Familie ihr so eine große Freude gemacht hatte. Sie beschloss, ihre Eltern am Abend anzurufen und sich nochmal zu bedanken.

Als sie nach Hause kam und ihre Einkäufe verstaut hatte, ging sie zunächst ins Büro, um zu sehen, ob es dort irgendwelche Nachrichten gab. Es lag tatsächlich ein Zettel von Henning auf dem Schreibtisch, auf dem er ihr aufgeschrieben hatte, dass es einige neue Anmeldungen zu Reiterwochenenden gab. Er hatte sich nicht verkneifen können, nach der sachlichen Mitteilung ein P. S. zu verfassen: „Dank deines Charmes oder der unheimlichen Ereignisse?"

Hanna seufzte. Er war einfach unverbesserlich und konnte sich kleine Spitzen nicht verkneifen. Sie hätte ganz gern mal von ihm gehört, dass sie Qualitäten als Reitlehrerin, Bereiterin und Führerin bei Ausritten besaß, aber das konnte er wohl nicht zugeben. Es hatte sich ja mal ein Ansatz gezeigt, der ihr Verhältnis zueinander vielleicht geändert hätte, aber das war offenbar vorbei.

Sie fragte sich, wie seine derzeitige Freundin sein mochte: Hübsch, sexy, dumm? Betete sie ihn an, weil er so toll war? Oder vielleicht war er doch an die Falsche geraten, die ihm Schwierigkeiten machte, weil er so von sich überzeugt war? Schließlich war er nach dem letzten Wochenende nicht gerade glücklich nach Hause gekommen. Er sagte ja nichts dazu, aber Hanna war neugierig und hätte sich gewünscht, seine Freundin kennenzulernen.

Hanna hätte einen ganz ruhigen Abend verbringen können, wenn nicht ein Anruf von Beate sie aus ihrer Lektüre gerissen hätte. Beate sagte ihr, dass sie am übernächsten Wochenende nicht kommen könne, um die Hauswirtschaft für die Reitergruppe zu übernehmen. Ihre Mutter war beim Melken ausgerutscht und hatte sich das Handgelenk gebrochen. Für die Arbeit auf dem Biohof fiel sie damit für die nächste Zeit aus, und Beate musste übernehmen.

Hanna drückte ihr Mitleid aus, sagte aber auch ehrlich, dass sie selbst ganz schön betroffen war. Wie sollte sie eine Gruppe reiterlich betreuen, wenn niemand die Einkäufe machte, das Essen vorbereitete und sich um das Geschirr kümmerte? Sie überlegten miteinander, wer einspringen könnte, und Beate hatte die zündende Idee: Henning sollte die Küche übernehmen, schließlich hatte er ja auch Pflichten. Sie kicherten beide und malten sich aus, wie gut alles laufen würde mit Henning als Küchenpersonal. Wahrscheinlich konnte er nicht mal ein

Ei kochen, dazu hatte Herr von und zu bestimmt einen Butler. Jedenfalls beschloss Hanna, ihm das Problem am nächsten Tag vorzutragen und deutlich durchblicken zu lassen, wen sie sich als Ersatz für Beate gedacht hatte. Ein kleiner Racheakt würde ihr gut tun.

Hanna telefonierte noch mit ihren Eltern, schrieb ein paar Mails und verbrachte den Rest des Abends sehr gemütlich im Freien mit einem Buch. Sie ging wieder erst in ihr Zimmer, als es zu dunkel zum Lesen wurde, und verriegelte sorgfältig die Haustür. Es war doch ganz gut, dass sie sich sicher fühlen konnte.

Sie wachte am nächsten Morgen nicht so früh auf wie während der letzten Tage und bemerkte gleich den Grund: Es hatte sich bezogen, und es war deutlich kühler. Sie hatte zwar von einer Wetteränderung im Radio gehört, aber nach der langanhaltenden hochsommerlichen Periode kam es ihr geradezu unwirklich vor, dass es nun anders geworden war.

Sie frühstückte seit langem zum ersten Mal in ihrer Küche, rief schnell ihre Mails ab und ging hinunter in den Hof, diesmal nicht in Sandalen oder barfuß, wie sie sonst immer den Tag begann vor der Stallarbeit, sondern in Gartenclogs. Es sah sogar nach Regen aus, was ja einerseits begrüßenswert war, andererseits aber ihren Rhythmus mit morgendlichem Schwimmen und längerer Mittagspause unterbrach.

Sie dachte an das übernächste Wochenende, wenn sie wieder eine Gruppe haben würde. Sie glaubte schon, das Wochenende auch bei Regenwetter managen zu können, aber wie würde es bei ihren Reitgästen aussehen? Sie wusste aus ihrer langen Erfahrung, bevor sie in Gartow angefangen hatte, dass viele Reiter bei Regen keine Lust auf Geländeritte verspürten, Entschuldigungen erfanden und zumindest missmutig waren. Ihr Spruch, „wir sind doch nicht aus Zucker", wurde nicht immer freundlich aufgenommen.

Als Hanna zu den Pferdeboxen hinüberschlenderte, um sich zu überzeugen, dass alles in Ordnung war, erlitt sie einen regelrechten Schock. Vor der Tür der Box von Ajax, den sie auf Ausritten selber am liebsten ritt, stand ein Plastikeimer mit einem riesigen Lilienstrauß. Die Lilien wirkten nicht mehr ganz frisch, und Hanna wusste natürlich, dass die Zeit der Blüte fast vorbei war. Mitten im Strauß steckte wieder eine Karte mit einem Foto. Diesmal war ein eleganter Silberreiher abgebildet, der im flachen Wasser vor einem Schilfgürtel fischte. Hanna musste zugeben, dass der Vogel wunderschön aussah. Der Blumensender, sofern er selbst das Foto gemacht hatte, besaß zweifelsohne eine poetische Ader und war zudem ein sehr guter Fotograph. Auf der Rückseite stand in Blockbuchstaben: DIE LILIEN GEHEN NUN ZU ENDE, AUCH BEI MIR GIBT'S EINE WENDE. DD

Wer, zum Donnerwetter, war DD? Warum belästigte er sie auf diese Art? Was hatte die Wende zu bedeuten? Hanna war völlig verwirrt. Nach einem kurzen Augenblick, in dem sie dreimal tief einatmete, hatte sie sich wieder so weit gefangen, dass sie nachdenken konnte. Er war offenbar nicht gefährlich, denn er hatte nicht versucht, ins Haus einzubrechen. Als er wohl festgestellt hatte, dass das nicht mehr einfach ging dank ihres Elefantenschlosses, hatte er eine andere Lösung gefunden. Es war sinnlos, sich weiter den Kopf darüber zu zerbrechen, was das alles zu bedeuten hatte. Sie hatte sich auf jeden Fall vorgenommen, die Polizei einzuschalten, falls ihr zum dritten Mal über Nacht ein Blumenstrauß irgendwo hingestellt werden sollte, und der Fall war jetzt eingetreten. Den Eimer vor der Pferdebox fand sie fast noch unverschämter als den bescheideneren Strauß auf der Treppe.

Sie rief bei der Polizei in Gartow an und erreichte tatsächlich auf dem dortigen Revier einen Beamten, der ihre Anzeige aufnahm. Er wusste über Jasmina Bescheid und brachte die beiden Ereignisse sofort in einen Zusammenhang. Auf seine Frage, ob sie irgendeinen Verdacht hätte, konnte sie nur antworten, dass ihr niemand in den Sinn kam, der so etwas Blödsinniges anstellen würde; nämlich das geschützte Beet mit den sibirischen Lilien zu plündern und ihr mit den geklauten Blumen anonym den Hof zu machen.

Der Beamte machte ihr aber keine Hoffnung, dass man der Sache auf die Spur kommen könnte. Sie könnten es sich nicht leisten, über Nacht eine Wache bei den Lilien aufzustellen, eine Idee, die Hanna auch absolut lächerlich fand. Sie würden aber auch niemanden zu ihr auf den Hof schicken, um der Sache nachzugehen, denn außer den Einbrüchen ins Haus und dem Eindringen auf das Privatgrundstück bei Nacht war nichts passiert. Er vergewisserte sich noch einmal, ob nicht doch irgendetwas entwendet worden war oder gar ein Pferd verletzt, aber Hanna konnte ihm nur sagen, dass sie nichts dergleichen bemerkt hatte.

Er versprach, ihre Anzeige aufzunehmen und sofort tätig zu werden, falls im Verhalten ihres Verehrers etwas Neues, Bedrohliches, auftreten würde. Er empfahl ihr noch zu versuchen, jemanden zu sich einzuladen, damit sie nachts nicht allein war, und Hanna versicherte ihm, dass demnächst ihre Eltern für ein paar Tage kommen würden und sie beschützen.

Hanna begann mit ihrer täglichen Routine, aber sie konnte sich nicht so richtig konzentrieren. Unter normalen Umständen kam es häufig vor, dass sie während des Mistens vor sich hinsang. Sie hatte eine schöne Altstimme, und ihr fielen Lieder ohne Ende ein aus der Kindheit oder aus der Zeit des Chorsingens in der Schule Sie kannte die Texte aller gängiger Gospels, trällerte französische Chansons und ahmte gekonnt Edith Piaf oder Janice Joplin nach, für die sie besonders schwärmte, und deren frühen Tod sie zutiefst bedauerte.

Henning war einmal drüber zugekommen, als sie inbrünstig ein trauriges polnisches Volkslied sang. Er hatte ihr vermutlich eine ganze Weile still an die Stallwand gelehnt zugehört, aber als sie aufsah und ihn bemerkte, war er es sich schuldig zu grinsen und einige Zischlaute von sich zu geben um zu signalisieren, wie sich für ihn ihre Muttersprache anhörte.

„Du brauchst noch ein paar Übungsstunden, bevor deine

polnische Aussprache perfekt ist", sagte Hanna. „Musst du eigentlich immer alles bespötteln?"

Henning lächelte versöhnlich und beteuerte, dass er im Grunde ihren Gesang recht schön gefunden hatte. Immerhin!

An diesem Morgen konnte Hanna einfach nicht von ihren Gedanken an DD loskommen. Als sie die Pferde auf die Koppel gelassen hatte, fing es richtig an zu regnen. Das hob ihre Stimmung auch nicht, und deshalb beschloss sie, als Ablenkung erst einmal nach Lüchow zu fahren und ihr Auto umzumelden.

Der Ablauf auf der KFZ-Zulassungsstelle war sehr viel effektiver organisiert als früher. Sie hatte mit Autoanmelden nur eine Erfahrung von früher, als sie als Schülerin den Volvo ihrer Eltern umgemeldet hatte. Das hatte einen halben Nachmittag gekostet, der aus langweiligem Warten und unnützem Formularausfüllen bestand. Die Kunden wurden alphabetisch sortiert an verschiedenen Schaltern bedient, was natürlich dazu führte, dass zufällig bei A-G niemand war, dagegen bei S-Z bereits fünfzehn Leute warteten. Die Schlange bei ihr kam nur langsam voran, und der eine oder andere wurde schließlich unverrichteter Dinge weggeschickt, weil irgendwelche Unterlagen fehlten, oder die Vollmacht des Fahrzeughalters nicht ordnungsgemäß ausgestellt war.

Jetzt kam Hanna in einen freundlichen Raum mit ansprechender Möblierung. Sie zog eine Nummer und nahm sich ein Faltblatt vom Tisch, auf dem alle Unterlagen aufgelistet waren, die man benötigte. Außerdem stellte sie fest, dass sie das Ummelden auch on-line hätte erledigen können. Eigentlich hätte ihr das einfallen müssen, da man heutzutage ja sehr viel vom Computer aus machen konnte ohne sich vom Haus wegzubewegen, aber sie tröstete sich damit, dass die Nummernschilder nicht durch den Computer geflogen kamen und sie eigentlich die Ablenkung gesucht hatte.

Hanna stellte nach der Lektüre des Faltblatts erleichtert fest, dass sie alle Unterlagen beisammen hatte. Bei amtlichen

Dingen wie Formulare ausfüllen, Steuererklärungen machen oder Anträge stellen neigte sie zur Flüchtigkeit, weil ihr das überhaupt keinen Spaß machte und größtenteils auch nicht einleuchtete.

Da die Kunden am nächsten freigewordenen Schalter bedient wurden ohne Berücksichtigung irgendwelcher Anfangsbuchstaben beim Familiennamen ging es zügig voran. Aber schließlich waren ja alle Daten im Computer gespeichert, das war doch mal ein Fortschritt im Dienstleistungssektor! Erfreulich natürlich auch die Durchsichtigkeit des Bürgers, und Hanna konnte nur lachen, wenn sie immer wieder das Gerede von Datenschutz hörte.

Als Hanna nach kurzer Wartezeit ihre Unterlagen bei einem freundlichen jungen Mann abgegeben hatte, wurde sie gefragt, ob sie H. W. als Kennzeichen wolle. Hanna kapierte die Frage überhaupt nicht und erkundigte sich überrascht: „Was soll ich mit H. W.? Ich weiß ja nicht mal, was das ist.“

Der junge Mann sah sie ungläubig an. „Sie heißen doch Hanna Wiekmann?“

Hanna ging ein Licht auf. Er wollte nur wissen, ob sie sich ihre Initialen als Teil der Autonummer wünschte. Hanna hätte nicht mal Spaß an solchen Kindereien gehabt, wenn ihr Wunschkennzeichen ihr kostenlos präsentiert worden wäre, aber dafür auch noch bezahlen? Sie lehnte also lachend ab und musste feststellen, dass der junge Mann sie ganz offenbar skurril fand. „Das macht doch praktisch jeder heutzutage, die jungen Leute ausnahmslos. Die Initialen als Autokennzeichen stellen so eine einmalige Verbindung zwischen Besitzer und Fahrzeug her und geben dem Auto den individuellen Touch.“

Hanna musste sich geradezu rechtfertigen, weil sie das anders sah. Sie fand es einfach lächerlich, wegen einer solchen Nichtigkeit rumzudiskutieren und konnte es sich deshalb nicht verkneifen etwas spitz zu sagen. „Der individuelle Touch tangiert mich nur peripher.“

Sie war sich nicht ganz sicher, ob er sie verstanden hatte,

auf jeden Fall war ihm die Ironie entgangen. Er blieb weiterhin höflich, aber auf Grund seiner Sachlichkeit und des ernsten Gesichtsausdrucks merkte Hanna, dass er sich hochgenommen fühlte und beleidigt war. Sie fand im Nachhinein, sie hätte nicht so frech sein müssen, aber manchmal fühlte sie sich provoziert und dann rutschten ihr einfach Formulierungen heraus, die nicht besonders freundlich waren.

Als sie schließlich ihre Unterlagen bekam, bedankte sie sich besonders herzlich für die effektive Bedienung und ging mit dem unguten Gefühl zur Schilderwerkstatt, dass sie nichts mehr hatte wieder gutmachen können.

Sie sah auf ihre Unterlagen und las ihre Buchstaben: OM. Sofort assoziierte sie OM mit Oskar Mazerath aus der „Blechtrommel". Das gefiel ihr richtig gut, und sie würde ihr Auto Oskar nennen. Sie musste lachen, als ihr klarwurde, dass sie blitzschnell die private Verbindung zu ihrem Auto hergestellt hatte, die der junge Mann ihr mit ihren Initialen nicht hatte schmackhaft machen können.

Aber schließlich war es ihr erstes eigenes Auto, und da konnte sie ruhig auch Gefühle zeigen. Allerdings würde der junge Mann ihr bestimmt erklären, dass Namensgebung für ein Auto megaout sei, aber das störte sie kein bisschen. Jedenfalls würde sie bei ihrem nächsten Besuch in Hamburg in einen Spielzeugladen gehen und eine Blechtrommel à la Oskar besorgen – falls es ein so einfaches Spielzeug noch gab – und sie hinten auf die Abdeckplatte legen.

Sie fuhr ganz vergnügt nach Hause, und der elende Lilienstrauß fiel ihr erst wieder ein, als sie in den Hof einbog. So war das Autoanmelden von einer lästigen Pflicht zu einem ganz vergnüglichen Ablenkungsmanöver geworden.

Sie bedauerte, dass es immer noch regnete, obwohl sie in Anbetracht des Wassermangels, der durch die Hitze der letzten Tage entstanden war, eigentlich dankbar sein musste. Gegen alle Vernunft wünschte sie sich, wieder unter der Linde zu sitzen, keine Schuhe zu brauchen und vor allem keinen

Hunger zu haben. Sie dachte an Carstens Feldforschung. Das Graben im Acker war ohnehin häufig nicht angenehm, aber bei Matschwetter war er wirklich nicht zu beneiden.

Sie ging in ihre Wohnung und bereitete einen Pfannkuchenteig. Sie merkte, dass sie gewaltig Hunger hatte, und sie erklärte sich das mit dem Wetterumschwung. Während der heißen Tage hatte sie vorwiegend Salat gegessen oder nur Obst und Studentenfutter geknabbert, und das - zusammen mit dem vielen Schwimmen - hatte ihrer Figur sehr gutgetan. Sie hatte keine ernsthaften Probleme mit ihrem Gewicht, aber seit sie über dreißig war, konnte sich doch das eine oder andere Pfund einschleichen, wenn sie nicht aufpasste.

Während des Essens überlegte sie, wie sie das Reitwochenende in der kommenden Woche ohne Beate organisieren sollte. Ihr fiel dabei ein, dass sie gar nicht darauf geachtet hatte, ob Hennings Auto im Hof stand. Schließlich war er der Verwalter und sollte sich um derlei Dinge kümmern. Sie rief ihn auf seinem Handy an, und es stellte sich heraus, dass er gleich unter ihr im Büro war und offenbar arbeitete.

Ihm fiel spontan auch niemand ein, der für Beate einspringen könnte, aber er wollte sich gleich mit seiner Tante in Verbindung setzen, um das Problem mit ihr zu besprechen.

Ein paar Minuten später klopfte es an Hannas Wohnungstür, und Henning kam herein, wie so oft mit einer Zigarette in der Hand. Hanna sah ihn scharf an, woraufhin er das Küchenfenster aufriss und die brennende Kippe mit Schwung hinauswarf. „Entschuldigung, vergesse ich immer", sagte er, nicht wirklich überzeugend.

„Ich habe mit Tante Luise gesprochen, und sie hat gleich einen konstruktiven Vorschlag gemacht, der mir aber äußerst missfällt. Ich soll für Beate einspringen."

Hanna brach in Gelächter aus. „Deine Tante hat Humor, aber ich traue ihr zu, dass sie das ernst meint. Ich habe zwar noch nie etwas gegessen, was du zubereitet hast, und ich würde mal zweierlei vermuten. Erstens: du kannst gar nicht ko-

174

chen." Henning rang sich den Anflug eines Lächelns ab. „Richtig." „Zweitens: du willst auch gar nicht kochen, denn du bist ein Macho und machst solchen Weiberkram nicht." „Richtig", sagte Henning wieder.

Dann erklärte er seinen Vorschlag. Er wollte Hannas Ausritte und die theoretische Betreuung der Gäste übernehmen, sofern nicht zwei Gruppen gemacht werden mussten. Hanna sollte dafür die Einkäufe erledigen und sich um die Küche kümmern.

„Praktische Idee", sagte Hanna. „Ich bin begeistert. Was sagt Luise dazu?" Jetzt sah Henning richtig finster aus. „Von dem Tausch will sie nichts wissen. Sie meinte, meine Rolle als Köchin sei mal eine gute Gelegenheit, mich zu emanzipieren. Ich sei viel zu abhängig von den Frauen, die mich nicht nur bekochen, sondern auch notfalls mit mir essen gehen, damit ich nichts allein machen muss. Aber immerhin war Tante Luise so gnädig zu versprechen, am fraglichen Wochenende selber zu kommen und mir beratend zur Seite zu stehen."

Hanna amüsierte sich königlich über das Arrangement, aber Henning zeigte keinen Funken Humor, weil er die Zielscheibe der Belustigung war. „Ich suche mir wirklich einen anderen Job", sagte er. „Küchenmagd steht nicht in meinem Vertrag." Damit ging er hinaus und steckte sich wieder eine Zigarette an, noch bevor er die Haustür erreicht hatte.

Sie hatte am Nachmittag zwei Reitstunden, die zweite ausschließlich mit Kindern. Sie ärgerte sich über die Berufsmütter, die ihre Kinder mit dem Auto zum Hof fuhren, obwohl die meisten aus Gartow kamen, und die Strecke locker zu Fuß oder mit dem Fahrrad bewältigt werden konnte. Im Augenblick hatten die Mütter eine gute Entschuldigung: Sie wollten unter den derzeitigen Umständen sicher gehen, dass niemand unterwegs verschwand. Einige Mütter gingen sogar so weit, während des Reitunterrichts dazubleiben, um die Kontrolle über die Geschehnisse zu haben. Eigentlich wunderte es Hanna, dass nicht einige ihre Kinder abgemeldet hatten in Anbetracht des gefährlichen Ortes. Da hatten wohl die kleinen Pferdebegeisterten nicht mitgespielt. Hanna musste allerdings zugeben, dass die Situation schon ziemlich unangenehm war, solange man nicht wusste, was mit Jasmina passiert war. Irgendjemand musste es gewesen sein, und derjenige lief frei herum.

Von den Lilien hatte sie natürlich nichts erzählt, das hätte weiteren Anlass zu Spekulationen gegeben. Sie wollte auch auf keinen Fall bemitleidet werden, weil sie sich auf etwas dünnem Eis bewegte.

Während die Kinder absattelten und die Pferde aus der Bahn führten, kam Carsten angefahren. Seinem Pick-up sah man an, dass er heftig im Gelände benutzt worden war, und Carsten selbst passte dazu in seinen erdverkrusteten Stiefeln und den von oben bis unten mit Schlamm bespritzten Arbeitsklamotten.

„Du solltest dein Auto an den Wochenenden in Hamburg anbieten für Opernbesuche", sagte Hanna. „Du hast vermutlich auch schon davon gehört, dass es unter den richtig Neureichen welche gibt, die ihr schickes Allradfahrzeug am Sonnabendnachmittag in einer Werkstatt für teures Geld einsauen lassen, wenn sie abends in die Oper gehen."

Carsten lachte ungläubig. „Hab ich noch nicht gehört, aber die müssen's wohl nötig haben zu protzen. Sie kommen dann wohl angeblich gerade von einer Jagd oder einer Geländeralley? Arme Würstchen! Ich werde mir überlegen, ob ich den Nebenverdienst mit Autoverleih brauchen kann. Jetzt mach mal hier in Ruhe alles fertig, ich warte oben."

Ein paar Minuten später kam Hanna nach. Sie hatte unten im Flur mit Hilfe des Stiefelknechts ihre Reitstiefel ausgezogen und den australischen Wachsmantel in die Garderobe gehängt, die feuchten Reithosen aber angelassen.

Auf seinen Kommentar hin erklärte sie, warum sie sich nicht umziehen wollte. „Ich will dich hier nicht als Dreckspatz allein lassen. Und ich will dir die Gelegenheit geben, mich in den Arm zu nehmen, denn das wäre nicht möglich, wenn ich saubere Klamotten anhätte. Da bin ich heikel."

Carsten küsste sie und schlug vor, das Problem Sauberkeit ganz anders anzugehen. Sie könnten nämlich gemeinsam duschen und anschließend herausfinden, ob sie zueinander passten in duftender Frische.

Hanna lachte, und sie setzten Carstens Idee sofort in die Tat um. Als sie sich bewiesen hatten, dass sie auch in sauberem Zustand nichts aneinander auszusetzen hatten, blieben sie gemütlich und zufrieden im Bett liegen. Hanna überlegte, ob sie vielleicht zum Essen gehen sollten, denn sie hatte schon wieder Hunger. Das Thema erledigte sich sofort, als Carsten ihr gestand, dass er keine Klamotten zum Wechseln mithatte. Hanna fand es richtig lästig, wenn er vor Unternehmungen nach Pevestorf fahren musste, um sich umzuziehen, und sie schlug vor, er solle Ersatzkleidung bei ihr deponieren. Carsten war mit ihrer Idee völlig einverstanden, die allerdings keineswegs neu war. Hanna kicherte, wenn sie daran dachte, wie es wieder laufen würde. Die nächsten zehnmal würde er die Kleidung vergessen, ganz zerknirscht sein und versprechen, nicht mehr so rumzuschusseln.

Hanna nahm sich vor, bei nächster Gelegenheit die Sache in die Hand zu nehmen und selbst eine Tüte mit Kleidung für Carsten zum Wechseln zusammenzustellen und bei sich zu deponieren.

Nach ein paar Minuten rafften sie sich auf, das Bett zu verlassen und gingen in die Küche. Während Hanna die Nudeln aufsetzte, rieb Carsten den Parmesankäse und schnitt Zwiebeln. Hanna stellte sich Henning in der gleichen Situation in seiner eigenen Küche oder in der Küche seiner Freundin vor: Sie würde wirbeln, um schnell etwas zum Essen zu zaubern, während Henning gemütlich am Tisch saß mit einem Glas Wein und einer Zigarette. Oder er blieb im Wohnzimmer, machte den Fernseher an und sah Fußball, bis seine Freundin ihn bediente.

Mit Carsten machte die Hausarbeit richtig Spaß, weil er ganz selbstverständlich mit anpackte oder häufig auch allein gekocht hatte, wenn sie ihn besuchen kam. Das war nicht immer so gewesen. Als sie sich während des Studiums kennenlernten, hatte auch Carsten weitgehend die übliche Erwartungshaltung. Hanna hatte die Dinge sehr schnell klargestellt, und Carsten erwies sich als gelehriger Schüler.

Eines Tages, als er gerade nach Pevestorf gezogen war, hatte er sie mit einer sorgfältig bestickten Serviette überrascht, die Elli auf seinen Wunsch gefertigt hatte. Hanna war zu Tränen gerührt, als sie den Spruch las, der aufgestickt war: Ich will Hanna beim Haushalt nicht helfen, ich will ihn mit ihr gemeinsam machen. Hanna hätte am liebsten die Serviette gar nicht benutzt, sondern an die Wand gehängt, aber davon wollte Carsten nichts wissen. Sie schlug vor, etwas in der Art zu einem Verkaufsschlager für Frauen zu machen, damit sich endlich mal im Rollenverhalten etwas änderte.

Als Carsten gerade die Nudeln abgoss, klingelte Hannas Telefon. Hanna verdrehte die Augen, weil sie im Augenblick gar keine Lust auf einen Anruf hatte, aber sie nahm trotzdem ab. Edda meldete sich ganz fröhlich, fragte zunächst nach dem Stand der Dinge, was die Lilien betraf, und wollte dann Pittens Adresse haben. „Mir fällt auf, jetzt, wo du fragst, dass ich Pitten seit eurer Befragung nicht mehr gesehen habe", sagte Hanna. „Aber das hat natürlich nichts zu bedeuten. Er wohnt in einem der Häuser in der Hauptstraße, ich weiß aber nicht genau, in welchem. Ich frage meinen Freund Carsten, der ist gerade hier."

Sie drehte sich zu Carsten um und erklärte, worum es ging. Er konnte ihr natürlich auch nicht die Hausnummer sagen, aber er beschrieb das Haus und die ungefähre Lage in der Hauptstraße. Das Haus war nicht zu verfehlen, denn es gab ein paar sehr markante Merkmale. Links neben der knallblau angemalten Haustür stand eine fast lebensgroße Statue von Buddha, rechts eine Marienstatue: Maria im schwarzen Gewand mit einem - wie Carsten fand - ziemlich moppligen Jesuskind, das einen Gesichtsausdruck wie ein Erwachsener hatte. Mehrere Gartower hatten sich schon beschwert, weil die Statuen sie störten und verwirrten, da man nicht erkennen konnte, wo der Hausbesitzer mit seinen religiösen Ansichten stand, aber da es sich um ein privates Grundstück handelte, war da nichts zu machen.

Hanna gab die Information weiter und wollte wissen, aus welchem Grund Edda sich plötzlich doch für Pitten interessierte.

„Eigentlich sollte ich ja nicht alles ausplaudern", sagte Edda. „Aber wenn ich morgen mit dem Dienstfahrzeug zu Pitten komme, weiß vermutlich sowieso nach kürzester Zeit jeder Bescheid. Wir haben einen Anruf von einer Gartowerin bekommen, die uns mitteilte, dass es schon einmal Ärger mit Pitten gegeben hat vor einiger Zeit. Wie sie behauptet, hat Pitten abends am Radweg gelauert und ein junges Mädchen vom Fahrrad gezogen, das nichtsahnend vorbeiradelte. Es ist wohl nichts weiter passiert, es gibt auch keine Anzeige bei der Polizei in Gartow, das habe ich nachgeprüft. Aber irgendwo kommt das Gerücht her, und vielleicht ist Pitten doch nicht so harmlos, wie alle behaupten. Immerhin tickt er ja nicht wie andere Leute, und offenbar kann man sich nicht in sein Denken hineinversetzen."

Hanna lachte. „Das hast du schön gesagt. Man kann sich ja nicht mal in einen sozusagen normalen Menschen versetzen, weil jeder sich vom anderen total im Denken unterscheidet. Ich hätte gern mal die Fähigkeit, im Kopf von jemand anders zu sitzen, das müsste enorm spannend sein. Willst du morgen bei mir auf einen Kaffee vorbeikommen, wenn du sowieso in Gartow bist?"

„Mal sehen, was so alles ansteht und wie lange es bei Pitten dauert. Telefon hat er wohl nicht? Öffentlich registriert ist er jedenfalls nicht." „Das weiß ich nicht", sagte Hanna. „Ich nehme eher an, dass er keins hat, denn er braucht ja nicht über die

Dinge zu reden, weil er sowieso Bescheid weiß. Also, ich plane dich mal ein."

Sie hängte ein, und sie konnten endlich anfangen, in Ruhe zu essen. Hanna fiel ein, dass sie Carsten noch gar nicht nach den Ergebnissen seiner Feldforschung gefragt hatte vor lauter eigenen Problemen. Carsten berichtete, dass sie Holzteile gefunden hatten, die auf eine frühe Besiedlung schließen ließen. Er würde an einem der nächsten Tage mit einem Kollegen nach Hannover fahren mit einer Probe, um Genaueres an der Universität bestimmen zu lassen.

Carsten bedauerte, dass man in frühen Jahrhunderten in der Gegend um die Elbe nur mit Holz gebaut hatte und nichts schriftlich festgehalten. Man wusste ja nicht einmal, warum die wendischen Rundlingsdörfer auf diese ausgefallene Art gebaut worden waren. Hätte man sich verteidigen wollen wie in einer Wagenburg, hätte der Wohnteil der Höfe zum Dorfplatz gelegen sein müssen. Innen im Kreis wurden aber die Scheunen gebaut, und der Wohnteil ging nach hinten auf die Wiesen hinaus, war also eigentlich ungeschützt. Es gab eine Menge Theorien, aber man konnte auch heute den Sinn der kreisförmig angelegten Dörfer nicht mit letzter Sicherheit erkennen.

Nach dem Essen begleitete Hanna Carsten zu seinem Auto. Er sah sich ihren Kangoo bei der Gelegenheit genauer an und meinte, er würde ihn auch mal gerne fahren. Hanna reagierte nicht gerade begeistert. „Ich bin eigentlich mit meinen Sachen großzügig, glaube ich zumindest", sagte Hanna. „Aber ich bitte mir aus, dass du Oskar nicht verformst, wenn du ihn fährst."

Carsten lachte. „Dann fahre ich ihn lieber nicht, ich kann nämlich keine Garantien übernehmen."

Sie verabschiedeten sich schon mal für die nächsten Tage, denn Carsten würde zwei, drei Tage in Hannover bleiben. Er konnte bei einem ehemaligen Kommilitonen wohnen und freute sich schon auf gemütliche Abende bei ihm und seiner Familie.

Hanna wollte gerade noch einmal nach draußen gehen, um

nach den Pferden zu sehen, als erneut das Telefon klingelte. Diesmal war es Elli, die ihr ganz aufgeregt berichtete, dass Anita verschwunden war und den kleinen Iwan bei der Oma zurückgelassen hatte. Der Freund von Anitas Mutter war stinksauer, wie Elli sagte, und drohte, sie zu verlassen, wenn der Balg nicht ziemlich plötzlich aus dem Haus käme. Nun hatte Anitas Mutter selbst das Jugendamt eingeschaltet und darum gebeten, sich um den Kleinen zu kümmern. Von irgendwelchen liebevollen Vorsätzen war keine Rede mehr, aber Elli meinte, für den kleinen Iwan wäre es bestimmt besser, wenn er in einer Pflegefamilie untergebracht würde.

Hanna nahm gebührend Anteil, da sie wusste, dass das Thema Elli wichtig war. Elli klagte darüber, dass in Familien wie der von Anita sich häufig die Lebensmuster von Generation zu Generation wiederholten. Es war für ein Kind wie Anita fast unmöglich, aus dem Teufelskreis herauszukommen, wenn nicht außergewöhnliche Hilfe von irgendwoher kam, die normalerweise ausblieb. Wie sollte Anita lernen, ein geregeltes Leben anzustreben, wenn sie das Beispiel ihrer Mutter vor Augen hatte und täglich deren Gleichgültigkeit zu spüren bekam?

Sie redeten noch eine Weile über alles Mögliche, und Hanna erzählte, dass nun auch Pitten verhört werden sollte. Elli tat das Gerücht, er habe mal ein Mädchen überfallen, als Unsinn ab. Sie hatte nie an Pitten irgendetwas beobachtet, das auf eine schlummernde Gewaltbereitschaft hingedeutet hätte, aber sie musste zugeben, dass man sich doch täuschen konnte. Jedenfalls bat sie, von Hanna unterrichtet zu werden.

Am nächsten Morgen machte Hanna eine Extrakanne Kaffee für den erwarteten Besuch von Edda. Sie war froh, dass das Wetter wieder freundlicher geworden war, denn es machte keinen Spaß, bei Regenwetter auf dem matschigen Hof zu arbeiten. Der Regen hatte immerhin so viel ausgegeben, dass die Bauern aufhören konnten, ihren Mais zu bewässern, und das freute Hanna.

Edda kam überraschend früh und berichtete, dass sie Pitten nicht angetroffen hatte. Sie war extra gleich nach sieben losgefahren, um sicherzugehen, dass er noch nicht seine täglichen Unruherunden begonnen hatte.

Als niemand auf ihr Klopfen an Pittens Haustür reagierte, sprach eine Nachbarin, die gerade die Fensterbretter ihres Hauses abwischte, sie an und teilte ihr mit, dass Pitten mal wieder seit ein paar Tagen nicht gesehen worden sei. Die Nachbarin erzählte ihr, dass das nichts Ungewöhnliches sei. Es konnte passieren, dass Pitten für längere Zeit - mal Tage, mal Wochen oder sogar Monate – verschwand, und die Nachbarn rätseln ließ, was er getrieben hatte. Er konnte ein wissendes Lächeln aufsetzen, wenn er die Neugier der Gartower bemerkte, aber Nachbohren nutzte gar nichts.

Edda fand es trotzdem befremdlich, dass er gerade jetzt nicht aufzufinden war, wo die Fahndung nach einem Verbrecher im engsten Umkreis lief und er zumindest schon mal befragt worden war.

Bevor Edda unverrichteter Dinge abfuhr, sah sie sich noch die beiden Statuen an, die auf beiden Seiten von Pittens Haustür standen. Der Buddha war in keiner Weise ungewöhnlich gestaltet. Er saß wie auf allen Darstellungen mit dickem Bauch und friedlichem Gesicht da und schien vor sich hin zu sinnieren.

Die hölzerne Jungfrau dagegen war ungewöhnlich. Sie war zum einen sehr dunkel, zum anderen hatte sie kein hellblaues Gewand an wie sonst meistens, sondern eine Art schwarze Djellabah, wie sie gläubige Frauen in arabischen Ländern häufig tragen. Zudem waren ihre Gesichtszüge nur angedeutet, und als Maria war sie eigentlich am ehesten daran zu erkennen, dass sie einen riesigen goldglänzenden Fisch an einer Silberkette um den Hals trug.

Edda konnte sich gut vorstellen, dass spießige Nachbarn Anstoß nahmen an der ausgefallenen Darstellung von Maria, aber vor allem am Nebeneinander von Buddha und dem Jesuskind. Dass hier zwei Religionen offenbar durcheinandergeworfen wurden, war äußerst befremdlich, aber leider weigerte sich der sehr aufgeschlossene Pfarrer einzugreifen. Er meinte, es sei im Gegenteil ein guter Zug, die Religion nicht in allzu engen Grenzen zu sehen, und schließlich würde Pitten mit seinen Darstellungen niemandem schaden. Die Nachbarin erzählte Edda noch, dass man vermutete, dass die Marienstatue mit dem Jesuskind von Pitten selbst gemacht worden war, und das fand Edda sehr beachtlich. Sie verstand das Ganze auch nicht, vielleicht wollte er nur die Gartower ärgern, was ihm wohl häufig auch gelang.

Als Edda über die merkwürdige Marienfigur sprach, fiel Hanna ein, dass Pitten ihr nach der Fahrt auf der Ladefläche des Caddy bei ihrem Besuch zum Vorstellungsgespräch ein verknicktes Bild geschenkt hatte mit der Bemerkung, sie könne es ja bügeln. Irgendwo musste sie es hingesteckt haben, und jetzt hätte sie es gern noch einmal angesehen. Im Moment fiel ihr aber nicht ein, wo es gelandet sein könnte, und sie wollte nicht weglaufen und Edda allein beim Kaffee sitzen lassen, um in der Wohnung herumzustöbern. Sie erzählte jedenfalls Edda von dem Bild und meinte, dass Pitten vermutlich eine künstlerische Begabung besaß.

Edda hatte es ziemlich eilig und verabschiedete sich schnell. Sie kündigte im Weggehen an, dass sie am nächsten Morgen einen Termin in Jasminas Schule hatte, um Lehrer und Mitschüler zu Jasminas sozialen Kontakten zu befragen. Sie wirkte aber eher pessimistisch, was die Erfolgsaussichten anging.

Als Edda abgefahren war, machte sich Hanna auf die Suche nach dem Bild von Pitten. Nachdem sie eine Weile wahllos in Schubladen, Mappen und Ordnern nachgesehen hatte, kam sie auf die effektivste Methode, etwas zu finden: Hinsetzen, nachdenken, die Situation rekonstruieren, in der man den gesuchten Gegenstand zuletzt in der Hand gehabt hatte. Sie trank dabei ihren Kaffee aus, und als sie die Tasse in die Küche brachte, fiel es ihr ein: Sie hatte bei ihrem Umzug das Bild in einen Fotoband über das Wendland gesteckt, damit es nicht weiter beschädigt wurde.

Sie legte das Bild auf den Küchentisch und vertiefte sich darin. Pitten hatte eine knorrige Eiche gezeichnet, in deren Geäst ein bärtiges Gesicht zu erkennen war. Es war das schemenhafte Abbild eines alten Mannes, und Hanna glaubte nach längerem Studium des Bildes die Züge von Pitten dahinter zu erkennen. Sie fand das richtig spannend, aber sie wagte nicht, Pittens Ratschlag zu befolgen, das zerknitterte Papier einfach zu bügeln. Sie fürchtete, durch die Hitze des Bügeleisens etwas zu zerstören und beschloss, zu einem Fachmann zu gehen, um sich beraten zu lassen. Jedenfalls wollte sie Pitten nach der Bedeutung des Bildes fragen, sofern er in absehbarer Zeit wieder auftauchte und willens war, eine vernünftige Antwort zu geben.

Nachdem sie das Bild sorgfältig wieder in dem Buch verstaut und vorsichtshalber aufgeschrieben hatte, wo es sich befand, um nicht wieder beim nächsten Mal anfangen zu müssen, es zu suchen, holte sie ihr Fahrrad aus dem Schuppen und fuhr nach Pevestorf, um nach den Lilien zu sehen. Im Vorbeifahren sah sie, dass Carsten schon weg war – möglicherweise in Hannover – und auch Ellis Auto war nirgends zu sehen.

Auf dem Weg durch die Wiesen kam ihr eine junge Frau entgegen mit einem freilaufenden Hund, der sofort aufgeregt bellend auf Hanna zu rannte, als er sie entdeckte. Die Hundebesitzerin rief zweimal „Komm, Arno, komm!" „Komm, Arno, komm!" Der Hund zeigte keinerlei Reaktion, sondern er bellte aggressiv weiter, und ehe Hanna vorsichtshalber absteigen konnte, hatte er sie schon seitlich ins Knie gezwickt.

Die Hundebesitzerin zeigte sich völlig unbeeindruckt. Als sie bei Hanna angekommen war, die inzwischen auf dem Weg stand, das Hosenbein hochgekrempelt hatte und den leicht blutigen Abdruck der Zähne begutachtete, meinte sie nur ziemlich unfreundlich: „Nehmen Sie es ihm nicht übel, er meinte nicht Sie, sondern das Fahrrad. Räder regen ihn immer auf."

Hanna war empört. „Der Biss tut aber mir weh und nicht dem Fahrrad! Was erlauben Sie sich überhaupt, einen Hund frei laufen zu lassen, den Sie offensichtlich nicht im Griff haben, und der Fahrräder nicht leiden kann? Vielleicht mag er auch Kinderwagen nicht und beißt Babys ins Gesicht?" Jetzt lief die Frau knallrot an und sagte sehr heftig: „Sie sind wohl keine Tierfreundin?"

Hanna fand es einigermaßen sinnlos, über Tierliebe mit so einer Person zu diskutieren, aber sie forderte doch die Adresse, um sich die Hose, die auf Kniehöhe beschädigt war, ersetzen zu lassen und eventuell auch die Kosten für eine Tetanusspritze, falls ihr Impfschutz abgelaufen war. Die junge Frau wollte zunächst ihre Adresse nicht herausgeben, aber als Hanna mit einer Anzeige drohte, sagte sie ihr doch, wie sie hieß und wo sie wohnte. Aufschreiben konnte sie ihre Adresse nicht, da beide nichts zu schreiben mithatten.

Arno schnüffelte inzwischen ganz friedlich am Wegrand und setzte eifrig seine Marken. Hanna fuhr ohne Gruß davon und versuchte durch heftiges Treten in die Pedale ihre Wut in den Griff zu bekommen. Sie fuhr erst ohne ihren Blick vom Asphaltweg zu heben eine Runde durch ein Auwäldchen. Als sie ruhiger geworden war, drehte sie um und hielt bei dem Beet mit den sibirischen Lilien an.

Es war deutlich zu erkennen, dass wieder ein Teil der Blumen abgerissen worden war. Die Blüte war inzwischen vorbei, und das Beet sah traurig aus. Hanna wurde ganz wehmütig, weil sie das Gefühl hatte, der schönste Teil des Frühsommers sei vorbei mit dem Tod der Lilienblüten.

Als sie in ganz besinnlicher Stimmung zurückfuhr, kam ihr Elli am Ortsausgang mit dem Auto entgegen. Sie hielten beide an, und Elli lud Hanna natürlich auf einen Kaffee ein. Hanna fuhr zum Kurbjuweitschen Hof zurück, lehnte ihr Fahrrad an den Hofbaum und folgte Elli in die Küche.

Sie sah Elli an, dass sie etwas Ernstes auf dem Herzen hatte.

Aber bevor Elli etwas sagen konnte, erzählte ihr Hanna von der Begegnung mit dem Hund und der unleidlichen Halterin. Sie führte auch die Bisswunde vor, und Elli meinte, man solle sie gleich mit einem Desinfektionsmittel saubermachen. Sie hatte nur Jod im Haus, und als sie es aufbrachte, tat es höllisch weh.

„Ich kenne die Dame", sagte Elli. „Sie hat vor kurzem hier eingeheiratet, und ihre Vorstellungen vom Landleben sind etwas verschroben. Vor allem ist sie mit ihrem übertriebenen Tierschutz schon mehrfach angeeckt. Sie zeigt immer gleich alles an, wenn sie meint, es sei nicht in Ordnung: Die Ziege ist zu kurz angebunden, die Kuh hat zu lange Hufe, die Schweine haben zu wenig Schatten und so weiter. Der Tierarzt hat ihr kürzlich empfohlen, erstmal mit den Tierhaltern zu sprechen, denn meistens kommt er umsonst. Jedenfalls ist sie nicht sonderlich beliebt, und eigentlich solltest du zur Abwechslung sie anzeigen. Ich finde dich in diesem Fall viel zu gutmütig."

Hanna zuckte mit den Achseln. „Ich habe keine Lust auf weitere Auseinandersetzungen. Ich ärgere mich gerade fürchterlich über die geklauten Lilien. Das ist aber jetzt erstmal vorbei, denn die Lilien sind allesamt hinüber."

Elli schenkte ihr eine Tasse Kaffee ein und setzte sich ihr gegenüber. „Ich will mal etwas loswerden, was mich eigentlich nichts angeht. Du musst mir vorher versprechen, dich nicht zu ärgern". Hanna lachte. „Wie kann ich versprechen, mich nicht zu ärgern, wenn ich keine Ahnung habe, worum es geht? Aber fang schon an."

Es war nicht Ellis Art, sich vorsichtig an ein heikles Thema heranzutasten, sondern sie kam sofort zur Sache. „Ich mache mir Sorgen um deine und Cartstens Zukunft. Carsten weiß schon lange, dass du die Frau fürs Leben bist, aber du bist für Pläne irgendwelcher Art, die verbindlich sein könnten, offenbar nicht zu haben. Kurz und gut, ich will versuchen, dich zu verstehen, wenn du willens bist, mit mir über das Problem zu reden". Und mit einem leicht verschmitzten Lächeln fügte sie hinzu: „Zugegebenermaßen will ich natürlich auch, dass mein Enkel das große Los zieht".

Hanna überlegte kurz, was sie antworten sollte „Erst mal das Positive: Ich liebe Carsten und könnte mir überhaupt nicht vorstellen, mit jemandem anderen zurechtzukommen. Jetzt mein Aber: Das Zusammenleben ist ungeheuer schwierig, und ich kenne eine Menge Beispiele, wo die Liebe sich schnell verflüchtigt hat, weil der Alltag nicht bewältigt werden konnte. Schon mal die Wendung „mein Mann", „meine Frau" regt mich auf. Das beinhaltet doch einen Besitzanspruch vom Moment der Hochzeit an, der vorher nicht da war. Also ich habe schlicht und einfach Angst davor, dass sich unser Verhältnis durch zu enges Zusammenleben negativ entwickeln könnte, und dass wir beide einen Teil unserer Freiheit einbüßen würden. Das klingt egoistisch - ist es ja auch -, aber im Augenblick kann ich mich nicht zu einer anderen Sichtweise entschließen. Vielleicht war es früher gar nicht schlecht, als man jung geheiratet hat, da sind einem solche Bedenken nicht eingefallen. Wie war's denn bei dir?"

Elli kicherte. „Carstens Großvater kam als Flüchtling mit seiner Mutter hierher aus Ostpreußen. Er war gerade noch in einem Alter, in dem er nicht eingezogen werden konnte, und als er sechzehn wurde, war der Krieg vorbei. Jedenfalls haben wir uns eigentlich ziemlich schnell ineinander verliebt, und da es damals keine Möglichkeit für anständige junge Leute gab, sich die Liebe auch zu beweisen, hat man zugesehen, dass man möglichst schnell geheiratet hat. Bei uns gab es Gott sei Dank keinerlei Bedenken wegen irgendwelchen obskuren Gründen S wie Religion oder Standesunterschiede, und meine Mutter war froh, dass sie einen tüchtigen jungen Mann auf den Hof bekam. Wir haben natürlich auch unsere Schwierigkeiten gehabt, aber da war die Entscheidung schon getroffen, und wir haben sie immer richtig gefunden und nicht gleich das Handtuch geworfen, wie man es offenbar heute macht."

Hanna seufzte und versprach, sich mit dem Thema intensiv auseinanderzusetzen, was sie allerdings schon häufig getan hatte. Sie sprachen noch kurz vom nächsten Castortransport, der im Herbst wieder anstand, und dann machte sich Hanna auf den Weg.

Während sie ihrer Arbeit auf dem Hof nachging, dachte sie immer wieder an ihr Problem mit Zusammenleben oder gar heiraten. Da ihr aber im Lauf des Vormittags keine neuen Argumente für oder gegen einfielen, befahl sie sich, an etwas anderes zu denken, und es gelang ihr auch nach kurzer Zeit, das Thema beiseite zu schieben.

Nachdem sie unter der Linde ihren obligatorischen Mittagssalat mit Schafskäse und Oliven gegessen hatte mit einem Gläschen Weißwein als zusätzlichem Luxus, rief sie im Krankenhaus an, um sich nach Jasmina zu erkundigen. Die Auskunft war niederschmetternd. Jasmina ging es schlechter, man hatte sie erneut an ein Atemgerät anschließen müssen, das man am Tag zuvor schon abgeschaltet hatte. Die Aussichten auf dauerhafte Besserung wurden mit jedem Tag schlechter, wenn auch der behandelnde Arzt beteuerte, dass Jasmina jung und von ihrer Konstitution her gesund und robust sei, und man deshalb eine vollständige Genesung trotz allem nicht ausschließen könne.

Der Nachmittag verlief mit zwei Reitstunden und den üblichen Arbeiten auf dem Hof sehr ruhig. Abends telefonierte Hanna mit ihrer Freundin Irene in Hamburg und meldete sich zu einem Besuch an. Henning hatte am kommenden Wochenende Dienst, und so konnte sie frei verfügen. Sie wollte mal wieder Stadtluft schnuppern und mit Freunden etwas unternehmen. Irene freute sich sehr, allerdings mit einer Einschränkung. Sie erzählte, dass sie schwanger sei und manchmal ziemlich mit Übelkeit zu kämpfen hatte.

Hanna war ein bisschen enttäuscht, weil Irene nur von der Einrichtung des Kinderzimmers, der künftigen Organisation ihres Berufslebens und den Problemen mit ihrem Partner sprach, der nicht begeistert von der Idee war, Vater zu werden.

Sie redete eine ganze Weile, und als Hanna das Gespräch beendete, hatte sie selber praktisch nichts gesagt und war auch nicht gefragt worden nach ihrem neuen Leben im Wendland.

Hanna überlegte, ob sie den Besuch wieder absagen sollte, denn auf einkaufen von Babyartikeln und diskutieren von Namen für das kleine Wesen hatte sie keine Lust. Sie erkannte ihre Freundin in der künftigen Mutter gar nicht wieder, das mussten wohl die Hormone sein.

Während sie draußen saß und überlegte, wie sie sich verhalten sollte, kam Henning vorbei, von weitem schon zu erkennen am unvermeidlichen Zigarettengeruch, der ihn umgab. Henning setzte sich zu ihr an den Tisch, und sie brachte ihm ein Bier.

„Ich habe eine Bitte", sagte Henning. „Ich würde gern den Dienst am Wochenende tauschen. Ich habe etwas sehr Wichtiges vor, und da wäre es nett, wenn du dieses Wochenende übernehmen könntest."

„Tut mir Leid", sagte Hanna. „Das geht absolut nicht. Ich fahre nach Hamburg, und es ist schon alles organisiert. Außerdem habe ich bisher praktisch nie richtig frei gehabt, und nächstes Wochenende ist wieder ausgebucht mit Reitern. Na ja, das weißt du ja, dass deine Tante dich zum Küchendienst eingeteilt hat. Ich bin schon sehr gespannt!"

Henning zeigte sich ziemlich humorlos und kündigte zum wiederholten Mal an, dass er sich eine andere Stellung suchen würde. Als Küchenmamsell war er sich wirklich zu schade, zumal seine Tante und Hanna das auch noch lustig fanden.

Was ihn außerdem ärgerte, war das Verhalten der Polizei. Nach der ersten Befragung glaubte er, in Ruhe gelassen zu werden. Da sich aber gar kein Fortschritt im Fall Jasmina abzeichnete, war er für den nächsten Tag nach Lüneburg bestellt worden, offensichtlich doch als Verdächtiger. Es war klar, dass er ein Alibi vorweisen musste, und das war ihm äußerst unangenehm. Er machte Hanna gegenüber nur Andeutungen über das vergangene Wochenende. Sie vermutete, dass er wirklich nicht in das Verbrechen an Jasmina verwickelt war, aber wahrscheinlich hatte seine Abwesenheit am Wochenende mit einer Frau zu tun und war in irgendeiner Weise unrühmlich und peinlich. Die Polizei würde jedenfalls erfahren müssen, was sich abgespielt hatte, und seine Aussagen nachprüfen.

Da er sowieso schon ärgerlich war, fing er an, über Pitten herzuziehen. Vor allem nahm er daran Anstoß, dass Pitten in der heiklen Situation, in der sie sich gerade befanden, verschwunden war. Er fand das höchst verdächtig, konnte aber natürlich auch nicht erklären, wie Pitten Jasmina nach Rucksmoor gebracht haben könnte, da er ja kein Fahrzeug besaß. Er meinte, dass vielleicht seine göttlichen Fähigkeiten ihm Flügel verliehen hätten oder einen fliegenden Teppich bereitgestellt.

Hanna lachte ihn aus. „Du redest Unsinn", sagte sie. „Lass doch Pitten in Ruhe! Ich bin jedenfalls davon überzeugt, dass er nichts mit der Sache zu tun hat. Du bist schrecklich intolerant allem und allen gegenüber, die nicht in dein vorgefertigtes Bild passen."

Schweigend trank Henning sein Bier aus, verabschiedete sich äußerst knapp und ging beleidigt.

Hanna fand ihn mal wieder unerträglich und dachte sich, dass es kein Fehler sei, wenn er Gartow tatsächlich verlassen sollte. Sie holte sich den neuen Krimi, den sie angefangen hatte und verbrachte noch eine gemütliche Stunde ohne jede weitere Störung. Ausnahmsweise klingelte nicht mal ihr Telefon, und das fand sie auch ganz schön.

Mitten in der Nacht wachte sie mit einer Gänsehaut auf, weil sie ein Auto im Hof hörte. Sie machte kein Licht an, sondern sah im Dunkeln vorsichtig aus dem Fenster. Sie konnte nichts Ungewöhnliches entdecken, und zu hören war auch nichts mehr. Sie legte sich wieder hin, nachdem sie noch einmal überprüft hatte, dass alle Türen gut verriegelt waren.

Eigentlich war sie überhaupt nicht ängstlich, weil – wie ihre Mutter behauptete – ihr dazu die Phantasie fehlte. Sie hatte sich als Kind nie vorgestellt, dass jemand im Dunkeln hinter einer Tür auf sie lauern könnte oder dass jemand unter dem Bett auf sie wartete. Ihre Schulfreundin hatte immer vor dem Schlafengehen im Kleiderschrank nach potentiellen Mördern gesucht, wenn sie zusammen übernachteten. Hanna hatte darüber gelacht, aber jetzt musste sie feststellen, dass sie sich nicht wohlfühlte und nicht einschlafen konnte. Auch ihre Überlegungen, sie könnte geträumt haben oder an Verfolgungswahn leiden, was sie schleunigst abstellen musste, halfen nichts. Sie mochte auch nicht ihren Krimi weiterlesen, der war ihr im Augenblick zu gruselig.

Als sie nach einer ganzen Weile immer noch nicht eingeschlafen war, zog sie sich ein T-Shirt über und ging in die Küche, um sich einen Kaffee zu machen. Natürlich war ihr klar, dass Kaffee auch nicht gerade ein Schlafmittel war, aber sie hatte nun mal auf nichts anderes Lust. Sie legte eine klassische CD auf und merkte nach einer Weile, dass sie sich wieder beruhigt hatte und ging zurück ins Bett. Vielleicht sollte sie ihre Eltern bitten, nach ihrem Wochenende in Hamburg den angekündigten Besuch wahrzumachen. Es würde bestimmt helfen, jemanden im Haus zu haben.

Als sie morgens aufwachte, kam ihr alles wie ein Spuk vor. Sie ging zwar nach dem Frühstück mit einem etwas unguten Gefühl in den Stall und in die Scheune um nachzusehen, ob der Liliensender wieder einen unwillkommenen Gruß hinterlassen hatte, aber sie konnte keinerlei Veränderung feststellen. Beruhigt ließ sie die Pferde auf die Koppel, mistete den Stall und richtete sich auf einen Routinetag ein.

Allerdings ließ ein Anruf von Edda gegen Mittag sie hellhörig werden. Edda berichtet ihr vom Besuch in Jasminas Schule. Der Schulleiter zeigte sich sehr kooperativ, und sie konnte sowohl mit Lehrern, die Jasmina unterrichteten, als auch mit Mitschülern ungestört reden. Das Bild, das sich ergab, war überhaupt nicht einheitlich. Einige Mitschüler konnten Jasmina nicht ausstehen, fanden sie ordinär und in keiner Weise kooperativ, wenn es um gemeinsame Projekte ging. Vor allem fanden die Mädchen sie mannstoll und provokativ, und trauten ihr zu, die Vereinsmatratze für die ganze Schule zu sein. Es wurde auch gemunkelt, dass ein, zwei Junglehrer ihren Reizen nicht hatten widerstehen können, und mehrfach fiel der Name von Jasminas Mathematiklehrer, der sich offenbar so intensiv um sie kümmerte, dass es allen auffiel. Edda tat diese Gerüchte als böswilliges Geschwätz ab, da Jasmina im negativen Sinn geradezu dazu aufforderte, sich mit ihrer Person zu befassen.

Ein Mädchen war allerdings mit ihr im Reitverein und schwärmte regelrecht, wie vernünftig und verantwortungsbewusst Jasmina mit Pferden umging, eine Einschätzung, die Hanna durchaus teilte.

Edda fand das alles nicht sonderlich ergiebig und sah ihre Erwartungen bestätigt. Eines war ihr allerdings beim Wegfahren aufgefallen: Auf dem Lehrerparkplatz stand ein älterer, roter Volvo, der zu Maries Beschreibung von dem Fahrzeug passte, das am Mittag von Jasminas Verschwinden in der Nähe der Pferdehofs geparkt gewesen war. Edda wollte keinen Spekulationen Raum geben und fragte deshalb einen Jungen, der offenbar Schulschluss hatte und über den Parkplatz schlenderte, nach den Haltern von einigen Autos. Der Volvo gehörte dem Mathematiklehrer, und das fand Edda sehr interessant. Sie machte ein Foto und wollte Marie noch einmal kontaktieren und vielleicht festnageln auf den roten Volvo.

Sie sagte noch, dass sie bedauerte, dass Marie ein Mädchen war, das dem typischen Bild der Rollenverteilung entsprach: Mädchen interessieren sich nicht für Technik, und bei Autos bemerken sie bestenfalls die Farbe. „Autsch", dachte Hanna, „das tut weh!"

Edda versprach, sie auf dem Laufenden zu halten, auch wenn sie manches vielleicht nicht voreilig weitergeben sollte. Aber sie hatte Vertrauen zu Hanna und nahm nicht an, dass dank Hannas Indiskretion als nächstes eine Horde von Reportern über den Mathematiklehrer herfallen würde, um sich genüsslich nach seinen sexuellen Vorlieben und Träumen von Gewalt zu erkundigen.

Hanna war wegen der neuen Informationen ganz aufgeregt. Sie hielt es für durchaus logisch, dass der Mathematiklehrer von dem Reitwochenende wusste, einen Besuch abstatten wollte um zu zeigen, dass ihm an seinen Schülern etwas lag, und dabei in etwas hineingeschlittert war, das er nicht eingeplant hatte. Jasmina konnte durchaus schuld daran sein, dass ihm die Situation entglitten war, und er fürchtete sich jetzt davor, die Wahrheit zu gestehen. Immerhin stand sein Berufsleben auf dem Spiel, wenn herauskam, dass er eine Affäre mit einer Schülerin hatte.

Aber wie passten die Lilien ins Bild? Hanna konnte sich nicht vorstellen, dass er gleichzeitig ein Auge auf sie geworfen hatte und sie mit Blumen beehrte, während Jasmina im Koma lag und wahrscheinlich nie wieder ein normales Leben führen würde. So skrupellos konnte ein Lehrer doch nicht sein? Hanna war sich sicher, dass es sich um zwei verschiedene Personen handeln musste, und das zeitliche Zusammentreffen konnte nur Zufall sein.

Hanna brauchte jemanden, um sich zu besprechen, und natürlich musste das Carsten sein. Sie rief zuerst bei ihm zu Hause in Pevestorf an, um zu erfahren, ob er doch noch nicht abgefahren war, dann probierte sie es im Büro in der Burg Lenzen, wo man ihr sagte, dass er mit einer Kollegin nach Hannover gefahren sei, um die Holzfunde, die sie gemacht hatten, überprüfen zu lassen. Also probierte sie sein Handy. Wie fast immer hatte er es ausgeschaltet, und nur die Mailbox meldete sich.

Jetzt fluchte Hanna doch ordentlich, dass sie ausgemacht hatten, nicht über jeden Schritt Rechenschaft abzulegen. Vielleicht wäre ein bisschen mehr Nähe doch nicht schlecht, und Hanna fing an, wieder ihre Situation zu überdenken. Es lag absolut nur an ihr, dass sie manchmal nicht ganz zufrieden war, und sie merkte, dass meistens sie selbst es war, die ihn brauchte und vermisste.

Sie rief ihre Eltern an um zu fragen, ob sie in der nächsten Woche nach Gartow kommen könnten. Ihre Mutter war am Telefon, sagte aber gleich, dass sie sich kurz fassen müsse, da sie einen Schüler zum Cellounterricht erwartete. Hanna wollte keine Panik verbreiten und zugeben, dass sie einen Grund hatte, ihrer Mutter die Einladung schmackhaft zu machen.

Ihre Mutter wollte mit ihrem Vater besprechen, ob er in der nächsten Woche Urlaub bekommen könne. Weiter waren sie noch nicht gekommen, als es bei ihrer Mutter klingelte, und der Schüler zum Unterricht erschien. Ihre Mutter verabschiedete sich kurz und versprach, am Abend wieder anzurufen.

Hanna arbeitet wenig später mit einem der Pferde, aber sie erwischte sich dabei, dass sie nicht richtig bei der Sache war. Der Wallach war genau wie sie unkonzentriert, und die Arbeit machte beiden keinen Spaß. Hanna kürzte ab, belohnte das Pferd mit einem Leckerli und führte es auf die Koppel. Sie hatte ein bisschen ein schlechtes Gewissen, weil ihre Arbeit unter ihrer unsicheren Situation litt, aber das konnte sie im Moment nicht ändern.

Während sie damit beschäftigt war, die Bollen abzulesen, beschloss sie, sich bei nächster Gelegenheit Pfefferspray zu besorgen, sowohl für mögliche Hundeattacken als auch für nächtliche Besuche im Hof. Sie hatte jetzt am hellen Tag ihren ganzen Mut wiedergefunden und nahm sich vor, beim nächsten Geräusch nachts auf dem Grundstück beherzt aufzustehen und mit Taschenlampe und Spray zu untersuchen, was die Ursache war. Sofern sie sich nichts eingebildet hatte! Pfefferspray sollte, soweit sie wusste, demnächst verboten werden, aber bisher konnte man es noch in Waffenhandlungen kaufen. Sie fand es auf jeden Fall besser, einen Hund oder einen potentiellen Liebhaber anzusprayen, statt ihm einen Schraubenschlüssel oder Ähnliches über den Schädel zu hauen und zu riskieren, ihn ernsthaft zu verletzen und nachher selbst angeklagt zu werden wegen schwerer Körperverletzung oder Schlimmerem.

Hanna dachte an ein Vorkommnis, das sich ein paar Jahre zuvor in der Nachbarschaft ihrer Eltern ereignet hatte. Eine Familie war in Ferien gefahren und hatte Opa gebeten, in ihrer Abwesenheit auf das Haus aufzupassen. Leider hatte eine Bande von Einbrechern, die offenbar die Wohngegend beobachtete um herauszufinden, wer für längere Zeit abwesend war, nicht mitbekommen, dass Opa das Haus bewachte. Sie waren also zu zweit nachts über die Terrassentür eingebrochen und glaubten, in aller Ruhe ausräumen zu können. Opa war im ersten Stock bereits im Bett, hörte aber Geräusche und rief herunter: „Macht, dass ihr rauskommt, ich rufe die Polizei!"

Leider waren die beiden Einbrecher wohl nicht allzu helle und begannen, die Treppe emporzusteigen. Opa rief noch einmal, dass er eine Waffe habe, was mit höhnischem Gelächter beantwortet wurde und der Drohung, ihn sich zu holen.

Daraufhin schlich Opa im Dunkeln in den Flur und schoss Richtung Treppe. Er erwischte leider einen von beiden am Kopf und wurde prompt angeklagt wegen Mordes. Da er einen Waffenschein besaß und beweisen konnte, dass er bedroht worden war dank der Aussage des davongekommenen Einbrechers, der von der Polizei so hart in die Enge getrieben wurde, dass er gestand, kam Opa frei. Aber es war lange Zeit nicht geklärt, wer nun eigentlich der Übeltäter war, und Hanna hatte keine Lust, in eine ähnliche Situation zu geraten.

Am späten Nachmittag rief ihre Mutter an um ihr zu sagen, dass sie in der nächsten Woche kommen würden. Allerdings wollten sie schon am Sonnabend eintreffen, und Hanna musste ihr sagen, dass sie erst Sonntagabend aus Hamburg zurück sein würde. Wie sie erwartet hatte, zeigte ihre Mutter volles Verständnis für Hannas Privatleben und verabschiedete sich bis Montagfrüh. Sie hatte aber bemerkt, dass Hanna irgendwie besorgt war und wollte wissen, was vorlag. Hanna konnte nicht umhin ihr kurz zu schildern, warum sie sich allein auf dem Hof unwohl fühlte. Ihre Mutter war einigermaßen schockiert und fragte, ob sie nicht vielleicht schon Sonntagabend kommen sollten, um Hanna zu unterstützen oder zu beschützen. Hanna war das sehr recht, denn sie wollte sowieso nicht spät aus Hamburg wiederkommen.

Hanna freute sich darauf, eine ganze Woche mit ihren Eltern zu verbringen. Sie fing sofort an, Pläne zu machen. Zunächst wollte sie ihren Eltern Gartow und die nähere Umgebung zeigen. Im Lauf der Woche würde sie die Kreise ausweiten, mit ihnen an die Elbe fahren, in die Rundlingsdörfer und in die Altmark. Sie fragte sich, ob Carsten wieder da sein würde. Vermutlich schon, denn er hatte nichts davon gesagt, dass er länger in Hannover bleiben würde.

Am Freitag rief Edda wieder an, um Hanna auf den neuesten Stand zu bringen. Sie war zu Marie gefahren und hatte ihr das Foto von dem Volvo gezeigt, ohne ihr zu sagen, wo sie es aufgenommen hatte und wer der Halter war. Marie zögerte kurz, dann sagte sie entschlossen, das müsse das Fahrzeug sein. Kurz darauf wurde sie wieder unsicher, fing sogar zu weinen an und bat darum, ihre Aussage lieber doch nicht zu verwenden, weil sie niemanden in Schwierigkeiten bringen wollte.

Edda beteuerte, dass kein Unschuldiger irgendwelche Unannehmlichkeiten durch ihre Aussage haben würde. Sie müsse nur noch einmal genau überdenken, ob sie sich festlegen wollte. Eigentlich war sich Marie sicher, auch wenn sie wieder sagte, dass sie sich mit Autos nicht auskannte.

Jedenfalls hatte Edda einen Anhaltspunkt und wollte sich später am Tag mit Jasminas Mathematiklehrer unterhalten um festzustellen, wo und wie er das vorige Wochenende verbracht hatte.

Hanna war richtig aufgeregt und bat Edda, sie auch in Hamburg auf dem Laufenden zu halten, falls bei der Unterredung mit dem Lehrer etwas herausgekommen war. Sie fühlte sich immer ein bisschen unwohl bei der ganzen Geschichte, weil sie Jasmina nach dem Vorfall auf dem Schützenfest nicht nach Hause geschickt hatte. Eigentlich hätte sie das tun sollen, dann wäre vermutlich nichts weiter passiert. Aber es war sinnlos, sich in Nachhinein mit Vorwürfen zu belasten, lieber wollte sie daran glauben, dass man den Entführer, oder wie immer man ihn nennen wollte, fasste und Jasmina wieder auf die Reihe kam.

Am Freitagabend war Carsten wieder da, und er berichtete ganz erfüllt vom Ergebnis der Untersuchungen. Das Balkenstück, das sie mitgenommen hatten zur Überprüfung, stammte mit ziemlicher Sicherheit aus dem sechsten Jahrhundert und war ein Beweis dafür, dass es eine frühe Besiedlung nördlich von Dömitz gegeben hatte. Leider ließ sich bis jetzt nicht feststellen, ob es eine germanische oder slawische Siedlung gewesen war, aber Carsten hoffte auf weitere Fundstücke, die vielleicht Aufschluss geben konnten.

Hanna erzählte ihm, dass sie als Kind beim Umgraben des Gartens ihrer Großmutter ein Schmuckstück gefunden hatte, das sie für eine Brosche aus ganz frühen Zeiten hielt. Es stellte sich jedoch heraus, dass es eine relativ moderne, versilberte Gürtelschnalle war, die wohl gegen Kriegsende von irgendwelchen Deutschen vergraben worden war in der Hoffnung, nach Kriegsende zurückzukehren und versteckte Schätze wieder auszubuddeln. Leider war es dazu nicht gekommen, und Hanna hatte ihren lange Zeit sorgfältig gehüteten Schatz irgendwann verloren, vermutlich beim Umzug nach Deutschland.

Hanna brachte Carsten auf den neuesten Stand bezüglich Jasmina und kündigte an, dass sie das Wochenende in Hamburg verbringen würde bei Irene. Carsten lachte, als er von den künftigen Mutterfreuden Irenes hörte. „Die kennen wir doch ganz anders", sagte er. „Feiern, rumschlampern, Vorlesungen verschlafen, ihr Zimmer in ein Chaos verwandeln, das ist Irene. Glaubst du, sie hat sich wirklich gewandelt, jetzt, wo sie mit ihrem Freund zusammenlebt und eine Familie gründet?"

„Ich weiß nicht", antwortete Hanna. „Es scheint mir, dass Frauen sich schon verändern, wenn Nachwuchs sich angemeldet hat. Nest bauen, Interessen verschieben, Prioritäten neu setzen. Das passiert anscheinend ohne eigenes Zutun. Na ja, mal sehen, wie sich mein Besuch anlässt, wenn es richtig schlimm wird, ziehe ich unter einem Vorwand einfach um, wir haben ja noch andere Freunde. Willst du eigentlich mitkommen?"

Carsten hatte keine Lust, weil er gerade aus der Großstadt kam. Er wollte auch am Wochenende Einiges aufarbeiten, das wegen seiner Feldforschung liegen geblieben war. Aber er blieb über Nacht und fuhr Hanna am nächsten Morgen nach Salzwedel zum Bahnhof. Die Zugverbindungen von dort waren inzwischen besser als von Dannenberg, und Hanna sah keinen Grund, mit dem Auto zu fahren, zumal sie bei Irene sowieso keinen Parkplatz finden würde. Die Situation in dem Viertel, in dem Irene wohnte, war schlichtweg katastrophal. Die Anwohner, die nicht das Glück hatten, einen Parkplatz mieten zu können, fuhren abends oft bis zu einer halben Stunde im Karree und mussten dann noch einen gewaltigen Fußmarsch zurücklegen, um in ihre Wohnung zu gelangen.

Ausserdem funktionierten die öffentlichen Verkehrsmittel im Großen und Ganzen sehr gut, und Hanna hatte auch nie ein Auto vermisst, als sie noch in Hamburg wohnte.

Mit großem Vergnügen fuhr Carsten Hanna zum Bahnhof in Salzwedel, zum ersten Mal mit Oskar, und er meinte, ein so neues Auto sei doch sehr vergnüglich. Er war auch richtig aufmerksam bis auf eine kleine Episode an der einzigen Ampel, an der sie halten mussten. Carsten erzählte ihr gerade angeregt von einem Museum, das er in Hannover besucht hatte, und vergaß darüber, auf die Ampel zu achten. Es wurde grün, und Carsten machte keine Anstalten loszufahren. Hanna stieß ihn in die Rippen und sagte kichernd: „Ich glaube, bei grün darf man fahren." Indem wurde auch schon hinter ihnen ungeduldig gehupt. Carsten fuhr los und winkte freundlich seinem Hintermann zu, der ärgerlich den Kopf schüttelte.

Hanna fragte sich, warum alle Autofahrer so ungeduldig waren. Sie hatte Lust, auszusteigen und jedem Fahrer einen Katalog mit Fragen vorzulegen: Ist die Fahrt notwendig? Liegt ein bestimmtes Ziel an? Gibt es einen Termin, weshalb man sich beeilen muss? Warum ist der Autofahrer sofort ungehalten, wenn nicht alles optimal läuft? Warum verändert er sich meistens in einen friedlichen, höflichen Mitbürger, wenn er ausgestiegen ist?

Als sie am Bahnhof angekommen waren, meinte Hanna, Carsten könne sie einfach rauslassen und zurückfahren. Davon wollte Carsten nichts wissen. „Ich will doch dafür sorgen, dass meine Lady unbeschadet in den Zug steigt." Hanna lachte. "Das ist doch nicht dein Ernst! Fängst du jetzt an, mich zu bemuttern, oder müsste ich sagen, zu bevatern?" Carsten zog sie an sich. "Nein, aber ich möchte noch ein bisschen länger mit dir zusammen sein. Du bist jetzt zwar im Wendland, aber ich sehe nicht genug von dir, zumal gerade die Wochenenden durch deine Arbeit für gemeinsame Unternehmungen blockiert sind."

Also parkte er ein und fuhr mit ihrem kleinen Trolley „Hackenferrari", wie Hanna ihn nannte, zum Fahrkartenautomaten.

Hanna war immer ein bisschen panisch, wenn sie eine Fahrkarte besorgen musste, weil die Automaten häufig streikten, und Carsten in seiner üblichen Unbesorgtheit machte sich darüber lustig.

Leider war der Automat, bei dem man mit EC-Karte bezahlen konnte, tatsächlich außer Betrieb. Hanna hatte für den anderen Automaten nicht genügend Bargeld bei sich, aber immerhin gab es werktags noch einen Schalter, an dem man eine Fahrkarte kaufen konnte, ein außergewöhnliches Phänomen. Der Schalter wurde vor allem von älteren Menschen genutzt, die mit dem Touchscreen-Automaten nicht zurechtkamen.

Wegen des kaputten Automaten hatte sich am Schalter eine ziemlich lange Schlange gebildet, und Hanna fing an zu befürchten, dass sie wegen der Wartezeit den Zug letztendlich versäumen würde. Sie hatte schon einmal schlechte Erfahrungen gemacht, als sie in letzter Sekunde ohne Fahrkarte in den Zug gestiegen war. Nachlösen beim Kontrolleur gab es nicht mehr, und so musste sie 40 Euro Strafe als Schwarzfahrerin zahlen, und das hatte wehgetan.

Ihre Ungeduld wuchs, weil eine ältere Frau vor ihr endlos Auskünfte über eine Zugverbindung nach Dresden einholte.

Es reichte schließlich doch noch, nachdem sie mit der Fahrkarte die Treppe zur Unterführung hinuntergesaust waren und die Treppe zum Bahnsteig wieder hinauf. Sie hatten sogar noch ein paar Minuten Zeit bis zur Ankunft des Zuges. Es warteten einige Leute auf dem Bahnsteig, unter anderem eine Gruppe von übel aussehenden Skinheads, die unter Gejohle und mit elegantem Schwung ihre leeren Bierdosen auf die Gleise warfen. Sie rauchten allesamt trotz der Schilder "rauchfreier Bahnhof". Hanna konnte sich mal wieder einen Hinweis auf das Rauchverbot nicht verkneifen, der mit der Bemerkung "willst du mal auf die Gleise fliegen?" beantwortet wurde.

Carsten legte ihr den Arm um die Schultern, hob ihr Kinn an und sagte zärtlich: „Schau mir in die Augen, Kleines. Versprich mir, künftig vorsichtiger mit deinen Bemerkungen zu sein. Du provozierst die Jungs bloß, und du weißt ja, dass sie sich voreinander beweisen müssen, solange sie in einer Horde zusammen sind. Sie sind wirklich zu allem fähig, auch wenn sie einzeln feige Lämmchen sind."

"Das weiß ich natürlich, Schlaumann. Ich ärgere mich, und dann rutschen mir unbedachte Bemerkungen so raus. Lass mich ein Stück weiter hinten einsteigen, vielleicht bleiben mir dann die Widerlinge während der Fahrt erspart. Ich glaube, hinten sind auch mehr Leute, allein möchte ich jetzt nicht sitzen."

Der Zug lief fast pünktlich ein, und Hanna stieg in den letzten Wagen, nachdem sie sich so ausgiebig verabschiedet hatte, als würde sie eine lange Reise antreten. Im letzten Moment bemerkte sie, dass ihr Trolley immer noch neben Carsten auf dem Bahnsteig stand. Gerade als die Türen sich schlossen, rief sie ihm leicht panisch zu: „Mein Koffer!" Die Tür ging noch einmal ganz auf, als Carsten den Trolley in den Zug warf, und Hanna konnte gerade noch sagen: „Sei nett zu Oskar!", bevor der Zug anrollte.

Hanna war richtig froh, dass sie eine ruhige Reise hatte ohne unangenehme Mitfahrer. Die Skinheads sah sie erst von weitem wieder, als sie in Uelzen ausstieg und erleichtert feststellen konnte, dass die Truppe geschlossen den Bahnhof verließ.

Hanna hatte ein paar Minuten Zeit zum Umsteigen und nutzte den Aufenthalt, um sich den Hundertwasser Bahnhof zum wiederholten Mal anzusehen. Sie war in ihrem Urteil zwiespältig: Zum einen war der Bahnhof wirklich ausgefallen und sehenswert mit seinen goldenen Türmchen und den Schnörkeln, zum andern fand sie aber gar nicht, dass ein Zweckgebäude gleichzeitig ein Museum oder eine Kunstausstellung sein musste. Der ganz große Nachteil war nämlich, dass der Bahnhof wegen seiner künstlerischen Gestaltung nachts geschlossen wurde, und wenn man das Pech hatte, abends noch umsteigen zu müssen oder aus einem anderen Grund auf einen Zug zu warten, saß man praktisch auf der Straße. Außerdem fand Hanna bedauerlich, dass durch die vielen abgerundeten Ecken und Schnörkel im Zugang zu den Bahnsteigen Rollstuhlfahrer und Rollatorbenutzer nicht berücksichtigt waren. Man konnte sich natürlich melden und Hilfe bekommen, aber man hatte im Fall einer Behinderung nicht die Möglichkeit, sich selbständig zu bewegen.

Der Zug nach Hamburg war sehr voll, und Hanna musste im Gang stehen. Ein ziemlich angegrauter Herr bot ihr nach alter Schule seinen Sitzplatz an, aber Hanna lehnte lachend ab. „Mir macht das Stehen für die paar Minuten nach Hamburg nichts aus, aber vielen Dank! Platz anbieten ist ja völlig aus der Mode, und ich bin überrascht, dass mir das jetzt passiert ist. Sehe ich eigentlich irgendwie gebrechlich aus?"

Der Herr lächelte. „Nein, Sie sehen im Gegenteil jung und fröhlich aus, und das hat mich animiert einen Grund zu finden, mit Ihnen ins Gespräch zu kommen."

Sie unterhielten sich angeregt, bis der Herr in Harburg ausstieg. Er schüttelte ihr die Hand und meinte freundlich, man würde sich sicher mal wieder im Zug treffen. Hanna war froh, dass er ihr nicht seine Visitenkarte gab oder nach ihrer Telefonnummer fragte. Sie hatte gar nichts dafür übrig, wenn solche netten Zufallsbekanntschaften mit einem Annäherungsversuch endeten, was ihr schon häufig passiert war.

Sie stieg am Hauptbahnhof aus und schlenderte zum Jungfernstieg, um mit dem Boot über die Alster zu ihrer Freundin zu fahren. Obwohl sie jahrelang in Hamburg gelebt hatte und erst kürzlich umgezogen war, kam sie sich vor wie eine Touristin, die zum ersten Mal die Fahrt auf der Alster genießen durfte.

Sie stieg in Uhlenhorst aus und bewunderte das viele Grün rund um die Außenalster, das Hamburg zu einer wunderschönen Gartenstadt machte.

Sie schlenderte zwei Straßen weiter und war bei Irene angekommen. Irene hatte eine Wohnung in einem der Hinterhäuser, die ehemals Stallung, Remise und Unterkunft für den Kutscher und die anderen Bediensteten der betuchten Hanseaten gewesen waren. Hanna ging zwischen zwei in vornehmem gelb und weiß gehaltenen Großbürgerhäusern durch die schmale, ehemalige Kutscheneinfahrt und befand sich in einem ringsum von Gebäuden umschlossenen Innenhof. Sie hätte sich dort einen wunderschönen Garten vorstellen können, abgeschirmt vom Straßenlärm, aber stattdessen war der Hof asphaltiert und wurde von den Anwohnern als Parkplatz genutzt. Das war natürlich zweckmäßig in Anbetracht der Parkprobleme, aber unschön.

Hanna musste an Carsten denken, der - wenn er hier wohnen würde - bei den beengten Verhältnissen im Hof mindestens einmal in der Woche seinem Caddy oder den Autos der

Nachbarn eine Beule oder einen Kratzer verpassen würde dank seiner Schusselei. Sie lächelte in sich hinein, aber gleichzeitig war sie doch ein bisschen besorgt, als ihr Oskar einfiel. Es war natürlich ein gewaltiger Unterschied, ob die Beulen an Carstens Auto nicht weiter schmerzten oder sogar zur Belustigung herausforderten, oder ob ihr eigenes, neuwertiges Auto betroffen war.

Als sie klingelte, wurde sofort der Türöffner betätigt, als hätte Irene neben der Wohnungstür gestanden und auf sie gewartet.

Irene wohnte in der ersten Etage. Das Treppenhaus war nicht sonderlich gepflegt und hätte eine gründliche Renovierung durchaus vertragen. Umso überraschender war der Treppenabsatz vor Irenes Wohnung: Der alte Fußboden war frisch geschliffen, und die in einem zarten lindgrün gestrichene Wohnungstür wirkte einladend und freundlich.

Irene kam ihr schon auf der Treppe entgegen und umarmte sie gleich zweimal. Sie versicherte überschwänglich, dass sie sich sehr über den Besuch freute. "Weißt du, mein Leben hat sich so krass verändert, dass ich es selber kaum glauben kann. Darüber möchte ich später gern ausführlich mit dir reden." Hanna verdrehte innerlich die Augen und dachte: "Jetzt kommt die Geschichte mit dem Baby, schon bevor ich richtig da bin."

Aber zunächst war das Vorführen der Wohnung dran, und das fand Hanna spannend. Sie war natürlich schon oft bei Irene gewesen, aber jetzt war sie doch überrascht, wie vorteilhaft die Wohnung sich verändert hatte, offenbar seit dem Einzug von Irenes Freund Jens. Durch die frisch geschliffenen Holzdielen, die früher von schäbigen Teppichböden verdeckt gewesen waren, hatten die Räume einen richtig vornehmen Touch bekommen. Die alten Kassettentüren waren lindgrün gestrichen wie die Eingangstür, aber von der Veränderung des Badezimmers (Badestube, wie ihre Mutter sagte) war Hanna am meisten beeindruckt. Der alte, an den Rändern gestockte Plastikvorhang an der Dusche war durch eine Glaskabine ersetzt, die hässlichen grünen Fliesen aus den Fünfzigern durch Marmor, das Waschbecken stach durch seine kühne Form aus schwarzem Stein als besonders luxuriös hervor. und das freihängende Klo war durch ein mit Marmor verkleidetes Mäuerchen diskret abgetrennt. Außer in Zeitschriften hatte Hanna noch nie ein so teuer ausgestattetes Bad gesehen. Sie hatte allerdings Zweifel, ob das alles benutzbar war und sich ohne Riesenaufwand pflegen ließ.

Der Rundgang endete in der eleganten Küche aus edlem Holz, die nun wirklich funktional wirkte, und sie ließen sich in der eleganten Essecke nieder. Irenes Eltern hatten die Wohnung bereits gekauft, als Irene mit dem Studium anfing, da die Zimmersuche für Studenten zu der Zeit ziemlich aussichtslos war. Irene hatte zwei Zimmer untervermietet, um finanziell klarzukommen, und die Dreier-WG war ein munterer, sorgloser Haufen gewesen. Alles war zusammengestoppelt, niemand hatte Lust sauberzumachen oder aufzuräumen, aber die Stimmung war gut. Hanna kam ausgesprochen gern entweder zu Festen oder zu ungezwungenen Treffen von zufällig vorbeigeschneiten Kommilitonen oder Kommilitoninnen, bei denen heiß diskutiert wurde bei guter Musik und ziemlich viel Alkohol.

Irene riss sie mit ihren Erklärungen aus der Vergangenheit. "Jens ist ein ausgesprochener Ästhet, er mag seine Umgebung geschmackvoll, sauber und ordentlich. Er wählt auch seine Kleidung sorgfältig aus und lässt sich auch zuhause nicht gehen mit schlampiger Jogginghose und ausgeleiertem Sweatshirt, so wie ich das bisher mochte. Ich muss neidlos anerkennen, dass er einen ausgesprochen guten Geschmack hat und zudem auch noch handwerklich geschickt ist. Wir haben die ganze Renovierung fast ohne Hilfe eines Handwerkers gemacht in den letzten Monaten. Ist das nicht genial?"

Hanna fand das schon bewundernswert, aber sie konnte sich überhaupt nicht vorstellen, ihren Alltag in diesem wunderbaren Ambiente zu verbringen. Irene musste ja ein wahrer Putzteufel und eine Pedantin geworden sein, um das alles perfekt zu bewältigen neben ihrer Berufstätigkeit in einem Reisebüro. Hanna ging stillschweigend davon aus, dass Jens' Beitrag zum täglichen Trott durch seine Kreativität und sein hinlänglich erwiesenes handwerkliches Können erschöpft war, was ihr von Irene bestätigt wurde.

Hanna kannte Jens natürlich schon von der Zeit her, als sie und Irene nach Beendigung des Studiums angefangen hatten zu arbeiten. Als Irene Jens zum ersten Mal auf ein Fest mitgebracht hatte, war Hanna nicht gerade begeistert. „Au weia", dachte sie, „die lustige Irene mit einem von sich sehr überzeugten Pedanten, das kann ja nicht gutgehen. Einer von beiden wird sich in der Beziehung verbiegen müssen, und das wird natürlich Irene sein. Die Frauen haben ja offenbar nachgeben, sich anpassen und sich verändern in den Genen." Sie hatte gehofft, dass Irene das rechtzeitig erkennen würde, aber jetzt, da sich das Baby angekündigt hatte, war alles zu spät.

Sie tranken einen Kräutertee, denn Irene vertrug Kaffee gar nicht im Augenblick und bot - Solidarität voraussetzend - Hanna auch keinen Kaffee an.

Nach längeren Diskussionen darüber, welche Jacke Irene überziehen sollte oder wollte, machten sie sich endlich auf zu einem Stadtbummel. Hanna hatte sich schon immer über Irenes mangelnde Entschlussfreudigkeit bezüglich ihrer Kleidung, sowohl beim Einkauf als auch beim Gebrauch, mokiert beziehungsweise auch mal geärgert.

Wenn sie beide ausgehen wollten, führte Irene praktisch ihre gesamte Garderobe vor. "Wie findest du die schwarze Hose mit dem roten Shirt?" Hanna fand die Kombination schick. Ein paar Minuten später kam Irene mit einem engen Rock und einer weit ausgeschnittenen Bluse daher. „Das sieht toll aus", sagte Hanna, bereits ahnend, was kommen würde. "Wieso findest du das jetzt gut, wo du doch gerade die Hose mit dem Shirt angepriesen hast?"

"Ich finde eben beides gut. Du hast lauter tolle Klamotten."
Mindestens einen dritten Versuch mit einer neuen Variante musste Irene noch machen, und die Aktion endete immer
fast im Streit, wenn Hanna schließlich sagte, ihr sei es egal,
was Irene sich antüttelte. Dann war Irene schockiert und halb
beleidigt und griff zu den nächstbesten Kleidungsstücken, die
auf dem Boden herumlagen, und würgte sie sich im Schnellverfahren an, ohne darauf zu achten, ob sie irgendwie zusammenpassten.

Nach mehreren Einkaufsbummeln nach dem gleichen
Muster beschloss Hanna, die mangelnde Entscheidungsfreudigkeit ihrer Freundin nicht mehr ertragen zu können und
deshalb von gemeinsamen Ausflügen in die Geschäfte Abstand
zu nehmen. Irene pflegte freudig auf ein Kleidungsstück zuzustürzen und verschwand in der Umkleidekabine. Wenn es
perfekt passte, toll aussah und nicht zu teuer war, hängte sie
es zurück mit einem gemurmelten "ich weiß nicht, ich kann ja
nachher nochmal reinschauen". So ging es weiter, und Hannas
Spaß dabei hielt sich in Grenzen. Allerdings wurde sie von Irene gedrängt, dies und jenes zu erwerben, weil es einfach umwerfend aussah an ihr, und regelmäßig ging Hanna mit zwei
oder drei Neuerwerbungen im Rucksack nach Hause, während Irene höchstens eine Tüte Bremer Kluten erworben hatte.

Während sie später durch die Passagen bummelten, stellte Hanna fest, dass sich ihre Befürchtungen bezüglich Baby
überhaupt nicht bewahrheiteten. Irene entschuldigte sich sogar dafür, dass sie neulich am Telefon so egoistisch ausschließlich nur von sich und ihrem Zustand gesprochen hatte, der für
sie neu und spannend war, wenn auch nicht unproblematisch.
Sie wollte jedenfalls weder Babykleidung und Kinderwagen
ansehen, noch ihre Sorgen wegen der ablehnenden Haltung
von Jens seiner Vaterschaft gegenüber näher erläutern und diskutieren. Sie wurde im Lauf des Nachmittags immer lockerer,
und ihr war nicht mehr schlecht. Die alte Irene kam wieder
zum Vorschein, und nachdem sie gewagter Weise einen Cap-

puccino getrunken hatte, musste sie sich anschließend nicht mal übergeben.

Auf Irenes Nachfrage erzählte Hanna kurz alles Wesentliche, was sich seit ihrem Umzug nach Gartow zugetragen hatte. Irene war sehr mitfühlend, was die traurige Geschichte von Jasmina betraf, aber gleichzeitig begierig, eine Fortsetzung zu erfahren, die ihr prompt präsentiert wurde. Als sie gerade durch die Colonnaden schlenderten, klingelte Hannas Handy. Der Anruf kam von Edda. Sie klang ziemlich aufgeregt bei dem, was sie zu berichten hatte.

"Ich war heute Morgen bei Jasminas Mathelehrer um nachzuprüfen, was er am vorigen Wochenende gemacht hat. Ich wollte herausfinden, ob sein roter Volvo ins Bild passt. Seiner Aussage nach hat er das ganze Wochenende Mathearbeiten korrigiert und nichts weiter unternommen. Er hat die Arbeiten am Freitag schreiben lassen und montags zurückgegeben, was sich natürlich leicht belegen lässt.

Das war also bezüglich meiner Recherchen ein Flop, und außerdem wirkt er sehr sympathisch und besorgt um seine Schüler. Ich traue ihm so aus dem Bauch heraus wirklich nichts Böses zu. Aber jetzt kommt's. Als ich.." Hiermit war das Gespräch beendet, weil Hanna wohl mal wieder vergessen hatte, ihren Akku aufzuladen. Das Handy gab keinen Mucks mehr von sich. „Merde alors", fluchte Hanna. "Jetzt hätte ich gerade etwas Spannendes gehört, und dann war Schluss. Wie dämlich kann man sein!"

Irene schlug vor, Hanna solle von ihrem Handy aus versuchen, Edda gleich wieder zu erreichen, aber Hanna hatte die Nummer nicht gespeichert und meinte, sie wolle Edda abends vom Festnetz aus zurückrufen.

Während der nächsten beiden Stunden war Hanna nicht mehr richtig bei der Sache, und Irene schlug schließlich vor, nach Hause zu fahren, um Hanna die Gelegenheit zu geben, Näheres von Edda zu erfahren. Sie gab zu, selbst etwas erschöpft zu sein, und so brachen sie ihren Stadtbummel ab und machten sich auf den Weg zurück.

An der Haustür trafen sie auf Jens, der gerade von der Arbeit kam, obwohl das Wochenende bereits begonnen hatte. Jens begrüßte Hanna mit den obligatorischen Küsschen und beteuerte, wie sehr er sich freue, dass sie zu Besuch gekommen war. Hanna zweifelte an seiner Aufrichtigkeit, denn es war ganz klar, dass Jens sensibel genug war, um zu bemerken, dass Hanna ihn nicht besonders mochte.

Während sie die Treppe hinaufgingen, gab Jens Irene einen flüchtigen Kuss auf die Schläfe und fragte, wie ihr Tag in der Stadt verlaufen sei. Es war offensichtlich, dass er das gar nicht wissen wollte, und Irene gab auch keine Antwort. Stattdessen klagte Jens über seine Überlastung und schnitt gleich ein Problem an, das er mit einem Großkunden hatte.

Jens arbeitete als Rechtsanwalt bei einer Bank, und er hatte bereits eine sehr verantwortungsvolle Position. Er nahm seine Arbeit sehr ernst und machte fast jeden Tag Überstunden.

Hanna nahm seine Aufmachung interessiert in Augenschein: dunkler Anzug, zartlila gestreiftes Hemd mit passender diskreter Seidenkrawatte, schwarze elegante Schuhe (vermutlich in Ungarn handgenäht und sündhaft teuer), obligatorischer schwarzer Aktenkoffer, in dem sich natürlich keine Akten mehr befanden, sondern ein Laptop.

Hanna fiel ein, wie sie einmal an einem IBM-Schulungszentrum vorbeigekommen war zur Zeit der Mittagspause. In den kleinen Park vor dem Gebäude ergossen sich Mengen von jungen Aufsteigern in ihrer Arbeitsuniform: dunkler Anzug, gestreiftes Hemd, diskrete Krawatten. Sie glaubte zunächst, eine Beerdigungsgesellschaft vor sich zu haben, bis sie einen bunten Fleck entdeckte: Eine der wenigen teilnehmenden Damen - ebenfalls im strengen Hosenanzug oder im dunklen Kostüm - hatte es gewagt, eine knallrote Jacke anzuziehen. "Die Kanzlerin lässt grüßen", dachte Hanna frech. Wie traurig, sich dieser widernatürlichen und unbequemen Kleiderordnung fügen zu müssen!

Hanna lächelte vor sich hin, als sie an Carsten dachte, der mit seinen von der Feldarbeit verdreckten Klamotten hereingestürmt kam und sie liebevoll in den Arm nahm. Meistens fing er auch an, von seinem Tag zu erzählen, aber nach kurzer Zeit fiel ihm ein, dass er Hanna auch nach Neuigkeiten zu ihrem Tagesablauf fragen könnte, und dann hörte er zu und kommentierte.

Jens verschwand im Schlafzimmer, um sich in Freizeitkleidung zu werfen und erschien nach einer ausgiebigen Dusche fertig zurechtgemacht für den Feierabend: schickes Hemd mit kurzen Ärmeln, lässige, edel knitternde Leinenjacke, sommerliche Bundfaltenhose. Hanna musste zugeben, dass ihm auch das gut stand, aber ihr Stilbewusstsein war so anders, dass ihr diese Art von gemütlicher Freizeithose und - Jacke wie eine Verkleidung vorkam.

Irene verabschiedete sich in die Küche, um eine gediegene Mahlzeit vorzubereiten, denn Jens freute sich den ganzen Tag auf das gemeinsame warme Abendessen. Irene natürlich weniger, denn sie hatte oft nach einem stressigen Arbeitstag auch keine Lust mehr, in der Küche zu stehen und aufwändig zu kochen. Jens bot Hanna einen Aperitif an, Hanna nahm das Glas entgegen, entschuldigte sich wegen ihres wichtigen Telefongesprächs, das nur einen Augenblick dauern würde, und ging mit dem Telefon in die Eingangsdiele. Natürlich wusste sie die Nummer nicht auswendig, kam noch einmal ins Wohnzimmer zurück und bat Jens, ihr auf dem Computer die Nummer herauszusuchen.

Edda war nicht zu Hause, und Hanna sprach ihr die Nummer von Irene auf, damit sie zurückrufen konnte. Hanna war sehr enttäuscht, aber es gelang ihr wieder mal, sich innerlich einen Ruck zu geben und das Thema Jasmina beiseite zu schieben. Sie hatte keine Lust, den ganzen Abend zappelig vor Spannung zu sein und bei jedem Anruf zusammenzufahren.

Sie ging zunächst zu Irene in die Küche, um ihre Hilfe anzubieten, aber Irene schubste sie freundschaftlich zur Tür und sagte nur gutgelaunt: „Überraschung!"

Sie setzte sich zu Jens, und beide nippten an ihrem Aperitif. Die Unterhaltung kam nur schleppend in Gang, weil Hanna spontan nichts einfiel, was Jens brennend interessieren würde. Aber der rettende Gedanke kam dann doch, nämlich die Renovierung der Wohnung. Bei diesem Thema kam Jens ins Schwärmen, und als Irene sie schließlich bat, den Tisch zu decken, war sie über Kosten, Schwierigkeiten und behördliche Hindernisse bestens informiert.

Das Essen war hervorragend und wurde stilvoll mit Kerzen, Silberbesteck und schönen Servietten eingenommen. Hanna fühlte sich an Elli erinnert, die ja ebenfalls großen Wert auf einen gepflegt gedeckten Tisch legte, auch wenn sie sich sonst völlig unbesorgt über Konventionen hinwegsetzen konnte.

Der Abend wurde letztendlich doch noch sehr gemütlich, obwohl Jens sich eine abwertende Bemerkung über Kinder nicht verkneifen konnte, als Hanna von dem kleinen überfütterten Reitmädchen erzählte, das ihr schon manche Schwierigkeiten bereitet hatte. Nicht lange nach dem Essen zog sich Jens allerdings zurück, um noch ein bisschen zu arbeiten mit dem Ziel, den Sonntag wirklich frei zu haben.

Der Anruf von Edda blieb aus, aber das fiel Hanna erst wieder ein, als sie ziemlich spät schlafen gingen. Irene hatte sich ein kleines Glas Prosecco nicht verkneifen können, aber es ging ihr trotzdem den ganzen Abend gut. Sie meinte, sie sei vielleicht über die anfängliche Umstellungszeit hinaus, und das war eine gute Aussicht.

Am nächsten Morgen rief Edda an, aber sie wirkte regelrecht gehetzt, weil sie einen wichtigen Einsatz hatte. Sie hatte überhaupt keine Zeit, etwas näher zu dem Fall Jasmina zu erklären. Hanna erfuhr nur, dass es eine mögliche Spur gab. Edda schlug vor, Hanna solle auf dem Rückweg bei ihr in Lüneburg Station machen, dann könnte sie ausführlich berichten. Als Hanna ihr erklärte, dass sie mit dem Zug unterwegs sei, bot sie sofort an, Hanna noch abends oder am nächsten

Morgen nach Gartow zu fahren. Hanna überlegte kurz und fand die Idee gar nicht schlecht. "Ich spreche Dir auf, wann ich ankomme. Du brauchst mich aber nicht abzuholen, denn du hast mir ja schon erklärt, dass du ziemlich im Zentrum wohnst, folglich der Bahnhof nicht weit sein kann."

Sie verbrachten zu dritt den Sonntag an der Außenalster, bestellten in einem amerikanischen Restaurant kreolische Spezialitäten, die Jens für alle bezahlte, tranken in einem Kaffeegarten einen Latte Macchiato und aßen ein Eis. Hanna war sehr dankbar für das wunderschöne Sommerwetter, sie wusste ja aus Erfahrung, dass Hamburg ganz schön oft trübe und nieselig sein konnte.

Nach dem Kaffee blieben sie bei einem älteren, bärtigen Straßenmusikanten, der wunderbar klassische Geige spielte, stehen und lauschten beeindruckt. Als er ein Stück beendet hatte und eine Pause machte, legten sie ihm ehrfürchtig lächelnd ein paar Münzen in seinen Hut. Seine Reaktion war höchst befremdlich: Er trat einen Schritt vor und warf ihnen die Münzen in einer fremden Sprache fluchend hinterher.

Die gute Stimmung war ihnen gründlich verdorben. Sie fragten sich, ob sie ihn beleidigt hatten, weil sie keinen großen Schein in seinen Hut geworfen hatten, oder ob es überhaupt unter seiner Würde als hervorragender Geiger war, Geld zu sammeln. Aber schließlich stellte man keinen Hut auf, wenn man nichts erwartete. Sie diskutierten den Vorfall noch eine Weile, und Jens bot an, zurückzugehen und mit dem Musiker zu reden.

Er kam nach ein paar Minuten zurück und berichtete, dass der Geiger nicht mehr aufzufinden war. Das war ihnen irgendwie unheimlich, aber nach einigen weiteren Minuten fruchtlosen Diskutierens hörten sie auf, sich mit dem Thema zu beschäftigen.

Irene begleitete Hanna am späten Nachmittag zur Busstation. Hanna hatte Jens überraschenderweise am Nachmittag sehr nett gefunden und sagte das auch. Irene freute sich natürlich, denn sie hatte immer gespürt, dass Hanna mit ihrer Partnerwahl überhaupt nicht einverstanden war.

„Ich habe gestern und heute bewusst das Thema Elternwerden ausgeklammert", sagte Irene, als sie an der Haltestelle auf den Bus warteten. "Jetzt möchte ich dir aber doch noch eines anvertrauen: Jens wollte, dass ich abtreibe, aber ich habe ihn vor die Wahl gestellt, mich mitsamt dem Kind zu verlieren oder uns beide zu behalten. Du siehst ja, wofür er sich entschieden hat, und ich hoffe sehr, dass er künftig gut damit leben kann. Aber für Jens war es ein erschütterndes Erlebnis. Er hat noch nie die Erfahrung gemacht, dass die Entscheidung nicht bei ihm liegt, aber diesmal musste er passen und zugeben, dass er absolut machtlos war. Sein Ego ist etwas angekratzt, aber das schadet ja wohl nicht, oder?"

Hanna konnte sich ein kleines boshaftes Lächeln nicht verkneifen. "Du bist doch meine alte Irene geblieben", sagte sie liebevoll. „Lass uns den Kontakt halten."

Der Bus kam, Hanna stieg ein und versprach noch in der Tür, Irene auf dem Laufenden zu halten, was Jasmina betraf.

Die Fahrt nach Lüneburg war überaus kurzweilig und ungewöhnlich, weil drei Jugendliche - zwei Jungen und ein Mädchen - die Fahrgäste mit Gesang und Gitarre unterhielten. Sie waren wirklich gut, aber das Beste an der ganzen Aktion fand Hanna, dass jeder Fahrgast vorab gefragt wurde, ob es ihm recht sei, wenn das Trio musizierte. Einige waren nicht gleich begeistert, weil sie fürchterlichen Lärm erwarteten, aber niemand sagte, sie sollten gar nicht erst anfangen. Die Stimmung wurde immer besser, und nach einer Weile fingen einige an, bei einem Beatlessong mitzusingen. Hanna konnte es gar nicht fassen, dass es so etwas noch gab, man war ja schließlich über Hippiezeiten längst hinaus.

Als die drei ausstiegen, hatten einige Mitreisende ihr Portemonnaie gezückt, aber die Musikanten winkten ab. Das Mädchen dankte für's Zuhören und Mitmachen. Sie sagte fröhlich im Aussteigen: "Wir wollten nur mal probieren, wie so etwas ankommt. Erfolg für uns!"

Vom Bahnhof Lüneburg waren es zu Eddas Wohnung tatsächlich nur ein paar Gehminuten. Edda wohnte in einem zwar ordentlich renovierten, aber langweiligen Dreifamilienhaus, wie man sie nach dem Krieg schnell, billig und phantasielos hochgezogen hatte. Hanna kam sich ein bisschen gemein vor, als sie daran dachte, wie gut es Edda bezüglich ihrer Figur tun musste, zwei Treppen hoch zu wohnen. Wenigstens ein-bis zweimal Gymnastik am Tag!

Auf Hannas Klingeln geschah zunächst gar nichts, und Hanna dachte schon enttäuscht, dass Edda vielleicht wegen eines dringenden Falles doch nicht zuhause war. Erstens würde sie dann immer noch nicht erfahren, was für einer Spur die Polizei nachging, und zweitens würde es überaus problematisch werden, nach Pevestorf zu gelangen. Am Sonntagabend gab es natürlich keinerlei öffentliche Verkehrsmittel mehr in Richtung verlassener Osten, und sie hatte auch vergessen, über Nacht bei Irene ihr Handy aufzuladen. Deshalb hätte Edda sie auch nicht erreichen können, um Bescheid zu sagen.

Nach einer ganzen Weile und mehrfachem Klingeln (vielleicht sollte sie rufen oder Steinchen werfen, falls die Klingel defekt war?) wurde die Haustür geöffnet. Hanna war total überrascht, dass Edda sich persönlich herunterbemüht hatte, um sie in Empfang zu nehmen, aber wie sich herausstellte, wollte Edda ihr gar keine besondere Ehre erweisen, sondern der elektrische Türdrücker samt Sprechanlage war schlicht und einfach außer Funktion. Edda hatte das schon vor Tagen moniert, aber es war noch nichts geschehen.

Während sie die Treppen hinaufstiegen - die eine locker, die andere ein wenig kurzatmig - sagte Edda grinsend: „Ich bin ja durch meine Ausbildung psychologisch geschult. Ich werde dir also sagen, was du jetzt denkst: Ein Glück für Edda, dass der Türdrücker kaputt ist. So kommt sie doch zu ein wenig Bewegung."

Hanna merkte, wie ihr die Röte ins Gesicht stieg, aber dann

lachte sie. "Zugegeben, und das ist mal wieder oberpeinlich. Aber vielleicht hast du Lust, nachher mit mir zu überlegen, was man ernsthaft tun könnte? Ich würde dir gern helfen, aus deinem Loch herauszukommen, und der erste Schritt wäre doch eine drastische Gewichtsabnahme. Du hast ja schon bewiesen, dass du es kannst, als du verbeamtet werden wolltest."

"Da war ich hochmotiviert, jetzt nicht. Aber lassen wir das, komm erstmal rein, und dann muss ich doch endlich loswerden, was ich zu berichten habe".

Sie setzten sich in das etwas brav eingerichtete Wohnzimmer, und Edda machte eine Flasche Wein auf. Sie selbst trank allerdings Wasser, weil sie ja versprochen hatte, Edda abends noch nach Hause zu fahren.

„Also", fing sie an. "Ich habe dir meinen Eindruck von Jasminas Mathelehrer noch geschildert, bevor dein Handy den Geist aufgab. Ich bin also in der Überzeugung gegangen, dass er integer ist. Ich finde, auch als Polizistin darf man ruhig mal auf sein Gefühl vertrauen. Als ich zu meinem Auto ging, hängte eine Nachbarin gerade ihre Wäsche auf. Ganz spontan kam mir der Gedanke, mich ein bisschen mit ihr zu unterhalten. Ich habe sie also in ein nichtssagendes Gespräch über das Wetter und ihre Wohngegend verwickelt. Sie zeigte sich sehr gesprächig und gestand, dass sie eigentlich immer zu Hause war, nicht einmal einen Führerschein gemacht hatte und sich häufig langweilte. Also sprachen wir weiter, und schließlich fragte ich sie ganz nebenbei nach dem Volvo des Mathelehrers: ob er gut läuft trotz seines Alters, ob der Mathelehrer oft weitere Strecken damit fährt, z. B. am Wochenende oder in den Ferien."

Edda machte eine Pause, um einen Schluck zu trinken, und Hanna verdrehte innerlich die Augen und wünschte sich, Edda würde schneller zur Sache kommen. In der Schule war es auch so gewesen, dass alle auf den Kern des Themas warteten, wenn Edda ein Referat hielt, aber meistens verzettelte sie sich, und ihr Vortrag schleppte sich dahin, bis alle fast einschliefen.

Hanna war immer froh, wenn es vorbei war und fragte sich, was sie eigentlich erfahren hatte und worum es gegangen war.

Jetzt mahnte sie sich zur Geduld, denn es würde diesmal sicher in irgendeiner Weise einen Knalleffekt geben. „Jetzt kommt's", dachte sie, als Edda ansetzte, weiter zu erzählen. Peinlicherweise machte Edda zunächst eine Bemerkung, dass sie wohl zu weit ausgeholt hatte und anfing, Hanna zu langweilen. Hanna spürte schon wieder, dass sie errötete, weil Edda sie zum zweiten Mal erwischt hatte. Jedenfalls musste Hanna anerkennen, dass sich Eddas Fähigkeit, sich und andere zu analysieren, deutlich verbessert hatte, und sie konnte sich vorstellen, dass Edda Verdächtige bei Befragungen oder Verhören überrumpeln konnte mit ihrer Hellsichtigkeit.

"Also, um es kurz zu machen: ich bekam heraus, dass der Volvo am letzten Wochenende nicht auf seinem Parkplatz gestanden hatte, jedenfalls den ganzen Samstag nicht und auch am Sonntag weitgehend. Die Nachbarin hatte ihn erst am späten Nachmittag wieder bemerkt, als sie mit ihrem Hund Gassi gegangen war.

Ich quasselte sie noch eine Weile voll, damit sie nicht bemerkte, was ich eigentlich hatte erfahren wollen. Das Gespräch wurde abrupt beendet, weil bei ihr irgendwo im Haus das Telefon klingelte, und das war wohl doch wichtiger, als mit einer Fremden ein Schwätzchen zu halten.

Sie winkte nur kurz und verschwand zu meiner Erleichterung im Haus, denn ich wollte vermeiden, dass sie mitbekommt, dass ich nicht wegfuhr, sondern stracks zu der Wohnung des Mathelehrers zurückkehrte. Er war etwas überrascht, als ich schon wieder bei ihm klingelte. Ich fragte ihn ganz direkt, wie er mir erklären könne, dass er angeblich am Wochenende zu Hause war, aber gleichzeitig sein Auto unterwegs.

Er lachte ganz unbeschwert und sagte (ich zitiere):"Klar kann ich das erklären. Sie haben mich gefragt, was ich gemacht habe, aber nicht, was mein Auto gemacht hat. Ich hatte es meinem Freund Paul geliehen, damit er zu seiner Oma nach Hannover fahren konnte. Seine eigene Karre war mal wieder in der Werkstatt, was öfter vorkommt. Ich rufe ihn gleich an, damit er das bestätigen kann."

Paul war aber nicht zu erreichen, und so habe ich darum gebeten, mir das Auto näher ansehen zu dürfen ohne gerichtlichen Beschluss. Der Mathelehrer, der übrigens aparterweise Schulz heißt, wie jeder zweite im Wendland, war ohne Zögern einverstanden, wollte aber dabei sein.

Ich hoffte sehr, der Nachbarin nicht wieder zu begegnen, und erfreulicherweise stand ihr Wäschekorb noch unverändert neben der Leine mit dem Rest der feuchten Wäsche, die noch aufgehängt werden musste. Das Telefongespräch hatte sie gründlich abgelenkt, und wahrscheinlich erfuhr sie gerade umwerfende Neuigkeiten, um weiter festgehalten zu sein.

Herr Schulz schloss in aller Arglosigkeit das Auto auf und erklärte, dass er sich überhaupt nicht vorstellen konnte, nach was ich eigentlich suchte. Das wusste ich natürlich auch nicht, aber ich meinte, es könnte nicht schaden, mal einen Blick reinzuwerfen.

Jetzt kommt's: Ich entdeckte sofort ein kleines in der Handbremse eingeklemmtes Stück Stoff, das zu dem weißen T-Shirt zu passen schien, das Jasmina zum Zeitpunkt ihres Verschwindens getragen hatte."

Hanna war stumm vor Überraschung. Sie wartete eine Weile, und als Edda nichts mehr hinzufügte, fragte sie: "Was hast du dann gemacht? Am Wochenende läuft ja wohl bei euch nichts?"

"Du hast Recht, bei der Kripo arbeitet natürlich niemand am Wochenende außer mir. Ich konnte aber eine einstweilige Verfügung beantragen, damit das Auto nicht mehr benutzt werden darf bis zu einer gründlichen Untersuchung am Montag. Was für eine Einschätzung würdest du abgeben? War's der Mathelehrer oder sein Freund Paul, den es vielleicht gar nicht gibt? Ich wollte inzwischen seine Telefonnummer heraussuchen, aber es gibt keinen Eintrag im Telefonbuch. Nächste

Woche werden wir mehr wissen, und es macht Hoffnung, jetzt wenigstens einen Anhaltspunkt zu haben, nachdem wir bis vor kurzem ziemlich im Dunkeln getappt sind."

Hanna beglückwünschte Edda zu ihrem Erfolg.

Es wurde doch später, als Hanna geplant hatte. Edda bot ihr einen Piccolosekt an, um den ersten Schritt auf dem richtigen Pfad zu feiern. Edda selbst trank nur Mineralwasser, denn sie meinte wieder, sie könne es sich wirklich nicht leisten, mit auch nur einem Hauch von Alkohol erwischt zu werden beim Autofahren. Hanna bemerkte mit Bedauern, dass Edda ihr auswich, wenn sie persönliche Fragen stellte. Sie hätte gern ihre Probleme angesprochen, um ihr zu helfen, aber das war offensichtlich nicht erwünscht.

Hanna sprach über unverfängliche Themen wie Pferde, das Wendland, den Supersommer. Edda wirkte an allem interessiert und erwies sich als gute Zuhörerin. Allerdings versuchte sie, ein bisschen mehr aus Hanna herauszulocken bezüglich ihres Verhältnisses zu Carsten, und Hanna sah keinen Grund, sich bei dem Thema zurückzuhalten.

Irgendwann klingelte Eddas Telefon, und Edda ging ins Nebenzimmer, um ungestört reden zu können. Sie kam nach kurzer Zeit zurück und sagte, dass sie das Gespräch abgebrochen habe wegen ihres Besuchs. Sie wirkte aber ein bisschen verlegen, und Hanna, die immer dazu neigte, sehr direkt zu sein, fragte einfach, ob sich da etwas anbahnte. Edda errötete wie ein Teenager und gab zögernd zu, dass ein Kollege ganz privat angerufen hatte und sie gefragt, ob sie Lust hatte, mit ihm am nächsten Tag in einem netten Restaurant am Mühlenteich zu essen und vielleicht einen Bummel durch die Altstadt zu machen, sofern es ihnen ihre Zeit erlaubte. Vor Überraschung hatte Edda sich aber nicht festgelegt, sondern versprochen, nachzusehen, ob sie in der Mittagspause, die manchmal auch einfach ausfallen musste, nichts anderes vorhatte und ihm Bescheid zu sagen.

Hanna war begeistert. Der erste Schritt zur Heilung war getan, auch wenn Edda jetzt unverblümt von ihren Berührungsängsten sprach. Hanna redete ihr zu um sie zu überzeugen, dass sie versuchen musste, aus ihrem tiefen Loch herauszufinden. Edda hörte ihr zu, äußerte sich aber nicht, ob sie es wagen würde, die Mittagspause mit jemandem zu verbringen, den sie kaum kannte und über dessen Motivation, ein Treffen mit ihr zu wünschen, sie sich überhaupt nicht im Klaren war. Sie glaubte jedenfalls nicht, dass er edle Motive wie zum Beispiel Sympathie für sie hatte, sondern unterstellte eher irgendwelche zweckdienlichen Hintergedanken.

Hanna konnte jedenfalls nicht herausfinden, ob sie den jungen Mann mochte oder einfach neutral zu ihm eingestellt war. Während sie immer noch beim Thema waren, sah Hanna auf die Uhr, weil ihr plötzlich siedend heiß einfiel, dass ihre Eltern sich für den Abend angemeldet hatten, beziehungsweise ein bisschen von ihr gedrängt worden waren, sie über Nacht nicht auf dem Hof allein zu lassen.

Hanna rief bei sich zu Hause an, aber nur der Anrufbeantworter meldete sich. Die Handynummer ihrer Eltern hatte sie auch nicht gespeichert, und sie verfluchte sich mal wieder wegen ihrer Nachlässigkeit. Vielleicht waren ihre Eltern noch unterwegs und sie konnte ihnen noch zuvorkommen und sich die Peinlichkeit ersparen, sie vor verschlossener Tür stehen zu lassen? Zu Hause waren sie natürlich auch nicht mehr. Als nächstes probierte sie Carsten auf dem Festnetz, keine Antwort. Dann fiel ihr Ellie ein, und diesmal war sie erfolgreich. Ihre Eltern saßen gemütlich mit Carstens Großmutter bei einem Gläschen Wein und wurden - wie ihre Mutter sagte - bestens unterhalten. Als sie den Hof verschlossen vorgefunden hatten, war natürlich der nächste Schritt gewesen, sich bei Carsten zu melden, und das hatte eine Einladung bei Elli zur Folge gehabt.

Taktvollerweise verkniff sich Hannas Mutter, über Hannas Unpünktlichkeit zu meckern, aber Hanna kannte sie gut genug, um an ihrem Tonfall herauszuhören, dass sie nicht gerade begeistert war. Allerdings waren ihre Eltern offenbar durch Ellis Freundlichkeit entschädigt, und auch Carstens Anwesenheit, der sehr begeistert von seinen Ausgrabungen erzählte, war ihnen sehr lieb. Hanna versprach, sofort mit Edda loszufahren, um endlich ihre Eltern in ihrer eigenen Wohnung ordnungsgemäß in Empfang zu nehmen.

Sie lud unterwegs Edda ein, auch bei ihr über Nacht zu bleiben, aber Edda zog es vor, noch nach Hause zu fahren, um morgens früh anfangen zu können. Auch die Aussicht auf ein Gläschen Sekt konnte sie nicht umstimmen. Hanna sagte ihr, dass sie sich sehr in ihrer Schuld fühle, aber Edda winkte ab. "Ich habe schließlich die Idee gehabt, dich noch nach Lüneburg einzuladen, und damit bin ich natürlich dafür verantwortlich, dass du ordnungsgemäß im wilden Psycho-Pannenberg abgeliefert wirst, wo man anständigerweise spätestens zum Abendessen einzutreffen hat, wenn man nicht mangels öffentlicher Verkehrsmittel unter einer Brücke schlafen will."

Hanna fand Edda ziemlich munter und verabschiedete sich sehr herzlich und drückte ihre Hoffnung aus, zum einen ganz schnell von den Fortschritten bezüglich Jasmina zu hören, und zum andern von Eddas Fortschritten im privaten Bereich.

Hannas Eltern kamen, kurz nachdem Edda abgefahren war. Carsten war nicht mitgekommen, weil er noch ein Referat fertig vorbereiten musste, das er am nächsten Tag bei einer wichtigen Besprechung halten sollte. Hanna war ein bisschen enttäuscht, sah aber ein, dass es natürlich vernünftig von ihm war, eine dringende Arbeit nicht aufzuschieben. Sie erinnerte sich an ihre Studienzeiten, als sie einmal die Interpretation eines Gedichts in Vergleichender Literaturwissenschaft nur flüchtig vorbereitet hatte und sich mit ihrem Vortrag fürchterlich blamierte, weil der Professor ihre nicht fundierten Thesen widerlegte und sie regelrecht vorführte.

Ihr Vater nahm sie herzlich in den Arm, zwinkerte ihr zu und sagte leise: „Na, erkennen wir unsere Hanna? Immer zu spät kommen?"

Ihre Mutter kritisierte sie ausführlicher mit leichter Schärfe in der Stimme:

„In einem Punkt haben wir zumindest in deiner Erziehung versagt, und das ist deine Unzuverlässigkeit. Erinnerst du dich noch an die vielen Male, wo du uns hast warten lassen? An den Tag während der Ferien in Ostpreußen, als du nicht aus dem Wasser kommen wolltest, und wir schließlich im Zorn ohne dich abgefahren sind? Weißt du noch, wie viele Kilometer du laufen musstest bis zu unserem Ferienquartier? Weißt du noch, dass wir dich gar nicht extra bestrafen mussten, weil das Abendessen schon vorbei war?"

Hanna ließ scheinbar schuldbewusst den Kopf hängen. „Ich glaube, jetzt ist alles zu spät. Aber wenn ihr hört, warum ich diesmal nicht rechtzeitig gekommen bin, werdet ihr mir verzeihen. Na, Mama, darf ich dich wieder anlächeln und dir einen Kuss geben?"

Damit war das Thema erledigt, und Hanna fand wieder einmal, dass sie wirklich Eltern hatte, an denen nichts auszusetzen war.

Gegen den Plan, sich noch nach draußen zu setzen, legte Frau Wiekmann Protest ein. Sie fand es nicht mehr warm genug und machte sich über Hannas Frischluftkult lustig.

Der Vorschlag, schnell etwas zu essen zu machen, stellte sich als überflüssig heraus, denn Carsten hatte Hannas Eltern schon bestens bewirtet. Also wurde nur die Flasche Wein aufgemacht, die Hannas Vater mitgebracht hatte, und Hanna fand ihr Wohnzimmer auch ganz gemütlich.

Hanna hielt es nun für dringend, ihre Eltern über die Vorgänge auf dem Hof zu informieren. Vor allem musste sie erklären, warum sie plötzlich so ängstlich geworden war, dass sie sich Schutz gewünscht hatte.

Ihre Mutter war total schockiert und überschüttete sie mit Fragen? „Hast du denn gleich die Polizei eingeschaltet? Hast du zunächst überhaupt keine Angst gehabt? Konntest du denn ruhig schlafen nach allem, was passiert ist?"

Hanna konnte gar nicht schnell genug antworten, aber sie machte ihren Eltern klar, dass sie zunächst keinen Bezug zu sich selber gesehen hatte und nur Jasmina bedauerte. Sie erinnerte ihre Mutter wieder daran, dass ihr die grässlichen Phantasien völlig fehlten, die andere Leute bei Einbruch der Dunkelheit hatten, aber jetzt war es sogar für sie so weit gekommen, dass sie sich alles Mögliche vorstellen konnte.

Ihre Mutter fing an, ihr Vorwürfe zu machen, dass sie diesen Job angenommen hatte. Sie hätte ja gleich geahnt, dass eine junge Frau allein auf einem abseits gelegenen Hof nichts zu suchen hatte.

Außerdem wäre sie absolut überqualifiziert, um als Pferdeknecht - wie ist davon die weibliche Form? - mit einem kümmerlichen Lohn ihren Lebensunterhalt zu verdienen.

Hanna lachte. "Jetzt kommst du gleich mit der alten Geschichte, mit der du mich als Kind sehr verletzt hast. Du weißt sicher noch, dass ich sehr für Cowboys geschwärmt habe und selber einer werden wollte. Als mir klar wurde, dass ich das als Mädchen eigentlich nicht konnte, habe ich mich entschlossen, wenigstens einen Cowboy zu heiraten. Du hast mich ausgelacht und erklärt, was für ein harter und eigentlich mieser Job es sei, Kühe durch die Prärie zu treiben bis zum Schlachthof, oder sie nur bei Wind und Wetter zu hüten. Ich habe damals heimlich geweint und mir gedacht, dass ich mir meine romantische Sicht nicht kaputtmachen lassen würde, aber irgendwie ist doch ein kleiner Stachel steckengeblieben, und das habe ich bis heute nicht vergessen. Jetzt bist du immer noch so unromantisch. Ich mache den Job hier tausendmal lieber als die öde Arbeit beim Makler, und da ich wusste, wie du reagieren würdest, habe ich euch lange nichts von den Vorfällen erzählt."

"Na ja du bist ja eigentlich erwachsen, aber es fällt mir trotzdem manchmal schwer, Einmischungen zu unterlassen. Ich bitte um Entschuldigung, will aber gleich ein Trostpflaster anheften. Es ist nämlich sehr wichtig, dass du Carsten in der Nähe hast. Was wird denn aus euch beiden?"

Hanna war unangenehm berührt, weil sie von allen Seiten penetrant zu diesem Thema ausgehorcht wurde. "Ich weiß es doch selber nicht", sagte Hanna. Euch ist längst bekannt, dass ich gewisse Bedenken habe zu heiraten, und daran hat sich im Moment nichts geändert."

„Na ja", sagte ihre Mutter trocken. „Wenn Carsten mit einer anderen Frau daherkommt, die willens ist, eine Familie zu gründen, werde ich dich flennen sehen." Dann lächelte sie versöhnlich und warf Hannas Vater einen liebevollen Blick zu. „Hast du nicht an uns ein gutes Beispiel? Sind wir nicht immer friedlich?"

Hanna musste lachen und dachte an die gelegentlichen Auseinandersetzungen, bei denen es ziemlich laut werden konnte. Ihre Mutter fiel immer ins Polnische, wenn sie wütend war, und dann kamen erstaunliche Schimpfwörter aus ihrem Mund.

Hanna begann, Vorschläge für Unternehmungen für die kommenden Tage zu machen, damit ihre Eltern das Wendland ein wenig kennenlernen konnten. Als ersten Programmpunkt hatte sie die Rundlingsdörfer vorgesehen, die man ihrer Meinung nach unbedingt gesehen haben musste. Bei der Erwähnung der Rundlinge fielen ihr die absonderlichen wendischen Namen einiger Dörfer ein, und sie fing aus dem Stegreif an, einige aufzuzählen: Proitze und Loitze, Dickfeitzen und Guhreitzen, Mammoißel und Krummasel, Kröte und Meußließen, Plumbohm und Reddebeitz, Pisselberg und Salderatzen."

Ihr Vater lachte schallend und bedeutete ihr, aufzuhören. „Mir sind zwei Namen besonders aufgefallen, mit denen ich etwas anfangen kann. Zum ersten Dickfeitzen, das geradezu dazu auffordert, gewisse Assoziationen zu gewissen Personen herzustellen, die ein bisschen fülliger sind." Hannas Mutter gab ihm einen Klaps. Sie hatte in letzter Zeit ein bisschen zugelegt, was Hanna auch bemerkt hatte. „Werd bloß nicht frech", sagte sie zu ihrem Mann. „Wenn du anfängst, dich zu beklagen, weil eine älter werdende Frau unvermeidlich ein bisschen gefälligere Kurven bekommt, setze ich uns beide auf strengste Diät. Denk an deinen Freund Paul, der behauptet hat, bei einer Frau muss man etwas in der Hand haben. Dünn und lang macht Männern bang, sagst du selbst immer."

„Recht hat Paul, mein Mockelchen. Aber zurück zum Thema. Der zweite Name in deinem Register, der mir gut gefällt, ist Pisselberg. Wer möchte da wohnen? Da habe ich diverse Assoziationen, die ich gerne ausführen möchte." „Nein", schrie Hannas Mutter, „die können nur unmanierlich sein." „Pisselberg ist sehr hübsch, und da haben viele Städter alte Bauernhäuser stilgerecht umgebaut und fühlen sich bestimmt pudelwohl. Was hast du bloß für schmutzige Hintergedanken?"sagte Hanna.

Sie kamen wieder auf das Programm der folgenden Tage zurück. Hannas Eltern signalisierten, dass sie gern mit dem Fahrrad etwas unternehmen würden, und Hanna versprach, Fahrräder zu besorgen, so dass sie die Tour auf dem Deich am östlichen Ufer der Elbe an einem der nächsten Tage in Angriff nehmen konnten.

Für den Mittwoch hatte sie etwas Besonderes vorgesehen. Henning hatte sich bereit erklärt, den Haflinger einzuspannen und ihre Eltern zu einer Kutschfahrt einzuladen. Hanna hatte als Ziel Pevestorf vorgeschlagen, um ihren Eltern das Feld mit den sibirischen Lilien zu zeigen. Anschließend wollten sie am Deich entlang zum Elbholz fahren und von dort nach Gartow zurückkehren.

Ihr Vater unterbrach Hanna und bemerkte, dass besonders viele Grillen bei dem schönen Sommerwetter zu hören waren. Hanna und ihre Mutter warfen sich einen Blick zu, und Hanna nickte unmerklich. „Das sind keine Grillen", sagte Hannas Mutter. „Du hast wieder deinen Tinnitus, auch wenn du es nicht wahrhaben willst. Ich werde richtig zickig, wenn du dich nicht mal bald bei einem Arzt anmeldest!"

Hannas Vater machte ein leicht bockiges Gesicht. Hanna wusste, dass der Tinnitus ein altes Thema war. Hannas Vater fiel es schwer, älter zu werden, und er machte am liebsten die Augen zu, wenn sich irgendwo eine Beschwerde meldete. Hannas Mutter dagegen nahm das Älterwerden eher gelassen und hoffte nur, dass sie nicht einmal bettlägrig im Pflegeheim landen würde. Das einzige, was ihr Sorge machte, war eine beginnende Arthrose in den Händen, und sie fürchtete sich davor, eines Tages nicht mehr Cello spielen zu können.

Sie hatte ihr Cello mitgebracht und forderte Hanna auf, in der kommenden Woche mit ihr zu musizieren. Hanna wollte sofort ihre Querflöte holen, aber ihre Mutter bedeutete ihr, dass sie jetzt zu müde sei.

Sie redeten noch eine Weile über dies und jenes, aber was Hanna am meisten interessierte, war die Beschreibung von der Freundin ihres Bruders Marian. Hannas Eltern hatten Charlotte vor kurzem kennengelernt, als Marian sie an einem Wochenende mitgebracht hatte, um sie offiziell vorzustellen. Hannas Mutter war rundum von ihr angetan. Sie sei hübsch, intelligent, an Kultur interessiert, hatte eine solide Stellung als Anwältin, und was die Hauptsache war, sie schien total verliebt in Marian zu sein ohne ihm zum Mund zu reden oder gar in allem nachzugeben, wie es sonst alle seine "Miezen" taten - wie ihre Mutter die bisherigen Auserkorenen abfällig nannte. Hanna stimmte der Ansicht ihrer Mutter zu, dass vielleicht eine gewisse Eigenständigkeit oder sogar ein bisschen Widerstand Marian guttun könnte. Jedenfalls war Hanna sehr gespannt auf die potentielle Schwägerin, und sie hoffte, dass sie sich der Meinung ihrer Mutter über Charlotte anschließen würde ohne Wenn und Aber. Sie fände es bedauerlich, wenn Marian an einem entzückenden Gänschen hängenbleiben würde, mit dem sie nichts anfangen konnte - Marian auf lange Sicht auch nicht.

Ihre Eltern wollten nicht allzu lange aufbleiben, weil sie sich nach einer anstrengenden Arbeitswoche erholungsbedürftig fühlten. Hanna bezog ihnen die Betten in einem der Gästezimmer, die für die Reiter vorgesehen waren, gab ihnen einen Gutenachtkuss und wünschte sich, gut bewacht zu werden. Immerhin standen zwei Autos im Hof, und sie konnte sich kaum vorstellen, dass jemand die Dreistigkeit besaß, unter den gegebenen Umständen nachts etwas anzustellen. Ihr Vater bot noch scherzend an, sich mit einem Gewehr auf die Türschwelle zu setzen, und die Vorstellung von ihrem pazifistischen Vater bewaffnet auf Nachtwache brachte Hanna nun wirklich zum Lachen. Sie ging ganz vergnügt und beruhigt ins Bett und schlief fast ohne Unterbrechung durch.

Am nächsten Morgen hatte das Wetter umgeschlagen. Ein leichter Nieselregen machte den Tag grau, und es war merklich abgekühlt. Hanna war froh, dass sie keine Radtour oder Kutschfahrt geplant hatte. Die Rundlinge konnte man auch bei Nieselregen ganz gut besuchen, und es bestand laut Wetterbericht die Hoffnung, dass es sich am Nachmittag aufklären würde.

Hannas Eltern fuhren nach dem Frühstück nach Pevestorf, um Oskar zu holen, der noch bei Carsten auf dem Hof stand. Hanna ging ihren täglichen Pflichten im Pferdestall nach und bemerkte erst gegen Mittag, dass ihre Eltern noch nicht zurück waren. Sie glaubte zunächst, dass sie noch ganz eigenständig einen Ausflug gemacht hätten, aber als sie schließlich ankamen, erzählten sie, dass sie bei Elli hängengeblieben waren und dort auch Hannas Chefin Luise kennengelernt hatten, die zufällig auch zu einem morgendlichen Kaffee vorbeigekommen war. Hannas Mutter war von den beiden alten Damen ganz entzückt und konnte nun schon ein bisschen besser verstehen, warum Hanna den Job auf dem Pferdehof angenommen hatte.

Jedenfalls waren ihre Eltern schon ein wenig zu Insidern geworden, denn sie waren in allerlei Klatsch eingeführt worden: Pitten war lang und breit besprochen worden, und auch vom Schicksal des kleinen Iwan hatten sie gehört, der am Ende der letzten Woche vom Jugendamt abgeholt worden war und in eine Pflegefamilie kommen sollte. Hanna nahm sich vor, seine Lebensgeschichte weiter zu verfolgen und hoffte aus tiefstem

Herzen, dass er eine ordentliche Familie erwischen würde, die ein Pflegekind nicht nur wegen des Geldes aufnahm.

Während Hanna den eigensinnigen Hannoveraner longierte, machte ihre Mutter Pfannkuchen und rief zum Essen, als Hanna gerade fertig war. Es hatte aufgehört zu regnen, aber die Sonne wollte sich noch nicht zeigen. Jedenfalls waren sie alle drei guten Mutes, dass der Ausflug in die Rundlingsdörfer gelingen würde. Natürlich klingelte das Telefon, als Hanna sich gerade einen knusprigen Pfannkuchen mit Schinken und Käse aufgetan hatte. „Soll ich drangehen? Das Telefon kann wirklich eine Pest sein. Ich frage mich allerdings, wie wir früher überhaupt überlebt haben, ohne ständig erreichbar zu sein. Ich gehe in Anbetracht unserer Probleme aber wohl besser dran."

Hanna nahm widerwillig den Hörer ab, aber als sie hörte, was ihr mitgeteilt wurde, war sie richtig dankbar für die Kommunikationsmöglichkeiten. Es war Edda, die ihr berichtete, dass die Untersuchung des Volvo von Jasminas Mathematiklehrer ein eklatantes Ergebnis hervorgebracht hatte. Der winzige Stofffetzen, der in der Handbremse eingeklemmt war, gehörte definitiv zu Jasminas T-Shirt, das sie am Tag ihres Verschwindens getragen hatte, und es waren jede Menge Fingerabdrücke von Jasmina im Auto gefunden worden, vor allem an der Beifahrertür.

Man würde den Mathematiklehrer natürlich erneut in die Mangel nehmen und versuchen herauszubekommen, warum er zunächst behauptet hatte, an dem entsprechenden Wochenende das Auto nicht benutzt zu haben und dann etwas von einem Freund faselte, der nicht erreichbar war.

Edda brach das Gespräch sehr schnell ab, nachdem sie die wichtigsten Fakten berichtet hatte, weil die Zeit drängte und sie hoffte, am selben Tag noch weiterzukommen und womöglich den Fall vollständig aufzuklären. Hanna dachte noch einmal über den Mathelehrer nach. Ihrer Meinung nach passte er überhaupt nicht ins Bild eines Gewalttäters, aber wieviel Gewalttäter kannte sie eigentlich, um zu vergleichen? Natürlich keinen einzigen, aber die Vorurteile bezüglich des Aussehens und Wesens eines Gewaltverbrechers waren einfach da.

Hanna musste sich mal wieder innerlich zur Ordnung rufen, um sich und ihren Eltern nicht den Tag zu verderben durch ständiges Grübeln, Fragen stellen und diskutieren. Sie tranken alle drei einen Espresso nach dem Essen, und dann verfrachtete Hanna ihre Eltern ins Auto, und sie machten sich auf den Weg zu den Rundlingsdörfern.

Die Woche mit Hannas Eltern verging wie im Flug. Das Wetter machte jede Art von Unternehmung möglich, und so waren der Radausflug auf dem Elbdeich und die Kutschfahrt mit Henning ein voller Erfolg. Henning zeigte sich Hannas Eltern gegenüber von seiner liebenswürdigsten Seite, und Hannas Mutter fragte immer wieder, was Hanna eigentlich an ihm herumzumäkeln hatte. Hanna empfahl ihrer Mutter, am Wochenende dazubleiben, wenn Henning unfreiwilligen Küchendienst machen musste, denn dann könnte sie ihn von seiner Machoseite kennenlernen. Hannas Mutter lehnte dankend ab, sie meinte, sie wolle sich den guten Eindruck nicht verderben lassen.

Am letzten Abend lud Hanna Elli und Luise Wallraff zu einem Gläschen Wein ein. Es wurde ein ausgesprochen lustiger Abend. Vor allem Carsten war äußerst gut gelaunt, weil er mit seiner Arbeit gut vorankam und ihm eine Festanstellung in Aussicht gestellt worden war. Er schob allerdings seine gute Laune auf die Tatsache, dass er schon seit mehreren Tagen keine Beule in sein Auto gefahren hatte und auch sonst nichts verbockt durch Schusselei, sondern nur den Zorn einer Dame durch unpassendes Lachen heraufbeschworen hatte.

Er erzählte, wie es dazu gekommen war: Eine kleine Ausflüglergruppe, die zufällig an der Ausgrabungsstelle vorbeigekommen war, fragte höflich an, ob man die Fundstelle besichtigen könne. Natürlich freuten sich die Archäologen über das Interesse und begannen mit Erklärungen. Um zu einem abgesteckten Stück zu gelangen, an dem sie gerade arbeiteten, musste man über einen kleinen Graben springen, in dem noch von den Regentagen der Woche zuvor Wasser stand. Carsten hielt einer etwas unbeholfenen, weil stark übergewichtigen Dame eine hilfreiche Hand hin, die ungehalten ausgeschlagen wurde mit dem Effekt, dass die Dame abrutschte und wie ein zusammengeklappter Schirm am Grund des Grabens im Wasser landete.

Sie versuchte, sich selbst zu befreien, was aber nicht gelang. Natürlich lachte niemand, und schließlich packten Carsten und ein Kollege sie an je einer Hand und zogen sie heraus. Beim Loslösen aus dem schlammigen Grund gab es ein Geräusch wie ein gewaltiger Furz, und Carsten konnte sich das Lachen nicht mehr verkneifen. Die Dame war total beleidigt und nahm Carstens Entschuldigung nicht an. Indigniert und mit hochrotem Gesicht entfernte sie sich von der Grabungsstelle. Der Anblick ihrer klatschnassen Kehrseite führte dann zu allgemeiner Heiterkeit, und die Gruppe verabschiedete sich etwas überstürzt.

Vor allem Elli kicherte über die Geschichte und konnte überhaupt nicht begreifen, wieso die Dame so gar keinen Humor besaß. Sie erzählte daraufhin wie vor Jahren, als der Hof noch in Betrieb war, ein Nachbar zu Hilfe geeilt kam, als ein Jungbulle ausgerissen war und im Hof herumgaloppierte. Er bekam auch die Anbindekette zu fassen, aber der Bulle war völlig unbeeindruckt davon, dass jemand am Ende der Kette versuchte, ihm Einhalt zu gebieten. Er rannte ungestüm weiter, und der Nachbar wurde umgerissen. Da er aber sehr pflichtbewusst war, ließ er nicht los, obwohl alle Anwesenden laut brüllten, er solle die Kette mitsamt Bullen fahren lassen. Es endete damit, dass der Bulle seinen Anhang einmal über den Misthaufen schleifte und dann plötzlich friedlich stehenblieb und sich in den Stall abführen ließ.

Natürlich war die Kleidung des Nachbarn ganz anders zugerichtet als die Hose der Dame, die nur in den schlammigen

Graben gefallen war. Der Mist hing überall an ihm herum wie ausgedientes Lametta, und er stank ganz fürchterlich. Leicht benommen ging er nach Hause, um sich umzuziehen und zu waschen, kam aber nach kurzer Zeit wieder, weil Ellis Mann ihn eingeladen hatte, das Abenteuer mit Schnaps zu begießen. Beim Trostschnaps wurde sehr gelacht, und der Nachbar selber gab später gern die Geschichte zur allgemeinen Erheiterung immer ausgeschmückter zum Besten.

Zum Abschluss spielten Hanna und ihre Mutter einen Mozart-Klassiker und anschließend zwei polnische Volkslieder, bei denen Hannas Vater kräftig mitsang und Arthüür zu jaulen anfing. Es wurde heftig Beifall gespendet, und Carsten bedankte sich bei Hanna mit einem zärtlichen Kuss. „Wenn ich Euch höre, kriege ich richtig Lust, auch ein Instrument zu lernen", sagte er. „Ich habe als kleiner Schüler mal mit Klavierunterricht angefangen, aber leider war meine Lehrerin ein Scheusal, und so durfte ich mit dem qualvollen Üben aufhören. Aber jetzt werde ich bestimmt kein Konzertpianist mehr. Schade eigentlich!"

Frau Wallraff und Elli erklärten, dass sie müde seien und machten sich auf den Heimweg. Carsten musste auch gehen, da er seine Großmutter chauffiert hatte. Elli fuhr nicht mehr gern im Dunkeln, weil sie sich vom Blenden entgegenkommender Fahrzeuge fast blind fühlte.

Hanna bedauerte, dass ihre Eltern am nächsten Morgen abreisen mussten. Das Wochenende mit Reitern stand an, und Hanna hatte am Freitag viel zu erledigen, weil Beate ausfiel. Sie sprachen noch kurz über die sibirischen Lilien, und vor allem Hannas Mutter war froh, dass während ihres Aufenthalts gar nichts Unangenehmes vorgefallen war. Sie gab der Hoffnung Ausdruck, dass das leidige Kapitel vielleicht beendet sein könnte.

Hanna hatte während der Woche nur einen kurzen Anruf von Edda erhalten. Soweit die Ermittlungen ergeben hatten, konnte man den Mathelehrer ausscheiden. Allerdings existierte der Freund, der sich das Auto geliehen hatte, tatsächlich. Merkwürdigerweise war er aber nicht aufzufinden und damit höchst verdächtig.

Nach einem ausgiebigen Frühstück und vielen Ermahnungen, vorsichtig zu sein, fuhren Hanaas Eltern am nächsten Morgen ab. Hanna kümmerte sich zunächst um die Pferde und machte sich dann auf den Weg zum Einkaufen.

Als sie Oskar auf dem Parkplatz des Supermarkts abstellte, fiel ihr siedend heiß ein, dass sie die Einkaufsliste, die Beate ihr dankenswerterweise zusammengestellt hatte, auf dem Küchentisch liegengelassen hatte. Sie schimpfte vor sich hin wegen ihrer unverzeihlichen Schlamperei und überlegte, was sie tun sollte, um die Situation einigermaßen zu retten. Zurückfahren und die Liste holen? Einkaufen und hoffen, dass sie sich an alles erinnerte? Das war eigentlich unmöglich, denn sie sollte für das ganze Wochenende immerhin elf Personen versorgen. Sie beschloss, den Einkauf zu wagen, und schlimmstenfalls Henning loszuschicken, wenn sie die Hälfte vergessen hatte. Sie würde Henning anbieten, dafür einen Teil seines Küchendienstes zu übernehmen, was Henning bestimmt gelegen kam. Es tat ihr ein bisschen Leid, dass Henning damit glimpflicher davonkommen würde, als sie es ihm gönnte, aber es war nun mal nicht zu ändern.

Sie lief über eine Stunde durch die Regalreihen und hatte am Ende den Einkaufswagen so voll, dass er sich kaum noch bewegen ließ. Sie dachte daran, wie bescheuert manche ihrer Bekannten waren, die aus jedem Einkauf ein „Shoppingevent" machten. Es gab weiß Gott schönere Beschäftigungen.

Der am wenigsten erfreuliche Teil kam – wie sie fand – dann erst zu Hause. Alles musste ins Haus geschleppt, auf Kühlschränke und Küchenschränke verteilt und in der Speisekammer in Regale gestapelt werden. Eigentlich hatten sie viel Platz, aber Hanna war wohl zu ungeübt, um ihn richtig zu nutzen. Sie wünschte sich zusätzlich einen Keller, aber den gab es nicht wegen des häufigen Ansteigens des Grundwasserspiegels bei Hochwasser. Sie hatte Beate noch nie meckern oder stöhnen hören, wenn sie die Einkäufe erledigt hatte, und ihr wurde wieder einmal bewusst, was für einen Schatz Frau Wallraff angestellt hatte.

Sie nahm die Liste und hakte alles ab, was sie besorgt hatte. Sie war doch ganz zufrieden, dass sie an das meiste gedacht hatte, aber einige wichtige Dinge hatte sie vergessen: Klopapier - unabdingbar - Würstchen zum Grillen, Ketchup (scheußlich!) und Honig. Also würde sie Henning losschicken müssen, sobald er sich blicken ließ.

Luise Wallraff kam am frühen Nachmittag, und Hanna beichtete ihr sofort ihr Missgeschick. Luise fand das gar nicht schlimm, wollte aber nichts davon wissen, dass Henning sich vor den Vorbereitungen drückte und vermutlich die Einkäufe sehr trödelig erledigte. Sie wartete auf ihren Neffen, der sich nicht sonderlich beeilte, und als er endlich kam, bemühte er sich nicht, seinen Missmut zu verbergen.

„Du wirst jetzt als erstes die Betten beziehen, und sage bloß nicht, dass du das nicht kannst". Sie zeigte ihm, wie man die Bezüge überstreifte und die Laken ordentlich aufzog. Es stellte sich heraus, dass Henning perfekt Betten machen konnte aus seiner Zeit bei der Bundeswehr. Während er mit den Gästezimmern beschäftigt war, fuhr sie los, um die letzten Einkäufe zu machen. Hanna lachte in sich hinein, denn Henning hatte nicht einmal bemerkt, dass seine Tante davonfuhr.

Als sie zurückgekommen war, befahl sie Henning in die Küche zum Kartoffelschälen für den Kartoffelsalat am Abend. Jetzt wurde Henning aber richtig ungehalten und erklärte, dass er das nicht könne. „Meiner kleinen Schwester, nämlich deiner Mutter, gehören ein paar hinter die Löffel", sagte Luise. „Als wir klein waren, habe ich sie auch öfter mal zur Ordnung gerufen mit zarter Gewalt, und das wäre jetzt auch angebracht. Sie hat dich richtig schlecht erzogen, damit ein rechter Kerl aus dir wird. Das können wir ändern!"

Sie drückte ihm das Küchenmesser in die Hand und legte einen Berg Kartoffeln auf den Tisch. Sie sah kritisch seinen ersten Versuchen zu und sagte nach kurzer Zeit sehr ungehalten: „Du sollst die Kartoffeln schälen und nicht zu Würfeln hacken! Gib dir Mühe. Oder ich werde richtig ungemütlich."

Von da an ging es besser, und Henning kriegte letztendlich das Schälen ganz gut hin. Beim anschließenden Zwiebelschneiden musste er weinen, und Hanna erbarmte sich und erklärte ihm, dass man die Zwiebeln unter fließendes Wasser halten musste, um ihnen die Schärfe zu nehmen. Luise und Hanna hatten viel Spaß, Henning nicht.

Am späten Nachmittag sah Hanna im Büro die Liste der angemeldeten Wochenendgäste durch, um sich ein Bild zu machen, und entdeckte den Namen von Frau Wagner, der Lehrerin, die beim letzten Mal auch dabei gewesen war. Sie fand nur zwei Teilnehmer mit männlichen Vornamen. Der eine hieß mit Familiennamen Mbeki, und Hanna war gespannt, welche Nationalität er wohl hatte. Leider hatte Henning versäumt, das Alter der angemeldeten Gäste auf die Liste zu setzen, so dass sie die Zimmerverteilung nicht gut vornehmen konnte, ohne die Gäste persönlich kennenzulernen.

Henning wurde am späten Vormittag gnädig von seiner Tante entlassen, weil er wirklich erschöpft wirkte nach all der geleisteten Hausarbeit. „Ich nehme an, er hat etwas gelernt", sagte Luise. „Aber vielleicht haben wir auch das Gegenteil bewirkt, und er wird es künftig noch wichtiger finden, dass Frauen – vor allem seine Freundinnen – den unangenehmen Teil des Zusammenseins erledigen. Morgen werde ich ihn die Geschirrspülmaschine einräumen lassen und ihn zum Picknickmachen heranziehen. Brote schmiere ich nämlich auch nicht gern. Mein Mann allerdings glaubte felsenfest, ich würde mich um die „weiblichen" Aufgaben reißen, und es war ganz schwer, ihm eine kleine Beteiligung an der Hausarbeit abzuringen. Er meinte natürlich, ich sei ja nicht berufstätig, was auch stimmte, wenn man Berufstätigkeit nur darauf bezieht, dass man zu festen Zeiten aus dem Haus geht und am Monatsende Geld verdient hat. Du weißt ja, dass ich viel gemalt habe, und zeitenweise fast verzweifelt bin, weil mich hin und wieder die schöpferische Phase überkam, und ich statt ihr nachzugeben Kinder gewickelt und gefüttert habe, und abends ein anständiges Essen auf den Tisch gebracht."

Hanna hatte bis dahin nichts von Luises künstlerischer Begabung gewusst, und sie fragte, ob Luise immer noch malte. „Ja, nicht mehr so oft, aber manchmal sitze ich schon noch mit der Staffelei auf dem Deich oder im Garten. Ich habe auch einige Bilder ausgestellt und verkauft."

Hanna bat darum, sich die Bilder mal ansehen zu dürfen und wurde herzlich eingeladen. Sie holte das Bild von Pitten, das sie immer noch nicht abgegeben hatte zum Glätten und Rahmen, und Luise zeigte sich sehr beeindruckt. Sie versprach, das Bild mitzunehmen und einem Galeristen, mit dem sie zusammengearbeitet hatte, zu geben.

Die ersten Gäste trafen ein, und Hanna musste sich um die Unterbringung und Begrüßung kümmern. Frau Wagner wurde besonders als alte Bekannte herzlich willkommen geheißen. Hanna wusste, wie wichtig es war, den Gästen das Gefühl zu geben, dass man sich an sie erinnerte und ein persönliches Interesse zu zeigen.

Hanna hatte bei Urlauben mit ihren Eltern oft erlebt, dass Feriengäste vom Vorjahr, die irgendwann mit dem Kneipenwirt oder dem Vermieter in beschwipsten Zustand Brüderschaft getrunken hatten, erwartungsvoll auf den vermeintlichen guten Kumpel zugingen und feststellen mussten, dass sie völlig in Vergessenheit geraten waren und ihren Duzfreund, den sie schulterklopfend umarmten, in höchste Verlegenheit brachten.

Natürlich war Frau Wagners Reitwochenende erst ein paar Wochen her, und so konnte sie selbstverständlich voraussetzen, dass Hanna ihr etwas mehr Zeit widmete als den neuen Gästen.

Frau Wagner erkundigte sich zunächst nach „ihrem" Pferd und freute sich zu hören, dass es wohlauf war. Ihre nächste Frage galt natürlich Jasmina, und sie war entsetzt zu hören, dass Jasmina immer noch im Koma lag, und dass es ihr sehr schlecht ging. Hanna erzählte ihr mit knappen Worten, wie wenig bisher bei der Suche nach der Auflösung des Vorfalls herausgekommen war, aber sie vermied natürlich, irgendetwas zu sagen, was sie von Edda wusste und was mit den laufenden Ermittlungen zu tun hatte.

Alexander Mbeki wurde von seiner Mutter gebracht, einer sehr lebhaften, energischen kleinen Frau, die Hanna herzlich die Hand schüttelte und beteuerte, wie sehr sich ihr Sohn auf das Reiterwochenende freute. Sie ließ sich gern zu einer Tasse Kaffee einladen, die draußen am Tisch von Hanna serviert wurde.

Hanna wollte eine höfliche Konversation beginnen, aber Frau Mbeki kam ihr zuvor. „Ich will gleich alle Fragen beantworten, die auftauchen werden, die Sie aber aus Taktgefühl vermutlich nicht stellen werden." sagte sie. „ Alexander hat schon einige Erfahrung mit Pferden. Er ist die ersten Jahre im Kongo aufgewachsen, aber es hat sich so ergeben, dass ich nicht für immer in Afrika leben konnte. Alexanders Vater ist Jurist bei der Regierung und kann deshalb auf keinen Fall nach Deutschland immigrieren,S ohne alles aufzugeben. Also bin ich jetzt mit Alexander allein hier, aber wir reisen jedes Jahr für ein paar Wochen zu seinem Vater, damit Alexander seine afrikanischen Wurzeln nicht vergisst. In Afrika sind er und sein Vater viel mit Pferden unterwegs, hier beschränkt sich das Reiten weitgehend auf die Halle. Also suche ich Möglichkeiten für Alexander, auch ins Gelände zu kommen, und Ihr Angebot für das Wochenende hört sich für ihn höchst verlockend an."

Alexander mochte etwa sechzehn Jahre alt sein, war aber bereits sehr groß. Er war überaus höflich, lächelte jedoch nicht bei der Begrüßung. Er hatte etwas sehr Ernstes an sich, das Hanna anziehend und gleichzeitig verwirrend bei einem Jugendlichen fand. Sie freute sich darauf, ihn näher kennenzulernen und vielleicht etwas zugänglicher zu machen durch den Umgang mit Pferden.

Als alle angekommen waren, nahm Hanna die Zimmerverteilung vor. Frau Wagner bekam natürlich wieder das Einzelzimmer, und die Mädchen machten gleich unter sich aus, wer mit wem das Zimmer teilen wollte. Allerdings stellte sich ein Problem, als klar wurde, dass die beiden männlichen Gäste den Schlafraum teilen würden.

Der zuletzt im eigenen Auto angekommene Gast, der sich als Rudolph A. Hinrichsen vorgestellt hatte, behauptete, mit einer fremden Person im Zimmer nicht schlafen zu können. Er habe immer schon einen Raum für sich gehabt, auch auf Reisen, und fand die Zimmeranordnung unzumutbar.

Hanna stellten sich innerlich alle Haare, denn sie hatte ihn seinem Namen und seinem Aussehen nach bereits in der rechten Ecke eingeordnet und hatte den starken Verdacht, dass er das Zimmer nicht mit dem dunkelhäutigen Alexander teilen wollte.

„Wir sind hier kein Luxushotel, Rudolph, und ich kann keine andere Schlafgelegenheit anbieten, es sei denn, du möchtest Frau Wagner aus ihrem Einzelzimmer vertreiben, und das kommt natürlich nicht in Frage."

„Gibt es hier ein anständiges Hotel?" fragte Rudolph". „Ja, Haus Kati am See. Es steht dir frei, dich dort einzumieten, aber ich kann dir nichts vom Preis nachlassen."

„Gibt es heute wenigstens noch etwas zu essen?" fragte Rudolph. „Klar", antwortete Hanna, „nachher wird gegrillt." „O.k., ich bin gleich wieder da."

Rudolph nahm seine Tasche und fuhr davon.

Hanna fühlte sich sehr unwohl und machte sich Gedanken über das Gelingen des Wochenendes. Wie sollten die Ausritte heiter und problemlos verlaufen mit einem Typen wie Rudolph? Wie musste Alexander zumute sein, der bestimmt eine Antenne besaß für Ablehnung aus rassistischen Vorurteilen?

Henning traf auch endlich ein und bot sich an, die erste Führung durch die Ställe und die Koppeln zu übernehmen. Hanna lachte. „Vielen Dank, das mache ich selber. Du kannst inzwischen das Geschirr herausbringen, den Grill anwerfen und alles für ein gemütliches Abendessen vorbereiten."

Sie lächelte Henning zuckersüß an und verschwand mit ihren Gästen im Schlepptau im Stall.

Als Hanna mit ihrem Einführungrundgang fertig war, hatte Henning tatsächlich einiges an Vorbereitungen auf die Reihe gekriegt, und Hanna war mal wieder ihm gegenüber milder gestimmt. Während sie in der Runde saßen und auf das Fleisch und die Würstchen warteten, bat Hanna ihre Gäste, sich kurz vorzustellen: Schule oder Beruf, Wohnort, Interessen außer reiten. Sie fing mit sich selber an, um den anderen eine gewisse Befangenheit zu nehmen, und von da an lief es richtig locker.

Hanna war vor allem gespannt auf die Vorstellung ihrer beiden „Männer". Alexander sagte kaum mehr als seine Mutter schon erzählt hatte, sie erfuhr nur zusätzlich, dass er gern las und seine Freizeit oft als freiwilliger Helfer im Krankenhaus verbrachte, da er bereits fest entschlossen war, Medizin zu studieren.

Rudolph hatte bereits Abitur gemacht, diente bei der Bundeswehr und hatte vor, nach Ablauf seiner auf zwei Jahre befristeten Ausbildungszeit zur berittenen Polizei zu gehen und dort einen möglichst verantwortungsvollen Posten zu bekleiden, „weil ich dazu beitragen möchte, wieder Ordnung in unser verwahrlostes Volk zu bringen", wie er erklärend hinzufügte.

Henning rettete die Stimmung, die auf einen Tiefpunkt abgerutscht war, indem er die Salatschüsseln aufbaute und darum bat, mit dem Teller zum Grill zu kommen und Wünsche zu äußern.

Als Alexander an der Reihe war, fragte Henning ihn, ob er Würstchen, Fleisch oder beides haben wolle. Alexander gestand, dass er Würstchen nicht gern aß und wählte ein Steak.

Hinter ihm sagte Rudolph mit gehässiger Stimme: „Wundert mich nicht, dass du keine Würstchen magst, ihr fresst doch lieber Heuschrecken und gegrillte Wanzen."

Hanna wäre vor Entsetzen fast ihr Teller aus der Hand gerutscht. Sie zählte innerlich bis zehn, und hatte dabei bereits einen Entschluss gefasst. Mit schwer erkämpfter Ruhe sagte sie: „Rudolph, ich glaube, du passt nicht in unsere Gruppe. Ich bitte dich, auf das Wochenende zu verzichten und entweder sofort abzureisen oder ein Wochenende mit dir allein im Haus Kati zu verbringen. Jetzt bin ich bereit, dir den vollen Preis für das Wochenende zu erstatten."

Rudolph schmiss seinen Teller zu Boden und ging wortlos. Alle waren entsetzlich betreten, aber nach einiger Zeit fingen sie an, den Vorfall zu kommentieren. Hanna fand allgemeinen Beifall mit ihrer Entscheidung, Alexander wurde bedauert, und die Mädchen entschuldigten sich im Namen aller Deutschen.

Alexander lächelte und winkte ab. „Es kommt manchmal vor, dass man mir mit Vorurteilen begegnet, aber im allgemeinen fühle ich mich hier gut aufgehoben und habe einen netten Freundeskreis. Meine Mutter ist ein gutes Vorbild, denn in Afrika gibt es durchaus auch Feindseligkeiten den Weißen gegenüber, und das ist nicht immer leicht. Meine Mutter ist gefestigt, und das versuche ich auch zu sein."

Jetzt wurde Alexander regelrecht von den Mädchen bewundert, und die Atmosphäre entspannte sich allmählich.

Der Abend hatte noch eine Überraschung für Hanna parat. Pitten stand plötzlich mit einem Glas in der Hand da und bat um ein Bier. „Wo bist du gewesen?" fragte Hanna. „Die Polizei hat dich gesucht."

Pitten machte eine vage Handbewegung. „Ich war bei meinem Vater", sagte er. „Ich weiß, dass ich verfolgt werde und mir alles Mögliche angehängt wird, aber aus der Geschichte ist ja allgemein bekannt, wie ich ende. Jetzt ist der Zeitpunkt noch nicht gekommen, und so trinke ich in aller Ruhe mein Bier."

Hanna war ziemlich ratlos, verkniff es sich aber zu fragen, welchen Vater er meinte. Hatte er noch einen im Hier und Jetzt oder meinte er den da oben? Sie kannte Pitten schon gut genug um zu wissen, dass sie keine verständliche Antwort aus ihm herausholen würde, und sie sah den anderen an, dass sie die Szene auch äußerst befremdlich fanden. Hanna nahm sich vor, am nächsten Morgen Edda von Pittens Rückkehr zu unterrichten, obwohl sie überzeugt war, dass er gar nichts mit dem Verschwinden von Jasmina zu tun haben konnte.

Als das Essen, das sich lange hingezogen hatte, beendet war, trug sie ein Tablett mit Tellern in die Küche und nahm die Gelegenheit wahr, bei Luise anzurufen, um ihr von dem Rausschmiss von Rudolph A. zu berichten. Sie war sich nicht ganz im Klaren darüber, ob sie berechtigt war, einen der Gäste ohne vorherige Rücksprache vom Reiterwochenende auszuschließen.

Von Luise bekam sie volle Unterstützung. Luise war richtig entrüstet über so viel Unverfrorenheit von einem Neonazi, der es eigentlich besser wissen müsste, sofern er außer seinen politischen Ansichten ein bisschen Hirn besaß. Es hätte ihm doch klar sein müssen, dass er nicht mit seinen Kumpels zusammensaß und durch dumme Sprüche punkten konnte. Sie bedankte sich bei Hanna für die schnelle Reaktion und gab ihrer Freude darüber Ausdruck, dass offenbar alle anderen am gleichen Strang zogen.

„Wieso heißt so ein Mensch Rudolph A.? Rudolph Adolf, wie ich vermute, ist ja wirklich daneben. Glaubst du, er hat sich das A. selbst zugelegt oder stammt es von seinen Eltern?"

„Ich habe keine Ahnung von seinem Hintergrund", sagte Hanna. „Aber ich würde mal annehmen, dass wir nicht einfach so aus der Sache herauskommen. Ich denke, als nächstes wird ein Schreiben von einem Rechtsanwalt kommen, der uns wegen des Rausschmisses vor Gericht zerren will." „Das würde dem Typen ähnlich sehen, aber dem wollen wir mit Gelassenheit entgegensehen. Wie ist die Gruppe sonst? Du wirst ja morgen unterwegs sein, und deswegen werde ich zu Mittag wieder kommen, um Henning mit der Küche zu unterstützen. Ich habe keine Ahnung, was sonst aus dem geplanten Essen wird."

Hanna bedankte sich und ging zurück, um noch eine Weile mit den Gästen am Feuer zu sitzen. Sie besprachen noch die Planung für den nächsten Tag, aber es zog sich immer mehr zu und fing schließlich zu regnen an.

Hanna war froh, dadurch eingermaßen früh ins Bett zu kommen und noch Gelegenheit zu haben, ein paar Seiten zu lesen. Sie versuchte noch vor dem Einschlafen Carsten zu erreichen, aber sie bekam nur den Anrufbeantworter zu hören.

Das Wochenende war nach dem unangenehmen Einstieg äußerst harmonisch verlaufen, und niemand beschwerte sich über den anhaltenden Nieselregen. Wenigstens war es nicht kalt, und der Badeausflug zum Laascher See wurde zu einem Ritt durch die Nemitzer Heide umgestaltet.

Hanna konnte Henning wirklich keine Vorwürfe machen, dass er sich nicht bemüht hätte, aber mit Beate, bei der Dank ihrer Effektivität die Arbeit und Planung von allein zu gehen schien, konnte er nicht mithalten. Luise war fast das ganze Wochenende dabei gewesen, aber am Sonntagabend, nachdem alle abgereist waren, merkte man ihr an, dass sie sich überfordert fühlte. Sie schimpfte vor sich hin wegen des Alterns, aber sie lachte Henning aus, als er versprach, auf dem Heimweg noch einmal bei ihr vorbeizuschauen, um sich zu überzeugen, dass es ihr gutging.

Sie hörte Carstens Auto, als sie gerade mit der Küche fertig war. Leider konnten sie nicht im Freien bleiben, weil es immer noch nieselte. Carsten hatte noch nicht richtig gegessen und erklärte, dass er am Verhungern sei. Hanna schickte ihn nach unten in die Gemeinschaftsküche, in deren Kühlschrank noch einige Reste aufbewahrt waren. Mit einem vollbeladenen Teller kam Carsten wieder und erklärte, er habe sich die „Variétés du Lac Gartow" zusammengestellt.

Sie machten es sich in Hannas Wohnzimmer gemütlich, und Carsten erzählte während des Essens, dass er am Abend zuvor einen tollen Film gesehen hatte bei einem Kollegen, der den Beamer aus der Burg Lenzen mit zu sich nach Hause genommen hatte, um wirkliches Heimkino zu veranstalten. Der Film spielte in Schweden, und Carsten hörte gar nicht auf zu schwärmen von der wunderschönen Landschaft und den bemerkenswerten Lichteffekten im Sommer.

„Wir sollten mal hinfahren", sagte er. „Skandinavien haben wir bis jetzt völlig ausgelassen." „Mmh, ich weiß nicht. Ich bin den ganzen Sommer über beschäftigt, und wenn im Winter hier nichts läuft, muss ich mir auch nicht permanente Dunkelheit antun."

Hanna wollte auf jeden Fall im Herbst für ein paar Tage zu ihrer Studienfreundin nach Aix-en-Provence fahren, und dagegen hatte Carsten auch nichts einzuwenden. Er hatte Hanna während ihres Jahrs an der Universität von Aix ein paarmal besucht, und Südfrankreich hatte ihn schon auch in seinen Bann gezogen.

Während sie ein bisschen vage planten, klingelte das Telefon. Hanna hatte mal wieder keine Lust dranzugehen, aber in Anbetracht der Situation, in der sie sich befand, meinte sie doch, antworten zu müssen.

Sie kam mit ganz entsetztem Gesichtsausdruck mit dem Telefon in der Hand aus der Küche zurück. „Das war Henning. Luise hat offenbar einen Schlaganfall gehabt. Er hat sie auf dem Boden neben ihrem Fernsehsessel vorgefunden und sofort einen Krankenwagen angefordert. Vermutlich hat sie sich am Wochenende zu viel aufgebürdet. Mir kam sie immer so fit vor und überhaupt nicht alt. Sollen wir deine Oma anrufen?"

Carsten schüttelte den Kopf. „Bevor wir nichts Näheres wissen, sollten wir nichts sagen. Elli wäre natürlich gewaltig beunruhigt, schließlich ist sie ja ungefähr gleich alt, und sie würde sich bestimmt identifizieren. Bisher hat sie ja immer die Möglichkeit, richtig krank zu werden, weit weggeschoben.

Warten wir ab, was bei den Untersuchungen herauskommt."

Hanna dachte auch sofort daran, wie es mit dem Hof weitergehen sollte. Es war ihr klar, dass Luise den Pferdehof als Hobby weitergeführt hatte. Keines ihrer Kinder zeigte Interesse an Pferden, und einen Käufer, der sich einen Zuschussbetrieb zum Geldloswerden zulegte, konnte sie sich auch nicht vorstellen.

Es wollte keine rechte Stimmung mehr aufkommen, alle Munterkeit war verflogen, und nachdem sie in verschiedene Richtungen sinnlos spekuliert hatten und Carsten versucht hatte, Hanna zu beruhigen, beschlossen sie, den gemeinsamen Abend abzubrechen. Sie waren beide sehr traurig, und Carsten verabschiedete sich besonders zärtlich mit dem üblichen „Schau mir in die Augen, Kleines". Als Hanna ihm das Gesicht entgegen hob, entdeckte er Tränen in ihren Augen. Das war für Hanna sehr ungewöhnlich, sie neigte eigentlich überhaupt nicht dazu, nach außen Sentimentalität zu zeigen.

„Jetzt kann ich doch nicht gehen", sagte Carsten. „So lasse ich dich nicht allein. Wir warten jetzt zusammen, ob Henning nochmal anruft, und dann kuscheln wir schön in deinem Bett bis morgen früh."

Hanna lächelte schon wieder und freute sich, dass Carsten es fertigbrachte, sie letztendlich doch noch zu trösten. Henning rief nicht mehr an.

Morgens kurz vor sechs versuchte Carsten, sich leise aus dem Zimmer zu schleichen, um Hanna nicht zu wecken, aber es gelang ihm nicht. „Ich habe sowieso nur noch sehr oberflächlich geschlafen", sagte Hanna „Geh du schon mal ins Bad, ich mache uns inzwischen einen Kaffee. Willst du Toastbrot?" Carsten schüttelte mit dem Kopf. „Du weißt doch, dass ich morgens immer eine Weile brauche, bis ich wach bin. Du kriegst es ja hin, mit einer Bodenkippe aus dem Bett zu springen und gleich loszulegen, ich nicht. Ich mache mir ein Brot für nachher und esse es im Lauf des Vormittags irgendwann."

Hanna setzte den Kaffee auf und kochte sich ein Frühstücksei. Sie hatte immer morgens Lust auf ein ordentliches Frühstück, egal wie früh sie aufstand. Das war schon in der Schulzeit so gewesen. Während ihr Bruder Marian im letztmöglichen Moment angehetzt kam und im Stehen einen Kaffee trank, stand sie lieber ein paar Minuten früher auf, um den Morgen am Frühstückstisch zu genießen. Ihre Mutter leistete ihr oft Gesellschaft, während Marian seine morgendliche Hast wohl vom Vater geerbt oder sich abgeschaut hatte.

Carsten setzte sich wenigstens zu ihr und trank ohne Eile seinen Kaffee. „Was wirst du heute unternehmen?" fragte er. „Wenn du irgendwelche Neuigkeiten hast, ruf mich an. Ich bin den ganzen Vormittag in der Burg und kann also telefonieren."

„Ich weiß nicht, was ich machen soll, ich bin sehr beunruhigt. Vielleicht hilft mir die Routine im Stall, und es kann ja sein, dass wir von Henning demnächst etwas hören. Ich werde auf jeden Fall ins Krankenhaus fahren und auch gleich nach Jasmina sehen."

Carsten verabschiedete sich mit einem Kuss und fuhr zur Arbeit. Hanna holte sich die Zeitung aus dem Briefkasten und überflog die Nachrichten. Sie konnte sich aber nicht richtig konzentrieren, Luise ging ihr nicht aus dem Kopf.

Sie brach schließlich ihre Lektüre ab und ging hinunter in den Stall. Es nieselte immer noch, war dabei aber ziemlich warm. Sie fühlte sich von der Routine der Arbeit und dem Umgang mit den Pferden getröstet und versuchte wie immer, die Gedanken an die Folgen von Luises Schlaganfall zu verdrängen, die ja überhaupt nichts brachten, weil sie nichts Näheres wusste.

Endlich erschien Henning und wirkte ganz munter. „Es ist nicht so schlimm, wie ich zunächst befürchtet hatte. Meine Tante ist ein ganz klein wenig schief um den Mund, und ihr rechtes Augenlid hängt ein bisschen. Sie kann aber schon wieder sprechen und hat eben sogar ganz erfolgreich versucht, mich anzulächeln. Sie wird wohl wieder! Ich habe ihre Kinder angerufen, ihre Tochter wird heute noch kommen und sich kümmern. „Kann ich sie besuchen?" fragte Hanna.

„Warte lieber bis zum Nachmittag, dann wird der Chefarzt dagewesen sein, und wir erfahren, wie es weitergehen soll."

Hanna fühlte sich sehr beruhigt, rief sofort Carsten an und berichtete.

Am späten Nachmittag fuhr sie nach Salzwedel, schaute erst bei Jasmina vorbei, die unverändert an Schläuche angeschlossen im Bett lag, und ging dann zu Luise. Sie hatte im Vorbeifahren in einer Gärtnerei einen großen Sommerblumenstrauß erworben, den sie Luise überreichte und damit ein kleines Lächeln bei der Patientin hervorzauberte. Während sie eine Vase besorgte – alle Krankenhausvasen waren gleichermaßen scheußlich und passten nie richtig – und mit Wasser füllte, sagte Luise mit leiser Stimme und leicht schleppender Aussprache: „Ich hätte nie gedacht, dass mir so etwas passiert, das trifft immer nur die anderen. Es scheint aber nicht ganz so schlimm zu sein. Vermutlich ist es besser, wenn ich nach dem Krankenhaus in eine Reha gehe, dann bin ich wieder fit."

Hanna zog sich einen Stuhl ans Bett und nahm Luises Hand. „Du hast uns jedenfalls ganz schön erschreckt. Ein Glück, dass Henning noch bei dir vorbeigeschaut hat gestern Abend. Manchmal ist er ja ganz brauchbar. Du wirktest ungewöhnlich müde, als du gegangen bist. Es ist wohl wichtig, dass man schnell behandelt wird?"

Luise nickte. „Ich soll dich ganz herzlich von Carsten grüßen", sagte Hanna. „Er ist gestern bei mir geblieben, denn ich war ganz schön fertig. Du bist immer so gut drauf und unternehmungslustig, ich vergesse oft, dass du eine ältere Dame bist."

Luise lächelte über die Wortwahl. „Kannst du Arthüür zu dir nehmen, solange ich ihn nicht versorgen kann?" Arthüür ist schon auf dem Hof, Henning hat ihn heute Morgen mitgebracht. Mach dir um solche Dinge keine Sorgen, wir kriegen das schon hin."

Es wurde leise an die Tür geklopft, und eine gutaussehende Dame mittleren Alters kam herein. Sie umarmte Luise ein bisschen steif, stellte ihr eine wunderschöne Orchidee im Topf auf den Nachttisch und sagte: „Na, na, Mama, was machst denn du für Sachen!" Es sollte wohl scherzhaft klingen, aber Hanna meinte einen leisen Vorwurf herauszuhören.

Dann drehte sie sich zu Hanna um: „Ich bin Hansine, die älteste Tochter." Hanna nannte ebenfalls ihren Namen und erläuterte kurz, in welchem Verhältnis sie zu Luise stand, und sie gaben sich die Hand. Hanna hatte den Eindruck, als würde ein kühles Lüftchen durchs Zimmer wehen, irgendwie wirkte Hansine distanziert, vor allem als der Pferdehof erwähnt wurde. Hanna bemerkte auch, dass Luise deutlich ernster geworden war. Sie verabschiedete sich schnell, weil sie den Eindruck hatte, dass sie störte, und weder Luise noch ihre Tochter erhoben Einwände.

Auf dem Heimweg dachte Hanna über das Verhältnis zwischen Luise und ihrer Tochter nach. Luise hatte nie viel von ihren Kindern oder Enkeln erzählt, aber das fiel Hanna erst jetzt auf. Luise musste doch eine bewundernswerte Mutter gewesen sein, oder hatte sie vielleicht die Kinder mit ihrer ausgeprägten Persönlichkeit erdrückt?

Als sie auf den Hof fuhr, kam ihr Arthüür kläffend entgegen und sprang an ihren Beinen hoch. Sie nahm ihn aber nicht auf den Arm, weil sie ahnte, dass er sie vor Begeisterung übers Gesicht lecken würde, und darauf legte sie überhaupt keinen Wert. Sie fand es aber erfrischend, so herzlich empfangen zu werden.

Manchmal wünschte sie sich, dass die Pferde auch in ähnlicher Weise Emotionen zeigen könnten, wie es oft in Büchern geschildert wurde, aber davon konnte sie nichts feststellen. Füttern war wichtig, aber wer sie fütterte, spielte keine Rolle. Beim sonstigen Umgang zählte eigentlich nur, dass man ihnen zeigte, wer der Herr im Haus war, sonst konnten sie ausgesprochen erfindungsreich im Ungehorsam sein. Mit einigen Pferden konnte sie auch schmusen, aber das ging von ihr aus und wurde mehr oder weniger gutwillig ertragen. Beim angeblich liebevollen Schnuppern ging es darum, ein Leckerli in der Tasche zu finden, alles andere war egoistische, wenn auch angenehme Interpretation.

Als sie in ihre Wohnung kam, sah sie, dass der Anrufbeantworter blinkte. Während sie Tomaten für ihren abendlichen Salat wusch, hörte sie die Nachrichten ab. Ihr Bruder Marian hatte aufgesprochen, dass er mit der wunderbaren Charlotte am nächsten Wochenende kommen wollte. Sie sollte zurückrufen und sagen, ob es ihr passte. Die zweite Nachricht war von ihrer Mutter, die wissen wollte, ob Hanna zurechtkam ohne Belästigungen seitens eines Blumenspenders und Dichters. Die dritte Nachricht kam von Edda, die ihr mitteilte, dass sie am nächsten Tag nach Gartow kommen wollte, um sich noch einmal mit Pitten zu unterhalten. Ihr Vorgesetzter in Lüneburg hatte sein tagelanges Verschwinden sehr befremdlich gefunden und wollte, dass man ihm noch einmal auf den Zahn fühlte um herauszubekommen, ob er eventuell doch eine Möglichkeit gefunden hatte, mit Jasmina einen unfreiwilligen Ausflug zu machen.

Hanna beneidete Edda nicht um die Unterhaltung. Vermutlich würde Pitten mal wieder vieles sagen, von dem man nicht wusste, ob es stimmte oder frei erfunden war, und letztendlich glaubte Hanna nach wie vor, dass sie sich mit Pitten an den Falschen hielten. Sein Kommen und Gehen war immer undurchsichtig gewesen, und alles, was man sich über ihn erzählte, waren Gerüchte, weil niemand mit Sicherheit sagen konnte, wie er wirklich war.

Hanna freute sich aber darauf, wieder mit Edda zu reden, die versprochen hatte, kurz bei ihr vorbeizuschauen. Es war schon erstaunlich, dass sie zu ihrer ehemaligen Klassenkameradin, die bei ihr und den anderen während der Schulzeit kaum beachtet worden war, einen Draht gefunden hatte.

Während sie ihren Tomatensalat mit einem Gläschen Rotwein verzehrte, rief Carsten an um zu fragen, ob sie Lust hatte, ins Kino zu gehen. Natürlich hatte sie Lust. Ihr fiel jetzt erst auf, dass sie schon lange nicht mehr im Kino gewesen waren. In Hamburg hatten sie sich jeden brauchbaren Film angesehen, und diese Angewohnheit war ihnen im Wendland ziemlich abhandengekommen.

Zehn Minuten später war Carsten da. Hanna wollte lieber mit Oskar fahren als mit Carstens unzuverlässigem Caddy, und das war für Carsten gar kein Problem. Hanna wollte auch lieber selber fahren in Anbetracht von Carstens Schusselei, und auch das wurde sofort von Carsten akzeptiert.

Auf der Fahrt nach Lüchow erzählte Hanna von ihrer Begegnung mit Hansine. Carsten wusste auch nichts Näheres über das Verhältnis von Luise zu ihren Kindern, aber er meinte, dazu könne man Elli befragen, die bestimmt auf dem Laufenden war.

Vor dem Kino hatte sich eine kleine Schlange gebildet, weil jeder Besucher sich mit Popcorn und Getränken versorgte, und das kostete Zeit. Hanna konnte den Geruch von Popcorn im Vorraum des Kinosaals nicht ausstehen und fand die Mode, während des Films mit Tüten zu knistern, ein auf dem Boden abgestelltes Glas umzuwerfen und sich während der Vorführung durch die Reihe zu quetschen, um sich ein neues Bier zu holen, völlig abartig.

Der Film war ganz lustig, aber nicht bemerkenswert, und sie waren sich auf dem Heimweg einig, dass ihr Kinobesuch Zeitverschwendung gewesen war. Schade eigentlich!

Als sie ins Haus gehen wollten, musste Hanna feststellen, dass die Haustür nicht abgeschlossen war. Sie versuchte sich zu erinnern, ob sie vergessen hatte, die Tür ordnungsgemäß zu verschließen, aber sie wusste es nicht recht. Sie war noch einmal in die Wohnung zurückgegangen, um ihren Führerschein zu holen, und da die Zeit ein bisschen knapp war, hatte sie sich beeilt. Den Hausschlüssel fand sie jedenfalls in der Handtasche, wo sie ihn immer verstaute

Carsten wollte sich gleich verabschieden, aber sie bat ihn,

noch zu warten, bis sie wohlbehalten in der Wohnung angekommen war. Sie war richtig ängstlich geworden seit der Geschichte mit den Blumen. Als sie im Treppenhaus das Licht einschaltete, zog sie scharf den Atem ein. Auf der zweiten Stufe lag ein laminiertes Foto von einem Strauß sibirischer Lilien im DinA4-Format. In die obere linke Ecke war mit einer Büroklammer ein Blättchen angeheftet, auf dem in Druckbuchstaben stand: DD has come.

Sie war so schockiert, dass sie das Foto nicht in die Hand nehmen mochte. Carsten hob es für sie auf und betrachtete es lange. „Jetzt kommst du mit zu mir“, sagte er. „So kann ich dich nicht allein hierlassen. Die Haustür ist jedenfalls nicht aufgebrochen worden, soweit ich das sehen kann. Morgen früh sagst du gleich bei der Polizei Bescheid.“

Hanna mochte nicht einmal allein in ihre Wohnung hinaufgehen. Auf der Treppe nach oben malte sie sich aus, dass jemand hinter ihrer Eingangstür auf sie lauerte oder hinter der Duschabtrennung hervorkam, während sie das Klo benutzte. „Jetzt geht es mir so, wie vielleicht anderen Leuten schon immer“, sagte sie. „Meine Phantasie spielt verrückt, und all meine Courage hat mich verlassen.“

Ihre Wohnung war ordnungsgemäß abgeschlossen. Während sie hastig ein paar Sachen für die Nacht zusammenpackte, lief Carsten durch alle Räume, kontrollierte Schränke, Bett und Couch und öffnete die Tür zur Besenkammer, die viel zu klein als Versteck für einen ausgewachsenen Menschen war. „Alles in Ordnung“, sagte er.

Beim Hinausgehen kontrollierte Hanna dreimal, ob ihre Wohnungstür auch wirklich abgeschlossen war und stieg noch einmal aus dem Auto aus, um an der Haustür zu rütteln. Sie sah ganz bleich aus, und Carsten machte sich richtig Sorgen. Das Foto mit dem angehängten Zettel legte er vorsichtig auf den Rücksitz, um es in seinem Häuschen noch einmal in Ruhe zu studieren.

Hanna mochte das Foto noch immer nicht in die Hand

nehmen, als klebte Schmutz daran. Sie fuhren zunächst ohne etwas zu sagen, jeder in Gedanken versunken, aber schließlich brach Hanna das Schweigen. „Ich verstehe nicht, wieso die Haustür offen war, man aber keine Zeichen von Gewalteinwirkung sieht. Habe ich wirklich vergessen, sie abzuschließen? Dann muss der Typ doch irgendwo gelauert haben, um zu wissen, dass wir weggefahren sind. Das ist mir einfach unheimlich. Man kann sich doch überall in den Stallungen oder in der Scheune verstecken, und ich werde mich künftig bei Nacht nicht mehr trauen, nach dem Rechten zu sehen. Eigentlich war ich meine Ängste schon ein bisschen los, nachdem meine Eltern die ganze Woche hier waren und das Reiterwochenende bis auf den Anfang gut verlaufen ist."

„Ich habe nach meinen Überlegungen doch das Gefühl, dass Pitten hinter der Sache stecken muss. Er ist gerade eben in Gartow angekommen, und schon geht der Zirkus wieder los. Das Foto ist wirklich toll aufgenommen, und Pitten hat doch eine künstlerische Ader, oder?"

„Allmählich kommt es mir auch so vor, als könnte er der Stalker sein, oder wie immer man ihn bezeichnen will. Allerdings habe ich noch nie gesehen, dass er eine Kamera besitzt. Ich kapiere ja nicht, was in seinem Kopf vorgeht, aber nach wie vor würde ich sagen, dass mein Problem und Jasmina nichts miteinander zu tun haben. Wie soll ich bloß weitermachen? Ich bin angestellt, um auf dem Hof nach dem Rechten zu sehen, ich kann also nicht einfach jede Nacht wegbleiben. Dass du zu mir kommst, ist auch keine Lösung, denn dein Zuhause sollst und willst du ja nicht aufgeben. Gerade ist auch alles verquer: Jasmina verletzt, Luise im Krankenhaus, ich anscheinend verfolgt, was ich allmählich nicht mehr für harmlos halte. Hast du zu Hause einen Schnaps, Whisky, oder ähnliches? Ich glaube, ich brauche jetzt einen Schnaps, um auf irgendeine Weise meine Nerven zu beruhigen. Wenn doch bloß schon morgen früh wäre, damit ich mit Edda reden kann!"

Hanna trank sogar zwei ordentliche Gläschen Wodka, als

sie bei Carsten angekommen waren. Sie saßen noch eine Weile in Carstens Wohnzimmer, weil Hanna keine Anzeichen von Müdigkeit verspürte. Hanna überlegte hin und her, wie es weitergehen sollte, kam aber natürlich zu keiner Lösung.

Am Morgen wachte sie ziemlich spät wie zerschlagen auf nach längerem Wachliegen und einem scheußlichen Alptraum. Der Wodka war offensichtlich auch kein Allheilmittel gewesen.

Carsten war bereits weg. Er hatte neben die Kaffeekanne einen Zettel gelegt, um sie zu bitten, ihn sofort zu benachrichtigen, wenn sich etwas Neues ergeben hatte.

Als Hanna nach einer langen Dusche auf dem Hof ankam, sah sie Hennings Auto bereits neben der Scheune stehen. Henning kam sofort aus dem Haus, als er ihr Auto hörte und sagte sehr zerknirscht: „Ich war gestern Abend nochmal im Büro, um eine Kopie von wichtigen Unterlagen zu machen. Ich fürchte, ich war etwas durcheinander und habe vergessen, die Haustür abzuschließen. Das fiel mir zu Hause ein, aber ich dachte, du würdest bald zurück sein und zumachen."

Hanna wusste im ersten Moment nicht, ob sie ihm eine runterhauen sollte oder sich freuen, dass die Sache mit der Haustür geklärt war. „Du bist wirklich ein Idiot", sagte sie. „Wie konnte dir das in der derzeitigen Situation passieren? Erst baust du mir einen Riegel ein, den ein Elefant nicht knacken könnte, und dann gehst du seelenruhig nach Hause und lädst jeden Streuner ein, sich nachts bei mir mal umzuschauen?"

Henning versuchte wieder einmal, den coolen Typ herauszuhängen. Er zündete sich eine Zigarette an, wobei er sich lässig Zeit ließ, und musterte sie dann von oben bis unten. „Reg dich doch nicht auf! Ich habe mich entschuldigt, und du bist wohlbehalten da."

„Was glaubst du, warum ich über Nacht geflüchtet bin? Im Treppenhaus lag wieder ein Brief von meinem Verehrer, und allmählich traue ich mich gar nicht mehr, hier auf dem Gelände allein zu sein. Wenn der Brief im Stall gelegen hätte oder im Hof wäre das schlimm genug, aber vor meiner Wohnung im Haus? Das ist unverantwortlich von dir, und du solltest wirklich mal in dich gehen und weniger sorglos sein anderen gegenüber."

Jetzt war Henning doch betroffen, wollte wissen, was für eine Art von Brief sie erhalten hatte und meinte wieder einmal, das könnte nur Pitten gewesen sein. Obwohl Hanna sich auch nicht mehr so sicher war, ob Pitten so harmlos war, wie sie bisher angenommen hatte, schimpfte sie wieder mit Henning über seine Vorurteile.

Schließlich tranken sie trotz allem eine Tasse Kaffee zusammen in der Küche und wechselten das Thema zu Luise. „Ich habe gestern Morgen gleich die Kinder von Tante Luise angerufen, und soweit ich gehört habe, ist meine Kusine Hansine auch schon gekommen. Die anderen beiden werden etwas länger brauche, bis sie hier eintreffen können. Gisela wohnt in Süddeutschland, und mein Cousin Herwig ist auf Geschäftsreise in China, wie mir seine Frau sagte."

„Hansine scheint mir ein etwas abweisender Typ zu sein", sagte Hanna. „Sie hat mich äußerst kühl begrüßt und war offensichtlich froh, als ich wieder ging."

„Dein Eindruck kommt mir richtig vor. Luises Kinder finden es unmöglich, dass ihre Mutter den Hof behält, nachdem sie selber nicht mehr dort mit den Pferden arbeitet, geschweige denn reitet oder Kutsche fährt. Ich fürchte, Hansine würde den Hof lieber zu Geld machen, ebenso wie das Haus von ihrer Mutter. Sie meint, in dem fortgeschrittenen Alter von ihrer Mutter könnte man ruhig ins Altersheim gehen. Sie bringt dauernd Prospekte mit, wenn sie mal zu Besuch kommt, und bedrängt ihre Mutter heftig. Sie hat zwar einen Mann, der sehr gut verdient, aber sie ist immer am Jammern, dass es hinten und vorne nicht reicht. Sie findet es richtig übel, dass ihre Mutter sehr viel Geld hat, aber es nicht an die Kinder verteilt. Schönes Gefühl für die Mutter!"

Hanna hatte bisher keine Ahnung gehabt, dass es Spannungen zwischen Luise und ihren Kindern gab. Sie hatte sich mal wieder eine heile Familie vorgestellt, in der alles eitel Sonnenschein war. Allerdings war ihr schon aufgefallen, dass Luise selten von ihren Kindern sprach.

Henning konnte sich nicht verkneifen, noch einen draufzusetzen. Er erzählte Hanna, dass Luises verstorbener Mann kurz vor seinem Tod das Bedürfnis gehabt hatte, eine Lebensbeichte abzulegen, um seine Schuldgefühle loszuwerden. Was Luise längst geahnt hatte, aber nicht wissen wollte, wurde ihr in den letzten Lebensstunden ihres Mannes erzählt. Ihr Mann hatte es mit der Treue nicht so genau genommen, und Luise war wütend und enttäuscht, dass er ihr aus Egoismus das Wissen um die unschöne Vergangenheit nicht erspart hatte.

Eigentlich wollte Hanna derartige Details gar nicht wissen, aber Henning war nun einmal nicht der Typ, der pikante Familiengeheimnisse für sich behielt, es sei denn, es waren seine eigenen.

Henning erzählte ihr, dass er vorhatte, sich am Landesgestüt von Baden-Württemberg zu bewerben. Er hatte das Gestüt in Marbach auf der Schwäbischen Alb vor einiger Zeit besucht, und das Konzept hatte ihm außerordentlich gut gefallen. Auch Celle könnte ihm gefallen, und Reddefin hatte er ebenfalls in Betracht gezogen.

„Ich muss jetzt aber erstmal abwarten, was weiter geschieht. Immerhin bin ich so anständig, jetzt meine Tante nicht im Stich zu lassen, falls sie mich braucht. Was denkst du über die Zukunft von unserem Hof?"

Hanna zuckte mit den Achseln. „Ich habe keine Ahnung. Wir müssen erstmal sehen, wie es mit Luises Gesundheit weitergeht. Vielleicht bleibt nichts zurück, und es ändert sich nichts, vielleicht kann sie nicht mehr so weitermachen, als ob nichts gewesen wäre. Möglicherweise kriegen ihre Kinder es fertig, sie zu einem entscheidenden Schritt zu überreden, aber ich fände es schandbar, wenn sie ihre nächsten Jahre im Altersheim verschwenden würde. Sie liebt ihr Haus, sie liebt ihren

Hund, sie hängt am Pferdehof. All das sollte plötzlich für sie unerreichbar sein? Ich finde es unverantwortlich und egoistisch, wenn die Kinder sich einmischen, und ich kann nur hoffen, dass sie weiterhin so klar ist, dass sie sich jedem Zwang, ihr Leben drastisch zu verändern, verweigern kann."

Hanna ging zum Stall, um ihre tägliche Arbeit zu beginnen. Henning behauptete, ein paar dringende Dinge erledigen zu müssen und fuhr vom Hof.

Während sie die Pferde auf die Koppel brachte, stellte Hanna einige Überlegungen an. Wie sollte es mit ihr weitergehen, wenn der Hof aufgegeben wurde? Sie konnte einen anderen Job annehmen – vermutlich nicht im Wendland -, sie konnte für Verlage arbeiten und sich mit Aufsätzen und Übersetzungen einigermaßen über Wasser halten, sie konnte ins Maklerbüro nach Hamburg zurückkehren, aber nur als eine Art Teilhaberin mit Vollmachten.

Der Gedanke, aus Gartow wegzugehen, gefiel ihr gar nicht, und sie konnte sich jetzt schon nicht mehr vorstellen, mit Carsten eine reine Wochenendbeziehung zu haben. Es war so schön, ihn in der Nähe zu haben und fast täglich zu sehen. Darauf wollte sie ganz entschieden nicht mehr verzichten.

Sie war gerade mit den groben Arbeiten fertig und wollte eines der Pferde satteln, um ein bisschen ins Gelände zu gehen, als ihr einfiel, dass Edda sich angemeldet hatte. Also beschloss sie, auf dem Platz zu bleiben, um Edda nicht zu verpassen.

Sie war kaum zehn Minuten im Sattel, als Edda auf den Hof einbog. Hanna machte ihr Zeichen, dass sie gleich kommen würde, stieg ab, lobte das Pferd trotz der überaus kurzen Arbeitsphase, verabschiedete es mit einem Klaps zur Koppel und trug den Sattel und die Trense in die Sattelkammer.

„Hallo", sagte Edda. „Komme ich ungelegen?" „Nein, überhaupt nicht", antwortete Hanna. „Ich habe ja mit dir gerechnet und bin deshalb nicht ausgeritten. Das kann ich auch am Nachmittag machen, das ist schließlich das Gute an meinem Job, dass ich mir die Arbeit einteilen kann. Jetzt erzähle, dann werde ich dir auch berichten."

„Mein Gespräch mit Pitten ist flachgefallen. Er war einfach nicht da. Jetzt müssen wir ihn einbestellen und notfalls mit Polizeigewalt holen. Was ich dir sagen kann, ist folgendes: Es stimmt offenbar, dass Jasminas Mathelehrer am Wochenende zu Hause war. Zur fraglichen Zeit hat er sich in der Bäckerei gleich bei seiner Wohnung Brötchen geholt, das hat die Verkäuferin bestätigt. Es stimmt wohl auch, dass er seinen Volvo an seinen Freund Paul ausgeliehen hat, der angeblich ja seine Oma in Hannover besuchen wollte. Der T-Shirtfetzen unter der Handbremse, der eindeutig von Jasmina stammt, spricht allerdings eine andere Sprache. Das Bedenkliche ist, dass Paul seit einer Woche nicht zur Arbeit erschienen ist, und niemand ihn auffinden kann. Wir haben einige Leute auf die Suche angesetzt. Sein alter Golf ist jedenfalls weg, aber wenn er Dreck am Stecken hat, könnte er mittlerweile sonstwo in Europa gelandet sein. Da es keine Kontrollen mehr gibt an den Grenzen, und er vermutlich nicht geflogen ist, können wir nur auf ein Wunder hoffen, um ihn ausfindig zu machen. Hast du inzwischen Neuigkeiten?"

Hanna war mit Kaffeemachen beschäftigt und dachte einen Augenblick darüber nach, ob sie Edda mit ihrem Stalker belästigen sollte.

„Es ist ja nicht so wichtig, außer für mich, aber ich habe wieder von meinem Verehrer gehört, diesmal durch ein Foto von sibirischen Lilien mit einem Zettel daran, auf dem stand, „DD has come." Beides lag nachts auf meiner Haustreppe. Der Idiot muss es hingelegt haben, während ich im Kino war. Die Haustür war leider nicht abgeschlossen, das war aber nicht meine Schuld."

Edda wollte das Geschehen nicht als banal abtun. Schließlich war der Stalker unerlaubt ins Haus eingedrungen und hatte Hanna wieder genötigt, von ihm Notiz zu nehmen. Edda empfahl ihr dringend, neuerlich die örtliche Polizei zu verständigen und weiterhin dafür zu sorgen, dass sie nachts nicht allein auf dem Hof war. Edda wollte Hanna nicht zu sehr ängstigen, aber sie deutete doch an, dass sie Hanna für ernsthaft gefährdet hielt. „Solche Leute können erfahrungsgemäß Ausraster haben, wenn sie sich nicht ernst genommen fühlen oder nicht ans Ziel kommen, was immer das ist."

„Ich kann aber den Hof nicht einfach sich selbst überlassen, schließlich bin ich angestellt, um hier nach dem Rechten zu sehen. Aber ich frage Henning, ob er bereit ist, einstweilen im Büro zu schlafen. Das würde er sicher machen, wenn er nicht gerade wieder eine Affäre hat und deshalb nachts anderweitig unabkömmlich ist."

Hanna fragte vorsichtig nach Eddas Privatleben und freute sich, als sie feststellte, dass Edda immerhin inzwischen so viel Vertrauen zu ihr hatte, dass sie bereitwillig Auskunft gab. Ihr Treffen mit dem Kollegen Stefan war sehr nett verlaufen. Stefan schien echtes Interesse an ihr zu haben, und Edda hoffte, dass sich etwas Ernsteres entwickeln könnte. Die nächste Verabredung stand für den Abend an, sofern nicht etwas Dienstliches bei ihm oder ihr dazwischenkam.

„Ich bin jetzt auch wirklich motiviert abzunehmen. Eigentlich sehe ich mich zum ersten Mal seit langer Zeit mit realistischem Blick und bin nicht mehr gewillt, wie eine Vorstadtschlampe daherzukommen. Es fällt schwer, auf alles zu verzichten, was ich als Trostpflaster in mich hineingestopft habe, aber ich glaube, ich stehe das jetzt durch, wenn nicht wieder eine riesige Enttäuschung dazwischenkommt."

Hanna erzählte von Luises Schlaganfall und ihren Sorgen, die dadurch entstanden waren, und sie plauderten dann noch eine Weile über Belanglosigkeiten, während sie ihren Kaffee tranken. Aber Edda musste los, denn schließlich war sie im Dienst, und für den Nachmittag stand eine Menge Schreibtischarbeit an.

Als Edda abgefahren war, sattelte Hanna den Hannoveraner und machte einen langen Ausritt, zum großen Teil im Schritt, aber auch mit einigen Galoppeinlagen. An einem kleinen Teich im Wald geriet sie für einen Augenblick aus dem Gleichgewicht, als der Hannoveraner einen schreckhaften Satz zur Seite machte, weil vor ihm ein paar Enten mit lautem Geschwirr aufflogen. Hanna merkte, dass sie nicht bei der Sache war und achtete den Rest des Ausritts mehr darauf, sich auf das Pferd zu konzentrieren, statt ihre Gedanken schweifen zu lassen. Sie dachte an ihren Bruder Marian, der Reiten völlig abwegig fand, weil man immer damit rechnen musste, herunterzufallen. Das Pferd konnte jederzeit irgendwelche Reaktionen oder Launen zeigen, die man nicht vorhergesehen hatte. Er fuhr gerne mal Motorrad und meinte dazu, dass man eine Maschine im Griff hatte, und wenn sie Mist baute, wusste man wenigstens, wer schuld daran war.

Als sie zurückkam, rief sie bei der Polizei in Gartow an, um von der neuerlichen Entwicklung bezüglich ihres Stalkers oder Verehrers – wie immer man ihn nennen sollte – zu berichten. Der diensthabende Polizist bat sie, den Zettel und das Foto vorbeizubringen. Er wollte veranlassen, dass beides auf Fingerabdrücke untersucht wurde, die man mit Karteien von Sexualverbrechern abgleichen könnte. Davon wollte Hanna eigentlich nichts wissen. Sie fühlte sich belästigt und beunruhigt, aber nichts hatte bisher wirklich auf die Absicht hingewiesen, ein Verbrechen an ihr zu begehen. Sie versprach aber trotzdem, die Beweismittel vorbeizubringen.

Am Nachmittag hatte sie eine Reitstunde, die ruhig und ohne Zwischenfälle verlief. Sie ärgerte sich allerdings wieder, dass die Kinder allesamt von ihren Müttern abgeholt wurden, obwohl die Strecke vom Hof zum jeweiligen Zuhause fast bei allen zu Fuß oder mit dem Fahrrad zu bewältigen war. Sie fand die derzeitige Gepflogenheit, den Kindern bloß nichts zuzumuten mit der Entschuldigung, es könnte ihnen ja etwas passieren, einfach absurd. Sie selber hatte ihren Schulweg zusammen mit Klassenkameradinnen immer genossen. Verabredungen wurden auf dem Heimweg getroffen und nicht vor dem Mittagessen vom Handy aus, wenn man sich fünf

Minuten zuvor vor der Schule getrennt hatte. Allerdings hatte der Trend zum Telefon während ihrer Zeit in der Oberstufe bereits angefangen, sie hatte bloß keine Lust gehabt, ihn mitzumachen. Sie kam sich wie aus einer anderen Zeit vor und machte sich Gedanken darüber, ob sie wohl schon alt wurde. Sie musste über sich selbst lachen.

Gegen Abend holte sie ihr Fahrrad aus dem Schuppen und radelte nach Pevestorf, um Elli einen Besuch abzustatten. Carstens Auto stand noch nicht im Hof, also ging sie gleich durch die immer offene Küchentür zu Elli.

Elli war dabei, einen Himbeerkuchen zu backen. „Den will ich Luise bringen, sie mag ihn besonders gern. Hast du heute etwas von ihr gehört?" Hanna verneinte, erzählte aber von ihrem Besuch am Tag zuvor, als sie Hansine kennengelernt hatte.

Elli kam gleich in Fahrt und schimpfte auf Luises Kinder, die sich in Dinge einmischten, die sie nichts angingen. „Ich finde, Luise hat ihr Leben wunderbar gemeistert, und man muss ihr vor allen Dingen nicht sagen, was sie mit ihrem Geld machen soll. Schließlich ist sie bisher sehr gut zurechtgekommen, und ich finde es verwerflich, jetzt schon darauf zu spekulieren, dass die Mutter einen reich macht. Hansine ist wohl in der Hinsicht am unangenehmsten, und sie kommt mit den beiden anderen auch nicht so gut zurecht."

Dann huschte ein verschmitztes Lächeln über ihr Gesicht, und sie zwinkerte Hanna zu: „Habt ihr euch auch schon darüber unterhalten, ob und wann ihr meinen kleinen Hof erbt?"

Hanna lachte und drückte Elli die Hand. „Da hast du uns auf etwas gebracht. Willst du nicht ins Altersheim gehen und uns das Haus überlassen? In dem Fall wäre ich sogar bereit, mit Carsten zusammenzubleiben, denn nicht jeder junge Mann könnte mir ein ganzes Anwesen in toller Lage bieten."

„Ich werde es überdenken", sagte Elli. Dann wurde sie wieder ernst und fragte nach der Entwicklung im Fall Jasmina. Sie zeigte sich auch sehr besorgt, was Hanna betraf, einerseits wegen der Lilien, andererseits wegen der ungewissen Zukunft des Pferdehofs.

„Ich will ja nicht hoffen, dass Luise ihr Leben völlig ändern muss nach ihrem Schlaganfall. Du hast ja gesagt, es sei nicht sehr schlimm, und sie könnte wieder hinkommen. Aber ein Warnschuss ist es allemal, und ich bin auch für mich selbst betroffen, um ehrlich zu sein. Am Altern ist wirklich schlimm, dass die Freunde und Verwandten krank werden und sogar wegsterben. Man fühlt sich mehr und mehr allein gelassen und neigt dazu, längst vergangenen Zeiten nachzutrauern."

Hanna war sehr erschrocken, denn bisher hatte sie solche Töne noch nicht von Elli gehört. Sie hatte immer unter dem Eindruck gestanden, dass Elli sich mitten im Jetzt befand, unternehmungslustig war und es genoss, ihren Enkel in der Nähe zu haben.

Elli bot ihr ein Glas Wein an und lud sie ein, zum Abendessen zu bleiben. Hanna lehnte aber ab, zumindest das Essen, denn sie wollte noch Einges am Abend erledigen. Vor allem hoffte sie, nach ihrer Rückkehr auf den Hof noch Henning zu erwischen um ihm zu sagen, dass er die nächsten Tage als ihr Bewacher auf dem Hof bleiben sollte.

Sie war gerade dabei sich zu verabschieden, als Carsten nach Hause kam. Man sah ihm wie immer an, dass er wieder seinen Tag im Freien verbracht hatte und nicht mit theoretischen Untersuchungen am Schreibtisch. Er wirkte sehr müde und wollte gleich unter die Dusche gehen. Hanna hielt ihn aber noch kurz auf und fragte ihn mit einem vielsagenden Lächeln, ob es ihn störte, wenn Henning die nächsten Tage bei ihr übernachtete.

Es geschah etwas, was sehr selten vorkam. Carsten war verletzt und wurde richtig wütend, nicht, weil sie einen anzüglichen Scherz gemacht hatte, sondern weil sie nicht ihn gebeten hatte, für die Zeit der Gefahr zu ihr zu ziehen.

Hanna wurde feuerrot und fühlte sich sehr unwohl. Sie hatte an das Nächstliegende nicht gedacht und entschuldigte sich schuldbewusst. Sie brauchten eine längere Aussprache, bis

Carsten schließlich bereit war, Hanna zu vergeben und die Sache zu vergessen. Sie verabredeten, dass er nach dem Duschen zu ihr kommen würde, und sie versprach ihm ein besonderes Abendessen.

Während sie das Essen zubereitete, dachte sie über ihren Fehler nach. Es war ihr naheliegend erschienen, Henning die Überwachung des Hofs mit zu übertragen, da er schließlich für den Job auf dem Pferdehof bezahlt wurde, aber sich nicht gerade beide Beine ausriss, um für sein Gehalt auch etwas zu tun.

Sie kochte unkonzentriert und bemühte sich, an etwas anderes zu denken als an ihr verletzendes Verhalten Carsten gegenüber. Aber plötzlich fiel ihr etwas ein, das ihr Verhalten doch etwas relativierte: Carsten hätte ja auch von sich aus anbieten können, so lange bei ihr zu bleiben, bis sich eine andere Lösung fand. Das hatte er aber nicht getan, und Hanna beschloss, das Thema doch noch einmal anzuschneiden und zu fragen, warum er seine Hilfe nicht angeboten hatte, obwohl er sonst immer ausserordentlich hilfsbereit war.

Bei diesem Gedanken fühlte sie sich entlastet und kochte mit mehr Spaß. Carsten kam, als sie gerade dabei war, den Tisch zu decken.mit. Sie machte eine Flasche Wein auf, und sie saßen sich zunächst schweigend gegenüber. Irgendwie war die Stimmung nicht so locker wie sonst, und deshalb brach Hanna schließlich das Schweigen mit der Frage, warum Carsten nicht von sich aus auf sie zugegangen war. Carsten wirkte verlegen, dachte eine Weile nach und sagte schließlich: „Ich muss zugeben, dass ich nicht daran gedacht habe. Ich glaube, wir sind quitt. Zur Entschuldigung kann ich nur sagen, dass ich oft mit meinen Gedanken bei der Arbeit bin und deshalb manches andere nicht so bedenke, wie ich es sollte."

Sie hörten noch eine Weile Musik und kuschelten auf dem Sofa. Als sie schließlich ziemlich früh ins Bett gingen, gaben sie sich nur einen flüchtigen Kuss – in beiderseitigem Einvernehmen, wie es Hanna vorkam.

Hanna konnte lange nicht einschlafen. Etwas von ihrer Vertrautheit war abhandengekommen, und Hanna musste sich eingestehen, dass es wohl hauptsächlich ihre Schuld war.

Am nächsten Morgen in aller Frühe versuchte Carsten sich leise aus dem Bett zu stehlen, um Hanna nicht zu wecken. Aber sie wachte sofort auf, drückte ihn liebevoll an sich und signalisierte damit, was sie von ihm wollte. Carsten warf mit den Füßen die Bettdecke zur Seite, und plötzlich war die alte Vertrautheit wieder da.

Nachdem sie sich geliebt hatten, alberten sie zusammen unter der Dusche, und anschließend kochte Hanna Kaffee, während Carsten sich fertig machte. Sie ging vor die Tür um zu überprüfen, ob es für ein Frühstück im Freien warm genug war und rief fröhlich hinauf, Carsten solle das Frühstückstablett runterbringen, da es ein herrlicher Sommermorgen sei.

Carsten wollte sich ausnahmsweise Zeit nehmen, bevor er abfuhr, aber das Frühstück fiel dann doch etwas hastiger aus, als sie geplant hatten. Carsten erhielt einen Anruf von seinem Teamleiter, der ihn bat, so schnell wie möglich zu einer wichtigen Besprechung zu kommen.

Als Carsten losfahren wollte, tat sein Auto keinen Mucks. Die Batterie war leer, und er entdeckte ziemlich schnell, dass er das Licht nicht ausgemacht hatte. Er fluchte auf die alten Autos, bei denen das Licht nicht automatisch ausging. Hanna lächelte über seine neuerliche Schusselei und amüsierte sich vor allem darüber, dass nicht er die Schuld trug, sondern das Auto, das ja immer wieder ziemlich eigenwillig sein konnte.

Sie überreichte ihm die Schlüssel zu Oskar, und nachdem er versprochen hatte, vorsichtig zu sein, fuhr er winkend davon.

Als Henning eintraf, bat sie ihn, den alten Caddy anzuschleppen, um ihn wieder in Gang zu bringen. Henning fühlte sich gemüßigt, ihr zu erklären, dass sie den zweiten Gang einlegen sollte und die Kupplung langsam kommen lassen, wenn der Motor ansprang. Hanna lachte ihn aus. „Hier meldet sich der Macho wieder. Du glaubst doch nicht im Ernst, dass ich das ohne Anleitung nicht hinkriegen würde, bloß weil ich eine Frau bin? Du solltest wirklich ein bisschen weniger überheblich sein, denn eigentlich müsstest du kapiert haben, dass ich jedenfalls kein schwaches, hilfsbedürftiges Geschöpf bin."

Henning fühlte sich wieder beleidigt und meinte, sie könne das Auto ja auch allein zum Laufen bringen durch kräftiges Schieben, wenn sie so selbständig sei. Er habe es wirklich nur gut gemeint. Aber er holte trotzdem das Abschleppseil, und nach einer kurzen Strecke fuhr der Caddy wieder selbständig. Hanna drehte noch eine kleine Runde durch den Ort und bot Henning nach ihrer Rückkehr zum Dank einen Kaffee an. Jedenfalls würde Carsten sich freuen, dass sein Auto wieder lief.

Beim Kaffee redeten sie zunächst über Luise. Henning konnte sich auch nicht recht vorstellen, wie es weitergehen sollte. Jedenfalls berichtete er, dass er sich im Landesgestüt von Baden-Württemberg in Marbach auf der Schwäbischen Alb beworben hätte. Von seiner Absicht, Gartow zu verlassen, hatte Hanna bereits mehrfach gehört, aber sie war doch überrascht, dass er es tatsächlich ernst meinte. Er hatte allerdings noch keine Zusage erhalten, nur eine Bestätigung, dass seine Bewerbungsunterlagen eingegangen waren.

Da sie ganz friedlich zusammen saßen, fragte Hanna vorsichtig an, ob er nicht erzählen wolle, was er an dem Wochenende, an dem Jasmina abhandengekommen war, gemacht hatte. Henning seufzte, entschloss sich aber schließlich, das Geheimnis zu lüften. „Du kannst dir denken, dass ich bei einer Frau war. Leider ist sie verheiratet, und wir hatten Pech. Sie wollte unbedingt mit mir ins eheliche Schlafzimmer, was mir eigentlich widerstrebt, weil ich nicht von der Vorstellung loskomme, dass sie genau dort ihren ehelichen Pflichten nachkommt. Jedenfalls habe ich mich überreden lassen, und das Ergebnis war, dass ihr Mann uns überrascht hat."

„Und?" fragte Hanna gespannt. „Du lebst ja noch?" „Aber nur mit knapper Not. Gott sei Dank wurde er nicht gewalttätig, aber seine Frau hat er rausgeschmissen, und jetzt habe ich sie am Hacken. Das ist auch einer der Gründe, warum ich weg will. Jedenfalls musste ich der Polizei den Sachverhalt beichten, damit sie mein Alibi nachprüfen konnten. Ich bin so weit aus dem Schneider, aber die ganze Angelegenheit ist nach wie vor äußerst unangenehm für mich."

„Kenne ich die Dame?" fragte Hanna. „Jetzt höre ich aber auf alle indiskreten Details auszuplaudern", erwiderte Henning. „Sie ist nicht von hier, und von mir wirst du nichts mehr erfahren." Er bedankte sich für den Kaffee und ging ins Büro.

Während ihrer morgendlichen Routine dachte Hanna immer wieder darüber nach, was werden sollte, falls Luise den Hof aufgab und sie damit arbeitslos würde. Die Aussichten, im Wendland den neuen tollen Job zu finden, waren gleich null. Von Übersetzertätigkeit leben? Das erschien ihr nach einschlägigen Erfahrungen äußerst mühsam und finanziell wenig erfolgversprechend. Sich auf einem anderen Reiterhof bewerben? Das konnte nur ein Abstieg werden nach dem Glücksfall mit Luises Hof.

Sie kam immer wieder zu dem Schluss, dass sie vermutlich das Wendland würde verlassen müssen. Sie konnte sicher zurück zu ihrem Makler in Hamburg, und an der Universität von Hildesheim stand ihr eine Stelle als Dozentin für Slawistik offen. Beides wies sie als nicht erstrebenswert zurück. Sie versuchte, sich gedanklich mit etwas anderem zu beschäftigen. Eigentlich waren ihre Spekulationen unsinnig, weil ja noch überhaupt keine Klarheit darüber herrschte, was Luises gesundheitliche Möglichkeiten und vor allem ihr Wille zu weiteren Aktivitäten anbetraf. Ein Punkt wurde Hanna jedoch immer klarer: Sie wollte nicht mehr mit Carsten eine Wochenend-oder Urlaubsbeziehung haben. Es machte ihr so viel Spaß, in seiner Nähe zu sein, dass sie die derzeitige Situation nicht mehr ändern wollte.

Am Abend bereitete Hanna für sich und Carsten ein warmes Essen zu. Carsten war ja tagsüber meistens im Gelände unterwegs und aß nur belegte Brote und trank einen Kaffee aus der Thermoskanne dazu. Schließlich waren die Restaurants in der Umgebung von Lenzen ziemlich dünn gesät. Wenn er am Schreibtisch auf der Burg zu tun hatte, konnte er im Städtchen etwas zu essen bekommen, aber das war nicht der Normalfall.

Hanna hatte eigentlich Luise anrufen wollen, um sich nach ihrem Gesundheitszustand zu erkundigen, aber überraschenderweise kam Luise ihr zuvor.

„Ich wollte dir nur den neuesten Stand der Dinge berichten", sagte sie. Ihre Stimme klang etwas heiser und schleppend, aber das konnte von den Medikamenten kommen. „Ich habe heute eine lange Unterhaltung mit dem behandelnden Arzt gehabt. Eine Reha steht mir nicht zu, da ich weder gelähmt, blind oder sprachlos bin. Der wahre Grund wird wohl sein, dass es sich in meinem Alter nicht mehr lohnt, viel Geld für die Genesung auszugeben. Schließlich bin ich für die Gesellschaft nutzlos, da ich nicht mehr zum Volksvermögen beitrage, sondern im Gegenteil nur Kosten mit meiner Rente verursache." Hanna unterbrach: „Das klingt aber ganz schön bitter, ich kann das gar nicht glauben."

Luise fuhr fort: „Jedenfalls habe ich beschlossen, auf eigene Kosten nach Ahrenshoop in die Rehaklinik zu gehen. Das kann ich mir leisten, und der Darß ist wunderschön. Warst du da schon mal?" Hanna verneinte, und Luise lud sie sofort ein, die Gelegenheit zu ergreifen und sie dort zu besuchen.

„Was mit dem Hof wird, kann ich jetzt noch nicht sagen. Das wird dir vermutlich sehr wichtig sein. Jedenfalls neige ich eher dazu, nichts zu ändern, wenn auch aus einer gewissen Bockigkeit. Meine Tochter Hansine, die du ja kennengelernt hast, hat mir fürchterlich zugesetzt, ins Altenheim zu gehen und alles zu verkaufen. Ich kenne natürlich ihre Motive und habe sie freundlich gebeten, nach Hause zu fahren. Schließlich hat der Arzt mir jede Art von Stress verboten."

Hanna kicherte. „Das ist unsere alte Luise, ich glaube, dir fehlt überhaupt nichts mehr. Trotzdem muss ich dich ermahnen, künftig ein bisschen langsamer zu treten." „Ja, Mama", sagte Luise. „Übrigens möchte ich noch nach meinem kleinen Liebling Arthüür fragen. Vermisst er mich?" „Ich glaube, nicht sonderlich. Er ist gut beschäftigt. Nur möchte ich ihn nachts nicht in meinem Bett haben, zumal Carsten im Moment bei mir wohnt."

„Hast du wieder Schwierigkeiten oder Bedrohungen?" „Nein", sagte Hanna nicht ganz ehrlich. „Wir hatten einfach Lust, länger zusammen zu sein, da wir uns tagsüber kaum sehen und meine Wochenenden oft belegt sind."

Luise war auf der ganzen Linie beruhigt, und sie verabschiedeten sich herzlich.

Carsten kam ziemlich spät, war verdreckt wie immer und wirkte auch erschöpft. Er ging zunächst unter die Dusche, und Hanna machte inzwischen das Essen fertig. Es war ein bisschen zu kühl und windig, um noch draußen zu essen, so blieben sie in der Küche.

Beim Essen erzählte Carsten sehr angeregt vom Erlebnis eines Kollegen, der am Tag zuvor in einem Auwäldchen bei der Prezeller Mühle gejoggt war und dabei einen Keiler aufgescheucht hatte, der dabei war, sich in einer Rottekuhle zu schubbern. Zunächst hatte es so ausgesehen, als wolle er angreifen, aber er hatte sich dann doch entschlossen, die Flucht zu ergreifen Der Kollege war am Morgen noch ganz verstört gewesen und meinte, er würde sich künftig beim Joggen von einem Jäger begleiten lassen.

Mit dem Wort Rottekuhle wusste Hanna nichts anzufangen und fragte nach. Carsten erklärte ihr, dass in früheren Zeiten zu jedem Bauernhof Wasserlöcher gehört hatten, die angelegt worden waren, um den Flachs, der versponnen werden sollte, aufzuweichen und die Fasern herauszulösen. Hanna bat ihn, ihr eine Rottekuhle zu zeigen, falls es in der Nähe noch welche gab.

Als Kind hatte Carsten mit ein paar Nachbarjungen während der Ferien in Rottekuhlen gespielt, aber das war ihm völlig entfallen. Er konnte sich nicht erinnern, wo sie hingegangen waren und versprach, Elli danach zu fragen. Sie nahmen sich vor, an einem der nächsten Abende mit dem Fahrrad loszufahren, falls Carsten mal früher nach Hause kommen konnte und nicht zu müde für eine Radtour war.

Schließlich stand er auf und meinte mit Bedauern, sie müssten noch sein Auto flottmachen, wozu er gar keine Lust hatte. „Überraschung", sagte Hanna. „Schon geschehen". Carsten war richtig erleichtert und bedankte sich bei Hanna mit einem Küsschen wegen ihrer Fürsorge.

Sie hörten noch eine Weile Musik, kuschelten auf dem Sofa und gingen dann früh schlafen. Hanna freute sich, als Carsten ihr sagte, wie sehr er es genießen würde, abends und nachts immer mit ihr zusammen zu sein. „Deinem Stalker sei Dank, dass er uns das im Augenblick ermöglicht hat. Bestimmt lag das nicht in seiner Absicht, aber böse Absichten entwickeln sich manchmal anders als gedacht."

Hanna lachte und versicherte ihm, dass sie sich ganz geborgen fühlte und überhaupt nicht damit rechnete, dass ihr Verehrer irgendetwas anstellen würde, wenn er zwei Autos im Hof vorfand. Sie sollte sich täuschen.

Für die Nacht hatte sie Arthüür in den Flur verbannt. Er saß beleidigt auf einer alten Decke, denn normalerweise durfte er bei Luise am Fußende des Bettes schlafen. Er muckste sich jedoch die ganze Nacht nicht.

Als Hanna morgens barfuß aus dem Zimmer kam, trat sie - noch leicht taumelig - in einen Hundehaufen direkt vor der Tür. Sie fluchte wie noch nie in ihrem Leben, und als Arthüür begeistert an ihr hochsprang, packte sie ihn im Nacken und stukte seine Schnauze kurzerhand in seinen eigenen Scheißhaufen.

Auf einem Bein hüpfend begab sie sich schleunigst ins Bad und hielt den stinkenden Fuß unter die Dusche und schrubbte ihn, bis er knallrot war. Dann packte sie Arthüür, der ihr mit eingeklemmtem Schwanz gefolgt war, energisch im Genick und ließ das heiße Wasser auf ihn prasseln, bis er jaulte.

Als sie hörte, wie Carsten die Tür des Schlafzimmers öffnete, rief sie laut eine Warnung. Carsten hatte die Bescherung schon gesehen und gerochen. Er kam mit Küchenpapier und Scheuerlappen und beseitigte schnell und effektiv die Pampe.

„So was hat er noch nie gemacht", sagte Hanna. „Er war wohl beleidigt und eifersüchtig, weil er draußen bleiben musste. Sein Racheakt war jedenfalls wohl gezielt und sehr effektvoll. Aber jetzt sieh dir das Häufchen Elend an, er trieft geradezu vor schlechtem Gewissen. Soll ich ihm zur Strafe noch sein Frühstück verweigern?"

„Ich glaube, du hast schon genug getan. Er hat's kapiert und macht es bestimmt nicht wieder. Es gab mal eine Zeit, da habe ich auch daran gedacht, mir einen Hund anzuschaffen, aber ich sehe immer mehr, dass ein Hund ganz schön lästig sein kann, zumal wenn er schlecht erzogen ist, was man von den meisten Hunden durchaus sagen kann."

Hanna machte das Frühstück und stellte auch Arthüür sein Schüsselchen hin. Beim Kaffeetrinken lachten sie über den Vorfall, und Arthüür zeigte vorsichtig mit wedelnder Schwanzspitze, dass ihm verziehen werden sollte.

Carsten schwang sich in seinen Caddy und beteuerte noch einmal, wie froh er war, dass sie und Henning sein Auto wieder flottgemacht hatten.

Hanna schlenderte zum Stall, um mit der Morgenarbeit zu beginnen. Völlig geschockt sah sie, dass alle Boxentüren offenstanden und von Pferden weit und breit nichts zu sehen war. Das Tor des Auslaufs stand ebenfalls sperrangelweit offen, ebenso das Tor des Koppelzauns, das nach draußen in die Freiheit führte.

„Jetzt nicht durchdrehen", sagte sich Hanna. „Zähle bis zehn, zwanzig oder hundert, und dann denk nach!"

Während sie noch zählte – schon ziemlich nah bei hundert – und gleichzeitig versuchte, über ihr weiteres Vorgehen nachzudenken, klingelte ihr Handy. Elli wollte ihr einen guten

Morgen wünschen und mal hören, wie es bei Hanna so lief. Hanna würgte sie mit einer kurzen Erklärung ab und dachte weiter nach. Wo liefen Pferde hin, wenn sie sich in freier Wildbahn wähnten? Zwei Möglichkeiten: Entweder sie suchten sich eine Wiese, von der sie meinten, dass das Futter saftiger war als auf der heimischen Koppel, oder sie suchten andere Pferde auf. Jedenfalls waren sie vermutlich als Herde zusammengeblieben. Wenigstens etwas. Wenn sie als Herde irgendwo vorbei jagten, waren sie ja nicht zu übersehen.

Ihr Handy klingelte erneut, und sie hoffte inständig, dass es nicht eine wütende Frau war, die ihren Vorgarten total verwüstet vorgefunden hatte von trampelnden Pferdehufen. Glücklicherweise war es der Reitlehrer aus dem Gartower Reitstall, der ihr ganz ruhig mitteilte, dass ihre Pferde vor dem Eingang zur Reithalle standen und darauf warteten, hereingelassen zu werden.

„Ich mache ihnen jetzt auf, Hanna", sagte der Reitlehrer. „Kommen Sie dann rüber mit den Stallhalftern und dem Hänger, um sie nach und nach abzutransportieren. Ich kann Ihnen auch zwei bringen, ich hoffe, sie sind verladefromm?"

„Das Verladen sollte kein Problem sein. Aber ich selber habe kein Zugfahrzeug, ich muss warten, bis Henning mit seinem Auto kommt. Ich mache mich jedenfalls sofort mit den Halftern auf den Weg. Oh Gott, bin ich froh, dass ich weiß, wo sie sind!"

Hanna klebte einen großen Zettel mit Informationen an die Haustür und an das Stalltor. Außerdem legte sie einen Zettel auf den Schreibtisch in Hennings Büro. Sie hoffte inständig, dass Henning bald eintreffen würde. Übersehen konnte er die Nachricht jedenfalls nicht.

Dann sammelte sie die Stallhalfter ein und ging hinüber zu Oskar. Carsten hatte natürlich nicht abgeschlossen, worüber sie lächeln musste. Sie war kaum vom Hof gefahren, als sie von der Rückbank eine Bewegung bemerkte. Sie wäre vor Schreck fast von der Straße abgekommen, als eine Männerstimme sagte: „Entschuldigung, ich bin wohl eingeschlafen."

Hinter ihr richtete Pitten sich auf. Hanna war so erschreckt und zornig, dass sie erstmal an den Straßenrand fuhr und anhielt. „Bist du von allen guten Geistern verlassen, oder was? Wieso liegst du hinten in meinem Auto und erschreckst mich zu Tode?"

„Tut mir Leid. Ich hatte eine Vision, die ich dir mitteilen wollte, also kam ich frühmorgens auf den Hof. Mir fiel sofort auf, dass die Boxentüren offenstanden und keine Pferde in Sicht waren. Ich wollte dich aber nicht wecken, und da dein Auto nicht abgeschlossen war, habe ich mich auf die Rückbank gelegt."

„Auf deine beschissenen Visionen kann ich verzichten. Allmählich bekomme ich den Eindruck, dass du selber hinter der ganzen Sache steckst. Immer, wenn etwas passiert, tauchst du in der Nähe auf. Hast du die Pferde rausgelassen, womöglich um ihrer Natur freien Lauf zu gönnen?"

Sie hörte förmlich, wie Pitten lächelte.

„Die Wege des Herrn und seines Sohnes sind unerforschlich", sagte er.

Hanna ärgerte sich über Pittens Sprüche gewaltig, weil sie wieder einmal nicht wusste, ob er sich über sie lustig machte oder einfach nicht richtig tickte. Hanna forderte Pitten auf auszusteigen, aber vergeblich. Er blieb ungerührt sitzen, und so fuhren sie schweigend zum Reitstall.

Pitten folgte ihr in die Halle und bot an, ihr beim Anlegen der Halfter zu helfen. Sie wusste nicht einmal, ob er eine Ahnung hatte, wie man das machte, aber es gelang ihm tadellos. Er zeigte keinerlei Anzeichen von Angst, obwohl die Tiere sich noch nicht ganz beruhigt hatten.

Henning traf relativ schnell mit dem Pferdehänger ein, und der Reitlehrer machte seinerseits ein Gespann mit Zugfahrzeug und Hänger fertig. Bei Henning gingen die Pferde sehr ruhig in den Hänger, der Reitlehrer dagegen hatte Probleme, vermutlich, weil der Hänger nach fremden Pferden roch. Hanna führte zwei Pferde an der Hand nach Hause, und Pitten bot an, sich mit einem Pferd anzuschließen.

Nach einer weiteren Fahrt war die Ordnung wieder hergestellt, Die Pferde grasten ruhig auf der Koppel, aber Hanna fühlte sich ganz schön erledigt. Sie ging mit Henning zum Haus hinüber und bemerkte dabei, dass Pitten kommentarlos verschwunden war. Sie war sehr erleichtert, ihn los zu sein.

„Du musst sofort die Polizei benachrichtigen", sagte Henning. „Die Pferde haben ja nicht allein die Boxentüren aufgemacht und sind in die Nacht abgehauen. Derjenige, der sie befreit hat, muss sie sogar getrieben haben, denn eigentlich würden sie im Dunkeln nicht unbedingt Lust auf Freiheit bekommen."

Hanna hatte schon die Nummer in Gartow gewählt. Sie hatte den Beamten am Apparat, der ihre Geschichte mit den Lilien bereits kannte. Er hörte aufmerksam zu und machte sich Notizen. „Man muss die Geschichte sehr ernst nehmen. Man hört ja immer wieder von perversen Pferderippern, die nachts zuschlagen. Kürzlich hat es wieder einen Fall in Dahlenburg gegeben, und das ist ja gar nicht weit von hier."

Er glaubte jedenfalls nicht an einen Jugendlichen, der sich für einen Witzbold hielt, und versprach, den Vorfall umgehend nach Lüchow weiterzumelden.

Hanna hatte in Quickborn einiges mit Spaßvögeln erlebt. Einmal hatten Jugendliche bei trockenem Wetter eine Koppel angezündet, und die Pferde waren in Panik durch den Elektrozaun gebrochen. Ein andermal war ein Pferd in der Nacht zum ersten Mai als Kuh angemalt worden mit den markanten schwarz-weißen Flecken. Zwischen die Ohren hatte man Plastikhörner praktiziert und um den Hals eine wohltönende Glocke gehängt, wie sie die Kühe auf den Almen tragen. Eigentlich sah es zum Schreien komisch aus, vor allem, als das Pferd angaloppierte und über eine halbgefüllte Schubkarre sprang. Das schadete niemandem, trotzdem war es natürlich frech, nachts in die Koppel einzudringen.

Hanna trank einen Kaffee und begann mit der täglichen Routine. Es tat gut, aktiv zu sein, aber Pitten ging ihr doch nicht ganz aus den Gedanken. Er war bestimmt nicht im landläufigen Sinn normal, aber konnte sie sich vorstellen, dass er ein Verbrechen begehen würde? Stimmte die Geschichte mit dem Überfall auf ein Mädchen mit dem Fahrrad? Hanna war sich wohl bewusst, wie schnell man einen leisen Verdacht in vermeintliche Wahrheit umwandelte, wenn man ihn einmal ausgesprochen hatte. Es machte doch Spaß, einen Skandal weiter zu erzählen, zumal, wenn man feststellte, dass man etwas wusste, wovon die anderen noch keine Ahnung hatten. Dann war man Insider und konnte sich in dem Gefühl sonnen, überlegen zu sein.

Nach der Stallarbeit holte sie den Haflinger zum Longieren. Sie merkte gleich, dass er keine Lust hatte. Er zuckelte nur widerwillig in den Kreis, blieb zunächst bockig stehen und fiel plötzlich in einen unkontrollierten Galopp. Hanna ließ ihn im Kreis laufen, bis er sich ausgetobt hatte und schließlich in einen gleichmäßigen Trab überging. Von da an zeigte er mehr Gehorsam und Arbeitswillen, aber Hanna longierte ihn trotzdem länger als normalerweise, um ihn endgültig zu disziplinieren.

Als sie zum Haus zurückging, um sich ein kleines Mittagessen zu bereiten, wurde sie von Henning an der Bürotür empfangen. „Ein Dr.Meise oder ähnlich, Zahnarzt aus Dahlenburg hat angerufen. Er sucht eine Möglichkeit, mehrmals in der Woche mit jemandem auszureiten, ohne sich gleich ein eigenes Pferd anzuschaffen. Er will auch gut bezahlen, kann er ja auch bei zahnärztlichen Einkünften. Ich habe erstmal alles offengelassen wegen Luise."

„Im Prinzip eine freudige Mitteilung was die Finanzen anbelangt. Aber vielleicht ist er ein richtiges Ekel, und deshalb hoffe ich, dass du mit ihm durch's Gelände pirschen möchtest." „Du meinst, wir würden gut zusammen passen?" Hanna lachte. „Will er sich nochmal melden?"

„Er hat eine Nummer hinterlassen und gebeten, ihn anzurufen, wenn klar ist, wie es bei uns weitergeht. Jedenfalls klingt er nicht eklig am Telefon, deshalb darfst du ihn übernehmen."

„Du bist ja heute ein richtiger Kavalier! Fährst du nachher noch zu deiner Tante? Dann grüße sie von mir und bestelle ihr, dass ich in den nächsten Tagen vorbeikomme. Wo ist übrigens Arthüür? Als ich auf dem Reitplatz war, grub er gerade Löcher in die Koppel. Jetzt fällt mir ein, dass ich ihn eine Weile schon nicht mehr gesehen habe."

Henning lachte. „Hoffentlich ist der Teufelsbraten für immer abgehauen. Tante Luise fände das zwar gar nicht witzig, aber sie wäre ohne den unnützen Köter viel normaler und angenehmer."

Da Arthüür sich schon hin und wieder auf Abwege im Umkreis des Hofes begeben hatte, machte sich Hanna weiter keine Gedanken. Er würde bestimmt bald wieder auftauchen.

Während sie ihre Spaghetti mit Pesto aß, kam Arthüür wieder, aber in anderer Form als gedacht. Eine junge Frau in einem überdimensionierten Allradfahrzeug kam auf den Hof geschleudert, und hinten saß festgebunden ein ziemlich unglücklicher Arthüür.

Die Frau stieg aus, zerrte den Dackel an kurzer Leine aus dem Auto und sagte erbost: „Der Hund lungerte in meinem Vorgarten herum, weil meine Hündin läufig ist. Das fehlte noch, dass er zum Zug gekommen wäre! Ich weiß, wem das ungezogene Vieh gehört, ich weiß auch, dass sie zurzeit im Krankenhaus ist. Also habe ich geschlossen, dass er bei Ihnen auf dem Hof gehütet wird. Gehütet ist wohl das falsche Wort. Ich empfehle Ihnen dringend, ihn nicht einfach laufen zu lassen. Wie man hört, haben Sie von Pferden eine Ahnung, von Hunden offenbar nicht. Wenn er sich noch einmal bei uns blicken lässt, hole ich die Polizei, oder mein Mann erschlägt ihn."

Hanna war schockiert vom rüden Ton der Frau, die sich nicht einmal vorgestellt hatte. Aber um die Angelegenheit nicht eskalieren zu lassen, bat sie freundlich um Entschuldigung, übernahm Arthüür, der ihr gleich auf den Schoß springen wollte, um ihr über's Gesicht zu lecken, und versprach, ihn künftig auf dem Hof zu behalten. Wie sie das anstellen sollte, war ihr nicht klar, denn Arthüür war es nicht gewöhnt, angeleint oder eingesperrt zu bleiben.

Ohne Abschiedsgruß schwang sich ihre Besucherin wieder ins Auto und röhrte davon. Hanna hatte den Eindruck, dass sie nur Dampf abgelassen hatte wegen irgendwelcher anderen Probleme. Vielleicht weil ihr Mann sie und nicht den Hund erschlagen wollte? Ein wirklich übler Gedanke.

Hanna aß ihre inzwischen kalt gewordenen Nudeln auf und beschloss, die Sache auf sich beruhen zu lassen. Es brachte ja doch nichts, sich weiter mit der Frau zu befassen. Aber Hanna verspürte ein leises Unbehagen wegen all der Vorkommnisse, die ihr das Leben im Augenblick problematisch erscheinen ließen. Am schwerwiegendsten war Jasminas ungewisse Zukunft, dann die Angst wegen des Stalkers mit den sibirischen Lilien und Luises Schlaganfall mit Konsequenzen für ihren Job. Weniger ins Gewicht fallend aber doch beeinträchtigend der Zusammenstoß mit dem Edelgermanen am Wochenende, der Hund, der sie in Pevestorf gebissen hatte, und jetzt das Gemecker über Arthüür.

„Was soll's", sagte sich Hanna und versuchte, wieder optimistisch zu werden. Ein hervorragendes Mittel, um wieder ihre innere Ruhe zu finden, war musizieren, und so holte sie ihre Flöte nach draußen und entspannte sich beim Spielen einer Sonate von Mozart.

Schließlich gab es auch viel Erfreuliches: die Nähe zu Carsten, ihre Freundschaft mit Elli, Eddas Vertrauen in sie, Marians anstehender Besuch mit der tollen Charlotte am Wochenende, ihr momentaner Job bei Luise mit praktisch freier Zeiteinteilung und einem hohen Spaßfaktor. Sie stellte fest, dass die positiven Dinge bei weitem überwogen und fühlte sich viel besser.

Der Rest des Tages verlief völlig unspektakulär. Nur eine der

Mütter, die ihre Tochter zur Reitstunde brachte, fragte nach den ausgerückten Pferden. In Gartow hatte also der nächtliche Frevel schon wieder die Runde gemacht.

Carsten kam sehr früh am späten Nachmittag. Sie hatte noch nicht einmal angefangen zu kochen, aber Carsten meinte, sie könnten auch mal später essen. Er nahm sich aus dem Kühlschrank ein Stück Schinken und trank genüsslich ein Bier dazu.

„Wir können gleich los", sagte er. „Meine Großmutter meinte am Telefon, es gäbe noch Rottekuhlen bei Restorf in einem Wäldchen. Sie selbst war schon lange nicht mehr dort gewesen, aber sie fände es spannend, zu hören, was noch an Resten übrig wäre."

Er wechselte nur schnell die Kleider und klemmte einen leichten Anorak auf den Gepäckträger.

Auch Hanna zog eine Windjacke über, weil es nicht sommerlich warm war. Sie schwärmte ihm vor, wie sehr sie das lustvolle Fahren mit dem Rad im Wendland genoss. Während ihres Studiums in Aix-en-Provence hatte sie sich ein Fahrrad gekauft, und sie erinnerte sich fast unter körperlichen Schmerzen, wie anstrengend das Fahren in der Provence war. Immer bergauf und bergab, kaum Erholungsphasen. Bergauf war mühsam, bergab oft zugig und langweilig. Hanna mochte ihr Fahrrad bergab nicht einfach laufen lassen, wie manche Leute das mit Hochgenuss taten. Sie war als Anfängerin auf einer Schotterstrecke fürchterlich hingefallen, weil sie in einer Kurve das Fahrrad nicht mehr in der Gewalt hatte. Völlig aufgeschürfte Knie, eine blutige Nase, wochenlanges Verbandwechseln durch die Ortskrankenschwester. Das Abreißen des alten Verbandes, bei dem jedes Mal der ganze Schorf mitkam, war ein Albtraum, ebenso wie das Auftragen von Jod, um die Wunde zu desinfizieren. Sie war seitdem nie wieder mit dem Rad hingefallen, aber eine gewisse Sperre gegen unkontrolliertes Abwärtsfahren war geblieben.

Sie stellten am Rande des Wäldchens in Restorf die Räder

ab und machten sich zu Fuß auf die Suche. Man sah dem Wald an, dass niemand wirkliches Interesse daran zeigte. Überall wucherten Brombeeren und dornige Sträucher, Geißblatt wickelte sich ihnen um die Füße, an einigen Stellen wucherten Brennnesseln in Mengen. Es machte beiden Spaß, sich durchzukämpfen, so ähnlich musste es im Urwald sein, bloß noch unzugänglicher.

Plötzlich hörten sie ein unverkennbares Grunzen und erstarrten. Im nächsten Augenblick sahen sie ein Wildschwein durchs Unterholz brechen. Sie warteten eine Weile mit klopfendem Herzen, und Carsten meinte schließlich, er würde vorsichtig die Stelle erkunden, von der sie das Grunzen gehört hatten. Hanna wollte gleich mitkommen, und so entdeckten sie zusammen eine Rottekuhle, deren Grund schwarz und morastig war und deutlich frische Spuren einer Wildschweinsuhle aufwies.

Carsten lächelte. „Ich dachte, die Kuhlen werden nicht mehr benutzt. Aber siehe da, sie sind alle offenbar umfunktioniert worden."

In unmittelbarer Nähe entdeckten sie noch einige weitere Kuhlen, die aber zum großen Teil ausgetrocknet waren, weil man sie missbraucht hatte, um allerlei Gartenabfälle und sogar Bauschutt, alte Blecheimer und Waschkessel loszuwerden.

„Ich kann mir nicht vorstellen, dass die Bauern ihre Abfälle so wie wir durch das Dickicht getragen haben. Es muss von der anderen Seite eine Art Zufahrt geben."

Sie entdeckten tatsächlich einen Sandweg, der nach wenigen hundert Metern an einer verlassenen Hütte vorbeiführte, die vermutlich einmal von Anglern benutzt worden war, die im nahegelegenen Teich geangelt hatten. Es war alles still, aber Carsten fiel auf, dass frische Autospuren zu der Hütte führten. „Vielleicht Jugendliche, die hier manchmal Saufgelage veranstalten", meinte er.

Die Hütte war nicht weiter sehenswert. Einfache Bretterverkleidung, ein Wellblechdach und ein etwas schiefer

Schornstein. Hanna, die immer neugierig war, wollte unbedingt hineinsehen, aber Carsten winkte ab. „Lohnt sich nicht, das vergammelte Mobiliar oder altes Angelzeug anzusehen. Außerdem habe ich allmählich einen Mordshunger, und ich wünsche mir, dass wir bald etwas Köstliches in die Pfanne schmeißen."

Sie beschlossen, das Wäldchen zu umrunden, um sich nicht noch einmal durch Gebüsch und Brombeeren arbeiten zu müssen und radelten zurück.

„Eigentlich könnten wir bald mal wieder grillen", meinte Carsten. „Elli hat aus einem Billigladen in Lüchow so ein Gerät zum Gemüsegrillen mitgebracht. Sieht interessant aus." „Wie denn?" fragte Hanna. „Na, so eine Metallschüssel mit Löchern. Das Gemüse wird vorher mariniert, sagt Elli, und dann übers Feuer gestellt. Wir könnten doch am Wochenende ein Feuer machen, wenn Marian und Charlotte kommen. Ich denke, ich bin auch eingeladen und stelle mich gegebenenfalls zum Grillen zur Verfügung, so, wie es sich gehört."

Hanna lachte und griff im Fahren nach seiner Hand. „Ich freue mich schon darauf. Wahrscheinlich redest du mit Marian den ganzen Abend über Sport oder Politik, und ich werde mit Charlotte Kochrezepte austauschen und meine tiefgehenden Kenntnisse über Mode kundtun, so, wie es sich gehört."

„Hört, hört", sagte Carsten. „Vielleicht gibt dir ja Charlotte ein paar Tipps, was man heutzutage beim Mistaufsammeln Modisches trägt! Aber mal im Ernst: Übernächste Woche wird unsere neue Ausstellung zur Geschichte der Wenden eröffnet, und da hast du Gelegenheit, dein kleines Schwarzes anzuziehen."

Hanna hatte natürlich mitbekommen, dass in wochenlanger Arbeit Ausstellungsstücke aus Polen, Russland und dem Spreewald als Leihgaben besorgt worden waren: Kleidung, Haushaltsgegenstände, Schmuck und Einrichtung. Sie freute sich, dass endlich die Eröffnung stattfinden konnte und hoffte wie Carsten auf großes Interesse und eine entsprechend hohe

Besucherzahl. Die Burg Lenzen mit ihrem vielseitigen Angebot an Geschichtlichem und Geografischem war es wirklich wert, in größeren Kreisen bekannt zu werden.

Hannas Anrufbeantworter blinkte, als sie nach Hause kamen. Ein Anruf war von Marian, der anfragte, ob er bereits am Donnerstagabend mit Charlotte kommen könne. Sie solle ihm gleich Bescheid geben. Der zweite Anruf war von Luise, die mitteilen wollte, dass ihr Arzt einen Platz in der Reha in Ahrenshoop ab Mitte der folgenden Woche organisiert hatte. Ihr Sohn würde sie hinfahren, und Hanna und Carsten sollten sie unbedingt besuchen kommen. Jedenfalls würde sie am nächsten Tag entlassen, und sie behauptete, sich munter wie ein Fisch im Wasser nach den erholsamen Tagen im Krankenhaus zu fühlen.

Hanna lächelte, als sie die Nachricht abhörte. Typisch für Luise, ihren Schlaganfall als kleines Malheur abzutun, mit dem man sich nicht länger befassen musste. Carsten war sofort ins Bad unter die Dusche gegangen, und sie rief von der Küche aus, sie würde erstmal schnell ihren Bruder anrufen und dann mit den Essensvorbereitungen beginnen.

Es wurde kein schneller Anruf. Marian hatte einiges zu seiner Berufstätigkeit zu berichten, und dann schwärmte er wieder von Charlotte. Hanna hatte den Eindruck, dass er ihren Namen gar nicht oft genug in den Mund nehmen konnte, und sie schloss daraus, dass es ihn diesmal ordentlich erwischt hatte. Sie freute sich darüber, dass sein unstetes Leben, was Frauen betraf, vielleicht bald ein Ende haben würde und hoffte sehr, dass Charlotte wirklich zu ihm passte und natürlich auch ihr gefiel.

Als sie endlich auflegte - sie selbst hatte auch einiges berichtet – hörte sie Carsten in der Küche hantieren. Er stand am Herd, hatte ihre Ikeaschürze mit Elchen drauf angezogen und war dabei, ein Schnitzel in feine Streifen zu schneiden und in die Pfanne zu legen. „Typisch Frau", sagte er. „Am Telefon mit Fremden stundenlang Süßholz raspeln und den Mann dabei verhungern lassen."

Hanna fasste ihn um die Taille und gab ihm einen Kuss auf den Hinterkopf. „Alles kalkuliert. Ich habe nämlich gerade heute gar keine Lust, dich mit einem leckeren Essen zu verwöhnen. Jetzt machst du das mit mir, und das ist okay. Was gibt's denn zum Fleisch?" „Tomaten und Zwiebeln. Im Kühlschrank habe ich noch Restkartoffeln gefunden, also mache ich Bratkartoffeln." „Und der Nachtisch?" „Den gibt's im Bett, falls ich vom Kochen nicht zu erschöpft bin."

Hanna zog sich aus der Küche zurück und schaltete den Fernseher an, um die Nachrichten zu sehen. „Das ist ja furchtbar", rief sie in Richtung Küche. „Es ändert sich einfach nichts. Die Katastrophenmeldungen scheinen mir alle Jahre alt zu sein. Krieg in Afghanistan, Atombombenbau im Iran, Palästinenserangriffe auf Israel, Revolutionen in Libyen und Ägypten. Apropos Ägypten: Da wäre ich gern wieder mal hingefahren, jetzt haben wir's verpasst."

„Dein Eindruck war doch gar nicht so toll, als du mich bei meinem Praktikum am Nil besucht hast. Du fandest die Fluggesellschaft unmöglich, die Leute bei der Einreise schroff und unfreundlich, meine Kollegen arrogant."

„So schlimm war es auch wieder nicht, und jetzt habe ich keine Gelegenheit mehr, meinen Eindruck zu revidieren. Ich wäre gern mal im Roten Meer geschwommen, aber nicht im Neoprenkomplettanzug, wie es die Islamisten gerne möchten. Glaubst du, da fährt noch jemand hin von uns unmoralischen Europäern, wenn alles an Vorschriften durchkommt, was die Islamisten sich vorstellen? Keine unzüchtige Frauenbekleidung, kein Gläschen Wein, keine Frau ohne Begleitung im Basar? Hast du gelesen, dass Hunderten von muslimischen Frauen aus Nigeria die Einreise nach Mekka verweigert wird, weil sie nicht in Begleitung eines Mannes sind? Statt sich zu freuen, dass diese Frauen die Beschwerlichkeiten der Pilgerwanderung auf sich nehmen, da sie ja offenbar sehr gläubig sind, straft man sie ab. Was für eine verrückte Welt!"

Sie schaltete den Fernseher wieder aus, da sie sowieso nichts richtig mitbekam. Carsten sagte etwas aus der Küche, aber da es in der Pfanne brutzelte, verstand sie kein Wort.

Hanna deckte draußen den Tisch und zündete Holz im Feuerkorb an. Es war nicht warm genug, um einfach so im Freien zu sitzen, und Hanna hatte keine Lust, sich einen Norwegerpullover und Handschuhe anzuziehen.

Carsten freute sich sehr über ihre Idee, ein Feuer anzuzünden und lobte ihre Eigenständigkeit. „Was bist du doch für eine patente Frau", sagte er. „Feuermachen ist doch Männersache, wie wir vorhin schon besprochen haben. Na ja, das ist ausgleichende Gerechtigkeit. Der Mann kocht, die Frau sorgt für's Feuer."

Carsten trug das Tablett ins Freie, und sie setzten sich an den Tisch. Hanna lief noch einmal nach oben und schob eine CD mit Tschaikowskys Klavierkonzert Nr.1 in den Player. Da es keine Mitbewohner und keine unmittelbaren Nachbarn gab, die sich gestört fühlen konnten, drehte sie die Musik sehr laut auf, um die wuchtigen Klänge genießen zu können.

Unmittelbar nach Beginn des Konzerts wurde die Musik von der Feuersirene übertönt. „Oh je, nicht schon wieder!", sagte Hanna. „Erst letzte Woche ist ein Mähdrescher, der wohl überhitzt war, völlig abgebrannt, und davor hat so ein Idiot wieder mal Rundballen angezündet, weil die so schön brennen! Hast du mitbekommen, wie oft hier in der näheren Umgebung Feuerchen gemacht wurden? Ich habe ein bisschen Angst, dass der Pyromane irgendwann findet, dass seine Brandstiftungen nicht ergiebig genug sind und deshalb mal ein Haus anzündet. Unser Hof würde sich doch gut eignen mit Scheune und Stallungen. Er ist so schön abgelegen, dass eigentlich niemand beobachtet werden kann, wie wir bereits erfahren haben."

„Du leidest allmählich ein bisschen an Verfolgungswahn", sagte Carsten. „So kenne ich dich gar nicht!" „Na ja, bisher haben wir uns ja nur in der Großstadt gesehen, und offenbar ist man da sicherer. Wenn ich den Spruch höre „ auf dem Land ist die Welt noch in Ordnung", packt mich allmählich die Wut. Was gibt es hier in Psycho-Pannenberg für fürchterliche Geschichten! Du weißt ja, dass deine Großmutter sehr in der Pevestorfer Ortschronik bewandert ist, und neulich hat sie mir eine Begebenheit erzählt, die dir heute noch eine Hühnerhaut über die Arme jagt! Vor..."

„Lass dich mal kurz unterbrechen. Bei uns heißt das Gänsehaut, das hat man dir doch schon gesagt?" „Im Französischen sagt man auch chair de poules, ist doch egal, welches Geflügel wir nehmen, um das Phänomen zu beschreiben! Ist bei beiden gleich".

„Sei doch bitte nicht so empfindlich. Wir haben uns nun mal für die Gans entschieden, und jetzt erzähle die Geschichte, damit ich aussehen kann wie gerupftes Geflügel." Hanna musste lachen und fuhr fort: „Also vor zwei, drei Generationen wurden in Pevestorf Cousin und Cousine gezwungen zu heiraten, damit der Hof beieinander bleiben konnte. Andernfalls wäre es zu Erbstreitigkeiten gekommen, und möglicherweise wäre der Hof an eine andere Familie gegangen. Also, die beiden konnten sich zwar einigermaßen leiden, waren aber jeweils in jemanden anders verliebt. Die Ehe kam zwar zustande, aber nach kurzer Zeit ist der Ehemann im Hanf erstickt."

„Wie, im Hanf erstickt? Ist er in ein Silo gefallen oder hat er zu viel Hasch geraucht??" „Weder, noch. Er hatte einen Strick aus Hanf um den Hals und hing in der Scheune."

„Meine Oma hat wirklich einen Hang zum Makabren. Jedenfalls beweist die Geschichte, dass im Dorf die Welt beileibe nicht in Ordnung ist. Soll ich dir auch etwas zum Thema erzählen?" „Für eine Gänsehaut?" „Na ja, ich weiß nicht. Jedenfalls ist in einem Dorf im Südkreis der kleine Sohn eines Gastwirts schon als Baby mit Bier und Schnaps gefüttert worden, damit er blöde wird und die Wirtschaft nicht erben kann." „Und", sagte Hanna, „hat es geklappt?" „Ja, heftig, er wurde total unzurechnungsfähig und hat mit sechzehn Jahren die Gastwirtschaft angesteckt. Dabei sind drei Leute verbrannt, unter

278

anderem seine Mutter. So gab es keinen Anlass zu Erbstreitigkeiten mehr."

„Das ist ja ganz besonders scheußlich! Jetzt hören wir aber auf mit den lustigen Dorfgeschichten, und im Übrigen schlage ich vor, dass wir in die Stadt zurückgehen, da ist man doch zivilisierter. Ich bin gespannt, warum es eben Feueralarm gegeben hat, hoffentlich ist es nichts Schlimmes!"

Sie hörten die Feuerwehr ausfahren, und aus dem Nachbarort ertönte ebenfalls die Sirene. Sie kürzten das Essen ab, löschten gründlich das Feuer mit einem Eimer Wasser und gingen nach oben. Sie nahmen sich beide ein Buch und drehten die Musik leiser. Hanna griff zunächst zu einem Roman von Wole Soyinka, aber sie bemerkte bald, dass sie zu müde für den schwierigen Inhalt war und tauschte den afrikanischen Roman gegen einen Krimi. Carsten las in einem Fachbuch, denn er konnte sich meistens nicht für Unterhaltungsliteratur begeistern.

Sie lasen konzentriert bis fast Mitternacht. Carsten fing zu gähnen an, und sie beschlossen, den Abend zu beenden.

Im Bett fing Hanna nochmal von der Hütte am Teich bei Restorf an. „Ich ärgere mich doch sehr, dass ich nicht reingeguckt habe. Vielleicht haben wir etwas Wesentliches versäumt, wer weiß? Wenn ich in den nächsten Tagen dazu komme, fahre ich nochmal hin, auch wenn du das blöd findest."

„Das kannst du machen, wie du willst. Ich komme jedenfalls nicht nochmal mit. Du wirst mir ja sowieso berichten, was du für Schätze gefunden hast." Er nahm sie in den Arm und flüsterte ihr ins Ohr, sie sei eine unverbesserliche Romantikerin mit kindlichem Gemüt. Für diese Art von Frau hätte er eine ganz besondere Schwäche.

Carsten stand am nächsten Morgen wieder sehr früh auf, denn er fühlte sich von seiner Arbeit getrieben. Hanna wäre ganz gern noch ein bisschen liegen geblieben, aber da sie durch die Wand das Wasser der Dusche rauschen hörte und

Carsten auch noch zu singen anfing, beschloss sie, nicht weiter um noch ein bisschen Schlaf zu kämpfen und stand ebenfalls auf.

Während des Frühstücks fiel Hanna ein, dass sie eine frühe morgendliche Tour mit dem Fahrrad machen könnte. „Wenn du einen Moment auf mich wartest, Carsten, lasse ich schnell die Pferde auf die Koppel und komme mit dir mit nach Pevestorf. Das Fahrrad können wir auf die Ladefläche legen. Vielleicht fahre ich gleich noch mal in Restorf vorbei, oder ich drehe eine Runde durch die Dörfer. Deine Großmutter spendiert mir bestimmt auch noch ein zweites Frühstück, sie ist ja wie du eine Frühaufsteherin. Meine Stallarbeit hat noch etwas Zeit, Reitstunde ist erst am Nachmittag. Vielleicht macht Henning ja den Stall, wenn er sieht, dass ich unterwegs bin, und die Arbeit nicht getan ist?"

Carsten lachte. „Du glaubst wohl noch an den Weihnachtsmann", sagte er. „Ich beneide dich übrigens ein bisschen um deine freie Arbeitseinteilung, aber ich kann ja auch nicht klagen über eine öde Beschäftigung."

Nachdem Hanna flüchtig das Grundstück inspiziert hatte und festgestellt, dass es offenbar keine unliebsamen Überraschungen gab, verluden sie das Fahrrad und fuhren los, ohne dass Carstens Auto sich von seiner eigenwilligen Seite zeigte: Es sprang anstandslos an, der Motor stotterte unterwegs nicht, und es gab kein Versagen der Bremsen oder Ausfallen der Elektrik.

Unterwegs entdeckten sie den Grund für das Ausrücken der Feuerwehr. In der Nähe des Sees war eine Wiese schwarz verbrannt und mittendrin stand ein ausgebrannter PKW. „Ich weiß, wer das ist", sagte Carsten. „Der Nebenerwerbslandwirt Wilhelm, der die Wiese bewirtschaftet, um ein paar Kälber füttern zu können, hatte die grandiose Idee, seine landwirtschaftlichen Arbeitsgeräte wie Eggen und Heuwender mit seinem Allradfahrzeug zu ziehen in Ermangelung eines Traktors. Darüber haben wir viel gelacht, und ihm bei einem Gläschen

Schnaps geraten, sich doch eine Tin Lizzy anzuschaffen, an die man sogar einen Mähbalken montieren konnte, wenn es denn stimmt. Jetzt vermute ich, dass sich das Heu beim Wenden um seine Felgen gewickelt und entzündet hat dank des Kats."

Hanna lachte. „Eigentlich eine gute Idee aus dem Allradfahrzeug ein Allzweckfahrzeug zu machen. Das passt zu Psycho und zu Pannenberg. Wenn deine Theorie stimmt, bin ich froh, dass offenbar kein Pyromane am Werk war. Ein bisschen tut mir der Bauer schon leid, denn sein Fahrzeug war doch einiges wert?"

„Na ja, es war wohl schon alt. Aber ich kann mir nicht vorstellen, dass Wilhelm eine Vollkaskoversicherung hatte, denn er ist nicht gerade betucht. Wie soll er jetzt seine Kälber füttern? Das Heu ist weg, sein Ersatztraktor auch, und wahrscheinlich wird er auch noch ausgelacht."

Am Fähranleger hievte Carsten das Fahrrad herunter, fasste Hanna zärtlich unters Kinn und sagte seinen Spruch: „Schau mir in die Augen, Kleines". Die Fähre legte am anderen Ufer bereits ab, Hanna bestieg ihr Fahrrad und winkte im Wegfahren.

Sie fuhr zunächst bei Elli vorbei, die gerade mit dem Komposteimer aus dem Haus kam. „Oh, wie nett", sagte Elli. „Du hast hoffentlich für eine Tasse Kaffee Zeit?" „Ja sicher", antwortete Hanna. „Ich bin heute extra früh aufgestanden, weil so schönes Wetter ist, und Carsten sich sowieso immer noch mitten in der Nacht auf den Weg macht. Allerdings frühstücken wir zusammen etwas länger. Ich glaube nicht, dass Carsten, wenn er hier allein zu Hause ist, sich sehr viel Zeit für's Frühstück nimmt, oder?"

Elli lächelte, während sie ins Haus gingen. „Wie geht es denn so mit euch beiden?" fragte sie. Sie brauchte eigentlich keine Antwort, denn sie sah Hanna an, dass es gutging, und ihr das Zusammenleben Spaß machte,

Hanna stellte ihr Fahrrad unter die Linde und ging mit Elli ins Haus. „Diesmal komme ich dir vielleicht mal mit einer Neuigkeit zuvor. Hast du schon vom Feueralarm gestern Abend gehört?" „Ich habe nichts mitbekommen, vermutlich weil ich schon geschlafen habe", antwortete Elli. „Jetzt bin ich aber neugierig. Ging es denn um eine große Sache?" Hanna berichtete ihr von der Entdeckung des ausgebrannten Autos und von Carstens Theorie. Elli meinte sofort, dass Carsten wohl Recht habe, denn ein solches Unheil war Wilhelm von allen Seiten prophezeit worden.

„Mir tut er leid. Er spinnt wohl ein bisschen, aber er ist dabei ein liebenswürdiger Mensch. Wenn ich noch Landwirtschaft hätte, würde ich ihm Heu abgeben. Vielleicht findet er nette Nachbarn, die einspringen?"

„Du bist wirklich lieb", sagte Hanna „Du darfst aber nicht von dir auf andere schließen. Ich könnte mir eher vorstellen, dass die Vollerwerbslandwirte der Meinung sind, dass jemand heutzutage gar nicht mehr ein paar Kälber als Hobby haben sollte. Da springt nichts bei raus, und die Wiese vom Heinrich könnte man doch nutzbringender verwenden. Ist das nicht realistischer?"

Elli seufzte. „Du hast vermutlich Recht. Es ist alles so sehr auf Geldverdienen ausgerichtet, dass es eine Schande ist. Meine Zeiten früher waren wirklich hart, aber ich glaube, es ist menschlicher zugegangen."

„Ich weiß nicht, ob du deine Erinnerungen nicht vergoldest. Denke zum Beispiel nur daran, wie man die Flüchtlinge nach dem Krieg behandelt hat. Soweit man mir erzählt hat, wollte das Pack aus dem Osten doch keiner haben." „Da hast du teilweise auch wieder Recht. Es gab aber auch viele Einheimische hier, die versucht haben zu helfen, und die das bisschen, das sie selber hatten, geteilt haben. Manche haben natürlich nicht verstanden, dass die Ostpreußen, die hier den größten Teil der Flüchtlinge ausmachten, auch nicht freiwillig als Bettler hergekommen sind. Aber ich muss feststellen, dass ich mit fortschreitendem Alter immer pessimistischer werde, was den Fortgang der Menschheit angeht, und es wird der Tag kommen, an dem ich mir sage, dass ich keine Lust mehr habe, das alles mitzuerleben und froh bin, wenn ich abtreten kann."

Hanna war zum zweiten Mal schockiert, wie negativ und wenig lebensbejahend Elli ihr Dasein sah. „Du machst mir richtig Angst", sagte sie. „Du musst nicht so viel grübeln. Genieße doch deine Tage und sieh dein Leben positiv. Du bist nicht krank, dein Verstand arbeitet hervorragend, und du kannst dich doch auch über deine Umstände nicht beklagen. Du hast ein ansprechendes Haus, dein Garten ist toll, du kennst jeden im Ort und hast viel Ansprache. Stell dir mal vor, du wärst in einem Wohnblock in der Großstadt!"

„Daran möchte ich lieber nicht denken, und auch nicht an den durchaus möglichen Fall, dass ich im Pflegeheim lande. Meine persönlichen Umstände machen mich wirklich zufrieden, nur die Welt außerhalb meiner eigenen ist besorgniserregend. Aber jetzt erzähle, was du in nächster Zeit vorhast. Kommen am Wochenende wieder Reiter? Hast du auch keine Unannehmlichkeiten von deinem Verehrer gehabt? Jedenfalls bist du wohlbeschützt von Carsten."

„Wir haben uns gestern einige Überreste von Rottekuhlen angesehen bei Restorf. Ich wollte mir auch die alte Fischerhütte, die dort steht, angucken, aber dazu hat die Zeit nicht gereicht, weil wir so Hunger bekommen haben. Ich will da jetzt nochmal schnell vorbeiradeln. Ich bin so schrecklich neugierig, was Häuser, Ruinen und verlassene Hütten angeht."

„Um Himmels Willen", sagte Elli. „Fahr da bloß nicht allein hin. Es geht das Gerücht, dass sich da einer rumtreibt, der sich entblößt. Versprichst du mir, ja nichts Waghalsiges zu unternehmen?" Hanna lächelte, obwohl sie schockiert war. „Da brauchst du mich nicht zu ermahnen. Auf so etwas habe ich überhaupt keine Lust. Man sollte dem aber nachgehen, nach allem, was in letzter Zeit passiert ist. Vielleicht findet man einen Zusammenhang mit Jasmina?"

„Ich denke, die Polizei ist informiert worden. Ich habe aber keine Ahnung, ob sie schon dazu gekommen sind, etwas zu unternehmen. Sie sind ja immer unterbesetzt und dauernd mit ganz akuten Dingen wie Verkehrsunfällen beschäftigt."

Sie plauderten noch eine Weile, gingen alle Möglichkeiten durch, die Luise betrafen, und Elli versuchte, ein Bild von Hannas Zukunft zu entwerfen, falls der Pferdehof aufgelöst würde. Natürlich spielte Carsten dabei die Hauptrolle, aber Elli konnte auch nicht voraussehen, wie es mit Carstens Jahresvertrag, der im Winter auslaufen würde, weitergehen würde. Der Gedanke, dass Carsten und Hanna aus dem Wendland wegziehen müssten, war ihr schrecklich. Hanna meinte aber, es würde sich schon eine Lösung finden, wenn man sich richtig bemühte. Eigentlich war sie gar nicht davon überzeugt, aber sie wollte Elli nicht merken lassen, dass sie sich ernsthaft Sorgen um die Zukunft machte.

Als sie auf Ellis Küchenuhr sah, stand sie leicht erschrocken auf. „Ich habe mich vertrödelt", sagte sie. „Jetzt fahre ich ohne Umweg nach Hause und sehe zu, dass ich meine Arbeit gemacht bekomme. Vielen Dank für den Kaffee!" Sie holte ihr Fahrrad und machte sich auf den Weg.

Unterwegs dachte sie an den Exhibitionisten. Vor kurzem hätte sie über die Idee gelacht, dass jemand sich im Nirgendwo hinstellen könnte, um seinen gigantischen Ständer vorzuführen, aber inzwischen fand sie alles so merkwürdig, dass sie sich durchaus vorstellen konnte, dass an dem Gerücht etwas Wahres war. Was ging bloß in Typen vor, die meinten, eine Frau anlocken zu können, indem sie ihr in Wahrheit mickriges Fortpflanzungsgerät ins Freie holten, um es vorzuführen? Hanna bekam Lust, Psychologie zu studieren, um sich in die Seele solcher verklemmten Typen versetzen zu können und Verständnis aufzubringen.

Natürlich dachte sie an Pitten, dem ja wirklich manches zuzutrauen war, und dem sowieso alles Mögliche anhaftete, das man kaum glauben konnte. Aber bei der Vorstellung, wie Pitten sein biblisches Wallegewand hob, musste sie lachen. Ausgeschlossen, das kam überhaupt nicht in Frage.

Zurück auf dem Hof, stellte sie das Fahrrad ein und begann mit der Stallarbeit. Hennings Auto stand vor der Scheune, aber er war nirgends zu sehen. Sie sah auf der Koppel nach, ob alle Pferde da waren und stellte fest, dass der Hannoveraner fehlte. Folglich war Henning ausgeritten. Im Büro lag kein Zettel für Hanna, also hatte er auch keinen Anruf entgegengenommen.

Kurz vor Mittag kam Beate vorbei. Sie wollte mitteilen, dass ihrer Mutter der Gips abgenommen worden war, und sie vorsichtig anfangen konnte, wieder ein paar Arbeiten zu verrichten. Deshalb war Beate wieder abkömmlich, wenn sie auf dem Hof gebraucht wurde. Hanna fiel ein Stein vom Herzen, denn das Wochenende mit Henning als Küchenhilfe war doch etwas beschwerlich gewesen. Am kommenden Wochenende brauchte sie niemanden, da Marian und Charlotte sich angesagt hatten, aber für die Woche darauf hatte sie wieder einige Buchungen.

Beate sprach auch von ihren Sorgen bezüglich des Pferdehofs. Sie hatte die Arbeit gern gemacht und dabei ganz gut verdient. Ihre Eltern waren mit ihrem Biohof nicht gerade reich, und Beate sah keine Möglichkeit, eine feste Stellung anzunehmen, um zusätzlich etwas zu verdienen. Luise tat ihr außerdem sehr leid. Sie konnte sich gar nicht vorstellen, wie die aktive Frau Wallraff zurechtkommen sollte mit gesundheitlichen Einschränkungen. Hanna beruhigte sie, obwohl sie selber ja auch nicht wusste, wie es weitergehen würde.

„Luise wird morgen von ihrem Sohn in die Reha nach Ahrenshoop gefahren", sagte sie. „Danach werden wir ja sehen, wie es ihr wirklich geht. Ich könnte mir vorstellen, dass sie den Hof auf Teufelkommraus behalten will, und wenn es nur ist, um ihrer Tochter Hansine eins auszuwischen. Die beiden kommen ja überhaupt nicht klar. Ich muss gestehen, dass ich Hansine nicht mag. Sie ist arrogant und neigt offenbar dazu, anderen Vorschriften zu machen. Da ist sie natürlich bei ihrer Mutter an der falschen Adresse!"

Beate hatte es eilig und konnte Hannas Angebot, mit ihr

zusammen etwas zu essen, nicht annehmen. Inzwischen war Henning zurückgekommen und schlenderte zu ihr hinüber. „Ich wollte dir nur mitteilen, dass ich Anfang nächster Woche einen Vorstellungstermin in Marbach habe. Ich werde also Montag und Dienstag nicht da sein. Ich hoffe, das macht dir nichts aus. Ich habe gerade Beate wegfahren sehen. Ist sie wieder einsatzbereit?" „Ja, bedingt. Wirst du deine Tante noch besuchen, bevor sie fährt?" „Ja, ich gehe nachher vorbei und erzähle ihr von meinem Vorstellungsgespräch. Ich habe jetzt wirklich Hoffnung, dass es klappt. Mir wird hier allmählich alles zu miefig, und du weißt ja jetzt auch, warum es ganz wichtig ist, dass ich so bald wie möglich wegkomme."

Hanna fragte Henning, ob er mit ihr ihren mittäglichen Imbiss teilen wollte, und Henning freute sich offenbar über das Angebot. Sie konnten wieder draußen essen, und Hanna schwärmte von dem tollen Sommer. Henning warnte allerdings vor dem Rest des Jahres, den er trist und grau fand. Er freute sich auf die Schwäbische Alb, wo es viel häufiger Schnee und richtige Kälte gab. Allerdings musste er eingestehen, dass Marbach auch nicht gerade eine Großstadt war, und dass er ziemlich weit würde fahren müssen, um dahin zu kommen, wo etwas los war.

Während sie nach dem Essen einen Kaffee tranken, den immerhin Henning gemacht hatte, kam die Briefträgerin und brachte ein Einschreiben für Hanna. Natürlich schwante Hanna Übles, und sie hatte eigentlich gar keine Lust, den Brief zu öffnen. Einschreiben waren fast nie gut, aber da der Brief nun einmal gekommen war, musste sie ihn auch lesen. Henning entfernte sich diskret, aber Hanna rief ihn zurück, als sie das Einschreiben gelesen hatte. Der Brief war von einem Rechtsanwalt in Angelegenheit „Rudolph" geschickt. Der Rechtsanwalt beschuldigte Hanna, den Vertrag gebrochen zu haben, den sie mit Rudolph abgeschlossen hatte, forderte das Geld für das Wochenende zurück (Hanna hatte es längst abgeschickt) und kündigte eine Schadenersatzforderung an, da Rudolphs

Laufbahn durch das Wochenende, an dem er nichts hatte lernen können, gefährdet sei.

Hanna blieb vor Staunen einfach der Mund offen. Eine solche Dreistigkeit hatte sie nicht erwartet. Sie gab Henning den Brief, und Henning fing zu lachen an. „Das ist ja wohl das Letzte", sagte er. „Mach dir nichts draus, da hat er keine Chance. Wenn er dich weiter mit Schreiben belästigen sollte, machst du eine Anzeige gegen Rudolph wegen rassistischer Beleidigung. Das kommt bei uns im Moment gut. Du hast ja genügend Zeugen, die ihn gehört haben."

„Ich habe aber keine Lust auf Klagen und Gegenklagen. Mir reicht alles andere, was im Moment ansteht."

„Du solltest auf jeden Fall deinen Rechtsanwalt zu Rate ziehen und ihm die Sache überlassen."

„Wie, mein Rechtsanwalt? Habe ich so etwas? Ich kenne nicht einmal einen Juristen, geschweige denn, dass ich einen zu meiner Verfügung hätte. Hast du denn einen Anwalt?" Henning wurde verlegen. „Natürlich nicht", antwortete er. „Ich glaube, das habe ich aus Filmen oder Büchern. Es ist doch eigentlich unrealistisch, dass jeder einen juristischen Vertreter bei der Hand hat."

„Dann rede keinen Blödsinn, das ist nicht hilfreich. Ich glaube, ich ignoriere das Schreiben erstmal und versuche, mich nicht zu ärgern. Da sitzt man im schönen Gartow, hat einen guten Job mit Pferden, und dann häufen sich die Probleme. Ich hätte nie gedacht, dass ich mich hier mit allem möglichen herumschlagen muss, das einfach über mich kommt."

„Wem sagst du das! Ich wollte auch nur meinen Spaß haben, und jetzt sitze ich mit der dummen Tussi in der Patsche."

„Du bist ganz schön gemein. Vielleicht macht sie sich wirklich viel aus dir, und sonderlich moralisch finde ich es auch nicht, sich mit verheirateten Frauen einzulassen. Du hast offenbar gedacht, das ist unverfänglich, denn sie sind ja eigentlich nicht mehr zu haben und stellen deshalb keine Ansprüche. Da hast du dich wohl getäuscht."

Henning stand auf und sagte im Weggehen. "Mir reicht's mit den Moralpredigten. Ich hätte dir nichts erzählen sollen. Schön, dass ich nächste Woche erst einmal weg bin."

Hanna überlegte, wie es sein konnte, dass Rudolphs Rechtsanwalt sich so schnell gemeldet hatte. Wahrscheinlich war er ein Freund der Familie, oder er schuldete Rudolphs Vater wegen irgendwelcher illegalen Machenschaften einen Gefallen. Sie fuhr den Computer hoch und gab die Rechtsanwaltskanzlei ein.

Es gab eine Homepage, die ihr aber in keiner Weise weiterhalf. Als nächstes probierte sie den örtlichen Lions Club, und siehe da, Rudolphs Vater und der Rechtsanwalt waren Mitglieder. Das erklärte schon mal einiges.

Sie überlegte, ob sie Luise von dem unverschämten Schreiben berichten sollte, aber sie entschied sich dagegen. Warum sollte sie Luise belasten mit einem Problem, das sich vermutlich in Luft auflösen würde? Am Nachmittag gab sie zwei Stunden Reitunterricht, zuerst für Kinder, dann eine Springstunde für Erwachsene. Einer ihrer Reiter, der schon lange dabei war, aber keine Fortschritte machte, versuchte sie zu überreden, am Wochenende mit der Gruppe einen längeren Ausritt zu organisieren. Aber Hanna ließ sich nicht überreden, da sie sich beide Wochenendtage für ihren Bruder und die tolle Charlotte freihalten wollte.

Gegen Abend fuhr sie bei Luise vorbei, um sich zu verabschieden. In Luises Flur standen bereits zwei gepackte Koffer, und Luises Sohn saß bei einem Glas Cognac im Wohnzimmer. Er stand sofort auf, als Hanna hereinkam, und sie schüttelten sich die Hand. Luise stellte sie einander vor und bot Hanna auch einen Cognac an. Sie bedauerte, selbst nichts Alkoholisches trinken zu dürfen, aber wenigstens in der nächsten Zeit wollte sie den Anweisungen der Ärzte artig Folge leisten. Hanna beobachtete sie genau um festzustellen, ob sie wieder völlig in Ordnung war. Bis auf ihr linkes Augenlid, das ganz leicht herunterhing, war nichts Offensichtliches zurückgeblieben.

Luise bemerkte natürlich, dass Hanna sie musterte. „Ich weiß, dass mein Gesicht nicht mehr ganz symmetrisch ist. Wenn das alles bleiben sollte, kann ich nur sagen, dass ich großes Glück gehabt habe. Mein Gedächtnis ist wohl unverändert, ich kann hören, sehen und sprechen. Im Augenblick fühle ich mich wohl, aber ich soll mich in nächster Zeit schonen. Das werde ich in der Reha in Ahrenshoop ausführlich tun, möglicherweise bis zur Langweile. Jetzt erzähle, wie es bei dir aussieht, und dann sollten wir vielleicht ein paar Dinge besprechen."

Hanna brachte Luise auf den neusten Stand. Luises Sohn stellte immer wieder Zwischenfragen bezüglich Jasminas Verschwinden und Verletzung, und Hannas eigenen Sorgen wegen des Stalkers. Hanna stellte fest, dass er überhaupt nicht informiert war über die Geschehnisse auf dem Hof und schloss daraus, dass der Kontakt zwischen Mutter und Sohn nicht sehr eng sein konnte.

Luises größte Sorge war das Verbleiben von Arthüür. Sie konnte ihn natürlich nicht mitnehmen, wollte aber auch Hanna nicht mit der Betreuung belasten. Also schlug sie vor, ihn in eine Hundepension zu geben oder ihn ihrem Sohn anzuvertrauen, der es jedoch weit von sich wies, sich um die „verwöhnte Töle", wie er sagte, zu kümmern. Hanna beruhigte Luise. Sie würde Arthüür auf dem Hof behalten, obwohl sie mit Bangen daran dachte, was der Hund bereits angestellt hatte und vermutlich noch anstellen würde.

Luise versprach, sich während ihres Kuraufenthalts mit den Plänen für ihre Zukunft auseinanderzusetzen. Sie beteuerte immer wieder, wie Leid es ihr tun würde, wenn der Hof aufgegeben werden müsste und Hanna dadurch ihre Stelle verlieren würde. Sie hatte ja immer wieder gehört, wie gut Hanna das Wendland gefiel und wie sehr sie die Nähe von Carsten genoss. Hanna musste versprechen, ihr mit Carsten einen Besuch in Ahrenshoop abzustatten. Allerdings wusste Hanna nicht so recht, wie sie das bewerkstelligen sollte, da die nächsten beiden Wochenenden durch den Besuch ihres Bruders und eine

Reitergruppe blockiert waren.

Hanna blieb nicht lange, weil sie den Eindruck bekam, dass Luise nach kurzer Zeit ermüdet wirkte, obwohl sie das natürlich nicht zugeben wollte. Hanna schüttelte im Hinausgehen Luises Sohn die Hand und bat ihn, unterwegs am nächsten Tag vorsichtig mit seiner Mutter umzugehen. Er lächelte leicht spöttisch und sagte, er wisse schon, was er zu tun hätte, und dachte sich vermutlich dabei, er könne auf den Rat einer so jungen Frau verzichten, die sich wie seine alternde Tante verhielt.

Hanna mochte ihn ganz gern, was sie von seiner Schwester Hansine nicht behaupten konnte. Er schien besorgt um seine Mutter und hatte mit keiner Andeutung erkennen lassen, dass er scharf auf eine Schenkung oder gar auf das Erbe war.

Von Luise verabschiedete sich Hanna mit einer herzlichen Umarmung, wünschte ihr eine schnelle und vollständige Genesung und einen angenehmen Aufenthalt. Luise erklärte, dass sie keineswegs auf kulturelle Angebote verzichten wolle, die auf dem Darß im Sommer in allen Variationen angeboten wurden. Sie wollte Konzerte, Vorträge und Ausstellungen besuchen, in der Bücherei herumstöbern und am Hafen Kaffee trinken.

Hanna wünschte sehr, dass sich Luises Pläne zur Gestaltung des Reha-Aufenthalts nicht zerschlagen würden. Immer wieder hatten Patienten, die aus einer Kur zurückkamen erzählt, dass die Anwendungen einen ganz schön in Anspruch nehmen konnten, und viele Genesende am Abend keine Lust und keine Kraft mehr für größere Unternehmungen hatten. Luise schien ihr zu optimistisch, aber das konnte bestimmt nur positiv zur Gesundung beitragen.

Eigentlich hatte Hanna vorgehabt, noch im Krankenhaus in Salzwedel vorbeizufahren, um nach Jasmina zu sehen. Sie wusste seit Tagen nicht, ob es Änderungen an Jasminas Zustand gegeben hatte, denn am Telefon konnte sie nichts erfahren, da sie keine Angehörige war. Aber sie beschloss, doch erst in der folgenden Woche wieder den Weg nach Salzwedel auf sich zu nehmen, wenn sie den Besuch im Krankenhaus mit ein paar Besorgungen verbinden konnte.

Am Freitagnachmittag verabschiedete sich Henning überaus wohlgelaunt. Er wollte so früh wie möglich loskommen, um sich vor seinem Vorstellungsgespräch am Anfang der nächsten Woche in Marbach und Umgebung umzusehen und herauszufinden, wie die Möglichkeiten, eine nette Wohnung aufzutreiben, aussahen. Leider waren einige Unterlagen für das darauffolgende Wochenende mit Reitbetrieb liegengeblieben, und Hanna fand wieder einmal, dass Hennings Ausscheiden nicht gerade ein Verlust für den Betrieb sein würde. Sie gönnte ihm von Herzen, dass man ihn in Marbach richtig rannehmen würde, falls er die Stelle bekam.

Carsten kam am Freitagabend vorbei, um ein paar Sachen zusammenzupacken und mit nach Pevestorf zu nehmen. Er versprach, am Sonntag zum Mittagessen zu kommen, um Marian und Charlotte zu begrüßen, aber ansonsten wollte er das Wochenende nutzen, um seinen Haushalt auf Vordermann zu bringen und einen Aufsatz fertig zu schreiben, der dringend veröffentlicht werden sollte.

Hanna saß wartend unter einer Linde und las, als ihr Bruder und Charlotte im Hof einfuhren. Sie riss die Augen auf, als sie sah, mit was für einem Fahrzeug die beiden ankamen: Ein offenbar nagelneuer Porsche Boxster, natürlich mit offenem Verdeck. Hanna schluckte und versuchte, nicht gleich gegen die tolle Charlotte eingenommen zu sein, denn ihrem Bruder konnte das Geschoss wohl kaum gehören.

Die beiden stiegen aus, angelten ihr Gepäck aus dem hinteren Teil des Wagens, wo durch das versenkte Verdeck kaum noch Platz war, und kamen auf sie zu. Hanna stand auf, umarmte ihren Bruder und gab Charlotte die Hand. Charlottes Begrüßungslächeln war offen und warm, und Hanna spürte, dass sich Charlottes Hand gut anfühlte.

Die tolle Charlotte sah ganz anders aus, als Hanna sich das

vorgestellt hatte: Kein aufregendes Model in Designerklamotten, kein überheblicher Ausdruck, der signalisierte, dass sie die Größte war. Charlotte war überraschend klein, hatte feines weißblondes Haar, das mit einer einfachen Spange im Nacken zusammengehalten wurde, und ihr fast scharf zu nennendes Gesicht wurde beherrscht von großen, grauen Augen, die viel Wärme ausstrahlten. Was Hanna noch mehr überraschte, war Charlottes zwar nicht ausgeprägter, aber dennoch eindeutig schwäbischer Akzent. Beim ersten Anblick Charlottes hatte Hanna eher an Schleswig-Holstein oder Ostfriesland gedacht. Auf jeden Fall war sofort klar, dass es Marian mächtig erwischt hatte.

Charlotte hatte Hannas leicht schockierten Blick auf ihr teures Auto gemerkt und lachte. "Dein erster Eindruck von mir ist wohl eher nicht so positiv", sagte sie, und Hanna merkte, wie sie rot wurde. „Mach dir aber keine falschen Gedanken. Das Auto hat mir mein Vater zum bestandenen Juraexamen geschenkt. Er kann es sich leisten, und außerdem versucht er in finanzieller Form Abbitte zu leisten, weil er meine Mutter nach vierundzwanzig Jahren Ehe mitsamt ihren drei Kindern hat sitzenlassen wegen einer jüngeren Frau. Wenigstens war er nie knickrig. In der ersten Zeit nach der Trennung meiner Eltern hat er sich wenig um mich und meine beiden jüngeren Brüder gekümmert, vermutlich, weil seine neue Flamme wohl anderes im Kopf hatte, als sich mit Ballast aus der ersten Ehe ihres neuen Mannes abzugeben. Inzwischen ist seine neue Beziehung dahin, und er überschüttet uns mit Aufmerksamkeiten und Zuneigung, die manchmal auf die Nerven gehen. Er hat sogar einen Anlauf genommen, zu meiner Mutter zurückzukehren, aber da hat er auf Granit gebissen."

Hanna wunderte sich, dass Charlotte schon nach wenigen Minuten ihrer Bekanntschaft diese Vertraulichkeiten erzählte. Charlotte wirkte aber völlig unbefangen und offen, und das nahm Hanna für sie ein.

Charlotte fuhr fort: „Das ist jetzt so aus mir rausgesprudelt.

Entschuldige bitte! Eine Frage: Hättest du an meiner Stelle das Auto aus hehren Prinzipien abgelehnt? Ich finde es mittlerweile toll zu fahren und habe Spaß damit."

Hanna überlegte, was sie antworten sollte. „Ich kann die Frage eigentlich nicht beantworten, weil ich nie in eine solche Situation gekommen bin. Ich finde es toll, dass ich Marians Kangoo haben darf, und der reicht völlig für meine Bedürfnisse aus. Er ist zuverlässig, praktisch, sparsam und ansprechend. Etwas Besseres kann ich mir nicht vorstellen, und so ein Auto wie dein Porsche wäre für mich völlig daneben. Ich transportiere öfter Dinge, die sperrig und manchmal auch nicht ganz sauber sind, und dafür brauche ich schon einen kleinen Lastwagen. Es ist natürlich leicht, vernünftig, moralisch und ökologisch denkend zu sein, wenn man gar nicht in Versuchung gerät."

Charlotte stimmte ihr zu, und Marian legte ihr einen Arm um die Schultern, zog sie an sich und fragte Hanna, ob es möglicherweise etwas zu essen gäbe.

„Das ist jetzt vielleicht unverschämt, aber ich rieche etwas Köstliches wie Knoblauch aus der Küche, und zur Entschuldigung kann ich nur vorbringen, dass wir beide heute noch keine Zeit gehabt haben, etwas Ordentliches zu uns zu nehmen."

Hanna zeigte mit einer Handbewegung auf den Tisch. „Tu nicht so scheinheilig. Ihr seht, dass der Tisch bereits gedeckt ist. Tragt Eure Sachen in die Gästezimmer im Erdgeschoss, gleich erste und zweite Tür links. Das Bad ist gegenüber, das müsst ihr euch teilen. Ich habe den Vorteil, meinen Gästen das ganze Haus anbieten zu können, wenn keine Reitergruppen da sind. Es ist doch angenehm, Einzelzimmer zu haben und das Bad nicht mit mir teilen zu müssen?"

Marian sah total verblüfft aus. „Du meinst doch nicht im Ernst, dass ich nachts heimlich über den Flur schleiche, um Charlotte einen Besuch abzustatten? Bist du zu deinen Wurzeln in Polen zurückgekehrt, wo man laut Kirche erst heiraten muss und dann feststellen, dass man überhaupt nicht zusammenpasst?"

Hanna musste lachen. „Du kennst mich doch wohl gut genug, um zu wissen, dass ich manchmal Blödsinn rede. Ich wollte euch nur aufziehen. Ab in euer Zimmer! Die Betten sind bezogen, das Essen ist gleich fertig."

Eng umschlungen zogen die beiden ab. Hanna schaltete den Backofen ein, um ihr vorbereitetes Gratin warmzuhalten. Das Schweinefilet mit Knoblauch köchelte in einem Bratentopf, und die Salatsauce musste nur noch mit dem Salat vermischt werden.

Hanna zündete Kerzen auf dem Tisch und auf den Fensterbrettern an, obwohl es noch nicht ganz dunkel war. Abgesehen davon schämte sie sich ein bisschen für die scheußliche Plastiklampe, die wie Kristall aussehen sollte, die über ihrem Esstisch hing. Sie war noch gar nicht dazu gekommen, sich um eine ordentliche Lampe zu kümmern, und sie fand jedenfalls, dass die Beleuchtung eines Raumes sehr wichtig und überaus schwierig war. Also machte sie das schauerliche Ding, das ihre Vorgängerin in der Wohnung hinterlassen hatte, lieber nicht an.

Sie bedauerte, dass sie nicht vor dem Haus gedeckt hatte, aber es fehlte ihr der Schwung, alles hinunterzutragen. Im Wetterbericht hatten sie Regen vorausgesagt, der aber ausgeblieben war.

Nach wenigen Minuten kamen Charlotte und Marian nach oben. Charlotte überreichte Hanna ein hübsch eingewickeltes Päckchen und forderte sie auf, es auszuwickeln. Hanna war sehr überrascht. Sie wog das Päckchen in der Hand um zu erraten, was es enthalten könnte, aber sie musste zugeben, dass sie keine Ahnung hatte. Es war für seine Größe ziemlich schwer, und Charlotte beteuerte, dass es keine Pralinen seien.

Hanna entfernte das Schleifchen und das Papier, und in einer hölzernen Schachtel kam ein stilisiertes Pferd aus Silber zum Vorschein. Hanna war entzückt und gab Charlotte spontan ein Küsschen. „Was für eine Überraschung. Wenn ich

Schwäbin wäre, würde ich jetzt sagen, das wäre nicht nötig gewesen. Als halbe Polin kann ich aber zugeben, dass ich mich riesig freue. Wo hast du das schmucke Pferdchen her?" „Ich habe es von einer Reise nach Indonesien mitgebracht. Ich mag es auch sehr, aber ich dachte, zu dir passt es besser, denn mit echten Pferden habe ich nichts am Hut."

Hanna sah sich nach einem passenden Platz um und stellte es schließlich auf das Fensterbrett im Wohnzimmer. Im Gegenlicht kam es allerdings nicht richtig zur Geltung, und sie beschloss, sich in den nächsten Tagen näher mit dem Standort zu befassen.

Während des Essens erzählte Hanna von den Ereignissen der letzten Tage. Sie zeigte auch den Brief von Rudolphs Rechtsanwalt, und Charlotte war elektrisiert. „Wenn du möchtest, setze ich dir etwas auf. Da ich - wie du wohl weißt - Rechtsanwältin bin, wäre es mir ein Vergnügen, von Kollege zu Kollege eine geharnischte Antwort zu schicken. In einer ruhigen Minute sollten wir über die Details sprechen."

Hanna war hocherfreut, in Charlotte fachkundigen Beistand zu haben, so dass vermutlich die unangenehme Angelegenheit aus der Welt geschaffen werden konnte.

Marian zeigte sich sehr besorgt über die Entwicklung bezüglich des Stalkers und der Unsicherheit, in der Hanna sich beruflich befand.

„Wenn du deine Stellung verlierst und von Sozialhilfe leben musst, sag mir rechtzeitig Bescheid. Ich nehme dann das Auto zurück."

Hanna kniff ihn in den Arm, bis er bis er einen Schmerzenslaut von sich gab. „Okay, okay, ich entschuldige mich", sagte er grinsend. „Abcr die Geschichte mit deinem Stalker finde ich wirklich nicht witzig. Ich bin froh, dass du nicht allein auf dem Hof bist. Wo ist übrigens Carsten? Er wohnt doch bei dir?"

„Da ich durch euch Beistand habe, hat Carsten die Gelegenheit ergriffen, zu Hause bei sich ein bisschen Ordnung zu schaffen und einen Artikel fertigzuschreiben, der eigentlich schon abgeschickt sein sollte. Wenn er bei mir ist, kommt er nicht zu ernsthaften Dingen, obwohl ich ihn natürlich nicht explizit abhalte. Wir essen abends gemütlich, machen kleine Radtouren oder gehen auch mal ins Kino. Der Abend ist dann schnell vorbei.

Ich meinerseits habe auch etwas Ernsthaftes zu tun, abgesehen von meinen Amüsements mit Tieren und Misthaufen. Ich soll einen Artikel über Schweinemast aus dem Polnischen übersetzen. Es wimmelt von technischen Fachausdrücken, und ich tue mich einigermaßen schwer zu kapieren, worum es geht. Mit Feuerschutz in den Ställen, Immissionen und Emissionen, Tierschutzverordnungen usw. komme ich gerade noch zurecht, aber bei den Details über Keime, mögliche Infektionen, medizinische Abwehrmaßnahmen und Ähnliches muss ich mich erst einlesen.

Ich nehme an, dass ein Fachmann den Artikel redigiert. Ich finde es aber demütigend, wenn man tagelang über einer Übersetzung grübelt, um alles perfekt zu machen, und nachher feststellen muss, dass man den Text nicht wiedererkennt. Deshalb wird von manchen Übersetzern die Arbeit auch schlampig erledigt. Das ist leider nicht mein Ding."

Marian lachte. „Das ist doch eine Herausforderung für dich. Du findest ja heute die eigenartigsten Vokabeln im Internet, also kann es gar nicht so schwer sein. Verdienst du wenigstens das dicke Geld an so einer Übersetzung?"

„Das hält sich in Grenzen, und deshalb gibt es viele Übersetzer, die bei ihrer Arbeit schludern. Das ist leider nicht meine Art, wie ich schon sagte, und so muss ich mich mit einiger Korrektheit durchbeißen."

Nach dem Essen bat Charlotte Hanna, ihr etwas auf der Querflöte vorzuspielen. Marian hatte ihr erzählt, dass Hanna das Instrument sehr gut beherrschte, da sie dank des Ehrgeizes ihrer Mutter sehr früh mit Musikunterricht angefangen hatte.

Hanna holte bereitwillig ihr Instrument und freute sich, dass Charlotte und Marian sehr andächtig zuhörten und ihr begeistert Beifall klatschten nach ihrem kleinen Vortrag.

Marian spielte Trompete in einer Jazzband. Bedauerlicherweise kam er nicht mehr oft zum Üben, seit er arbeitete und beruflich sehr eingespannt war.

Hanna machte Vorschläge für die Unternehmungen an den beiden nächsten Tagen. Carsten würde natürlich die Burg Lenzen und seinen Arbeitsplatz vorführen, an dem die derzeitigen Ausgrabungen stattfanden, und Hanna wollte den Rest organisieren.

„Manchmal komme ich mir schon wie ein Touristikunternehmen vor. Jeder, der mich besucht, möchte die Highlights des Wendlands kennenlernen, was mir aber überhaupt nicht langweilig wird. Die Rundlinge sind natürlich ein Muss. Wir können Fahrräder mitnehmen und eine gemütliche Tour von Dorf zu Dorf machen. Ich habe dich allerdings noch nicht gefragt, ob du gerne Rad fährst oder lieber Porsche, Charlotte?"

Charlotte lachte. „Lass es mal gut sein mit der Lästerei. Natürlich fahre ich gern Rad. Leider kann ich euch keine Mitfahrgelegenheit anbieten in meinem zugegebenermaßen etwas unpraktischen Auto. Wie können wir die Anfahrt lösen?"

„Ich denke doch, dass Carsten mitkommt. Die Räder schmeißen wir auf die Ladefläche seines Caddy, und ihr könnt mit eurem Auto hinter uns herfahren. Ist auch ein schöner Anblick - verbeulter Pick-up mit neuem Cabrio im Convoi."

„Du machst dich schon wieder über mein Auto lustig. Mein Vater würde das nicht mit Humor nehmen, wenn er es hören könnte. Ich glaube, er hat überhaupt kein Verständnis für jemanden, der ein Auto nur als Fortbewegungsmittel sieht und den Luxusfaktor gänzlich außer Acht lässt."

„Wenn ich ihn je kennenlerne, werde ich nichts verlauten lassen. Ich kann nämlich auch sehr höflich und diskret sein."

Charlotte lachte. „Das soll ich einfach so glauben? Marian, sag du." „Ich halte mich da raus, ich will ja mit meiner Schwester keinen Krach anfangen. Ich glaube aber tatsächlich, dass sie ganz brav und angepasst war, als sie beim Makler in Hamburg gearbeitet hat. Stimmt's?"

„Ja", sagte Hanna, „Obwohl es mir nicht immer leichtfiel. Aber ich musste mich anpassen, sonst wäre ich gleich rausgeflogen. Hier habe ich es jetzt besser, zumindest kann ich den Pferden und Luises Dackel gegenüber unhöflich werden wie ich will."

Sie tranken eine ganze Menge Wein und plauderten vergnügt. Als sie gerade ins Bett gehen wollten, klopfte es an der Haustür, und Carsten erschien. Er begrüßte Hanna mit Küsschen und schüttelte Charlotte und Marian die Hand. „Schön, dass ich euch noch bei gemütlichem Beisammensein antreffe. Mir ist ein bisschen langweilig geworden über meinem Aufsatz, und es erschien mir viel verlockender, bei euch noch vorbeizukommen."

Carsten bekam natürlich auch noch ein Glas Wein und machte es sich neben Hanna auf der Couch bequem. „Ich habe im Vorbeigehen den Stall und den Hof inspiziert. Es gibt nichts Verdächtiges, und ich denke, drei Autos vor dem Haus müssten eigentlich abschreckend wirken."

Sie beschlossen, am nächsten Morgen mit der Fähre nach Lenzen überzusetzen, das Museum zu besuchen und sich Carstens Feldarbeit vor Ort erklären zu lassen. Zu Mittag wollten sie auf der Terrasse des Burgrestaurants essen, von der man einen grandiosen Blick auf das Flüsschen Löcknitz mit seinen baumbestandenen Ufern und eine von einem endlosen Horizont überwölbte Weidelandschaft dahinter hatte.

Der Nachmittag sollte am Laascher See verbracht werden, sofern das Wetter hielt. Carsten schlug vor, wieder mit dem Fahrrad von Meetschow aus ans Seeufer zu fahren und sich in der Tundra, wie er es nannte, ausgiebig mit den dort wachsenden Pflanzen zu beschäftigen Er schwärmte von den Teppichen wilder Stiefmütterchen und kleiner roter Nelken, die es dort in Mengen gab.

Als sie schließlich beschlossen, endlich ins Bett zu gehen, beteuerte Charlotte vehement, wie sehr sie sich auf den nächsten Tag freute.

Hanna und Carsten unterhielten sich noch ein bisschen im Bett. Hanna äußerte sich sehr angetan über Charlotte. „Sie ist natürlich und unkompliziert und scheint gut zu uns zu passen. Ich würde es jedenfalls begrüßen, wenn Marian mit ihr zusammenbleiben würde. Wir haben natürlich nicht über Zukunftspläne gesprochen, sie kennen sich ja auch noch nicht sehr lange. Aber Marian habe ich noch nie so durch und durch begeistert von einer seiner zahlreichen Freundinnen gesehen und mir scheint, auch Charlotte hat es ordentlich erwischt."

Carsten nahm sie in den Arm und flüsterte zärtlich „mich auch", und das beendete ihre Unterhaltung.

Der nächste Morgen war nicht ganz so schön, wie sie es sich gewünscht hatte. Der Himmel war bezogen, und es sah nach Regen aus. Trotzdem wurde es ein höchst vergnügliches Frühstück. Hanna bot Kaffee, Saft, Brötchen und Eier in allen möglichen Varianten an: Rührei, French Toast, weichgekochtes Ei. Um Hanna nicht zu viel Arbeit zu machen, entschieden sich alle für ein weichgekochtes Ei bis auf Charlotte, die sich schüttelte und ihre Abneigung nicht verhehlen konnte

Als Hanna sie fragend ansah, gab sie bereitwillig eine Erklärung ab. Ein paar Jahre zuvor hatte sie bei Verwandten eine Legebatterie mit Tausenden von traurigen, halb gerupften Käfighühnern besichtigt. Sie standen so dicht gedrängt, dass tote Hühner oft nicht mal zwischen den noch lebenden umfallen konnten. Es war ein sehr tiefgehendes Erlebnis für Charlotte gewesen, und seitdem wurde ihr beim Gedanken, Eierspeisen oder gar Geflügel essen zu müssen, fast schlecht.

Charlotte aß also Brötchen mit Marmelade und Müsli und war damit höchst zufrieden. Es störte sie auch nicht sonderlich, die anderen ihr Ei essen zu sehen, solange niemand die laut knirschende Schale vom dicken Ende heruntersäbelte, und sie sich dadurch an ein Schlachtfest erinnert fühlte.

Sie gingen nach dem Frühstück alle zusammen zum Stall,

um Hanna zu helfen, das Nötigste vor ihrem Aufbruch zu erledigen. Als sie an den geparkten Autos vorbeikamen, stockte Hanna vor Schreck der Atem. Oskar war mit schwarzer Farbe verunziert, und als sie das Auto näher inspizierte, entdeckte sie auf der Schiebetür der Fahrerseite die Buchstaben DD, und auf der gegenüberliegenden Tür stand „BALD"

Hanna seufzte vor Erleichterung, als sie sah, dass die Buchstaben weder eingekratzt noch mit Farbe aufgemalt waren sondern mit schwarzem Isolierband aufgeklebt.

„Wahrscheinlich wird es sichtbare Streifen im Lack geben, wenn du das Klebeband abgerissen hast", meinte Marian. Er fluchte ziemlich unflätig auf Polnisch und fuhr dann fort: "Der Kerl ist wirklich frech. Du kannst keine Nacht mehr allein bleiben, bis er gefasst ist. Wir können nur froh sein, dass er an Charlottes Porsche keinen Schaden angerichtet hat. Offenbar geht es nur um dich. Fängst du mit den Buchstaben DD etwas an?"

Hanna erzählte ihm, dass sie die gleiche Unterschrift schon vorher bekommen hatte und eigentlich von Initialen ausging. Allerdings war ihr niemand eingefallen, auf den die Initialen DD passten, jedenfalls nicht in ihrem Bekanntenkreis.

Nachdem die Pferde versorgt waren und das Isolierband vom Auto entfernt, fuhren Hanna und Carsten mit den beiden Rädern, die zur Verfügung standen – Hannas und Hennings Rad – nach Pevestorf zu Elli, um dort zwei weitere Räder zu auszuleihen. Marian und Charlotte fuhren mit dem Auto etwas später los, diesmal mit geschlossenem Verdeck, um für alle Eventualitäten gerüstet zu sein. Auf dem Rücksitz saß Arthüür, den man zu Hannas Leidwesen nicht den ganzen Tag irgendwo einsperren konnte.

Hanna bemühte sich, ihren Ärger über den nächtlichen Vorfall zu unterdrücken. Sie wollte sich Elli gegenüber ganz wie immer verhalten, um irgendwelche Fragen zu umgehen und Elli nicht zu beunruhigen. Trotz Hannas Protest bestand Elli darauf, den „tapferen", wie Elli sagte, Fahrradfahrern einen soeben gebackenen Johannisbeerkuchen zur Stärkung mitzugeben. Auch der Hinweis, alles würde vermatschen, und das sei jammerschade, da der Kuchen perfekt aussah, nutzte nichts. Elli packte den Kuchen in eine Plastikschale mit Deckel, und so konnte er unbeschadet auf einem Gepäckträger festgemacht werden und dort liegenbleiben, sofern man nicht gerade über die übelsten Holperstrecken fuhr.

Hanna machte ein anderer Aspekt ein bisschen Sorgen. Die Johannisbeeren waren mit einem Guss aus Puderzucker und Eischnee bedeckt, und sie fürchtete, Charlotte könnte beim Anblick der Eier der Appetit vergehen. Andererseits konnte Hanna sich durchaus vorstellen, dass Charlotte gar nicht erkannte, aus welchen Zutaten der Guss bestand. Vermutlich hatte sie als Tochter aus reichem Haus nie gebacken, und bei Johannisbeerkuchen gab es schließlich eine Menge Varianten. Vielleicht konnte man hier ein bisschen mogeln.

Charlotte und Marian waren gerade dabei, die Höhe der Sättel einzustellen, als Elli aus dem Haus kam. Sie begrüßte Marian und Charlotte herzlich und fragte dann höflich, aber leicht verschämt, ob sie sich das tolle Auto mal näher ansehen dürfte. Charlotte war das überaus peinlich, und sie setzte sofort an zu erklären, dass der teure Wagen gar nicht ihr eigenes Verdienst sei, aber Elli winkte ab. „Das muss ich gar nicht wissen. Jedenfalls hat so ein tolles Ding noch nie in meinem Hof gestanden, und ich werde es gut bewachen, während ihr unterwegs seid."

Charlotte war gleich von Elli begeistert. Sie fand sie völlig natürlich und meinte, ihre Augen seien lebendig wie bei einem jungen Mädchen und strahlten eine von Herzen kommende Freundlichkeit aus.

„Du bist zu beneiden, Carsten", sagte sie. „Meine Großmutter mütterlicherseits ist früh gestorben, so dass ich mich kaum an sie erinnern kann, und die Mutter meines Vaters ist eitel, tyrannisch, rücksichtslos und auf jede Art von Äußerlichkeit bedacht."

Als sie im Begriff waren abzufahren, kam Elli nochmal angelaufen. „Ich habe euch ja noch gar nicht die neuesten Dorfereignisse erzählt", sagte sie etwas atemlos. „Heute Nacht ist Anitas Mutter mit Blaulicht ins Krankenhaus gekommen. Ihr bösartiger Freund hat sie zusammengeschlagen. Sie hat auf jeden Fall die Nase und ein Handgelenk gebrochen. Nachbarn sind ihr zu Hilfe geeilt, weil es eine weithin zu hörende, fürchterliche Auseinandersetzung gab, und Schmerzensschreie ertönten. Der Typ ist sofort abgehauen, und das ist auch besser so für alle hier".

Hanna atmete tief durch und sprach dann aus, was ihr gerade eingefallen war. „Ob er mein Stalker ist? Bisher bin ich da noch nicht draufgekommen, aber es könnte doch sein?"

Elli sah sie überrascht an. „Das glaube ich überhaupt nicht. Seine Methoden sind absolut drastisch, und die Rolle des Rosenkavaliers würde er bestimmt nicht spielen, das passt gar nicht. Außerdem hat er keine Initialen mit DD."

„Es müssen ja auch nicht die Initialen sein", meinte Marian. „Es kann doch etwas ganz anderes dahinterstecken, man müsste nur draufkommen. Elli lachte. „Wie wär's mit Dorfdepp? Da haben wir doch die Lösung!" Carsten amüsierte sich offensichtlich über seine Großmutter. Er gab ihr einen herzhaften Kuss auf die Stirn und sagte: „Was dir so einfällt! Dorfdepp ist grandios, jetzt musst du nur noch mit detektivischem Spürsinn herauskriegen, wer der Dorfdepp ist."

Elli tat ein bisschen beleidigt, aber dann nickte sie. „Das Leben im Dorf ist wirklich noch in Ordnung", sagte sie. "Man braucht kein Fernsehen und kein Kino, weil dauernd etwas Spannendes passiert."

Sie verstauten Arthüür in einem Korb an Carstens Lenker, denn Hanna wollte vermeiden, dass er sich mit seinen kurzen Dackelbeinen bei ihrem längeren Radausflug verausgabte, wenn er nebenher rennen musste.

Als sie losfuhren, erzählte Hanna von Anita und dem kleinen Iwan. Man wusste im Dorf tatsächlich nichts über seinen

Verbleib, man vermutete nur, dass er mit ein bisschen Glück schon in einer ordentlichen Pflegefamilie untergebracht war. Auch Anita war verschollen, und man konnte sich nur Schlimmstes vorstellen.

Charlotte setzte zum ersten Mal mit der Fähre über die Elbe, und sie war tief beeindruckt von dem gewaltigen Strom mit dem träge dahinfließenden Wasser. Am Ufer der Elbe paddelten ein paar Enten mit ihren fünf Güsseln, sonst war auf dem Fluss weit und breit nichts zu sehen. Wie Carsten erklärte, waren die meisten Vögel mit der Aufzucht ihrer Jungen beschäftigt und hatten keine Zeit, auf dem Wasser zu schaukeln wie später im Herbst.

Leider gab es einen kleinen Zwischenfall, denn als sie mitten auf dem Fluss waren, sprang Arthüür aus seinem Körbchen und konnte gerade noch von Carsten durch einen gewagten Hechtsprung aufgehalten werden, bevor er im Wasser landete. Arthüür hatte sich offenbar eine Pfote verletzt, denn er tat ein paar hinkende Schritte und sah flehentlich zu Hanna auf. Hanna nahm ihn auf den Arm und tröstete ihn, aber als sie ihn in sein Körbchen zurücksetzte, befahl sie ihm doch sehr streng, ruhig liegenzubleiben. Sie hoffte, dass er sich nicht wieder irgendwelche Eskapaden einfallen lassen würde, da er wohl seine Lektion gelernt hatte.

Die Burg Lenzen war für Charlotte und Marian ein wunderschönes Erlebnis. Mit Begeisterung öffnete und schloss Marian im Naturkundemuseum, das in der Burg untergebracht war, immer wieder die Deichschleusen der anschaulich nachgebildeten Elblandschaft, um die Elbauen zu überfluten und das Hochwasser wieder ablaufen zu lassen.

Charlotte verweilte lange unter der Kuppel des Turms auf einem Hocker in Schwanenform, unter dem die Elbtalauenlandschaft als Film vorbeizog. Es gelang ihr vollkommen, in die Illusion, Nils Holgersson auf dem Flug mit den Wildgänsen zu sein, einzutauchen, und sie juchzte wie ein Kind. „Das Buch Nils Holgersson habe ich immer wieder so gern gelesen.

Ich kann sogar auf Grund der nach Zahlen benannten Gänse schwedisch zählen!" Sie fing an, ihre Schwedischkenntnisse - die sich allerdings auf die ersten zehn Zahlen beschränkten - vorzuführen, aber Marian zog sie vom Schwanenhocker. „Ich muss leider ein bisschen Gewalt anwenden, um dich vom Gänsehimmel zu holen, sonst machen wir heute nichts anderes mehr. Ich habe nämlich allmählich Hunger."

Auch das Mittagessen war ein voller Erfolg, und Hanna vergaß ihre Kümmernisse. Charlotte war von mitreißender Begeisterung für die Burg und den Park und behauptete, Carsten um seinen Arbeitsplatz zu beneiden. „Wart's ab, du wirst ihn gleich sehen", sagte Carsten. "Ich sitze leider nicht auf dem Schwan und fliege über die Landschaft, ich laufe auch nicht in der Ausstellung herum, ergehe mich im Park und speise jeden Tag im Schlossrestaurant. Frag Hanna, in welchem Zustand ich abends nach Hause komme, sie will mich oft nicht zur Tür reinlassen, so starre ich vor Dreck."

„Über den größeren Dreck an unserem Arbeitsplatz können wir uns jetzt streiten", warf Hanna ein. „Jedenfalls sitzen wir beide nicht im Anzug oder Kostüm mit hübscher Bluse und hohen Absätzen in einem Glaspalast am Schreibtisch."

„Getroffen", sagte Charlotte. „Leider muss ich mich den Gegebenheiten fügen, sonst schmeißt mich die Sozietät raus. Ist es nicht lächerlich, dass man nach Hause kommt und zuallererst aus dem feinen Kostüm steigt und sich in Jeans und T-Shirt schmeißt?"

„Ist es nicht lächerlich, dass man nach Hause kommt, die Drecksklamotten abstreift, unter der Dusche verschwindet und damit in seine Identität zurückkehrt, die man beim Frühstück abgegeben hat?" konterte Hanna.

Marian behauptet, keins von beidem machen zu müssen. Er konnte in legerer Kleidung bei der Arbeit erscheinen und sie nach der Feierabend anbehalten, wenn er keine Lust zum Umziehen hatte. Daraus folgerte er, dass er der Einzige war, der vierundzwanzig Stunden seine Identität behalten konnte, worüber herzlich gelacht wurde.

Sie beendeten das Essen mit einem Espresso und radelten dann in Richtung Felder, wo Carsten mit seiner Truppe die Ausgrabungen vornahm. Inzwischen hatte es leicht zu nieseln begonnen. Der sandige Ackerboden klebte an den Schuhsohlen und neben der ausgehobenen Grube versank man bis zu den Knöcheln im Dreck, so dass Charlotte den richtigen Eindruck von Carstens beneidenswertem Arbeitsplatz bekam.

Weil Henning auf die Schwäbische Alb gefahren war, musste Hanna rechtzeitig zu Hause sein, um die Pferde zu versorgen. Arthüür verhielt sich nach seinem kleinen Unfall vorbildlich sowohl an der Leine vor dem Restaurant als auch auf der Rückfahrt in seinem Körbchen. Hanna sah sich seine verletzte Pfote an, aber sie entdeckte nur eine minimale Schwellung und unterstellte dem häufig kaspernden Arthüür, dass sein starkes Hinken Schauspielerei war und nur aus dem Bedürfnis entstand, getröstet zu werden. Carsten meinte auch, sie könnten erstmal auf einen Tierarztbesuch verzichten, ihm zu Hause eine kühlende Salbe aufschmieren und die Entwicklung abwarten.

Carsten fing an, das Essen vorzubereiten, und Charlotte ging ihm zur Hand. Er stellte fest, dass sie äußerst patent war. Beim Kartoffelschälen konnte er sich die Frage nicht verkneifen, ob sie an dem Johannisbeerkuchen, den sie am Nachmittag mit Vergnügen verspeist hatte, nichts bemerkt hätte. Charlotte lachte. „Natürlich habe ich den Guss bemerkt", sagte sie. „Aber erstens will ich nicht meckrig sein, und zweitens ist so ein verstecktes Ei nicht so schlimm, wenn man keine Religion aus der Abneigung macht."

Charlotte gefiel Carsten immer besser, und er hielt in einem unbeobachteten Augenblick zu Marian hinüber den Daumen hoch und grinste.

Charlotte hatte die Geste aber wohl bemerkt und legte ihm den Arm um die Schulter. „Danke für die Unterstützung", sagte sie und lächelte richtig lieb.

Als Hanna mit den Pferden fertig war, hörte sie zunächst ihre telefonischen Nachrichten ab: Eine Nachricht von Irene, die sich mit ihr unterhalten wollte, und eine Nachricht von ihrer Mutter, die nur hören wollte, wie das Wochenende mit Charlotte und Marian lief.

Hanna bedauerte, dass man nicht im Freien essen konnte, weil es immer noch nieselte. „Wenn das mein Haus wäre, würde ich einen Glasanbau machen lassen und überhaupt nicht mehr nach oben gehen."

„Da bin ich nicht begeistert", antwortete Charlotte. „Meine Eltern haben eine verglaste Veranda angebaut, als das gerade in Mode kam. Als Folge wurde es unter dem Glas und im Wohnzimmer viel zu heiß, es war nicht zum Aushalten. Also baute man einen Sonnenschutz unter das Glasdach, nutzte fast nichts. Also baute man eine aufwändige Belüftung ein, die je nach Sonneneinstrahlung automatisch auf - und zumachte, und der Effekt war, dass bei unbeständigem Wetter mit lautem sirr-sirr die Belüftung pausenlos runter-und wieder hochfuhr, je nach Wölkchen oder nicht. War auch wieder nichts, und jetzt wird der schöne, luxuriöse Glasanbau praktisch nicht mehr benutzt."

Hanna amüsierte sich über die Schilderung und meinte, man wäre ja längst von Ganzglas abgekommen und würde zumindest ein Dach einbauen, das den Glasanbau nicht mehr in eine Sauna verwandelte.

„Ist sowieso eine meiner Schnapsideen", meinte sie abschließend. „Erstens gehört mir das Haus nicht, und zweitens habe ich nicht einen Cent übrig für so einen Luxus. Aber man kann ja träumen."

Carsten deckte den Tisch, natürlich mit Kerzen bestückt, und Hanna dachte an ihre Freundin Béatrice in Aix, die sich immer lustig gemacht hatte über den Hang der Deutschen zur Romantik beim Essen und die allgemein beliebte „Gemütlichkeit", die sie überaus spießig fand. Hanna dagegen hatte versucht ihr klarzumachen, wie grässlich ein französisches

Café mit Plastikbänken, Resopal-Tischen, Spiegelwänden und Neonbeleuchtung sein konnte.

Während des Essens lief Carsten immer wieder nach unten, um durch einen Blick in den Hof festzustellen, ob alles in Ordnung war. Carsten neigte eigentlich überhaupt nicht zur Gewalttätigkeit, aber in der derzeitigen Lage hatte er große Lust, dem Typen, der Hanna belästigte, eins mit dem Knüppel überzuziehen, falls er ihn erwischte.

Jedes Mal, wenn er an den Tisch zurückkam, sagte er mit düsterer Stimme: „Die Lage ist unverändert ruhig." Hanna machten die ständigen Kontrollen und der blöde Satz ganz nervös, und sie bat ihn schließlich ungehalten, endlich sitzen zu bleiben.

Als krönenden Abschluss des Essens hatte sich Hanna etwas Besonderes ausgedacht. Nach dem Nachtisch servierte sie einen russischen Wodka in ausgehöhlten, eckig zugeschnittenen rohen Kartoffeln statt in Gläsern. Von dieser Idee waren alle ganz entzückt, und Charlotte meinte, Hanna solle ein Edelrestaurant aufmachen, in dem sie ihre aparten Ideen umsetzen könnte. Hanna gestand, dass der Gedanke, Wodka in rohen Kartoffeln zu servieren, nicht von ihr stammte, sondern von einem Hotel geklaut war, in dem es hauptsächlich Gerichte mit Kartoffeln gab.

Nach dem Essen beim Espresso nahm Charlotte ein Buch von einem Sessel hoch, das mit dem Einband nach oben aufgeschlagen dalag - ebenso, wie man Bücher nicht behandeln sollte, wenn man pfleglich mit ihnen umgehen wollte.

„Darf ich?" fragte Charlotte, und als Hanna nickte, sah sie sich den Titel an. „Ah, du liest auch Krimis", sagte sie erfreut und erklärte, warum sie so gerne Krimis las: Spannend, vom Alltag ablenkend und gut für's Einschlafen. Bis vor kurzem war Hanna begeisterte Krimileserin gewesen, aber in der letzten Zeit hatte sie ihre Meinung zu Krimis revidiert. Sie fand sie zu weltfremd und zu grausam. „Ich kann einfach die entsetzlichen Schilderungen von Gefangennahme und

Folter nicht mehr lesen. Ein oder zwei Morde sind ja noch ganz okay."Sie musste sich unterbrechen, weil Carsten einen regelrechten Lachanfall bekam, aber dann fuhr sie unbeirrt fort: „Die Folter-und Metzelszenen, in denen die Autoren genüsslich schwelgen, finde ich unzumutbar. Da wird gebrannt, gehackt, zerstückelt, gequält und sich in Sadismus gesuhlt. Ich überspringe mittlerweile ganze Seiten, wenn der Verbrecher ein Opfer geschnappt, in einen verlassenen Bauernhof, eine Industrieruine oder einen Hafencontainer verschleppt hat und anfängt, seine Perversitäten auszuleben. Ich gewinne allmählich den Eindruck, dass wir nur noch von Psychopathen schlimmster Sorte umgeben sind. Mein Verfolger ist mit Sicherheit auch einer, aber Gott sei Dank hält sich seine Brutalität bis jetzt in Grenzen."

Charlotte gab ihr in manchen Punkten Recht, versicherte aber, dass sie trotzdem nach wie vor gern Krimis las. „Was bleibt denn sonst als Bettlektüre? Einige der neueren Nobelpreisträger kapiere ich überhaupt nicht, muss ich gestehen, sie sind wirklich keine entspannende, leichte Kost, jedenfalls nicht vor dem Einschlafen. Andere schreiben sehr einseitig über Themen, die mich nicht tangieren und nicht interessieren, manche sind einfach gefühlsduselig und kitschig. Ganz schlimm und absolut nicht lesenswert finde ich die ausschweifenden Schilderungen der sexuellen Aktivitäten von Liebespaaren, die gerade ziemlich in sind."

Marian lächelte sie an. „Du kennst unsere polnischen Autoren nicht, sonst würdest du wissen, dass es auch ganz andere Bücher gibt. Ich stelle dir mal eine Liste zusammen, du wirst begeistert sein."

„Jetzt erinnerst du mich an meinen Vater, und das ist nicht so toll! Meine Mutter liest auch gern Krimis und herzerwärmende Liebesromane von z.B. Rosamunde Pilcher. Mein Vater kam eines Tages auf die unselige Idee, dass ihr ein höheres Lektüreniveau nicht schaden könnte und stellte ihr eine Liste mit Klassikern aus der ganzen Welt und neueren Nobelpreisträgern zusammen. Was glaubt ihr, was meine Mutter gemacht hat?"

Marian grinste. „Alles gelesen, wie es sich gehört, und jetzt kann sie richtig mitreden."

„Da siehst du meine Mutter völlig falsch. Sie hat die Liste genommen, sie ihm erst um die Ohren gehauen und dann ins Kaminfeuer geschmissen. Ich fand's toll, und das Thema wurde nie wieder erwähnt.

Carsten lachte herzlich, machte ihr aber trotzdem Vorschläge, die sie nicht recht ernst nehmen konnte. Historische und archäologische Fachliteratur, Biographien von berühmten Feldherren aus der Römerzeit, griechische Philosophen.

„Jetzt bin ich aber entrüstet, ihr tut ja so, als hätte ich ein Spatzenhirn und keinerlei Bildung genossen. Auch Juristen haben schon Hochwertiges gelesen, und mit den Philosophen habe ich mich bereits in der Oberstufe gründlich auseinandergesetzt. Soll ich mal anfangen, Aristoteles zu zitieren, oder wollen wir uns über Kants Theorien auseinandersetzen? Hochgeistig streiten vor dem Einschlafen statt Schund zu lesen?"

„Lieber nicht", antwortete Carsten, das ist mir nach dem guten Essen, dem Wein und dem Wodka viel zu anstrengend".

Er räumte mit Hanna zusammen den Tisch ab, und anschließend saßen sie noch lange zusammen, sprachen nochmal die Ereignisse bezüglich Hannas Verehrer durch, erörterten die ausgeartete Beziehung zwischen Anitas Mutter und ihrem Freund, die nicht einmal schlecht in einen Krimi passen würde. Schließlich diskutierten sie über Politik und stellten fest - nachdem sie noch einigen Wein getrunken hatten - dass sie als Politiker alles besser machen würden.

Am Morgen, während Hanna die Pferde versorgte, fuhren Carsten und Charlotte zu Elli, um den Porsche zu holen. Natürlich kam Elli in den Hof und nötigte ihnen eine Tasse Kaffee auf. Das Wetter war wieder sommerlich warm, so dass sie vor Ellis Haus im Freien sitzen konnten, obwohl es noch ziemlich früh war.

Charlotte drängte nach einigen Minuten zur Rückkehr zum Hof. Sie hatte ein schlechtes Gewissen, weil sie gemütlich herumsaß, während Hanna sich mit ihren täglichen Pflichten abmühte. Allerdings hatte Marian versprochen ihr zu helfen, und Carsten meinte, zu zweit würde es schnell gehen, die Pferde auf die Koppel zu lassen und die Boxen zu misten. Hanna wollte die übrigen Arbeiten -Zusatzfutter in die Tröge geben und Stroh einstreuen -erst abends erledigen, wenn die Pferde hereingeholt worden waren.

Carsten lobte begeistert Hannas Effektivität und Schnelligkeit während der täglichen Routinearbeit und räumte Charlottes Bedenken wegen deren Faulenzerei, wie sie es nannte, aus.

Nach einer guten halben Stunde mit angeregter Unterhaltung verabschiedeten sie sich von Elli und fuhren zurück, der Porsche immer schön dem alten Caddie folgend.

Hanna und Marian waren fast fertig. Carsten verstaute die Räder auf der Ladefläche seines Pick-up, und Charlotte räumte derweilen die Küche auf. Als sie bereits abfahrtbereit im Auto saßen, stieg Hanna plötzlich wieder aus und lief zum Haus zurück. Carsten sah sie kurz an der Haustür stehen, dann stieg sie wieder ein.

„Ich habe mich nur noch einmal überzeugt, dass gut abgeschlossen ist. Man weiß im Augenblick nie."

Carsten lachte ein wenig spöttisch. „Bist du neuerdings anaskantisch geworden? Das ist eigentlich ein Tick meiner Mutter oder eher eine Alterserscheinung. Dafür scheint es mir ein bisschen früh bei dir anzufangen."

Hanna sah ihn verständnislos an. „Das verstehe ich nicht. Erklär mir, welche Art von Altersdemenz sich bei mir bemerkbar macht. Was ist bitte schön anaskantisch?" Das ist das Phänomen, wenn man sich mehrfach überzeugen muss, dass man alles ordnungsgemäß hinterlassen hat. Nochmal zurückgehen, kontrollieren, ob die Herdplatte ausgestellt ist, die Lichter abgeschaltet, der Wasserhahn im Spülbecken abgedreht. Was wäre, wenn der Ablauf verschlossen ist, der Notablauf verstopft, und das Wasser tropft munter stunden - oder tagelang?"

Hanna musste lachen, denn genau diese Art von Missgeschick war Carsten während seiner Studienzeit in der WG, die er mit zwei anderen teilte, passiert. Sie erzählte genüsslich, was sich abgespielt hatte: „Nach einem langen Tag an der Uni ist Carsten abends in der Gemeinschaftsküche seiner WG knöcheltief im Wasser gewatet. Wütende Nachbarn meldeten sich, denen es durch die Decke tropfte, es gab nach allen Seiten Ärger, und die Beseitigung der Schäden kostete viel Geld, das Carsten nicht hatte. Er musste bei seinen Eltern eine Anleihe machen, und das war sehr unangenehm. Aber um das Thema abzuschließen, stelle ich fest, dass Carsten nicht anaskantisch ist und folglich auch nicht dement."

Carsten nahm sie in die Arme und küsste sie zärtlich. „Ich weiß ja, dass du perfekt bist, auch wenn ich manchmal lästere. Ich bin der Schussel, und du hast völlig recht, dich nochmal zu überzeugen, dass wir alles ordnungsgemäß hinterlassen haben, zumal in der derzeitigen Situation."

Sie fuhren im Konvoi zu den Rundlingsdörfern, stellten die Autos am Rand von Satemin ab und begannen ihre Radtour von Dorf zu Dorf mit kurzen Spaziergängen zu den wunderschönen Feldsteinkirchen, die leider wochentags geschlossen waren. Sie betrachteten einige der Fachwerkhäuser eingehend, die behutsam und ziemlich originalgetreu restauriert waren. Sie bewunderten auch viele der liebevoll angelegten Gärten, in denen gepflegte Rosenbüsche und an Mauern rankende Clematis-und Glyzieniensträucher in voller Blüte standen.

Beim Anblick mancher Häuser konnten sie sich allerdings abfällige Bemerkungen nicht verkneifen: Wenn die Fassade mit fabrikgefertigten, langweiligen Backsteinen plus Wärmeschutz saniert war, das giebelständige, ehemalige Scheunentor zugemauert oder durch ein Garagentor zweckentfremdet war. Auch ein breites Blumenfenster anstelle des Scheunentors beleidigte den Gesamteindruck, wie sie fanden. Am schlimmsten waren Umbauten, wenn der obere und untere Teil des historischen Gebäudes nicht mehr zusammen passte, weil im oberen Teil, der meist nicht zum Wohnen genutzt wird, das Fachwerk belassen war, der ebenerdige Wohnteil dagegen isoliert und neu verkleidet. Häufig war nicht mal echter Backstein verwendet worden, sondern eine Imitation aus besandetem Plastikmaterial.

Carsten erklärte ihnen, dass derartige Sanierungen, die aus den Fünfzigern und Sechzigern stammten, mittlerweile aus Denkmalschutzgründen nicht mehr gestattet waren. Zudem gäbe es Bestrebungen, die Rundlingsdörfer als UNESCO Weltkulturerbe anerkennen zu lassen, und das würde sicher für die Bebauung und die umgebende Natur positive Konsequenzen haben.

„Da wir gerade so schön beim Mäkeln sind" sagte Marian, „muss ich feststellen, dass ich noch anderes auszusetzen habe. Mich stören die Autos, die in den leider meist asphaltierten Zufahrten und auf dem Platz in der Mitte geparkt sind. Ich sehe zwar ein, dass es keine Möglichkeit gibt, das Auto verschwinden zu lassen, aber ich habe doch neulich in Lüneburg eine Lösung gesehen, die mir außerordentlich gut gefallen hat."

„Ich kann mir schon denken, was kommt", sagte Hanna spöttisch. Die Gemeinde baut vor jedem Rundling ein mehrstöckiges Parkhaus, stellt Schubkarren für Einkäufe und sonstiges Gepäck zur Verfügung, und schon ist das Dorf autofrei",.

Marian gab ihr eine Kopfnuss, die Hanna ihm reflexartig mit einem Tritt ins Schienbein vergalt. „Rückfall in die Kindheit", meinte Marian. „Aber jetzt lasst mich erklären, was ich meine. Vor einem sehr schönen Neubau fuhr ein sehr schönes Auto vor und wurde im Vorgarten auf einer Metallplatte abgestellt, die mir allerdings zuvor nicht aufgefallen war. Der Fahrer stieg aus, ging mit einem Schlüssel zu einer Vorrichtung neben der Haustür, drehte den Schlüssel, und das Auto versank im Boden. Als es nach ein paar Sekunden unten angekommen war, schob sich eine Platte über die Öffnung, und weg war die Pracht."

„Hast du den Autobesitzer, der vermutlich ein wunderschönes Blumenarrangement auf die Platte stellte, auch gleich interviewt, was die Versenkanlage gekostet hat?" fragte Carsten. „Abgesehen von den geschätzten Kosten in sechsstelliger Höhe ist das eine Superlösung. Jeder sollte so eine Vorrichtung haben, und unsere autofreien Städte und Dörfer sähen richtig toll aus."

Charlotte meldete andere Bedenken an. „Was ist, wenn die Mechanik nicht funktioniert, z.B. bei einem Stromausfall? Bleibt man dann klaglos zu Hause?" „Das ist im Programm nicht vorgesehen, automatische Garagentore funktionieren ja auch immer, soweit ich weiß", antwortete Marian.

Während ihrer weiteren Besichtigungstour witzelten sie über das Problem Auto, überlegten sich Möglichkeiten, wie man durch Bausünden verschandelte Häuser wieder ansehnlich machen konnte und verschönerten theoretisch Gärten, die nicht so sehr gelungen waren.

„Ich finde, wir sind ziemlich eingebildet", sagte Hanna. „Wenn uns jemand hören könnte, wäre das ganz schön peinlich."

„Wir gehen ja auch nicht hin und binden den Leuten auf die Nase, was wir von ihrem Haus halten", sagte Marian.

„Wir könnten uns doch als Offizielle vom Denkmalamt ausgeben, bei den Leuten klopfen und sie ein bisschen unter Druck setzen. Besuch von oben kommt doch immer gut", spann Charlotte den Faden weiter. Jedenfalls waren sie sich einig, die Welt verbessern zu können, und das war doch ein gutes Gefühl, Überheblichkeit hin oder her.

Zum Mittagessen kehrten sie in Lübeln im Kartoffelhotel ein. „Ich trinke jetzt ein schönes, kühles Wendlandbräu", sagte Carsten. „Da weiß man wirklich, dass es von hier stammt." „Wir schließen uns an", sagte Charlotte, schaute in die Runde, und Marian und Hanna nickten.

Als das Bier gerade serviert wurde, trat Pitten plötzlich wie aus dem Nichts aufgetaucht an ihren Tisch in abenteuerlicher Aufmachung: Weißes, vorne geschnürtes Hemd, rosa Pluderhosen und ein gelbes, kunstvoll gewickeltes Tuch um den Kopf geschlungen. Am auffallendsten waren seine Augen, die er mit Cayalstift heftig schwarz angemalt hatte einschließlich der Lider.

„Hast mir mal ‚nen Euro?" fragte er zu Charlotte gewandt. Charlotte zuckte merklich zurück, und es war deutlich, dass sie nicht wusste, wie sie sich verhalten sollte.

Hanna sprang ein. „Hei, Pitten", sagte sie, „wie kommst du denn nach Lübeln und warum bettelst du heute mal zur Abwechslung? Das hast du doch nicht nötig."

Pitten sah sie einen Augenblick mit völlig leerem Blick an und wendete sich wortlos ab, um, am Nachbartisch sein Sprüchlein zu wiederholen.

„Kennt ihr den?" fragte Charlotte. „Ist der high oder verrückt oder was?" Hanna erklärte ihr, wer Pitten war, musste aber zugeben, dass sie die augenblickliche Situation auch nicht verstand. „Ich weiß nie, woran ich mit ihm bin. Es kann doch wohl nicht sein, dass er mich heute nicht erkannt hat! Manchmal scheint er einen hochzunehmen, man weiß aber nie so genau, wann das der Fall ist. Jedenfalls sieht er heute mit seinen schwarzen Augen zum Fürchten aus."

Hanna erzählte anschließend, inwieweit sich Pitten in das Geschehen auf dem Hof einmischte, erwähnte auch den Verdacht der Polizei, er könnte hinter der unguten Situation stecken, und Carsten erging sich in Spekulationen über seinen Hintergrund und seine finanziellen Möglichkeiten.

Sie beobachteten, wie er am Nachbartisch eine Münze bekam und irgendetwas murmelte, was sie nicht verstehen konnte. Im nächsten Augenblick kam ein junger Mann in gepflegter Kleidung – vermutlich der Manager - aus dem Innern des Hauses und bedeutete Pitten in scharfem Ton, dass er sofort verschwinden solle. Pitten lächelte, machte eine begütigende

Handbewegung, wobei er die Münze zu dem Tisch zurückwarf, an dem er sie bekommen hatte, und schlenderte zur Straße.

Charlotte war völlig aus dem Konzept gebracht. "Ich muss sagen, dass hier auf dem Land bei euch sehr merkwürdige Vögel herumlaufen. Auch die Beziehungen der Bewohner untereinander und vor allem die Paarkonstellationen sind kompliziert und für mich nicht nachvollziehbar. Wie wahr ist doch die Aussage, auf dem Land sei die Welt noch in Ordnung! Am liebsten würde ich noch eine ganze Weile hierbleiben und die abenteuerlichen Verstrickungen verfolgen, wenn ich denn eine Ahnung von Psychologie hätte. Leider muss ich morgen wieder arbeiten, aber haltet mich auf dem Laufenden, ja?"

Marian zog sie zu sich heran und gab ihr einen Kuss auf die Stirn. „Ich bin dir wohl allmählich zu langweilig? Erfolgreich im Beruf, brav im Privatleben, ohne kriminelle Neigungen oder gewalttätige Ausbrüche."

Hanna lachte schallend. „Du behauptest allen Ernstes, brav zu sein? Ich glaube, da muss ich doch mal was richtigstellen, oder? Ich werde euch jetzt mal ein paar Dinge aus dem Vorleben meines Bruders erzählen, die alles widerlegen, was er von sich behauptet.

1. Kriminelle Absichten: Als wir noch ziemlich klein waren, hat er mich in einen Bach gezerrt und an einer Weide festgebunden. Das Wasser war eiskalt, und er sagte, er wolle zusehen, wie ich erfriere. Weil ich auf der Welt total überflüssig sei. Na ja, dank des Eingreifens unseres Vaters bin ich nicht erfroren, aber Marian ging es nicht so gut nach seiner Untat.

2. Gewalttätigkeit: Marian hat sich eines Tages an unserer wehrlosen, schmusebedürftigen Katze vergriffen. Er hat ihr einen mit Gas gefüllten Luftballon an den Schwanz gebunden und sich kaputtgelacht, wie die Katze in Panik versuchte, auf irgendeine Art den Schwanz wieder nach unten zu bekommen. Sie raste völlig ziellos durch den Garten, blieb schließlich an einem Busch hängen, und der Ballon platzte. Unsere Kat-

ze schoss davon und ließ sich zwei Tage nicht blicken. Als sie wiederkam, ging sie Marian schnurrend um die Beine um zu signalisieren, dass sie nicht nachtragend war. Vielleicht hatte sie die schlechte Behandlung einfach vergessen, ich jedenfalls nahm sie mit Tränen der Rührung wieder auf. Soll ich weitermachen?"

Marian musste selber lachen bei der Erinnerung, bedeutete ihr aber aufzuhören, bevor sie etwas ausplauderte, das ihm wirklich peinlich war.

„Na ja", sagte Charlotte, „deinen beruflichen Erfolg wollen wir nicht hinterfragen, aber von deinem braven Privatleben möchte ich in stiller Stunde doch noch einiges hören."

Nach dem Essen setzten sie in bester Laune ihre Radtour fort und beendeten die Besichtigungen im Café in Satemin mit einem wunderbaren Stück Kuchen und einem Cappuccino.

Am späten Nachmittag waren sie zurück, und Charlotte und Marian hatten es auf einmal ziemlich eilig, nach Hause zu fahren. Während Marian ihre Taschen ins Auto trug, machte Charlotte mit Hanna noch eine schnelle Runde durch die Stallungen und die Scheune, um sich zu überzeugen, dass alles in Ordnung war, und anschließend verabschiedete sie sich sehr herzlich von Hanna und Carsten und bedankte sich für das wunderschöne Wochenende. „Ich glaube, wir kommen bald wieder", sagte sie, „ und das könnt ihr durchaus als Drohung auffassen. Hilft dir Carsten jetzt mit den Pferden, Hanna?"

„Ich glaube ehr, dass er die Koppel allein saubermachen muss. Ich möchte nämlich zum Abschluss des Tages noch einen kleinen Ritt ins Gelände machen. Es bleibt ja noch eine Weile hell."

Schließlich waren Charlotte und Marian zur Abfahrt bereit. Charlotte setzte sich auf den Fahrersitz, grinste Marian an und sagte frech: „"Du hast wohl gedacht, ich lass' dich auch mal fahren? Damit alle sehen, was du für ein flottes Auto hast und die passende Blondine gleich neben dir?"

Sie fuhren los, und Carsten und Hanna winkten hinterher.

„Das Auto ist wohl schon ein Thema", sagte Carsten. „Ich blicke nicht recht durch, wie Charlotte das wirklich sieht. Sie macht sich dauernd darüber lustig, aber so oft, wie sie das Auto erwähnt scheint mir doch, dass sie es im Grunde toll findet, was sie nur nicht zuzugeben wagt, zumindest nicht uns gegenüber. In ihrer Kanzlei gibt es sicher andere Töne."

„Ich finde es ganz okay, wenn sie Spaß an ihrem schönen Auto hat. Sie ist sonst doch sehr vernünftig eingestellt, und an irgendeinem Punkt darf man auch inkonsequent sein. Denk nur an den Arzt, mit dem meine Eltern gut befreundet sind. Er geht zu Fuß zur Praxis, ernährt sich streng vegetarisch und biologisch, achtet bei seiner Kleidung darauf, dass nichts von liebenden Kinderhändchen in Asien hergestellt ist – sofern man den Gütesiegeln glauben darf. Aber da er gerne reist, fliegt er drei bis-viermal in die entlegensten Gegenden der Welt und findet absolut nichts dabei."

„Da hast du absolut Recht, und wir beide können als potentielle Umweltsünder gar nicht richtig mitreden. Wir sind finanziell gar nicht in der Lage, groß zum Untergang der Erde beizutragen. Bei Charlotte sieht das anders aus, und ich finde, wir sollten sie nicht kritisieren, sondern schätzen, wie sie insgesamt eingestellt ist. Ihr Auto ist immerhin ein Geschenk, das sie schlecht zurückweisen konnte. Wir sind uns über Charlotte einig, und ich denke, über die Arbeitsteilung auch. Bleib nicht zu lange auf dem Trail, sonst wird meine Sehnsucht unerträglich."

Er griff sich Schaufel und Schubkarre und begann, die Pferdeäpfel abzulesen. Hanna zog sich in Windeseile ihre Reitkleidung an und holte sich den Hannoveraner, der gut aufgelegt zu sein schien.

Als sie am Abend zusammen draußen saßen, schnitt Hanna das Thema reiten an, das schon oft zu Diskussionen geführt hatte. Hanna wünschte sich, dass Carsten Unterricht nehmen würde, damit sie zusammen Ausritte machen konnten, aber Carsten weigerte sich hartnäckig. „Du weißt, dass ich Pferde mag, und deine Arbeit finde ich toll. Aber du kennst meine Einstellung. Mir reicht joggen, Fahrrad fahren und schwimmen, und das können wir ja alles zusammen machen Aber ich glaube nicht, dass mir ein Ausflug hoch zu Ross gefallen würde, und ich bin nicht einmal willens, es auszuprobieren, wie du weißt."

„Du bist festgelegt und bockig", sagte Hanna, aber sie lächelte dabei.

Beim Einschlafen hatte Hanna ein schlechtes Gewissen, weil sie weder ihre Mutter noch Irene zurückgerufen hatte. Mit ihrer Mutter würde es schnell gehen, mit Irene bestimmt nicht. Sie wollte beide Anrufe am nächsten Tag nachholen.

Am Morgen frühstückte sie mit Carsten, der sehr früh losmusste wegen einer Besprechung. Vor seiner Abfahrt machten sie zusammen noch eine Inspektionsrunde durch den Hof und den Stall um sicherzugehen, dass sie später, wenn sie allein war, keine üblen Überraschungen erleben würde. Nichts war angerührt worden, und Hanna fühlte sich sehr erleichtert.

Noch bevor sie mit der Stallarbeit beginnen konnte, rief ihre Mutter an. Sie klang ein bisschen beleidigt, weil sie während des ganzen Wochenendes nichts von Hanna oder Marian gehört hatte. Aber sie nahm Hannas kleinlaute Entschuldigung sofort an und ließ sich berichten. Sie freute sich mit Hanna über das offenbar sehr gelungene Wochenende, aber sie konnte es sich während des Gesprächs mal wieder nicht verkneifen, ihrer Hoffnung auf Marians baldige Heirat Ausdruck zu verleihen und Hanna mit einem leisen Vorwurf mit einzubeziehen.

Hanna seufzte in Gedanken und wünschte sich, ihre Mutter wäre nicht so versessen darauf, ihre beiden Kinder endlich gutbürgerlich situiert zu wissen.

Bevor sie das Gespräch beendeten, wagte Hanna doch noch, ihre Mutter in freundlichem Ton zu bitten, das Thema Heirat nicht immer wieder anzuschneiden und sowohl Hanna als auch Marian ihren eigenen Lebensstil zu erlauben. Sie wusste natürlich, dass es zwecklos war, weil ihre Mutter sich ständig mit dem Problem beschäftigte, vielleicht nie Großmutter zu werden. Ihre Bekümmerung darüber musste sie immer wieder loswerden. Zu Hannas Vater durfte sie nichts mehr dazu sagen. Denn beim letzten Mal, als sie das Thema angeschnitten hatte, war er richtig wütend geworden.

Gerade als sie nach den morgendlichen Pflichten bei Pferden und Hund Irene anrufen wollte, klingelte das Telefon.

„Hallo, wir haben ihn", sagte eine triumphierende Stimme. Hanna brauchte einen Augenblick, um Edda zu erkennen. Sie spürte, wie ihr schlagartig kalt wurde. „Erzähl", forderte sie Edda ohne weitere Höflichkeitsfloskeln auf und hielt vor innerer Anspannung das Telefon so fest, dass ihre Knöchel weiß hervortraten.

„Er war in einer Hütte an einem Teich bei Restorf. Eine Frau hatte mehrfach bei ihren Spaziergängen mit ihrem Jack Russel auf einem Weg im Auwald hinter dem Deich, der zu einer kleinen Hütte führt, einen schwarzen Golf stehen sehen, und das als ungewöhnlich gemeldet. Da bereits ein Hinweis auf einen Exhibitionisten in der Gegend eingegangen war, haben wir zwei Streifenpolizisten hingeschickt. Ein junger Mann saß ganz unbefangen auf einem Campingstuhl vor der Hütte. Er wollte sich zunächst nicht ausweisen, aber auf die Drohung der Polizei, ihn mitzunehmen, holte er seinen Ausweis ohne weiteren Widerstand. Und siehe da, es ist Paul, der verlorengegangene Freund von Jasminas Mathelehrer, der seit einigen Tagen weder zu Hause noch bei der Arbeit aufgetaucht war und schwer unter Verdacht steht, Jasmina entführt zu haben. Jetzt haben wir ihn zur Befragung hierbehalten."

Hanna überlegte fieberhaft, wie sie Paul mit den Ereignissen zusammenbringen sollte. Ein schwarzer Golf, kein roter Volvo, ihr und allen anderen vermutlich unbekannt.

„Vielen Dank für die Mitteilung", sagte Hanna. „Ich bin ganz aufgeregt. Halte mich auf dem Laufenden, wenn Ihr etwas herausfindet. Ich wäre richtig froh, wenn die ganze Angelegenheit beendet wäre. Ich fühle mich hier gar nicht mehr geborgen, und das ist auf Deutsch gesagt echt Scheiße. Entschuldigung, ich bin sonst nicht so drastisch. Falls Paul der Übeltäter ist, wünsche ich ihm die Krätze an den Hals und noch viel Schlimmeres. Was hat er sich bloß dabei gedacht, über Jasmina herzufallen und dann abzuhauen? Aber wie geht's dir privat?"

„Ich kann jetzt nicht reden, ich bin im Dienst. Ich rufe dich wieder an, sobald ich allein bin und Zeit habe. Bis dann!"

Sie legte auf, und Hanna machte sich einen Espresso. Sie wünschte sich seit langer Zeit zum ersten Mal, sie würde noch rauchen. Eine Zigarette könnte jetzt ihre Nerven beruhigen. Sie setzte sich mit ihrem Espresso an den Esstisch und dachte nach. Paul, der Entführer von Jasmina? Paul ihr Stalker? Wie war Paul auf sie verfallen, obwohl er sie doch gar nicht kennen konnte? Was hatte er auf dem Hof zu suchen gehabt, als er Jasmina mitgenommen hatte? War ihm die Idee, sie zu vergewaltigen, schon vorher gekommen, oder hatte sich sein Überfall aus der Situation ergeben?

Sie konnte sich keinen Reim auf die Vorkommnisse machen und beschloss, das sinnlose Grübeln sein zu lassen, bis sie Näheres hörte. Sie versuchte, Carsten anzurufen, um ihm die Neuigkeit mitzuteilen und ihm vor allem zu sagen, wie dumm es gewesen war, während ihres Radausflugs zu den Rottekuhlen die Hütte nicht näher in Augenschein genommen zu haben. Ihr Gefühl hatte ihr Recht gegeben, und sie hätten sich einige Tage Ungewissheit ersparen können. Aber Carsten teilte leider nicht ihre Neugier auf alte Gebäude und verlassene Keller, die Hanna manchmal dazu verleitete, Privatgrundstücke zu betreten, von denen sie annahm, sie seien unbewohnt. Sie hatte mehrfach unangenehme Überraschungen erlebt, weil plötzlich jemand erschien und sie zur Rede stellte.

Natürlich hatte Carsten keinen Empfang, und Hanna musste ihr Mitteilungsbedürfnis zügeln.

Da sie einige Besorgungen zu machen hatte, beschloss sie, nach Salzwedel zu fahren und im Krankenhaus bei Jasmina vorbeizugehen. Sie wagte nicht zu hoffen, dass sich Jasminas

Zustand zum Besseren gewendet haben könnte, und sie behielt Recht. Jasmina lag nach wie vor mit Schläuchen in der Nase und in den Armen bleich und eingefallen im Bett. Ihre Augen waren geschlossen, und man konnte an keiner Bewegung erkennen, dass sie überhaupt lebte. Hanna strich ihr mit dem Zeigefinger über die Stirn und verließ traurig das Krankenzimmer.

Die Fußgängerzone in der Innenstadt war ziemlich belebt. Hanna bedauerte, dass einige ansprechende Geschäfte, die nach der Wende eröffnet hatten, schon wieder geschlossen waren. Salzwedel war leider mit seiner hohen Arbeitslosigkeit nicht der Ort, an dem man sich teure Kleidung oder Möbel kaufen konnte. Jetzt gab es Billigläden mit Jeans, T-Shirts und Pullovern, die zum großen Teil aus Kunststoff bestanden. Schon beim Ansehen meinte Hanna, nicht mehr richtig atmen zu können.

Es gab auch einige Läden im „alles für einen Euro"-Stil, in denen es penetrant nach Plastik roch, außerdem Optiker an jeder Ecke. Hanna fragte sich, wer all die Brillen, die angeboten wurden, kaufen sollte. Aus Neugier betrat sie einen der Läden und sah, dass tatsächlich an allen Tischen Kunden saßen, deren Augen vermessen wurden, oder die Brillen aufprobierten, um zu sehen, ob sie ihnen standen und richtig saßen. Zusätzlich hatte sich an der Kasse eine Schlange gebildet.

Hanna stieß einen kleinen Seufzer aus. Sie war in der glücklichen Lage, sehr gut zu sehen und konnte sich kaum vorstellen, ab einem gewissen Alter - vielleicht in zehn, fünfzehn Jahren - zum Lesen eine Weitsichtigkeitsbrille tragen zu müssen wie ihre Eltern. Dabei fiel ihr ein, dass Elli ohne Brille las. Sie musste sie fragen, wie das bei ihrem Alter zu erklären war.

In einem der Jeansläden fand sie ein Kleinkinder-T-Shirt mit der Aufschrift „ich war's nicht". Das fand sie so süß, dass sie es spontan kaufte und sich vornahm, es Irene zu schenken. Es musste doch putzig sein, schon mal niedliche Babykleidung anzusammeln und sich vorzustellen, dass da bald mal ein kleines Wesen drinstecken würde.

Ganz beschwingt ging sie zum Parkplatz. Als sie die Straße Richtung Oskar überquerte, kam ein Auto mit quietschenden Reifen angeschossen, und sie konnte gerade noch auf die Seite hechten, landete aber auf den Knien und spürte einen scharfen Schmerz. Immerhin hielt der Fahrer, der sie in die missliche Lage gebracht hatte an und stieg aus.

Bevor er irgendetwas zu seiner Entschuldigung sagen konnte, schrie sie ihn zornig an: „Was hast du denn für einen Fahrstil? Brauchst du dein Auto als Potenzkrücke, oder was?" Statt ihr aufzuhelfen, blieb er drohend neben ihr stehen. „Was hast du gesagt, blöde Kuh? Soll ich dir gleich hier beweisen, wie potent ich bin?" Er gab ihr einen Tritt in die Rippen, der allerdings nicht ernst gemeint war, schwang sich in den Fahrersitz, dreht seine Lautsprecher brüllend laut auf und fuhr wie zuvor mit quietschenden Reifen davon, offenbar auch wütend.

Hanna blieb noch einen Augenblick benommen liegen und rappelte sich schließlich auf. Niemand, der ihr helfen konnte, war weit und breit zu sehen. Ihr linkes Knie schmerzte höllisch, so dass sie kaum auftreten konnte. Während sie zu ihrem Auto humpelte, fiel ihr siedend heiß ein, dass sie sich nicht mal die Autonummer von dem angeberischen Rüpel gemerkt hatte.

„Scheiße, Scheiße, bin ich ein Idiot", schimpfte sie laut vor sich hin. Ausgerechnet in dem Augenblick kam ihr eine ältere Dame entgegen, die missbilligend „na, na" sagte. Am liebsten hätte Hanna wieder eine unflätige Bemerkung gemacht, zornig wie sie war, aber sie unterdrückte den Impuls und humpelte weiter.

Die Kupplung ihres Autos zu treten war kein Vergnügen. Sie tastete immer mal ihr Knie ab und spürte, wie es anschwoll.

Als sie endlich den Hof erreicht hatte ohne weitere Zwischenfälle, überlegte sie, ob sie zum Arzt gehen sollte. Sie verspürte aber überhaupt keine Lust dazu, zumal sie dann wieder fahren musste. Sie holte einen Eisbeutel aus dem Kühlfach, wickelte ihr Knie ein und legte das Bein auf einen Hocker.

Sie versank in düstere Gedanken und haderte mit sich und der Welt.

Sie schreckte auf, als das Telefon klingelte. Es war Henning, der ankündigte, dass er auf dem Rückweg sei und abends noch vorbeikommen wolle um zu berichten. „Na, wenigstens ein Lichtblick", dachte Hanna. „Dann kann er gleich die Pferde versorgen."

In ihrem Knie pulste der Schmerz, und sie nahm vorsichtshalber ein Aspirin. Sie überlegte, was sie machen sollte, falls sie eine ernsthafte Verletzung abbekommen hatte. Wie sollte der Betrieb weiterlaufen, falls sie längere Zeit ausfiel?

Sie dachte daran, wie oft sie als Kind auf die Knie gefallen war: Bei den ersten Versuchen, sich auf den Rollschuhen zu halten, die eine Freundin ihr geliehen hatte, beim Klettern auf einen Zwetschgenbaum, von dem sie erfreulicherweise herunterfiel, bevor sie sehr hoch gekommen war, beim Sport auf der alten Aschenbahn im Stadion von Bydgoszcz. Sie machte sich klar, dass sie inzwischen erwachsen geworden war und damit größer, schwerer und vor allem älter. Verletzungen heilten nicht mehr so schnell. Vermutlich würde sie nach zwei Tagen nicht wieder herumhüpfen.

Der Tag zog sich tatenlos hin. Am Nachmittag humpelte sie in die Küche und machte sich einen Salat. Dazu trank sie einen ordentlichen Schluck Wein und merkte, wie sich ihre Nerven allmählich beruhigten. Sie machte einen Versuch, Edda anzurufen, aber sie erreichte nur die Mailbox und hielt es für sinnlos, etwas aufzusprechen. Sie strich auch gleich den Gedanken, sich bei Carsten zu melden, um sich über das rüpelhafte Benehmen ihres Kontrahenten zu beschweren. Er würde sowieso wieder keinen Empfang haben und wenn, mit ihr schimpfen wegen ihrer unbedachten und unnötigen Äußerung gegenüber dem Angeber in Salzwedel.

Henning kam am späten Nachmittag schwungvoll in den Hof gerauscht. Und aus seiner Fahrweise schloss Hanna, dass sein Vorstellungsgespräch positiv verlaufen war.

Er war zunächst befremdet, als er Hanna mit hochgelegtem Bein und dickem Umschlag auf der Couch sitzen sah. Er wusste offensichtlich nicht recht, ob er eine traurige Mine aufsetzen sollte oder grinsen. Sein Ausdruck geriet ihm irgendwie dazwischen.

„Na, meine Schöne, bist du etwas heftig vom Pferd gestiegen?" „Nein", antwortete Hanna, „ sehr unrühmlich auf den Asphalt eines Parkplatzes geknallt." Sie schilderte ihm kurz, was vorgefallen war, und Henning zeigte sich entrüstet. Sie wusste allerdings nicht so recht, auf welcher Seite er stand. War es schlimmer, einen Fußgänger fast plattzumachen oder von einer Frau in unflätigster Weise an der männlichen Ehre gepackt zu werden? Jedenfalls hielt er den Vorfall für nicht so schlimm, drückte sein Bedauern über ihr Knie aus und ließ die ganze Zeit durchblicken, dass er darauf brannte, von seinem Vorstellungsgespräch zu berichten.

Es hatte tatsächlich mit der Einstellung geklappt. Henning erzählte mit Begeisterung von der Organisation des Landesgestüts von Baden-Württemberg und schwärmte von den Hengsten, die teilweise ihre Linie noch auf einige der wenigen Trakehner, die gegen Kriegsende aus dem ostpreußischen Gumbinnen gerettet worden waren, zurückführen konnten. Vom berühmtesten von ihnen, dem sagenhafte Julmond, stand sogar im Gelände des Gestüts eine Statue in Naturgröße.

Er erwärmte sich für die berühmte Araberstutenherde mit ihren Fohlen und wollte gar nicht aufhören von den Schwarzwälder Hengsten zu berichten, die es ihm mit ihrem dunklen Fell und den weißen, dicken Mähnen und Schweifen besonders angetan hatten. Begeistert schilderte er eine lustige Beobachtung. Auf dem Balken, der im oberen Teil der Boxen entlanglief, turnten völlig unbeeindruckt Mäuse herum, .ohne sich um die Hengste zu kümmern, die unter ihnen gelegentlich gefährlich stiegen, um den Konkurrenten zu provozieren.

Die meisten Hengste waren erst vor kurzem in einem extra für ihren Transport zusammengestellten Zug von den weit verstreuten Beschälplatten im Land nach Marbach zurückgekehrt, und deshalb war in den Ställen noch nicht die Herbst- und Winterruhe eingekehrt.

Mit der Sprache hatte Henning allerdings etwas Probleme gehabt. Hanna dachte sofort an Charlotte mit ihrem schwäbischen Akzent, der allerdings viel weniger ausgeprägt war als offenbar bei einigen Mitarbeitern des Gestüts, die von der Schwäbischen Alb stammten.

Hanna hörte sehr aufmerksam zu, ließ sich erklären, welcher Aufgabenbereich künftig auf ihn zukommen würde und konnte sich ein Lächeln nicht verkneifen, als ihr klarwurde, dass Henning richtig mit Arbeit eingedeckt sein würde. Offenbar war ihm das selber noch nicht aufgegangen, aber vielleicht würde er ungeahnte Qualitäten zutage fördern, wenn er nicht mehr auf dem Hof seiner Tante herumtrödeln konnte und hoffen, dass die kompetente Hanna das meiste erledigte. Jedenfalls ließ er sich seine gute Laune nicht verderben, als sie ihm mitteilte, dass sie sich nicht in der Lage sah, ihren abendlichen Pflichten nachzukommen. Er zeigte volles Verständnis, stand sofort auf und verschwand in Richtung Stall.

Erst als er gegangen war, fiel Hanna ein, dass sie total vergessen hatte, ihm von Paul und seiner Hütte in Restorf zu berichten. Na ja, das konnte sie am nächsten Tag nachholen. Vielleicht hatte sie bis dahin ausführlicher mit Edda gesprochen und wusste Genaueres.

Sie konnte Edda auch nach mehreren Anläufen nicht erreichen, aber wenigstens schnackte sie eine Weile mit Irene. Sie selbst kam wenig zu Wort, weil Irene ihr von den ersten Bewegungen des Babys berichtete. Sie wusste inzwischen auch, dass es mit hoher Wahrscheinlichkeit ein Mädchen werden würde.

„Stell dir vor, wie niedlich ich es anziehen kann! Ich habe mir immer ein Töchterchen gewünscht. Mir kommt es so vor, als würde man als Mutter besser mit einem Mädchen zurechtkommen. Jungs sind mir doch in manchem fremd. Ich glaube,

Jens ist ein bisschen enttäuscht, aber das ist mir egal. Er ist ja eher konservativ und hält an der alten Vorstellung fest, dass erst einmal ein Stammhalter hermuss. Gibt es heute überhaupt noch so was? Mädchen können doch auch ihren Namen behalten, und den meisten Männern muss doch klar sein, dass wir Frauen auch nicht doofer sind!"

Sie ließ Hanna keine Chance, sich dazu zu äußern. Hanna sagte also nichts, außer gelegentlich zu signalisieren, dass sie zuhörte. Nach Irenes Statement zu Mädchen und Vätern kam das, wovor Hanna sich gefürchtet hatte, herausgesprudelt: Was sie für süße Babykleider gekauft hatte! Und ein ganz ausgefallener Kinderwagen stand schon im Kinderzimmer!

Hanna fing an, sich zu langweilen und schob schließlich vor, dass sie noch zum Arzt müsse. Irene lachte und fragte, ob es vielleicht ein Frauenarzt sei, der etwas Bestimmtes feststellen sollte?

Hanna unterbrach nun doch ziemlich ungehalten und meinte, dass Irene wohl in keinen anderen Kategorien mehr denken könne. Worauf Irene sich entschuldigte und zugab, dass die Hormone sie wohl verändert hätten.

Sie trennten sich dann doch einigermaßen herzlich, und Hanna dachte lange darüber nach, ob sie sich wohl auch von ihren Hormonen beeinflussen lassen würde, falls sie je in die Situation kam, schwanger zu sein. Irgendwie war sie sich nicht so recht schlüssig, ob sie ein Kind haben wollte, aber ganz unterschwellig war der Wunsch da.

Am nächsten Vormittag kam sie trotz aller Proteste nicht umhin, sich von Carsten zum Arzt fahren zu lassen. Das Knie sah nicht besser aus und tat ziemlich weh. Sie hatte schlecht geschlafen, und alle möglichen unangenehmen Gedanken waren ihr im Kopf herumgegangen. Am Abend hatten sie und Carsten sich mehr mit Zukunftsplänen beschäftigt als mit Paul. Hanna konnte eigentlich keine Lösung für den Pferdehof sehen, zumal Henning nun endgültig beschlossen hatte, Gartow zu verlassen. Carsten schlug vor, demnächst einen Besuch bei Luise in Ahrenshoop zu machen, sofern sich mit Hannas Knie nichts Schlimmes herausstellte. Zum einen wollten sie gern Ahrenshoop kennenlernen, das allmählich einen richtig guten Ruf hatte, zum anderen ließ sich bei einem Besuch bei Luise vielleicht schon ein bisschen mehr absehen, was aus dem Pferdehof werden würde.

Carsten fuhr sie wieder nach Salzwedel zum Krankenhaus, da sie in keiner Praxis eines Orthopäden einen Termin bekommen konnte. Weil man ihr eine lange Wartezeit in der Ambulanz angekündigt hatte, schickte sie Carsten zur Arbeit.

Da sie vergessen hatte, etwas zu lesen mitzunehmen, blätterte sie in den ausliegenden Zeitschriften und informierte sich über Königshäuser, Stars und Sternchen und staunte mal wieder, was die Leute - wohl eher die Frauen - so interessierte. Hatte Nina B. auf dem neuesten Foto ein kleines Bäuchlein? War es nicht verdächtig, dass die beiden Tennisstars so eng tanzten? Würde der Sänger H. sich das Schlösschen kaufen, das er kürzlich besichtigt hatte? Das war doch alles viel spannender als das langweilige eigene Leben. Allerdings fand Hanna, dass ihre augenblickliche Situation auch ganz schön aufregend war. Sie brauchte keinen Einblick in die Scheinwelt der anderen, und deshalb legte sie die Zeitschriften weg und sah sich stattdessen die Leute im Wartezimmer an. Die meisten hatten Verbände oder Krücken, einige frische Verletzungen, die zum Teil nicht schön aussahen.

Als Kind hatte Hanna immer den Wunsch gehabt, Medizin zu studieren, aber wenn sie sich jetzt so umsah und bedachte, was die Ärzte alles an Scheußlichkeiten flicken und versorgen mussten, war sie doch froh, dass sie eine andere Laufbahn gewählt hatte. Auch wenn sie sicherlich als Ärztin viel nützlicher für ihre Mitmenschen hätte sein können als als Philologin, war sie mit ihrer Laufbahn zufrieden, auch wenn sich mit ihren gelegentlichen Übersetzungen eigentlich kein Geld verdienen ließ.

Es ging dann doch ein bisschen schneller, als Hanna gedacht hatte. Allerdings wurde sie nach eingehender Untersuchung zur C. T. geschickt, und damit war der Vormittag gelaufen. Es wurde ein Haarriss im Meniskus festgestellt und zu einer Operation geraten Der Arzt sagte aber einschränkend, es wäre möglich, dass sich der Riss nicht erweiterte, und damit könne man zurechtkommen.

Hanna wollte natürlich nicht vorschnell und prophylaktisch unters Messer. Der Arzt verschrieb ihr ein Schmerzmittel, legte einen festen Verband an und gab ein paar Verhaltensregeln für die nächste Zeit mit auf den Weg. Sie solle sich nach Gefühl verhalten, das hieß, nach ein paar Tagen vorsichtig probieren, was sie sich an Bewegungen wieder zutraute.

Hanna fühlte sich sehr erleichtert. Das waren zumindest im Augenblick gute Aussichten. Da sie nicht selbst gefahren war und irgendwelche Busverbindungen ins Wendland fast nicht existierten, musste sie ein Taxi nehmen. Der Preis für die Taxifahrt hinterließ einen bitteren Nachgeschmack, aber das war nicht zu ändern.

Hanna wusste nicht so recht, was mit sich sie anfangen sollte. Sie konnte doch nicht den ganzen Tag herumsitzen und lesen! Außerdem nervte Arthüür, der gern spazieren gehen wollte oder mit ihr zusammen irgendwelche Abenteuer erleben. Sie rief Henning auf seinem Handy an, damit er sich um den Hund kümmerte, aber wie meist nahm er nicht ab, weil er Gespräche mit Frauen fürchtete, die er gerade nicht sprechen wollte. Sie sah zum Fenster hinaus in den Hof, sein Auto war nicht da.

Schließlich rief sie Beate an, erklärte ihr ihre missliche Lage und bat sie, vorbeizukommen, um nachzusehen, ob alles in Ordnung war und bei der Gelegenheit Arthüür mitzunehmen. Manchmal war Henning ja ganz o.k., aber in ihrer derzeitigen Situation war mal wieder kein Verlass auf ihn.

Beate kam ein paar Minuten später, brachte einen selbstgemachten Flammkuchen mit und eine Flasche Prosecco. „Du musst ja jetzt wieder aufgebaut werden", sagte sie und gab

Hanna ein Küsschen. „Erzähl mal, von welchem Pferd du gefallen bist und warum."

Zum wiederholten Mal erzählte Hanna ihre etwas peinliche Geschichte. Beate fand es durchaus in Ordnung, dass sie den unverschämten Kerl in Salzwedel richtig beschimpft hatte, aber sie bedauerte auch, dass Hanna sich die Autonummer nicht gemerkt hatte. „Der Typ gehört doch angezeigt! Der ist doch gemeingefährlich!"

Sie erzählte, dass sie kürzlich zum Großeinkauf zu einem Supermarkt gefahren war. Als sie gerade mit ihrem Einkaufswagen den Laden betreten wollte, kam ein junger Mann mit seinem getunten Golf angerauscht und parkte sein Auto direkt vor der Eingangstür, so dass niemand mehr mit dem Einkaufswagen in den Laden hinein - oder herauskam. Als Beate ihn anpfiff, meinte er lächelnd, die zwei Minuten, die er brauche, um sich ein Brötchen zu holen, könne sie ja wohl warten. Beate war einfach sprachlos. Als hinter ihr ein älterer Mann losschimpfte, kam der Lümmel schon wieder raus mit einem Käsebrötchen in der Hand und fuhr los, nachdem er sich freundlich-ironisch für die Geduld bedankt hatte.

„Mein Gott", sagte Hanna. "Wenn ich mir die neue Generation angucke, komme ich mir wie meine eigene Großmutter vor. Was waren wir doch wohlerzogen, höflich und rücksichtsvoll. Mir scheint, wir beide sollten auch langsam unseren Umgangsstil ändern. Ich möchte ja nicht so total unmodern sein."

Beate lachte und meinte, da würde ihnen beiden doch die nötige Frechheit fehlen.

Durch den Besuch und nicht zuletzt den Prosecco war Hanna sehr aufgemuntert. Leider konnte Beate nicht lange bleiben, weil sie versprochen hatte, eine Fuhre Silage für ihre Eltern zu holen. Sie hängte sich die Hundeleine um den Hals, klemmte sich Arthüür unter den Arm und war weg.

Gleich darauf rief Carsten an, um sich nach den Ergebnissen von Hannas Untersuchung zu erkundigen. Hanna freute sich darüber sehr, denn meistens war er während der Arbeit so angespannt, dass er alles andere vergaß.

Am Nachmittag döste sie vor sich hin, las ein bisschen, surfte im Computer und wusste nicht so recht, was sie mit sich anfangen sollte. Immer mal stand sie auf, aber jedes Auftreten tat höllisch weh und schließlich gab sie es auf, etwas anderes als herumsitzen tun zu wollen. Sie bemerkte jedenfalls, dass sie normalerweise wohl nicht gerade ein Phlegma war, und das tat ihrem Ego gut.

Am späten Nachmittag vermeldete Henning, dass er alle Arbeiten erledigt hatte und bot sogar an, etwas zu essen zu machen. "Weißt du, Hanna, Kartoffeln kann ich dank eurer Anleitung richtig gut. Alles andere hält sich in Grenzen, aber unter deiner Aufsicht könnte ich es ja mal versuchen."

Als Hanna ihm ein paar Vorschläge machte, wie zum Beispiel Taboulé oder ein indisches Reisgericht, fiel ihm plötzlich ein, dass er noch eine Verabredung hatte und verabschiedete sich ziemlich schnell. Hanna lächelte zuckersüß, als er anfing, sich zu entschuldigen. "Das mit den Vorschlägen war natürlich nicht ernst gemeint. Ich denke, Carsten wird sich nachher in der Küche nützlich machen, und du kannst in Ruhe irgendwo essen gehen mit einer netten Dame."

Carsten kam früher als sonst und brachte einen riesigen Blumenstrauß mit. Solche Aufmerksamkeiten gehörten nach all den Jahren des Zusammenseins nicht mehr unbedingt zur Tagesordnung, und Hanna war dementsprechend gerührt. Außerdem küsste er sie sehr lange und leidenschaftlich und fragte sehr vorsichtig, wie krank sie sei. Ob außer dem Knie alles in Ordnung wäre? Hanna lachte und bot an, es auszuprobieren, allerdings mit einiger Vorsicht.

So richtig vorsichtig und zurückhaltend waren sie dann doch nicht. Hanna fühlte sich richtig gut, als Carsten in der Dusche verschwand, und meinte, sich so zu lieben sei eine bessere Medizin als jeder Verband und tagelanges Beinhochlegen.

Die Blumen lagen immer noch auf dem Tisch, weil Hanna noch gar nicht die Zeit gefunden hatte, sie in eine Vase zu stellen. Während sie zum Küchenregal humpelte, um eine passende Vase herauszusuchen, fiel ein Zettel aus dem Strauß. Hanna hob ihn auf und las das kleine Gedicht, das Carsten verfasst hatte:

Gibt es auch manch schlimmen Grund
Halte künftig doch den Mund.
Beachte stets die goldne Regel
Im Zweifelsfall gewinnt der Flegel.

Hanna lachte schallend, hinkte zum Badezimmer und umarmte Carsten, der unter der voll aufgedrehten Dusche stand. "Das ist die beste Ermahnung, die du mir geben konntest. Ich freue mich so!"

Carsten drehte das Wasser ab, stieg aus der Dusche und fing erstmal an, Hanna abzutrocknen, die samt ihren Kleidern pitschenass geworden war. Sie lächelten sich so verliebt an, als hätten sie eben erst entdeckt, wie sehr sie sich mochten.

Carsten machte tatsächlich ein Taboulé, und sie tranken dazu eine Flasche Sekt.

Nach dem Essen versuchte Hanna, Edda zu erreichen. Zuerst probierte sie das Festnetz, dann das Handy und schließlich die Dienststelle in Lüneburg. Edda war tatsächlich noch im Büro. Sie wirkte etwas mürrisch und gab sich nicht gerade auskunftsfreudig. "Ich muss etwas vorsichtiger sein mit dem, was ich ausplaudere. Zu Paul kann ich dir nur sagen, dass er heute dem Haftrichter vorgeführt worden ist und in U-Haft bleiben muss wegen Fluchtgefahr. Alles Weitere wird sich herausstellen."

„O.k., das muss ich akzeptieren," sagte Hanna, „obwohl ich vor Neugier fast vergehe. Wie geht es dir sonst? Du klingst zumindest müde, wenn nicht gar niedergeschlagen."

„Mir geht es tatsächlich nicht besonders. Ich habe herausgefunden, dass der Mann, der angeblich etwas für mich übrig hat, verheiratet ist und eine kleine Tochter hat. Natürlich geht seine Ehe nicht gut, und er ist dabei, sich zu trennen. Eben das Übliche. Mit über dreißig bekommt man nur noch zweite Wahl, wenn überhaupt. Ich erinnere mich an Theodor Storm, der in einer Kurzgeschichte schreibt, dass jemand, der bereits eine Beziehung hinter sich hat, wie ein Pfirsich sei, an dem schon jemand geknabbert hat. Storm spricht natürlich von Frauen, was im 19.Jahrhundert ja nicht verwunderlich ist, aber ich finde, man könnte das Bild auch heute noch auf beide Geschlechter anwenden. Ich finde mich unfair und unmoralisch, aber ich kann mich nicht überwinden, ihm einen Fußtritt zu geben und ihn zum Teufel zu jagen. Je öfter wir zusammen sind, desto stärker merke ich, wie sehr ich eine engere Beziehung vermisst habe. Aber vielleicht wendet sich ja alles noch zum Guten?"

Hanna wusste nicht recht, was sie dazu sagen sollte. Sie war schon ein bisschen schockiert, dass Edda nicht mit einem schüchternen Verehrer zusammengekommen war, sondern mit einem problembeladenen Ehemann. Sie konnte auf die Entfernung nicht damit umgehen und schlug vor, Edda solle demnächst bei ihr vorbeikommen, um persönlich alles zu erörtern.

Hanna bemerkte, dass Carsten im Hintergrund anfing, etwas gelangweilt in der Zeitung zu blättern und beeilte sich, Schluss zu machen. Ein klein bisschen ärgerte sie sich, dass sie gerade offensichtlich nicht die Freiheit hatte, so lange zu telefonieren, wie ihr zumute war. Carsten, der das spürte, entschuldigte sich sofort. „Ich wollte dich nicht drängen", sagte er, „aber wo ich nun mal da bin, hätte ich gern auch Deine ganze Zuwendung."

Ein kleiner Misston hatte sich eingeschlichen, und beide bemühten sich, das nicht weiter zu bemerken. Erst als Hanna erzählte, dass Paul in U-Haft saß und offenbar nichts mehr anstellen konnte, lockerte sich die Atmosphäre, und sie fingen an, die Möglichkeiten für die Zukunft zu diskutieren. Carstens Zeitvertrag lief in drei Monaten aus, und er hatte keine

Ahnung, wie es weitergehen sollte. Hanna konnte schon gar nicht planen, solange Luise keinen Entschluss gefasst hatte und Henning in absehbarer Zeit wegziehen würde. Auf jeden Fall planten sie einen Ausflug nach Ahrenshoop, um Luise in der Reha zu besuchen, und Hanna meinte, das müsse möglich sein, solange Henning noch zur Verfügung stand und ihr ein Wochenende schuldete. Vor ein paar Wochen hatte sie mit Henning ein freies Wochenende getauscht, das er, wie sie annahm, für ein amouröses Abenteuer genutzt hatte. Sie wollte am nächsten Tag mit ihm darüber reden und Beate fragen, ob sie auch einspringen könnte.

Nachts hatte Hanna Schmerzen, und ihr Knie war morgens immer noch leicht angeschwollen. Sie fluchte beim Aufstehen, weil sie Probleme hatte, aufzutreten. Carsten hatte es sehr eilig, da sie nicht besonders früh aufgestanden waren. Aus einem gemütlichen Frühstück wurde nichts. Im Stehen trank Carsten eine Tasse Kaffee, verbrannte sich den Mund und fluchte nun seinerseits. Er verabschiedete sich mit einem flüchtigen Küsschen und stürzte die Treppe hinunter.

Nach einigen Minuten kam er zurück. „Ich muss Oskar nehmen, mein Auto springt nicht an. Das ist etwas ganz Neues, was ich überhaupt nicht brauchen kann." Er nahm den Schlüssel von der Kommode im Flur und machte sich zum zweiten Mal auf den Weg.

Da Hanna den Eindruck hatte, dass ihrem Knie die Stallarbeit nicht guttun würde, setzte sie sich an den Küchentisch und nahm sich die Zeitung vor, die Carsten mit heraufgebracht hatte. Sie überflog den politischen Teil, überblätterte die Wirtschaft und begann mit Interesse die lokalen Nachrichten zu lesen. Im Südkreis hatte es mal wieder gebrannt, und die Polizei vermutete Brandstiftung. Im letzten halben Jahr hatte es öfter mal gebrannt, meistens Strohballen, Waldhütten oder Waldstücke, die ziemlich schnell gelöscht werden konnten. Diesmal war eine große Scheune angezündet worden, und die Feuerwehr hatte große Mühe gehabt, die Nachbarhäuser zu schützen.

Hanna hoffte sehr, dass man den Pyromanen bald erwischen würde, denn erfahrungsgemäß reichten die kleineren Brände irgendwann nicht mehr aus, und ein Wohnhaus oder ein Geschäft gingen in Flammen auf. Wie mochten diese feuerbesessenen Typen bloß ticken? Hanna hatte in der Provence ein paarmal erlebt, wie komplette, mit Macchia bewachsene Hänge niedergebrannt waren, und eine schwarze Fläche mit verkohlten und verdorrten Büschen zurückgeblieben war. Auf Jahre alles dahin!

Beim Weiterlesen stieß sie auf einen Artikel, der sie aufschreckte. Der Gemeinderat von Gartow hatte beschlossen, den Deich, der die Häuser des Städtchens gegen den Gartower See bei Hochwasser schützte, mit Betonsteinen zu befestigen, um zu verhindern, dass der Deich aufweichte bei lange stehendem Hochwasser. Sie konnte sich kaum vorstellen, wie schrecklich diese Betonwüste aussehen würde. Offenbar gab es keinerlei Proteste, denn alle fürchteten, beim nächsten Hochwasser, das möglicherweise noch schlimmer als die letzten beiden werden könnte, abzusaufen.

Hanna war richtig geschockt. Man wusste mittlerweile, dass die gewaltigen Hochwasser durch enge Eindeichung und schnellere Fließgeschwindigkeit der Elbe hausgemacht waren. Aber die meisten geplanten Maßnahmen liefen auf höhere und stabilere Deiche hin, am System der Flusseinzwängung wollte kaum jemand rütteln.

Hanna dachte über alle Veränderungen im Wendland nach, die man in den letzten Jahren vorgenommen hatte: „Vermaisung" der Landschaft für Biogasanlagen, Massentierställe, Abhacken der Hecken, Fällen von Bäumen, die den freien Umgang mit der Landwirtschaft behinderten, Vergiftung des Grundwassers durch zu hohe Konzentration an Gülle und Pflanzenschutzmitteln, hässlich mit Plastikplanen abgedeckte Silos überall in der Landschaft und bereits bestehende oder geplante Windkraftanlagen. So schön die Elbtalaue als Landschaftsschutzgebiet war, so achtlos verschandelte man die nicht geschützten Flächen. Hanna fragte sich, ob in ein paar Jahren überhaupt noch Touristen kommen würden, um die Besonderheiten des Landstrichs zu genießen. Wie Elli ihr erzählt hatte, waren die Besucherzahlen schon zurückgegangen, und das traf das Hotel-und Gaststättengewerbe empfindlich.

Ihr war klar, dass das Wendland in seiner Entwicklung keine Ausnahme war, aber sie fand es doch höchst bedauerlich, dass in einer Gegend, in der sich viele Künstler und Grüne angesiedelt hatten auf Grund der früheren Grenzlage und der Gorleben-Problematik, nicht eine Möglichkeit gefunden wurde, weniger zerstörerisch in die Landschaft einzugreifen.

In Anbetracht der allgemeinen Entwicklung würde sich das Thema „Pferdehof" vermutlich in absehbarer Zeit von selbst erledigen. Auch Beate hatte schon angedeutet, dass noch vor einigen Jahren viel mehr Nachfrage geherrscht hatte.

Hanna legte die Zeitung beiseite und überlegte, was sie tun könnte, um sich von den düsteren Gedanken zur Zukunft des Landes und insbesondere zu ihrer eigenen Zukunft zu befreien. Sie legte zunächst eine CD mit Jazzmusik auf, rief Henning, der noch nicht eingetroffen war, auf dem Handy an, um ihm zu sagen, dass sie auch jetzt noch nicht imstande war, die Pferde zu versorgen, was Henning nicht gerade begeistert aufnahm, und holte sich einen Krimi. Sie hatte ein ungutes Gefühl, am hellen Morgen schon rumzusitzen und zu lesen, aber das konnte sie im Augenblick nicht ändern.

Als das Telefon klingelte, erwartete sie einen Lichtblick. Leider hatte sie sich getäuscht. Carsten rief an, um ihr äußerst zerknirscht mitzuteilen, dass Oskar leider ein paar Schrammen abgekriegt hatte bei einem Überholmanöver. Erhatte unverständlicherweise die Breite eines riesigen Traktors mit Anhänger unterschätzt und war beim Überholen seitlich entlanggeschrammt.

Hanna musste sich einen bitteren Kommentar verkneifen. Als sie still war, entschuldigte sich Carsten noch einmal und schwor, dass er eigentlich nichts dafür konnte. "Na ja", sagte Hanna schließlich", jetzt ereilt Oskar das gleiche Schicksal wie dein Auto. Schade eigentlich!" Damit legte sie auf. Die erwartete Aufheiterung war ins Gegenteil umgeschlagen, und am liebsten hätte sie losgeheult.

Gleich darauf klingelte das Telefon wieder, aber sie hatte keine Lust abzuheben. Sie befürchtete, sie könnte sehr scharf werden, wie es leider manchmal vorkam und Carsten so vor den Kopf stoßen, dass es ihr hinterher leidtat, und der Schaden nicht wieder gutzumachen war.

Während sie noch düster vor sich hinbrütete, klopfte Henning bei ihr an. Er fragte besorgt, wie es ihr gehe und bot bereitwillig seine Dienste im Stall an, als er sah, dass sie immer noch das Bein hochgelegt hatte. Hanna war sich nicht ganz sicher, ob seine Freundlichkeit scheinheilig war, oder ob er in Wirklichkeit nur zum Einspringen bereit war für eine Gegenleistung.

Sie wurde prompt über den Sachverhalt aufgeklärt. "Weißt du, Hanna, du könntest mir einen Gefallen tun. Du bist ja sowieso im Haus und hast das Telefon in Reichweite. Vielleicht ruft eine Frau namens Silke an und will mit mir sprechen, ich aber nicht mit ihr. Deswegen habe ich mein Handy ausgeschaltet, und du könntest ihr sagen, ich sei im Augenblick nicht auf dem Hof. Würdest du das für mich tun?

Hanna seufzte. „Du mit deinen Frauengeschichten! Ich wünschte, du würdest mal furchtbar reinfallen. Du könntest dich zum Beispiel mal richtig verlieben und glauben, die Frau fürs Leben gefunden zu haben. Sie sollte dich sitzenlassen, wenn du gerade glaubst, auf Wolke sieben zu schweben, und dann würdest du auch mal sehen, wie bitter das ist. Na ja, kommt schon noch. Ich werde dir diesmal helfen. Was bleibt mir anderes übrig, da du mich mit der Stallarbeit erpresst."

Henning lächelte etwas boshaft, machte einen Diener und verschwand im Treppenhaus.

Das Wetter war leidlich, und Hanna quälte sich die Treppe

hinunter, um wenigstens kurz an die frische Luft zu kommen. Zu ihrer Überraschung saß Pitten am Tisch vor der Haustür. Weil er ein T-Shirt und Jeans anhatte, wirkte er auf Hanna wie verkleidet, und sie dachte sofort, er müsse krank sein. "Hallo, Pitten, was machst du hier ganz allein? Hast du dich etwa mit Henning gezankt?"

Pitten sah mit einem kleinen Lächeln zu ihr auf. "Ich warte auf eine Erleuchtung." „Was denn für eine Erleuchtung?" „Das weiß ich doch noch nicht, sie ist ja noch nicht gekommen. Es wäre schön, wenn du mich allein lassen würdest, sonst kann ich mich nicht konzentrieren."

Hannas Neugier war geweckt, und sie machte einen neuen Versuch, an Pitten heranzukommen. "Vielleicht hilft ein Kaffee oder ein Tee? Könnte ich dir anbieten."

„Geh mir aus der Sonne," sagte Sokrates.

Hanna blieb nichts übrig, als zum Paddock zu humpeln, um Henning zuzusehen, wie er die Pferde auf die Koppel ließ. Sie dachte, man könne alles ein bisschen praktischer einrichten, wenn man den Zugang zu den Koppeln neu arrangierte. Aber diese Gedanken waren müßig, da ihr der Hof nicht gehörte, und sowieso ein Ende des Betriebs abzusehen war.

Da sie von Pitten unmissverständlich verscheucht worden war, sah sie keine Möglichkeit, sich gemütlich im Hof niederzulassen und humpelte wieder nach oben. Mit einem Espresso, einer klassischen CD und einem Krimi machte sie es sich auf dem Sofa gemütlich in der Hoffnung, die Zeit möge vergehen. Sie bemerkte, wie abhängig sie von frischer Luft, Bewegung und nicht zuletzt von ihrer Arbeit war. Ihr war schlicht und einfach langweilig, und sie konnte sich überhaupt nicht auf das Buch konzentrieren. Sie ärgerte sich bei der Lektüre mal wieder über die Schilderung von Brutalitäten, die unterbrochen wurden von Privatproblemen der Kommissare, die es auch nicht besser machten.

Eigentlich wartete sie auf den Anruf von Silke. Sie war doch recht gespannt, wie die junge Dame sich verhalten würde.

Es kam aber kein Anruf. Der Vormittag schlich dahin, und schließlich beschloss sie, sich etwas zu essen zu machen und sich dann hinzulegen.

Während ihr Rührei mit Käse in der Pfanne briet, sah sie zum Fenster hinaus. Pitten war weg. Sie hätte zu gern gewusst, ob er seine Erleuchtung gehabt hatte. Im nächsten Moment bekam sie einen ordentlichen Schrecken, weil er plötzlich hinter ihr stand, ohne dass sie ihn hatte kommen hören. "Kannst du nicht wenigstens anklopfen? Du machst mir ja richtig Angst!"

Pitten lächelte wieder auf seine merkwürdige Art. „Du kannst auch Angst haben. Ich habe keine gute Nachricht." „Bist du erleuchtet worden, oder was?" fragte Hanna ziemlich ungehalten. "Mit Erleuchtung hat meine Hiobsbotschaft nichts zu tun, aber mit Entdeckung und daraus resultierender Folgerung." „Mach's nicht so spannend", sagte Hanna, sonst will ich es gar nicht mehr hören." „ Also, ich habe in Eurer Eiche ein riesiges Nest von Eichenprozessionsspinnern entdeckt."

Jetzt erschrak Hanna wirklich. "Da müssen wir sofort etwas unternehmen. Ich rufe Henning, vielleicht kann er damit umgehen".

Pitten legte grüßend zwei Finger an die Stirn und verschwand so leise wie er gekommen war.

Hanna konnte gerade noch die Pfanne vom Herd reißen, bevor ihr Essen verbrannt war. Es roch schon ein bisschen unangenehm, und einige schwarze Stellen vom Rührei musste sie abkratzen und wegwerfen.

Während sie aß und sich dazu ein Glas Rotwein genehmigte, dachte sie darüber nach, was man machen könnte. Sollte sie beim Kreishaus Bescheid geben? Elli hatte ihr erzählt, dass die Behörde sich um Befall kümmerte, aber nur, wenn ganze Bestände betroffen waren. Zunächst sollte Henning ihr raten, vielleicht hatte er eine Ahnung, wie man vorgehen sollte.

Als sie mit dem Essen fertig war, humpelte sie die Treppe hinunter, um die Eiche selbst in Augenschein zu nehmen. Sie entdeckte am oberen Ende vom Stamm ein ekliges, schwarzes Knäuel von behaarten Raupen, die leicht durcheinander waberten. Sie rief nach Henning, den sie allerdings nirgends entdecken konnte, da er sich offensichtlich nicht auf dem Hof oder im Stall aufhielt.

Also ging sie wieder nach oben. Sie traute sich nicht, auf der Bank unter der Eiche ihre Mittagsruhe zu halten aus Angst, einzelne Raupen oder der ganze Raupenklumpen könnte ihr auf den Kopf fallen. Sie versuchte auch gar nicht, Henning auf dem Handy zu erreichen, da er es ja wegen des drohenden Anrufs von Silke abgestellt hatte. Sie legte sich hin, machte leise Musik an und versuchte einzuschlafen.

Sie war gerade weggedöst, als es klingelte. Da die Gegensprechanlage mit Türöffner kaputt war, musste Hanna sich wieder die Treppe hinunterquälen, was eine Weile in Anspruch nahm und ihre Laune nicht verbesserte. Bis sie an der Haustür ankam, hatte es noch zweimal geklingelt, und das fand sie ziemlich unverschämt. Wenigstens war der Besucher nicht einfach ins Haus gekommen, denn sie hatte die Haustür nicht abgeschlossen. Seit Paul nicht mehr unterwegs sein konnte, hatte sie alle Vorsicht fallen gelassen im Glauben, dass Paul der Übeltäter sein musste.

Vor der Tür stand eine gutaussehende junge Frau in knallengen Hosen und einem ziemlich aufreizenden pinkfarbenen Top. Hanna sah sie fragend an. "Ich möchte zu Henning ins Büro", sagte die Frau. "Kann ich raufgehen?" Hanna ahnte natürlich, wer die Besucherin war, aber sie sagte trotzdem ziemlich scharf, dass sie ganz gerne wüsste, wen sie vor sich hatte. „Ich bin Silke Paulus, und ich bin mit Henning verabredet."

„Henning ist aber nicht da, soweit ich weiß." „Wo könnte er sein? Sein Auto steht jedenfalls im Hof. Auf dem Handy kann ich ihn auch nicht erreichen". Hanna erklärte ihr, dass man nicht von überall Empfang hatte und äusserte ein paar Mutmaßungen über Hennings Verbleib. "Vielleicht ist er ausgeritten? Oder er ist zum See schwimmen gefahren? Oder er ist essen gegangen? Was weiß ich."

Hanna bemerkte, dass Frau Paulus langsam sauer wurde. "Er müsste doch hier sein. Ich habe gesagt, dass ich ihn anrufe, und dann habe ich beschlossen, lieber zu kommen. Henning kann so egoistisch sein!"

In dem Augenblick kam Henning aus der Scheune, und sein Gesichtsausdruck war nicht gerade begeistert, als Silke auf ihn zulief und ihn umarmte.

Hanna begab sich wieder nach oben. Nach einer Weile hörte sie, dass es im Hof ziemlich laut wurde. Die Stimme von Silke Paulus wurde unangenehm schrill, und mitten in ihrem wütenden Geschrei fuhr ein Auto weg. Hanna konnte es sich nicht verkneifen, das Schauspiel aus dem Fenster zu beobachten. Silke Paulus stand wie ein begossener Pudel allein da, und Hennings Auto war verschwunden.

„Typisch Henning", dachte Hanna, „lieber kneifen als Probleme ausdiskutieren."

Nach einer Weile hörte sie auch das andere Auto wegfahren, aber die Lust auf ein Nickerchen war Hanna vergangen. Wenn sie unverhofft geweckt wurde, schaffte sie es normalerweise nicht, nochmal einzuschlafen. Sie machte sich einen Kaffee, setzte sich wieder auf die Couch und versuchte, den sich dehnenden Nachmittag herumzubringen.

Carsten kam früher als sonst und hatte eine äußerst zerknirschte Mine. Er umarmte Hanna zögerlich, und Hanna sah ihm an, dass er vor lauter Schuldbewusstsein nicht wusste, wie er sich verhalten sollte. Hannas Zorn über das Auto hatte sich im Lauf des Tages einigermaßen gelegt, und als Carsten vorschlug, sie solle den Schaden begutachten, ging sie ruhig mit ihm die Treppe hinunter. Als sie die rechte Seite ihres Oskar sah, bekam sie doch einen Schreck. Die ganze Seite war verbeult und zerschrammt.

„Ich werde das natürlich in Ordnung bringen lassen", sagte Carsten. „Tut mir wirklich leid."

„Du könntest dich wirklich bemühen, weniger herumzuschusseln. Manchmal ist das ja ganz lustig, aber öfter mal ist es blöd und auch noch teuer." „Ich bemühe mich ja! Verzeihst du mir nochmal?"

Hanna musste lächeln und gab ihm ein Küsschen. „O.K., vergessen wir's. Hast du großen Hunger?" „Nein, es geht noch. Wir haben heute Mittag in Lenzen einen Imbiss eingenommen, ich kann also noch warten und mir selbstverständlich selber etwas machen. Das wäre ja nur fair, weil du herumhinkst und dich überanstrengen könntest."

„Also haben wir Zeit für ein anderes Problem. Pitten hat mir vorhin gezeigt, dass unsere Eiche vom Prozessionsspinner befallen ist. Sieh es dir mal an. Es ist richtig eklig und sollte baldmöglichst beseitigt werden."

Als Carsten das Raupennest sah, stieß er einen Pfiff aus. Das Teufelszeug macht sich doch überall breit. Das Elbholz ist befallen, die Allee nach Holtorf, und bei Clenze musste der Spielplatz einer Kita geschlossen werden, weil der Prozessionsspinner eine Bedrohung für die Kinderchen war. Wo die Raupen im großen Stil auftreten, werden sie bekämpft, aber in einem Fall wie dem unseren muss man sich selbst kümmern und das Beseitigen selbst bezahlen. Ich mach die gleich weg."

„Wie willst du das machen? "fragte Hanna. "Na, da habe ich eine Idee. Ich kratze sie runter auf eine große Unterlage und verbrenne den ganzen Salat. Ein Kollege von mir hat neulich erzählt, dass er mit einem Brenner die Raupen auf dem Stamm abgebrannt hat, aber jetzt ist der Baum beschädigt. So geht es also nicht."

Carsten schritt sofort zur Tat. Er holte einen Mistkratzer, schob den Tisch zur Seite und schnitt ein großes Stück von einer Papiertischdecke ab, die er unter der Eiche ausbreitete. Er wollte sofort anfangen zu kratzen, aber Hanna hielt ihn ganz entsetzt auf. "Du kannst doch nicht einfach so die Biester herunterholen! Du weißt doch, dass die Härchen der Raupen in der Luft herumfliegen und sich überall festsetzen. Du hättest ruckzuck einen üblen Ausschlag, womöglich Atemnot und Übelkeit. Was glaubst du, warum die Bekämpfer der Raupen

Schutzanzüge tragen? Eben hast du versprochen, nicht mehr herumzuschusseln, jetzt bist du schon wieder unbedacht!"

Carsten war schon wieder zerknirscht. "Warte, ich lasse mir etwas einfallen."

Er ging zunächst ins Haus und kam mit seinem Regenumhang fürs Fahrrad wieder, der ihn weitgehend einhüllte. Dann verschwand er in der Scheune und kam wieder zum Vorschein mit dem Helm mit Ohrenschützern und Visier, den er normalerweise zum Holzsägen benutzte.

„Kann ich jetzt anfangen?" fragte er. Hanna musste bei seinem Anblick lachen. "Warte einen Moment, ich hole den Fotoapparat. Das müssen wir festhalten."

„Die Kamera hole ich! Du wirst dich doch nicht schon wieder die Treppe hinaufquälen."

Er blieb eine ganze Weile weg, und als er schließlich nach unten kam, gestand er, dass er die Kamera nicht hatte finden können, weil sie nicht an ihrem Platz lag. Er hatte sie schließlich auf einem Schränkchen im Bad entdeckt. Ihm fiel natürlich sofort ein, dass er sie selbst am Tag zuvor dort hingelegt hatte, als er von der Arbeit kam und unter die Dusche ging. Er nahm nämlich häufig die Kamera mit, um die Fortschritte bei den Ausgrabungen zu dokumentieren.

„Wer alles dorthin legt, wo es hingehört, ist bloß zu faul zum Suchen", spottete Hanna. Carsten warf ihr noch einen schuldbewussten Blick zu, und dann machte er sich an die Arbeit. Hanna fotografierte zunächst das ganze Raupenknäuel und dann die Prozedur des Abkratzens. Es klappte ganz gut, nur einige wenige Raupen hatten geklammert und mussten in einem zweiten Arbeitsgang vom Stamm der Eiche abgelöst werden. Als Carsten sicher war, dass er alle Raupen erwischt hatte, faltete er blitzschnell die Papierdecke zusammen, bevor das Knäuel in Bewegung kam und anfing, auseinanderzustreben. Er trug den Klumpen zum Misthaufen und zündete ihn an. Wohlgefällig sahen Hanna und Carsten zu, wie sich alles in einen schwarzen Aschehaufen verwandelte.

„Das hast du vorbildlich gemacht", sagte Hanna und gab ihm einen Kuss, nachdem er den Helm abgenommen hatte. "Nachher können wir gleich die Fotoserie ansehen. Ein schönes Bild von Dir als Monster können wir ja an die Zeitung schicken mit ein paar guten Ratschlägen für andere Eichenprozessionsspinner-Züchter. Bist du ganz sicher, dass es dich nirgends juckt und du genügend Luft bekommst?"

Carsten schüttelte das Regencape aus und hängte es vorsichtshalber an einen Haken in der Sattelkammer, um nicht zu riskieren, doch ein paar Härchen mit ins Haus zu bringen.

Hanna ging mühsam nach oben, und Carsten blieb bei seinem Pick-up stehen. Er öffnete die Motorhaube, kontrollierte die Verbindung zur Zündung, diverse Kabel, das Wasser und den Ölstand. Er konnte nicht feststellen, warum sein Auto auch nach wiederholten Versuchen keinen Mucks tat. Er bedauerte ein bisschen, dass er eigentlich von Motoren keine Ahnung hatte, aber seine Lust, sich einzuarbeiten, hielt sich in Grenzen.

Als er noch überlegte, ob er es wagen könnte, erneut um Oskar für den nächsten Tag zu bitten, kam Henning in den Hof gefahren. "Probleme mit deinem Flitzer?" sagte er salopp und kam zu Carsten hinübergeschlendert. Er machte die Haube wieder auf, sah sich den Motorblock an und meinte, auf Anhieb müsste alles in Ordnung sein. "Neulich hattest du doch ein Problem mit der Batterie. Lass sie uns mal ausbauen und nachladen."

Er trug die Batterie zu seinem Ladegerät in der Scheune und schloss sie an. "Wenn das nichts nutzt, müssen wir eine neue Batterie besorgen. Wenn das auch nicht klappt, musst du dein Auto in eine Werkstatt geben und gegebenenfalls wegschmeißen."

„Danke für die freundliche Beratung", sagte Carsten leicht angesäuert. "Ich kann mir im Moment kein anderes Auto leisten. Außerdem habe ich Hannas Auto demoliert, und dafür muss ich auch aufkommen, weiß bloß nicht wie."

Henning besah sich den Schaden an Oskar und pfiff durch die Zähne. "Whow, das ist keine Kleinigkeit. Was hast du gemacht?" Carsten erklärte ihm, was passiert war, und Henning hatte natürlich die zündende Idee: "Du musst zunächst einmal nachprüfen lassen, ob der riesige Traktor mit Anhänger überhaupt für den normalen Straßenverkehr zugelassen ist. Dann kannst du ja behaupten, er sei in dem Augenblick, als du überholen wolltest, ein bisschen weiter nach links gekommen und habe dich deshalb gerammt."

An so etwas hatte Carsten überhaupt nicht gedacht, und irgendwie kam es ihm unfair vor, dem Bauern den Unfall anzuhängen. Andererseits hatten er und Hanna sich schon oft geärgert, wenn ihnen ein Riesentraktor mit Güllefass oder Mähdrescher entgegenkam, der kaum auf die Straße passte, und sie hatten sich immer gefragt, ob die Benutzung der öffentlichen Straßen mit solchen Monstergefährten legal sein könne. Sie waren zu dem Schluss gekommen, dass vermutlich auch hier wieder die Privilegierung der Bauern alles Unrechtmäßige ausschloss.

Henning machte sich auf den Weg, um sich um die Pferde zu kümmern, trug aber Carsten noch einen Gruß an Hanna auf und einen ironischen Dank für die fürsorgliche Verhinderung einer Begegnung mit Silke.

Als Carsten nach oben kam, war Hanna schon in der Küche und bereitete das Essen vor. Er wollte sofort übernehmen, damit sie nicht zu lange stehen musste, aber Hanna winkte ab. "Es geht schon besser, ist nur eine Lappalie. Geh du mal duschen, und dann kriegst du einen Aperitif."

Beim Essen wollte Carsten natürlich wissen, was es mit Silke auf sich hatte, und Hanna erstattete Bericht, nicht ohne sich etwas schadenfroh zu amüsieren. „Ich ahne wirklich, warum Henning den Job wechselt. Es wird ihm hier wohl zu heiß, er hat sich zu heftig eingelassen. Wo wir schon mal beim Thema Henning und seinem Arbeitsplatzwechsel sind: Wie soll es weitergehen? Ich bin ja im manchem ganz locker, aber jetzt fange ich doch an, mir Sorgen zu machen. Deine Arbeit in Lenzen ist bis zum Herbst befristet, mein Job steht auf tönernen Füßen. Wollen wir schon mal Hartz IV beantragen?"

Carsten lachte. "So kenne ich dich gar nicht. Tut dein Knie sehr weh?" Hanna gab ihm eine Kopfnuss. "Wir wollten doch zu Luise nach Ahrenshoop fahren. Soll ich mal versuchen, bei der Berufsgenossenschaft eine Vertretung zu beantragen wegen meines Knies? Ohne das käme ich doch im Augenblick nie weg. Allerdings könnte auch Beate mal für zwei Tage einspringen, falls die Arbeit bei ihr zuhause es zulässt. Mir könnten mal ein paar Tage Abstand nichts schaden nach allem, was hier in letzter Zeit los war. Die nächsten Reiterurlauber sind erst für das übernächste Wochenende angesagt, und falls ich bis dahin noch nicht wieder ganz fit bin, muss Henning sowieso die Reitstunden übernehmen. Wollen wir das kommende Wochenende einplanen?"

Carsten seufzte. "Geht nicht aus zwei Gründen. Meine Eltern kommen an dem Wochenende nach Pevestorf, um Elli zu besuchen, und dann habe ich Saskia versprochen, am Wochenende auf ihre Kleine aufzupassen, weil Saskia eine dringende Verpflichtung hat."

Hanna verspürte wieder einen kleinen Stich Eifersucht und ärgerte sich darüber. Ein bisschen zu kühl sagte sie: "Ist o.k., dann nicht."

„Jetzt bist du doch ein bisschen eingeschnappt, vermutlich, weil das nicht abgesprochen war. Erinnerst du dich noch, dass wir mal vorgesehen haben, ganz locker miteinander umzugehen, ohne alles lang und breit zu planen und nach allen Seiten zu beleuchten? Das war wohl eine falsche Vorstellung vom Zusammensein."

„Im Prinzip finde ich es immer noch gut, sich gewisse Freiheiten zu lassen. Aber in diesem Fall geht doch unsere eigene Planung vor!"

„Also, Entschuldigung für diesen Fall. Können wir das nächste Wochenende für die Fahrt an die Ostsee anpeilen?

Dein Knie wäre bis dahin auch besser, und wir haben viel mehr Zeit, alles vorzubereiten."

„Du hast ja Recht, aber am übernächsten Wochenende kommen Reiter. Ich kann Henning nicht alles aufhalsen, wenn ich zwar fit genug für Ahrenshoop bin, aber nicht imstande, mich um die Gäste zu kümmern. Das ist meine berufliche Aufgabe. Wie willst du im Übrigen das mit der Kleinen deichseln?" „Ich habe noch nicht darüber nachgedacht. Am besten, ich bleibe hier bei dir und bringe sie mit hierher, wenn du nichts dagegen hast. Sie ist wirklich ganz unkompliziert und süß, du hättest auch Spaß. Wir können dann irgendwann am Wochenende zusammen zu Elli fahren und bei Kaffee und Kuchen meine Eltern begrüßen. Der Besuch muss ja nicht zu lange dauern"

Hanna wusste natürlich, dass Carsten kein sehr enges Verhältnis zu seinen Eltern hatte. Er fand sie spießig und engstirnig, und meinte, das käme davon, dass sie beide Lehrer waren; oder sie waren umgekehrt Lehrer geworden, weil sie die Sicherheit und das geregelte, risikofreie Berufsleben jedem Abenteuer vorzogen. Sie wohnten in einem netten Reihenhaus, machten einmal im Jahr eine Bildungsreise und hatten ein Abonnement für Theater-und Opernbesuche.

Eigentlich war gegen ein solches Leben nicht wirklich etwas einzuwenden, aber was Carsten übel genommen hatte und nicht recht verzeihen konnte, war der zähe Kampf um sein Studium gewesen. Seine Eltern hatten mit allen Mitteln versucht, ihn zu einer vernünftigen Berufswahl zu überreden und drohten sogar an, falls er auf einem Archäologiestudium, das zu nichts führen würde, bestehen sollte, ihm keine Mittel zur Verfügung zu stellen. Letztendlich hatte sein unbeugsamer Wille gesiegt, und er konnte das Studium durchführen.

Weil sie beide sich etwas abgespannt fühlten, schalteten sie ausnahmsweise den Fernseher ein und sahen sich einen Krimi an. Kaum hatte der Film begonnen, rief Charlotte an um zu berichten, dass sie das Schreiben an Rudolphs Rechtsanwalt fertig hatte und es am nächsten Morgen absenden würde, so-

346

fern Hanna mit dem Inhalt einverstanden war. Sie hatte Hanna den Brief auf den Computer geschickt und wollte gleich Hannas Meinung hören. Also schaltete Hanna den Computer ein und las den Brief. Er war in schönstem Juristendeutsch verfasst, entsprechend unverständlich für den Laien. Sie konnte dem Schreiben jedoch unmissverständlich entnehmen, dass keine Chance auf Erfolg für Rudolphs Rechtsanwalt bestand. Charlotte drohte sogar eine Klage gegen Rudolph wegen rassistischer Äußerungen und Volksverhetzung an. Damit dürfte das Thema wohl erledigt sein, dachte Hanna. Nach der Lektüre rief Hanna sofort wieder bei Charlotte an, bedankte sich für das Schreiben und versicherte ihr, dass sie tief beeindruckt von dem knallharten, juristischen Machwerk sei. Sie plauderte noch kurz mit ihrer potentiellen Schwägerin. Um das Gespräch nicht zu lange auszudehnen, verschwieg sie ihre Knieverletzung und erzählte natürlich auch nichts von der Deformation Oskars.

Als sie sich wieder auf die Couch setzte, um weiter den Film anzusehen, von dessen Inhalt sie inzwischen nichts mehr verstand, klingelte erneut das Telefon, und Elli wollte mit Carsten wegen des Wochenendes sprechen. Daraufhin machte Hanna den Fernseher aus und griff sich ihr Buch.

Als Carsten, der mit dem Telefon in die Küche gegangen war, um sie nicht zu stören, zurückkam, wunderte er sich etwas. "Warum hast du ausgemacht? Der Film war doch ganz gut?"

„Ich finde fernsehen blöd, wenn erst ich weglaufe und dann nichts mehr verstehe, und dann versuchst du mit ein paar Worten, mich aufs Laufende zu bringen. Dabei verlierst du selbst den Faden, läufst auch zum Telefon und anschließend bin ich mit Erklärungen dran. War keine gute Idee, die Zeit mit einem Film totzuschlagen, den man abwechselnd in Teilabschnitten sieht."

Carsten lachte, drückte sie kurz an sich und holte sich ebenfalls ein Buch. Irgendwann fingen sie beide zu gähnen an, tranken noch einen Hugo als Absacker und gingen schlafen.

Am nächsten Morgen baute Carsten die Batterie ein und brachte nach einigen müden Umdrehungen den Caddy tatsächlich zum Laufen. Hanna war mit in den Hof gekommen und wiederholte immer wieder, er könne ruhig Oskar nehmen. Davon wollte Carsten aber nichts wissen. "Ich gehe auf dem Rückweg in der Werkstatt vorbei und lasse die Batterie überprüfen. Notfalls kaufe ich gleich eine neue, ich glaube, die alte schafft's nicht mehr. Du weißt ja, dass ich meinem Auto so ziemlich alles verzeihe, nur nicht, wenn es nicht anspringt. Ich möchte mich auch nicht mit Oskar auf die linke Seite legen müssen, damit die Symmetrie einigermaßen wieder hergestellt ist."

Er fuhr winkend vom Hof, und Hanna kehrte in die Küche zurück, um das Frühstücksgeschirr abzuräumen. Eigentlich sollte sie nochmal im Lauf des Tages beim Arzt vorsprechen, aber als sie sah, dass das Knie deutlich abgeschwollen war und nicht mehr so heftig schmerzte, beschloss sie, den Arztbesuch ausfallen zu lassen.

Sie ließ die Pferde auf die Koppel, fand dann aber, dass das angeschlagene Knie genügend strapaziert worden war, und überließ den Rest der Arbeit Henning. Henning war nicht besonders gut gelaunt und sagte ihr, er würde am liebsten noch am selben Tag nach Marbach abhauen. Hanna war begierig, mehr zu hören, aber er wollte nichts von Silke erzählen.

Der Vormittag wurde sehr kurzweilig, weil zuerst Beate vorbeischaute und Arthüür mitbrachte. Der Dackel war außer sich vor Freude, wieder bei Hanna und auf dem Hof zu sein und jagte laut bellend über die Koppel, immer wieder die Pferde zum Spiel auffordernd. Vor allem der Haflinger hatte keine Lust zum Spielen und pflügte mit dem Kopf auf dem Boden auf Arthüür zu, als der Hund nicht aufhörte, bellend um ihn herumzuspringen. Arthüür verstand die Drohgebärde sehr wohl und hielt gebührenden Abstand, um nicht letztendlich einen Tritt verpasst zu kriegen.

Sie sprachen von Luise und Ahrenshoop, und es stellte sich heraus, dass Beate am nächsten Wochenende, das ursprünglich für die Kurzreise geplant gewesen war, schon eine feste Verpflichtung hatte. Also fügte sich alles so, dass Hanna das Wochenende mit Carsten und der Kleinen verbringen würde, und Ahrenshoop aus der Planung endgültig gestrichen wurde. Luise würde schließlich nicht länger als vier Wochen bleiben, dann war die Chance verpasst, einen Besuch an der Ostsee zu machen.

Kaum hatte Beate sich verabschiedet, fuhr Edda in den Hof. Hanna machte nochmal Kaffee, und da das Wetter recht sommerlich war, setzten sie sich an den Tisch vor der Tür. Hanna warf aber zunächst einen besorgten Blick auf die Eiche und erklärte den Grund dafür. Edda stand noch einmal auf und inspizierte nun ihrerseits den Stamm und die Krone, konnte aber nichts Bedrohliches entdecken.

Hanna kommentierte zunächst Eddas Kleidung. Edda trug eine helle, weitgeschnittene Sommerhose und darüber eine langärmlige schwarze Bluse, die zipflig bis zu ihren Knien fiel. „Whow, das steht dir gut! Wahnsinnig vorteilhaft."

Edda lächelte. „Du kannst ruhig sagen, dass diese Art von Kleidung meine immer noch zu üppige Figur kaschiert. Hat mein Freund mir ausgesucht."

„Ich sollte vielleicht auch mal mit Carsten in die Stadt fahren und mich aufbrezeln lassen. Leider mache ich mir nicht viel aus Klamotten und habe selten Gelegenheit, schöne Sachen zu tragen. Wie du siehst, stecke ich wieder in alten Jeans und einem ausgeleierten T-Shirt. Wenn ich mich umziehe, geschieht es meist, um mich in Reithosen und Stiefel zu schmeißen. Ich habe eben einen überaus naturnahen Job."

"Ich habe das aus unserer Schulzeit anders in Erinnerung", sagte Edda lachend. „Du hattest doch öfter mal den letzten Schrei an, worum ich dich glühend beneidet habe. Dir stand einfach alles, und ich weiß noch gut, wie du nach Hause geschickt wurdest, weil du mit knappen Shorts und bauchfrei im

Unterricht erschienen warst."

„Ja, und ich wollte überhaupt nicht einsehen, dass man sich in der Schule an eine gewisse Kleiderordnung halten sollte. Ich habe dem Schulleiter ziemlich bissig etwas von amerikanischen Verhältnissen gesagt, wo eine züchtige Rocklänge vorgeschrieben ist und nur ganz kleine Ausschnitte zugelassen sind. Na ja, du weißt vermutlich, dass meine Mutter einbestellt wurde, und damit war das Thema - zumindest was die Schule anbetraf - erledigt. Zu Hause ging es noch weiter, aber ich erinnere mich nicht so gern an die grässlichen Auseinandersetzungen um die blödesten Themen, die man als Teenager anzettelte, nur um zu beweisen, dass man nicht so altmodisch, engstirnig und gefühllos wie die Eltern ist."

Da Edda eigentlich im Dienst war, mussten sie die Plaudereien über die Schulzeit abbrechen und zum eigentlichen Grund von Eddas Besuch kommen.

„Paul ist nicht bereit, in irgendeiner Form mit uns zu kooperieren. Er schweigt sich einfach aus, und auch mit Hilfe eines Psychiaters ist ihm nichts zu entlocken. Das einzige, was er immer wieder fordert, ist mit dir ein Gespräch führen zu dürfen. Du musst wohl demnächst nach Lüneburg kommen und sehen, ob du uns helfen kannst."

Hanna war völlig überrascht. „Was soll das denn? Ich kenne den Typen überhaupt nicht, und wenn er alles angestellt hat, was hier in letzter Zeit passiert ist, kann ich ihn auch nicht ausstehen. Wie siehst du das denn persönlich?"

„Ich glaube, es wäre wirklich hilfreich, wenn du mit ihm reden würdest. Er ist überhaupt nicht unsympathisch, und wie ein Vergewaltiger oder Totschläger kommt er mir auch nicht vor. Er ist eigentlich total unsicher und irgendwie gestört."

„Der Vorschlag, mit Paul zu reden, kommt jetzt sehr plötzlich. Was geschieht, wenn ich nicht mit ihm reden möchte?"
„Wenn wir herauskriegen, dass er in der Sache drinhängt, musst du sowieso als Zeugin auftreten. Du würdest aber die Sache erheblich abkürzen und vereinfachen, wenn du dich zu

einem Besuch entschließen könntest."

„Ich habe noch nie jemanden im Gefängnis besucht, und das kommt mir irgendwie gruselig vor. Was muss ich machen, um da eingelassen zu werden?"

„Du wirst leider gefilzt darauf, ob du Waffen oder Drogen einschmuggeln willst. Du darfst auch nichts mitbringen, wie zum Beispiel Süßigkeiten oder Blumen."

Hanna unterbrach lachend: „Du meinst, ich soll einen Strauß sibirische Lilien besorgen? Das wäre doch überaus passend!"

Edda ließ sich nicht beirren. „Du musst Schleusen passieren, die vielleicht für einen Außenstehenden unheimlich sind. Du wirst jeweils zwischen zwei Türen eingeschlossen, bevor du die nächste Tür passieren kannst. Wenn jemand in U-Haft ist, gehst du in einen Besucherraum. Der Verdächtige hat weder Fußfesseln noch Handschellen, denn bis zum Beweis der Schuld gilt er als unschuldig. Es wird aber während eurer Unterhaltung ein Beamter oder eine Beamtin anwesend sein, erstens zu deiner Sicherheit, zweitens, damit ihr nicht konspirativ tätig werden könnt, drittens, damit nicht doch irgendwelche Sachen ausgetauscht werden."

„O.k., ich werde darüber nachdenken und mich auch mit Carsten besprechen. Ich habe natürlich großes Interesse an einer Lösung, und außerdem habe ich keine Lust mehr, mich verfolgt und bedroht zu fühlen. Was Paul - wenn er es war - mir angetan hat, ist ja nicht so schlimm, aber die Geschichte mit Jasmina ist unverzeihlich. Wenn kein Wunder geschieht, hat er vermutlich ein Leben zerstört. Ich muss auch zugeben, dass ich unheimlich neugierig bin zu erfahren, was so jemanden antreibt und was dahintersteckt. Die Buchstaben DD verunsichern mich allerdings immer noch. Vielleicht haben wir etwas übersehen und jemand völlig anderer steckt dahinter?"

„Jetzt redest du schon, als seist du von der Kripo! Ich muss mich leider verabschieden, weil ich noch einer anderen Sache nachgehen muss. Entscheide dich richtig und lass bald von dir hören. Du bist jederzeit bei mir in Lüneburg willkommen, wenn dir nach Austausch von Erinnerungen ist. Du wirst dich wundern, was ich alles behalten habe, obwohl ich eigentlich nie in der Schulzeit mitgespielt habe. Manche Leute verdrängen ja alles aus ihrer Kindheit oder Jugend, wenn es nicht angenehm war, aber ich habe neidvoll alles beobachtet und gespeichert."

Sie umarmten sich kurz, so wie es seit ein paar Jahren bei jeder Gelegenheit üblich war, und Edda fuhr ziemlich eilig davon. Hanna hatte das starke Bedürfnis, sich gleich mit jemandem zu besprechen. Carsten fiel aus, da er normalerweise nicht erreichbar war, ihre Mutter gab bestimmt gerade Unterricht, Henning war zu sehr mit seinen eigenen Sorgen beschäftigt. Schließlich fiel ihr die Lösung ein: Charlotte! Charlotte war sowieso vermutlich die einzige kompetente Gesprächspartnerin. Leider war Charlotte nicht zu erreichen, wie ihr von der Sekretärin der Kanzlei mitgeteilt wurde. Hanna bat um baldmöglichsten Rückruf, und die Sekretärin versprach, einen Zettel mit der Bitte um Rückruf auf Charlottes Schreibtisch zu legen.

Hanna konnte sich auf nichts richtig konzentrieren, und deshalb beschloss sie, ein paar dringende Einkäufe zu machen. Sie griff in die Schublade des Schränkchens im Flur, in der alle wichtigen Schlüssel aufbewahrt wurden, aber auf Anhieb konnte sie den Schlüssel für Oskar nicht entdecken, auch den Ersatzschlüssel nicht. Sie kippte die Schublade aus und sortierte: Scheunenschlüssel, Hausschlüssel, Zimmerschlüssel, Stallschlüssel, aber kein Oskarschlüssel. Leise fluchend fing sie an, an allen Orten zu suchen, an denen eine entfernte Möglichkeit bestand, den Schlüssel zu deponieren, ohne Erfolg. Natürlich war sie nicht diejenige, die zuletzt gefahren war, also musste ihr oft nachlässiger und zerstreuter Carsten den Schlüssel verlegt haben. Ihr fiel dabei ein, dass sie den Ersatzschlüssel schon lange nicht gesehen hatte, aber dem keine Bedeutung beigemessen hatte.

Sie versuchte vergeblich, wie schon so oft, Carsten zu erreichen. Da das Auto ausschied, sie aber nicht auf ihre Einkäufe verzichten wollte, nahm sie ihr Fahrrad aus dem Schuppen und radelte los. Sie bemerkte sehr schnell, dass Radfahren ihrem Knie nicht so gut tat, aber natürlich wollte sie nicht aufgeben. Sie schleppte sich humpelnd durch die Regale des Supermarkts, klemmte den Einkaufskorb auf den Gepäckträger und fuhr missmutig zurück.

Am Nachmittag kam eine Anmeldung zu einem Reitwochenende. Eigentlich musste Henning solche Anfragen beantworten, da er für die Büroarbeiten zuständig war, aber weil er ihren Kinderreitunterricht übernommen hatte, war er nicht erreichbar. Hanna überlegte, was sie machen sollte, da nicht absehbar war, wann sie wieder voll einsatzbereit sein würde, und verschob erstmal die Entscheidung.

Am späten Nachmittag hatte sie eine kleine Genugtuung, als Carsten anrief und sie bat, ihn abzuholen in Lenzen, weil sein Auto keinen Mucks mehr von sich gab. Er berichtete, dass seine Kollegen bereits abgefahren waren, und ihm deshalb niemand einfiel, der ihn anschleppen konnte. Auf seine Frage, „du kannst mich doch sicher holen?" antwortete sie einfach „ nein". Carsten war völlig verblüfft. „Wie nein?" fragte er. „Kannst du wegen deines Knies nicht fahren oder kommst du gerade nicht weg? Ich kann auch warten."

„Du kannst warten, bis du schwarz wirst", sagte Hanna. „Ich werde dich jetzt nicht und auch nachher nicht holen, und zwar nicht aus bösem Willen, sondern weil ich nicht kann." „Jetzt mach aber mal halblang", sagte Carsten. "Bist du sauer auf mich? Was habe ich denn in meiner Abwesenheit gemacht?"

Hanna musste lachen. „Nicht in deiner Abwesenheit, sondern vorher hier. Du hast den Autoschlüssel nicht zurückgelegt, und auch den Ersatzschlüssel kann ich nicht finden". Carsten erschrak so sehr, dass sie es sogar am Telefon spürte. „Das kann eigentlich nicht sein. Ich gucke mal nach und rufe gleich wieder an."

Hanna wartete eine ganze Weile und stellte sich vor, wie Carsten in allen Taschen suchte, rekonstruierte, welche Hose er zuletzt getragen hatte, welche Tasche oder Tüte er mitgehabt hatte, wo im Büro er vielleicht den Schlüssel abgelegt hatte. Der Erstschlüssel konnte nicht in Lenzen sein, denn er war schließlich am Tag zuvor mit Oskar nach Hause gefahren, aber der Zweitschlüssel?

Er fand ihn schließlich auf seinem Schreibtisch unter einem Stoß Papiere. Er rief Hanna wieder an und teilte ihr mit, dass zu seiner Erleichterung der eine Schlüssel wieder aufgetaucht war. Er beteuerte allerdings, dass er sich überhaupt nicht erklären konnte, warum der Ersatzschlüssel in der Lenzener Burg gelandet war. Der Erstschlüssel hatte eine Funkbedienung, der Zweischlüssel funktionierte nur mit Zentralverriegelung, deshalb konnte er mit Sicherheit sagen, welchen Schlüssel er gefunden hatte. Er bat Hanna, zu Hause nochmal nachzusehen, aber Hanna hatte keine Lust, weil ähnliche Unachtsamkeiten oft passierten und sie störten.

Nach einer Stunde kam Carsten an. Er war zu Fuß zur Fähre gegangen und hatte sich in Pevestorf bei Elli ein Fahrrad genommen, um nach Gartow zu fahren. Hannas Mitleid hielt sich in Grenzen, als er ansetzte, ihr zu erklären, dass er ziemlich müde war und die Heimfahrt anstrengend gefunden hatte. Während Hanna ein paar Eier briet und einen Salat dazu machte, fing Carsten wieder zu suchen an. Hanna warf ihn aus der Küche, weil sie es sehr ungemütlich fand, wie er alle Schubladen aufzog, die Schranktüren aufmachte und schließlich sogar im Kühlschrank nachsah.

„Ich glaube, du solltest eher in deinen Klamotten suchen. Du steckst doch den Schlüssel immer in irgendeine Tasche, wenn du angekommen bist, statt ihn auf das Schränkchen im Flur zu legen."

Das Thema Schlüsselsuchen erledigte sich, als Hanna einfiel, dass sie morgens eine Waschmaschine gemacht hatte mit Carstens Arbeitskleidung, die einen Waschgang dringend gebrauchen konnte. Die Wäsche hing noch hinter der Scheune, und Carsten flitzte los, um seine Arbeitshose zu untersuchen.

Er fand den Schlüssel tatsächlich in einer Hosentasche, schön frisch gewaschen. Zunächst war er richtig froh und erleichtert, aber dann fiel ihm ein, dass vielleicht die Elektronik kaputt sein könnte durch den Schleudergang der Waschmaschine. Er ging gleich zu Oskar und probierte den Schlüssel aus. Er funktionierte noch.

Hanna sagte nichts mehr zu Carstens Schlamperei. Sie fand eigentlich, dass er genug bestraft war mit Fußmärschen, Radtouren, Aufregung und schlechtem Gewissen. Carsten entschuldigte sich wortreich und versprach Besserung. Hanna hatte so ihre Zweifel, ob er künftig sorgfältiger sein würde, weil ihm das überhaupt nicht lag.

Sie trug ihm ihr Dilemma mit dem Besuch im Gefängnis vor. Carsten meinte spontan, sie müsse hingehen. Schlimmstenfalls würde es nichts bringen und wäre unangenehm, bestenfalls könnte sich mit ihrem Besuch alles klären. Hanna rief sofort bei Edda an, um einen Termin auszumachen, erreichte aber nur den Anrufbeantworter. Edda würde sicher bei der ersten Gelegenheit zurückrufen, und Hanna fing an, irgendwie den Besuch bei Paul spannend zu finden.

Hanna hätte noch gern einen Spaziergang gemacht, aber da ihr Knie wieder wehtat, mussten sie verzichten. Carsten machte ihr liebevoll einen Eiswickel, und das war der Anfang zu zärtlichem Geplänkel. Edda rief nicht mehr an, und Hanna war froh darüber, denn ein Anruf hätte sehr gestört.

Am nächsten Morgen sehr früh fuhr Hanna Carsten nach Lenzen. Er baute die Batterie seines Caddy aus, und Hanna nahm sie mit nach Gartow zum Durchmessen, Aufladen oder Entsorgen.

Als sie nach Hause kam, hatte Edda auf den Anrufbeantworter gesprochen. Sie schlug den kommenden Mittwoch für den Besuch bei Paul vor und bat Hanna darum, den Termin zu bestätigen. Hanna wollte das sofort tun, musste aber mal wieder feststellen, dass man sich weitgehend nur noch mit dem Anrufbeantworter unterhielt. Wie kam es bloß, dass fast nie jemand auf Anhieb zu erreichen war? Vermutlich nahmen viele nicht ab, da sie wussten, dass ihnen entweder die Displayanzeige oder der Anrufbeantworter die Arbeit abnahmen. Es gab also keine Notwendigkeit mehr, mit nassen Haaren aus der Dusche ans Telefon zu stürzen oder den Braten anbrennen zu lassen, weil man sich festgequatscht hatte und das Kochen vergaß. Sie hatte sich selber schon oft dabei erwischt, dass sie das Telefon ignorierte, auch wenn kein triftigerer Grund vorlag, außer dass sie keine Lust hatte.

Ihr Knie war viel besser, und sie machte sich vorsichtig an die Stallarbeit. Henning war sehr froh, dass er die Arbeiten nicht mehr allein machen musste, die er nicht gern machte und für die er auch nicht eingestellt war, wie er behauptete. Er war etwas besser gelaunt, erkundigte sich nach dem Pick-up und gab ein paar wohlgemeinte Ratschläge zu einem neuen Auto, das Carsten sich zulegen sollte. „Wenn du es ihm zahlst", sagte Hanna schnippisch, „haben wir kein Problem mit dem Aussuchen."

Sie wollte versuchen, am Nachmittag wieder ihren regulären Reitunterricht aufzunehmen. Es war der Tag der Kindergruppe, und sie wusste, dass Henning mit Kindern oft nicht viel Geduld besaß und sie eher mit einer gewissen Schärfe und Sarkasmus verschreckte. In der Halle hieß es „bist du ein Kartoffelsack?" und draußen beim Galopp war sein Kommentar „wir sind hier doch nicht bei den Jockeys. Wie hängst du denn auf dem Gaul?" Das machte den Kindern Angst und war nicht gerade motivierend.

Ihr Knie schmerzte wieder, als sie nach getaner Arbeit ins Haus zurückging, aber nicht so heftig wie in den letzten Tagen. Sie ging hoch in ihre Wohnung und setzte sich einen Kaffee auf. Kaum hatte sie sich mit der Tasse in der Hand am Fenster der Küche niedergelassen, klingelte es. Da die Gegensprechanlage samt Türdrücker immer noch kaputt war, musste sie wieder nach unten gehen.

In der Haustür stand ein junger Mann im Anzug, mit ge-
geltem Haar und einer ledernen Mappe unter dem Arm. Sie
konnte den Typen auf Anhieb nicht ausstehen. Sie überlegte
kurz, was er wohl für ein Anliegen hatte: Missionieren oder
verkaufen? Sie entschied sich für Vertreter von irgendeinem
Produkt, das man nicht brauchte und das einen nur um viel
Geld erleichterte.

Sie hatte richtig Spaß, als er mit einem geschäftlichen und
gleichzeitig charmanten Lächeln, das er wohl für unwider-
stehlich hielt, den Kontakt einleitete mit einem „schönen guten Tach auch, junge Frau." Als Hanna antwortete „ebenso,
junger Mann", war er einen Augenblick lang aus dem Konzept
gebracht.

Nach einer kurzen Pause fuhr er mit seinem eingeübten
Konzept fort. Offenbar war er nicht imstande, sich auf seine
Gesprächspartner einzustellen. "Ich komme im Auftrag der
Firma Ci Ci, die korrekte englische Aussprache des deutschen
CC, und möchte Ihnen ein tolles Angebot machen."

Blitzschnell schoss es Hanna durch den Kopf, dass sie froh
war, dass er nicht von der Firma DD kam, davon hatte sie genug. Ihre Reaktion auf die Belehrung, wie man CC im Eng-
lischen ausspricht, kam so unvorhergesehen, dass sie selbst
sich wunderte, wie prompt ihr eine Antwort einfiel. "CC für
Computer Coaching? Oder Christian Concerts? Oder Canine
Cannibalism?"

Der junge Schnösel bekam einen verblüfft bis dümmlich
wirkenden Ausdruck, und Hanna setzte noch einen drauf,
indem sie fragte, ob er eine Übersetzung bräuchte oder alles
verstanden hätte. Er lächelte immer noch verwirrt und sagte,
nachdem er sich gesammelt hatte: „Meine Firma CC steht für
Court Cover." „Aha", sagte Hanna, „und was bedeutet das? Ist
offenbar eine amerikanische Firma?" „Nein", sagte der junge
Mann entrüstet", urdeutsch und damit deutsche Wertarbeit."

„Und der Name ist auch urdeutsch?" Er fing ein bisschen
zu stottern an und erklärte, dass man heutzutage völlig uncool

wäre und bei den Kunden nicht landen würde, wenn eine Firma einen schlichten deutschen Namen hätte.

„Also, jetzt erklären Sie mir, was Court Cover heißt, denn damit fange ich leider nichts an." „Court Cover ist eine neue Art, Ihren Hof zu modernisieren. Sehen Sie, Sie haben einfach Kiesel auf dem Hof. Die verschieben sich beim Gebrauch, irgendwann kommt Gras und Unkraut wieder hervor, und Sie müssen mit Unkrautvernichtungsmittel dagegen vorgehen. Außerdem ist Schneeräumen kaum möglich, und wie ich sehe, haben Sie Pferde. Was ist, wenn die Pferde Äpfel auf dem Kies hinterlassen? Wie bekommt man die weg?"

Hanna verkniff sich ein Lachen, weil sie immer mehr Spaß an der Unterhaltung fand. „Jetzt reden Sie mal deutsch mit mir. Sie meinen mit moderner Hofgestaltung, dass Ihre Firma den Hof zu einem nur im Augenblick äußerst günstigen Preis asphaltiert."

„Genau", sagte der unsympathische Schnösel, der seine Selbstsicherheit wiedergefunden hatte, da man endlich beim Thema war. „Wir machen Ihren Hof sauber und von allen Seiten bis in die letzten Ecken befahrbar. Sie brauchen nie wieder einen Finger zu rühren, um etwas in Ordnung zu bringen. Ich werde Ihnen Beispiele aus meinem presentation portfolio zeigen, und Sie werden sofort überzeugt sein."

„That's enough", sagte Hanna und sah schadenfroh, dass er sie wohl wieder nicht verstand. "Ich sage Ihnen jetzt, wie ich die Sache sehe, und ich bin nicht die Einzige hier in der Gegend, die die gleiche Meinung hat: Erstens ist ein asphaltierter Hof oberscheußlich und kann auch nicht gerettet werden durch zwei Kübel mit Plastikblumen. Zweitens versiegelt Asphalt den Boden in unverantwortlicher Weise, wovon Sie sicher noch nichts gehört haben? Drittens ist mir zu Ohren gekommen, dass Ihre Firma schludrig und unzuverlässig arbeitet. Sie haben doch in Dahlenburg Höfe asphaltiert, die nach kürzester Zeit aussahen wie Lochmuster?" Sie hatte vor einiger Zeit von der Firma gehört, die einen Klinkenputzer herumschickte, aber die Sache mit Dahlenburg hatte sie gerade erfunden. Da der junge Verkaufswerber jedoch tief errötete, hatte sie wohl ins Schwarze getroffen.

„Und jetzt machen Sie, dass Sie wegkommen, und Sie können sich darauf verlassen, dass mein Telefon nicht mehr stillsteht, bis ich die ganze Umgebung vorgewarnt habe."

Der junge Mann machte sich eilig davon, und Hanna war überzeugt, dass sein selbstherrliches Auftreten erstmal ein Ende haben würde. Vielleicht meldete er sich zu einem Englischkurs an, um nicht wieder so eine Pleite zu erleben? Hanna hatte jedenfalls in keinster Weise ein schlechtes Gewissen. Sie hasste derlei Verkaufsmethoden, auf die oft ältere oder alleinstehende Personen hereinfielen. Sie dachte an eine uralte Nachbarin in Hamburg, die eines Tages feststellte, dass sie das Capital abonniert hatte im Glauben, dass es sich um ein christliches Magazin handelte. Jedenfalls ging sie innerlich ganz beschwingt zu ihrem Kaffee zurück, der leider inzwischen kalt geworden war.

Sie rief niemanden an, nahm sich aber vor, jeden, mit dem sie ins Gespräch kam, zu warnen. Im Wendland gab es noch einige original gepflasterte Höfe, aber ihre Zahl nahm ständig ab. Entweder wurden Betonknochen verlegt oder tatsächlich asphaltiert. Schöner wurden die Dörfer dadurch nicht, aber ordentlich und pflegeleicht.

Sie rief noch mal bei Edda an, wieder der Anrufbeantworter. Edda saß wohl kaum mal im Büro, sondern war meist irgendwo unterwegs. Hanna dachte, dass Edda einen ganz spannenden Beruf gewählt hatte, auch wenn sie sicher häufig mit unangenehmen Situationen konfrontiert war.

Der Reitunterricht mit den Kindern klappte ganz gut, und sie war mit dem Knie sehr zufrieden.

Am späten Nachmittag rief Carsten an und bat darum, ihn abzuholen, da er mit der Arbeit fertig sei. Hanna machte sich sofort auf den Weg. Sie fuhr zunächst in der Werkstatt vorbei und nahm eine neue Batterie entgegen, da die alte zu nichts mehr zu gebrauchen war, wie ihr der Meister versicherte. Sie legte das Geld auch für Carsten aus, um alles korrekt abzuwickeln und setzte von Pevestorf nach Lenzen über. Sie nahm sich vor, auf dem Rückweg bei Elli vorbeizuschauen. Sie hatte Elli schon ein paar Tage nicht mehr besucht, und beide freuten sich immer, wenn sie Gelegenheit hatten, sich über die Problematik der Welt und insbesondere der Nachbarn zu unterhalten.

Carsten stand schon auf dem Parkplatz vor der Burg und wartete. Er meinte, Hanna könne sofort wieder abfahren, um nicht ihre Zeit zu verplempern, aber Hanna zog es vor zu warten, bis er ebenfalls losfahren konnte.

Carsten machte sich sofort daran, die neue Batterie einzubauen, setzte sich hinter's Lenkrad und ließ den Motor an. Der Anlasser drehte wunderbar, aber der Motor sprang trotzdem nicht an. Carsten stieg wieder aus und fluchte. "Das verstehe ich überhaupt nicht", sagte er zornig. "Wieso kriege ich die Scheißkarre nicht zum Laufen?"

Zum Spaß sagte Hanna, er solle vielleicht mal nach der Benzinanzeige sehen. Carsten warf einen Blick auf die Anzeige und wurde feuerrot. "Nichts mehr drin", sagte er. „Allmählich komme ich mir wirklich vor wie der letzte Trottel."

„Ach nein", sagte Hanna spöttisch. "So ein kleines Malheur kann doch jedem Mal passieren. Ein Glück, dass ich noch da bin. Ich hole gleich einen Kanister Benzin, und dann haben wir das Problem behoben."

Während sie zur Tankstelle fuhr, bemerkte sie, dass sie doch ein bisschen ungehalten war. Im Augenblick häuften sich Carstens Unaufmerksamkeiten, und sie dachte darüber nach, wie es wohl sein würde, ständig mit Carsten zusammen zu sein. Da sie selbst vergleichsweise ordentlich war, würde es sicher immer mal Anlass zu Ärger geben. Aber dann lächelte sie vor sich hin und dachte an Carstens gute Eigenschaften, die sie wirklich an ihm schätzte. Also wollte sie weiterhin die positiven Seiten sehen, und die Schusseleien mit Humor nehmen.

Schließlich konnten sie beide losfahren, und in Pevestorf bog Hanna in Ellis Hof ein. Wie immer freute sich Elli, sie zu sehen und setzte gleich einen Kaffee auf. „Willst du auch ein Stück Kuchen? Ich habe vorhin einen Kirschenplotzer gemacht nach pfälzischem Rezept. Hast du den schon mal gegessen?"

„Nein", antwortete Hanna, „aber der Name hört sich schon an, als sei das etwas Interessantes. Bist du sicher, dass es nicht Platzer heißt? Wenn man zu viel davon isst, platzt man? Oder wirklich Plotzer, weil man vor Überraschung auf den Hintern plotzt?" Elli lachte. „Von der Herkunft des Wortes weiß ich nichts, aber du bist ja sprachlich so schlau, dass du bestimmt ein Lexikon hast, indem du den Ursprung des Namens nachlesen kannst. Aber probier doch mal, auch ohne Hintergrundwissen."

Sie legte Hanna ein Stück auf den Teller, und Hanna war begeistert, wie aromatisch und saftig kirschig es schmeckte. „Das Rezept musst du mir auch geben. Ich bin ja selbst keine so großartige Konditorin, aber Beate kann bekanntlich zaubern und wird bestimmt mit Begeisterung unseren Reitern mit Kirschenplotzer das nächste Reitwochenende versüßen."

Elli wollte natürlich wissen, wie die Dinge um Jasmina und um Hannas Verehrer standen, und Hanna gab ihr ein kurzes Bild von den letzten Entwicklungen. „Spannend, spannend", sagte Elli. „Ich lese ja eigentlich nichts außer der Zeitung, aber ich glaube, ich muss mir auch mal einen Krimi besorgen. Vielleicht kann ich dann auch unter die Detektive gehen?" „Detektive kommen da eigentlich nicht mehr vor", sagte Hanna, „sondern diverse Beamtengrade bei der Kripo, beim BKA oder LKA. Außerdem wirst du ziemlich viel Zeit in der Pathologie verbringen, das ist ganz modern." „Was ist die Pathologie?" fragte Elli. "Das ist die Leichenhalle, wo die Toten, die an ungeklärten Ursachen gestorben sind, aufgeschnitten und untersucht werden."

Elli sagte, das fände sie gruselig und wollte so was lieber nicht lesen. Hanna versprach ihr aber, von ihren vielen Krimis einen herauszusuchen, der nicht so grausam war, und ihn Elli mitzubringen.

Aus Pevestorf gab es immerhin zu berichten, dass Elsbeth, die Mutter von Anita, aus dem Krankenhaus entlassen worden war. Elli schilderte genüsslich, wie grün, gelb und blau sie immer noch im Gesicht aussah, und wie schrecklich ihr Kiefer verklammert war, um die Brüche verheilen zu lassen. „Sie muss mit einem Strohhalm flüssige Nahrung zu sich nehmen, und richtig sprechen kann sie auch nicht, weil sie ja die Zähne nicht auseinander bekommt. Sie hat gesagt, soweit ich sie verstanden habe, dass sie den kleinen Iwan zu sich nehmen will, aber da sehe ich schwarz. Bei ihrem Lebenswandel wird das Jugendamt wohl kaum ihren kleinen Enkel freigeben, und ich kann ja auch nicht sagen, dass sie aus Anita ein lebenstüchtiges Mädchen gemacht hat."

„Weiß man etwas über Anitas Aufenthalt?" fragte Hanna. "Nein", antwortete Elli, „sie ist total verschollen. Aber um auf etwas anderes zu kommen: Was hörst du von Luise? Geht es ihr besser? Hat sie bezüglich des Hofs einen Entschluss gefasst?"

Hanna wusste nichts Neues zu berichten und kam auf das nächste Wochenende zu sprechen, das sie eigentlich mit Carsten in Ahrenshoop hatte verbringen wollen. Elli war schon informiert, dass Carsten das kleine Mädchen seiner Kollegin hüten würde und fand es ganz anrührend, dass ein junger Mann sich zu so etwas bereit erklärt hatte. "Als ich jung war, hat ein Vater nicht einmal den Kinderwagen geschoben. Da gab es eine klare Rollenverteilung. Der Vater hat abends mal mit den Kindern ein bisschen gespielt, vor allem um Weihnachten mit der Eisenbahn, die der Sohn geschenkt bekommen hatte, aber nicht berühren durfte, weil er ja etwas hätte kaputt machen können. Das gab bei Carstens Vater öfter Tränen, aber da war mein Johann unerbittlich. Jedes Jahr zu Weihnachten gab es neue Wagen, mehr Gleise und Bausätze für Bahnhöfe und Dörfer. Aber der Vater baute alles allein zusammen, und der Kleine, dem ja eigentlich die Eisenbahn gehörte, durfte zuschauen und bewundern.“

„Na ja, das finde ich ziemlich ungerecht, und es passt natürlich überhaupt nicht mehr in unsere Zeit. Mein Vater war auch von solch altmodischen Ideen infiziert von seiner konservativen deutschen Mutter, aber meine Mutter hat das nicht geduldet. Sie war schließlich auch immer berufstätig, hatte ein langes Musikstudium absolviert und fand, dass man alles im Familienleben gleichmäßig aufteilen sollte.“

„Ich sehe da natürlich auch gewisse Vorteile, aber auch die alten Strukturen hatten doch etwas Gutes. Da die Frauen gar keinen Beruf erlernt hatten, war es doch selbstverständlich, dass ihr Lebensinhalt die Familie war. Es machte vieles leichter. Glaube nicht, dass ich eine Sekunde gedacht hätte, ich müsste etwas lernen und selbständig werden. Ich war absolut zufrieden mit meinem Leben auf dem Hof, es war nie langweilig, und mein einziger Ausbruch war mein Wunsch, den Führerschein zu machen. Da war ich richtig fortschrittlich, und Johann hat sich lange gewehrt dagegen, so viel unnützes Geld auszugeben für einen Führerschein, den ich nie würde brauchen können. Er wollte mich auch anfangs, als ich heimlich den Führerschein gemacht hatte, nicht fahren lassen, da das Auto, das wir uns schließlich leisten konnten, nicht unser Auto, sondern sein Auto war. Wie war er froh, als er krank wurde, dass ich alles erledigen konnte!“

Hanna sah auf die Uhr, bedauerte, wie spät es schon war und machte sich zum Aufbruch bereit. „Schade“, sagte Elli. „Ich erzähle richtig gern von den alten Zeiten und habe selten Zuhörer, die das hören wollen. Carsten gehört auch zu denen, die gern von unserer Steinzeitvergangenheit hören, aber Carstens Vater zum Beispiel und seine Tante wollen davon nichts wissen. Ich glaube, sie haben beide noch nicht mal auf der Landkarte nachgesehen, wo ihr Vater mit dem ostpreußischen Namen herstammt. Russland? Polen? Das ist peinlich und auch heutzutage egal.“

„Ich finde das traurig, und wenn ich je mal Kinder haben

sollte, dann werde ich ihnen die Geschichte der Deutschen, die in ihrer eigentlichen Heimat Ostpreußen, Westpreußen oder Schlesien nach dem Krieg geblieben sind oder bleiben mussten, nahebringen, ob sie es hören wollen oder nicht. Man sollte doch Wurzeln haben, und es ist traurig, dass manche ihre Wurzeln verleugnen oder nicht finden können. Jetzt kommen wir aber zum Thema Immigranten und Asylanten, und bevor wir uns festdiskutieren, gehe ich. Carsten ist schon längst vorausgefahren, und ich denke, wir werden noch zusammen etwas essen, bevor es zu spät wird."

Sie gab Elli ein Küsschen auf jede Backe, was Elli als neue Art der Begrüßung und Verabschiedung durchaus mit Freuden akzeptiert hatte, und machte sich auf den Weg nach draußen. Elli begleitete Hanna in den Hof und blieb schockiert stehen, als sie das demolierte Auto sah. „Mein Gott, was hast du mit Oskar gemacht? Hast du dich auf die Seite gelegt?"

Hanna hatte eigentlich nichts von Carstens Missgeschick erzählen wollen, aber nun konnte sie nicht umhin, Ellis Frage zu beantworten. „Ich war's nicht", sagte sie zögerlich. „Carsten hatte Oskar ausgeliehen und..." „Ich weiß schon", unterbrach Elli, „er hat mal wieder in der Gegend rumgeguckt statt auf die Straße. Das kennen wir schon. Was genau ist passiert?"

Hanna gab einen kurzen Abriss von Carstens Unfall, und Elli seufzte. „Mein lieber Enkel hat wirklich viele gute Eigenschaften, aber manchmal muss man doch an seinem Verstand zweifeln. Entschuldige bitte! Ich kann nur hoffen, dass er selber immer heil rauskommt, wenn er mal wieder nicht aufpasst."

„Ja, schade eigentlich", sagte Hanna", viele Ausgaben und viel Ärger wären unnötig, wenn Carsten dem Alltag gegenüber nicht so gleichgültig wäre. Aber was soll's, da wird wohl nichts zu ändern sein, und ich kann damit leben."

Hanna stieg ein und fand es rührend, wie Elli im Hof stand und ihr nachwinkte, als würde sie für lange Zeit verschwinden. „Die Welt wird ärmer sein, wenn sie mal nicht mehr ist", dachte Hanna. „Sie ist wirklich eine Seele von Mensch."

Als Hanna ihr Auto einparkte, kam Henning aus dem Stall zu ihr herübergeschlendert. „Luise hat angerufen, sie hat ihren Aufenthalt in der Reha um eine Woche verlängert. Das muss sie selber zahlen, da die Kasse ja nichts übernimmt. Aber das kann sie sich ja allemal leisten. Sie fragt, ob du jetzt mal mit Carsten kommen kannst, sie würde sich freuen. Sie machte auch eine Andeutung, dass sie sich für die Zukunft des Hofs etwas überlegt hat. Da bin ich mal gespannt! Mich geht's ja nichts mehr an."

„Ich werde sie selber mal anrufen. Dieses Wochenende kommen wir nicht weg, weil Carsten die kleine Tochter einer Freundin hütet."

„Aha, übt er sich ein?" fragte Henning und grinste frech. Hanna kniff ihn kräftig in den Arm, enthielt sich aber eines weiteren Kommentars.

Beim Treppensteigen machte sich ihr Knie wieder bemerkbar, aber nicht so schlimm wie zu Anfang. Carsten war in der Küche zugange. Es duftete nach Knoblauch und Kräutern, und eine geöffnete Flasche Wein stand schon auf dem Tisch. „Ich hoffe, du hast heute noch nicht allzu viel gespeist", sagte er und gab ihr ein Küsschen. „Ich jedenfalls habe großen Hunger, und deshalb gibt es ein Kartoffelgratin und Steaks. Das Fleisch sieht übrigens hervorragend aus, hast du es von Beate?"

„Klar", sagte Hanna, „aus dem Supermarkt bestimmt nicht."

Sie lächelte vor sich hin, weil sie Carstens offensichtliches Bemühen, etwas wieder gutzumachen, natürlich bemerkte.

„Wie lange dauert es noch mit dem Essen? Ich sollte Luise anrufen. Kann ich das noch vorher machen?"

„Ein paar Minuten hast du noch, aber keine zwei Stunden. Gibt es einen dringenden Anlass?" „Sie hat mit Henning telefoniert und angedeutet, dass sie sich mit dem Hof etwas überlegt hat. Sie geht wohl davon aus, dass wir sie besuchen kommen und dann in aller Ruhe darüber sprechen. Das wird ja nun nichts, und ich weiß nicht, was sie am Telefon sagen wird."

„Du klingst immer noch ein bisschen beleidigt wegen der Kleinen am Wochenende. Möchtest du allein zu Luise fahren? Ich habe über deinen Kopf hinweg entschieden, am Wochenende den Babysitter zu spielen, und das kann ich auch gut allein managen."

„Du spinnst wohl, wenn du denkst, dass ich allein nach Ahrenshoop fahre. Ich bin auch nicht beleidigt, du hast mich neulich nur mit deiner Entscheidung überrascht, die Kleine zu hüten. Wir hatten ja auch wirklich noch keinen festen Termin für den Besuch bei Luise abgesprochen, und wie ich jetzt weiß, klappt es sowieso nicht. Ich glaube, ich rufe jetzt vor dem Essen doch nicht mehr an, es könnte länger dauern. Glaubst du, Luise geht früh ins Bett?"

Carsten lachte. „Das kann ich mir nicht vorstellen. Wenn sie nicht wirklich sehr angeschlagen ist, geht sie abends ins Konzert oder zu einer Vernissage. In Ahrenshoop soll es ja ein tolles kulturelles Angebot geben."

Im Lauf der Woche ließen Hannas Schmerzen immer mehr nach, und sie sah keine Notwendigkeit, den Arzt nochmal aufzusuchen. Sie zog nur einen stabilisierenden Verband über und bewegte sich fast normal.

Am Freitagabend, als Hanna gerade mit dem Stall fertig war und nach oben gehen wollte, kam Carsten mit der kleinen Nina. Sie lief ganz vertraut an seiner Hand über den Hof, aber plötzlich riss sie sich mit einem verzückten Juchzer los und strebte zum Paddock. Carsten nahm sie auf den Arm und ließ sie über den Zaun die Pferde streicheln. Nina kicherte, als sie im Gesicht angepustet wurde und bedeutete Carsten, dass sie aufsteigen wollte. Hanna öffnete das Tor und setzte sie vorsichtig auf den Rücken des Haflingers, der geduldig stehen blieb. Nina strahlte und wollte gar nicht wieder heruntersteigen.

Hanna hatte mit Kindern schon ganz andere Erfahrungen gemacht. Meistens wollten sie aufsteigen, aber wenn ihr Wunsch in die Tat umgesetzt werden sollte, zogen sie sich oft ängstlich zurück oder fingen sogar vor Angst zu schreien an. Hanna war natürlich mit der Kleinen voll und ganz einverstanden und meinte, man könne sie ja das ganze Wochenende auf dem Pferderücken sitzen lassen, dann hätte man sich jedes anstrengende Aufpassen erspart.

Allerdings ließ Nina sich nach einer Weile bereitwillig wieder herunterheben, weil Arthüür angeflitzt kam und bellend unter den Pferdebeinen verschwand. Als sie wieder auf dem Boden stand, kam Arthüür in gewohnt heftiger Freundlichkeit zu ihr gerannt und leckte sie im Gesicht. Das war dann doch ein bisschen zu viel, und sie versuchte, sich mit den Händen zu schützen.

Carsten packte sie und erklärte ihr, dass sie erst einmal Hände waschen müsste, und dann würde es Essen geben.

Da Hanna natürlich keinen Hochstuhl für Kinder hatte, baute Carsten mit Hilfe von Kissen eine Sitzerhöhung, und Nina saß stolz am Tisch. Sie bekam ein bisschen Kartoffelbrei mit Soße, und Carsten fütterte sie liebevoll. Plötzlich hielt er den Löffel in der Luft an und sagte befremdet: „Hier riecht's irgendwie komisch. Ist was mit dem Abwasser?"

Hanna musste lachen. „Du hast ja wirklich keine Ahnung. Ich denke, unser lieber Gast hat die Windel voll."

Carsten war überhaupt nicht begeistert und fand, das passe gar nicht zu der niedlichen Kleinen. Hanna nahm sie aus dem Stuhl und schritt energisch mit ihr zu der improvisierten Wickelauflage auf ihrem Bett, die aus einem Badelaken bestand. Da Hanna sich als Schülerin bereits als Babysitterin ein bisschen Geld verdient hatte, war es für sie kein Problem, die kleine Nina versiert zu wickeln und an den Tisch zurückzubringen.

„Ist ja ganz alltäglich", sagte sie, „aber die Kinder haben den Bogen raus, immer beim Essen auch alles andere zu erledigen. Offenbar sind sie beim Essen erfreut und deshalb entspannt."

Ansonsten verlief alles sehr friedlich, und Nina ließ sich nach dem Essen bereitwillig abduschen und kuschelte sich in ihr Reisebettchen mit einem Plüschlöwen im Arm. Carsten las ihr noch eine kleine Geschichte vor, aber mittendrin seufzte Nina leise, murmelte „Mama" und war eingeschlafen.

„Erstaunlich", sagte Hanna, „offenbar ist sie gewöhnt, woanders zu sein." „Ja, Saskia hat es natürlich nicht leicht als Alleinerziehende. Da sie arbeiten muss, ist Nina sehr früh in der Krippe abgeliefert worden, und wenn etwas ansteht, das Saskia nicht vermeiden kann, muss sie sie abgeben oder einen Babysitter haben. Ich habe übrigens keine Ahnung, wer der Vater der Kleinen ist. Darüber spricht Saskia nicht, aber mir scheint, dass er nicht zahlt und sich auch sonst nicht kümmert. Ich habe jedenfalls nie ein männliches Wesen in ihrer Nähe gesehen."

„Außer dir", sagte Hanna und grinste.

So vielversprechend sich der Abend mit der Kleinen angelassen hatte, so enttäuschend wurde die Nacht. Als Hanna und Carsten sich gerade hingelegt hatten, und jeder sich mit einem Buch gemütlich eingekuschelt hatte, fing Nina zu schreien an. Carsten stand seufzend auf, denn er fühlte sich natürlich verantwortlich, weil er die Pflichten eines Babysitters übernommen hatte. Hanna las sehr unkonzentriert weiter, weil sie immer wieder ins Nebenzimmer horchte, wo das Bettchen stand. Nach einer Weile wurde Nina still, und sie hörte nur Carstens leise murmelnde Stimme. Schließlich kam Carsten zurück ins Bett mit einem Stoßseufzer, aber kaum hatte er sich hingelegt, fing das Geschrei wieder an.

Mindestens zwei Stunden lang war Nina nicht zu beruhigen. Hanna machte einen Fencheltee, den Nina heftig ablehnte, Carsten spielte Theater mit dem Kuschellöwen, was Nina zu noch empörterem Geschrei anregte, Hanna nahm sie aus dem Bett und trug sie leise singend herum. Wahrscheinlich war Nina irgendwann total erschöpft und schlief ein.

Vor sechs morgens rief es putzmunter „Mama" aus ihrem Zimmer. Carsten quälte sich schlaftrunken aus dem Bett, schnappte sie kurzerhand und brachte sie mit in sein Bett.

Offenbar hatte Nina aber keinerlei Schlafbedürfnis mehr. Sie wollte spielen und gab keine Ruhe. Hanna stand schließlich auf und machte Frühstück. Nina thronte wieder in ihrem durch Kissen erhöhten Stuhl, aß quietschvergnügt ihr Müsli, wobei sie sich, den Tisch und den Stuhl einschmierte, und zeigte keinerlei Anzeichen von Unzufriedenheit mehr.

Hanna seufzte tief auf, als das Frühstück vorbei war, sie alles abgewischt hatte einschließlich Ninas Gesicht, was gar nicht gut bei Nina ankam, und sie gemeinsam in den Stall gingen, Nina wieder brav an Carstens Hand.

Nach der Stallarbeit fuhren sie an die Badestelle des Gartower Sees, ließen Nina im Sand buddeln und gingen mit ihr ins Wasser, was allen dreien großes Vergnügen bereitete.

Beim Mittagessen fiel Nina vor Müdigkeit schon fast mit dem Gesicht in den Teller, und zwei Stunden lang herrschte erholsame Stille.

Am Nachmittag fuhren sie zu Elli. Durch einen Anruf von Carstens Mutter wussten sie bereits, dass Carstens Eltern eingetroffen waren. Elli hatte wie immer den Tisch schön gedeckt im Hof und einen perfekt aussehenden Himbeerkuchen gebacken. Carsten begrüßte seine Mutter mit einem flüchtigen Kuss und seinen Vater mit einem Händedruck, Hanna wurde von beiden mit einem Handschlag begrüßt. Hanna war mit Carstens Eltern nicht einmal so vertraut, dass sie sie duzte. Es war bisher bei einem steifen „Herr und Frau Kurbjuweit" und einem „Frau Wiekmann" geblieben. Hanna konnte nicht sagen, ob Carstens Eltern sie aus irgendeinem Grund ablehnten, aber sie war sich sicher, dass sie auch nicht gerade für sie schwärmten. Vermutlich wünschten sie sich für ihren Sohn eine solidere Frau, die gern heiraten wollte und eine richtige Familie gründen.

Dank Nina legte sich die anfängliche Steifheit im Umgang. Nina sauste hinter den Hühnern her, die laut gackernd auseinander stoben, Arthüür natürlich immer dazwischen. Alle mussten lachen, und die Ermahnungen Ellis, es etwas ruhiger angehen zu lassen, waren nicht so ernst gemeint. Beim Kuchen schmierte sich Nina wunderschön rot ein, denn sie wollte mit aller Gewalt allein essen. Sie war nicht davon abzubringen, wie die Erwachsenen die Kuchengabel zu benutzen und den Löffel, den man ihr gegeben hatte, schmiss sie voller Verachtung auf den Boden. Sie piekte sich in die Backe und in die Oberlippe, was sie aber nicht davon abhielt, den Kuchen zu genießen.

Natürlich wurde Carsten regelrecht ausgequetscht über seine Zukunftspläne, und Carstens Vater konnte sich nicht verkneifen, diverse Male einzuwerfen, er habe ja gleich gewusst, dass ein Archäologiestudium zu nichts führe. Carstens Mutter versuchte zu besänftigen, aber ziemlich erfolglos. Elli saß stumm dabei und versuchte, nicht zu schmunzeln. Irgendwann sagte sie nur: „Ich erkenne meinen Sohn. Schon als Kind wusste er, was gut und vernünftig ist, und so ist es geblieben. Es ist schon eigenartig, wie man bei den eigenen Kindern dies und das erkennt und es für schlau und niedlich hält. Später ist es das vielleicht nicht mehr so."

Carstens Vater brauste auf. "Willst du sagen, dass ich jetzt nicht mehr schlau bin? Niedlich muss man ja in meinem Alter nicht mehr sein, aber ich würde doch ganz gern von meiner Mutter hören, dass ich alles gut und vernünftig hingekriegt habe."

Bevor das Thema ernsthafter und unerfreulicher vertieft werden konnte, sorgte Nina wieder dafür, dass es beendet wurde. Man musste sich um sie kümmern, weil sie hingefallen war und sich die Knie aufgeschürft hatte. Zunächst brüllte sie erbärmlich, aber als sie von Hanna ein buntes Pflaster bekam und das bisschen Blut gebührend beachtet worden war, machte sie schnell wieder einen ganz zufriedenen Eindruck.

Richtig gelacht wurde dann aber über Arthüür, der plötzlich wieder stark hinkte in Erinnerung an seinen Unfall beim letzten Ausflug. Seine Erinnerung reichte allerdings nicht so weit, dass er mit dem richtigen Bein humpelte. Nachdem alle ihn gestreichelt und ihm gut zugeredet hatten, und er sogar kurz bei Hanna auf den Schoß springen durfte, war das Hinken schnell vergessen.

„Was ist er doch für ein schlaues Bürschchen", sagte Elli. „Alle kümmern sich um das Kind, den armen Hund beachtet keiner. Also muss er etwas machen, und sein Aufmerksamkeitserregehinken ist ja auch von vollem Erfolg gekrönt worden."

Weil sie mit der Kleinen und dem Hund beschäftigt waren, hatte niemand auf das Wetter geachtet. Der Himmel wurde plötzlich bedrohlich schwarz, und sie schafften es gerade noch, in aller Eile den Tisch abzuräumen, bevor die ersten dicken Tropfen fielen. Es wurde so dunkel, dass sie in Ellis Wohnzimmer das Licht anmachen mussten.

Die Gespräche wurden nach dem unfreiwilligen Umzug allgemeiner. Man redete über den Klimawandel, die neuerliche Suche nach einem Endlager für Atommüll, die Verschwendung von Energie. Hanna ertappte sich dabei, dass sie Carstens Vater, der sich zu jedem Thema lehrerhaft-weitschweifig äußerte, nicht konzentriert zuhörte.

Als der Regen nachließ, wollten Hanna und Carsten aufbrechen, aber Carstens Mutter hielt sie zurück, weil sie noch ein paar Fotos zeigen wollte von Carstens jüngerer Schwester Lisa und dem ersten Enkel.

Hanna kannte Lisa nur flüchtig, weil Lisa sehr früh geheiratet hatte und nach Leonberg gezogen war, wo ihr Mann arbeitete. Sie kam selten nach Hause, und Carsten war bisher noch nicht dazu gekommen, sie im Schwabenland zu besuchen. Er verspürte auch nicht das dringende Bedürfnis, einen engen Kontakt zu pflegen, da er nie ein sonderlich gutes Verhältnis zu seiner Schwester gehabt hatte. Sie hatten sich als Kinder nicht mal oft gestritten, aber auch nie den richtigen Weg gefunden, etwas miteinander anzufangen.

Da Hannas Mutter sehr stolz und voller Erwartung die Bilder herumreichte, bewunderte Hanna den kleinen Enkel gebührend. Das fiel ihr überhaupt nicht schwer, da der Kleine tatsächlich sehr niedlich aussah. Die Tatsache, dass in allernächster Zukunft (zeitnah, wie Carstens Vater seinen modernen Sprachgebrauch betonte) ein Schwesterchen erwartet wurde, ließ sich dank der neuesten Fotos von Lisa nicht verheimlichen. Lisa trug eine richtige Bommel vor sich her, und Carsten prophezeite trotz aller Dementis Zwillinge bis Drillinge.

Schließlich konnten sie sich loseisen. Elli lud sie zum Essen für den nächsten Tag ein, aber sie lehnten ab mit der Begründung, den Sonntag mit Nina verplant zu haben.

„So, jetzt sind wir wohl beide froh, den Pflichtteil hinter uns gebracht zu haben", sagte Carsten während der Heimfahrt. „Oder siehst du das anders?" „Kein Kommentar", sagte Hanna, „und außerdem tut mein Knie weh. Das kommt bestimmt vom Regenwetter."

Die restliche Zeit mit Nina auf dem Hof verlief weitgehend friedlich. Nina wackelte auf der Weide hinter ihnen her und wurde auf den Haflinger gesetzt, als Hanna ihn in die Box führte. Als die Pferde versorgt waren, mussten sie bedauerlicherweise ihren Aufenthalt im Freien abbrechen, weil es wieder angefangen hatte zu regnen. Auf dem Weg zum Haus mussten sie feststellen, dass Nina, die mit Arthüür beschäftigt war, keine Anstalten machte, ihnen zu folgen. „Ich glaube, sie will mit Arthüür spazieren gehen", sagte Carsten. „Nimm doch mal die Leine und lass sie es ausprobieren."

Hanna hatte starke Bedenken, weil sie Arthüürs Neigung zu Unfug kannte, aber Carsten setzte sich durch. Nina bekam die Leine in die Hand gedrückt und lief stolzgeschwellt über den Hof. Arthüür schien zu spüren, dass Nina als seine Führerin nicht ganz ernst zu nehmen war und benahm sich tadellos. Hanna holte lachend ihr Handy heraus und filmte, wie das kleine Mädchen und der kleine Hund friedlich miteinander hin-und herliefen.

Nina weinte ein bisschen, als es stärker zu regnen anfing, und sie ins Haus musste. Als sie nach dem Abendessen ins Bett gesteckt wurde, wiederholte sie immer wieder das Wort „Hundi, Hundi." Hanna machte ihr energisch klar, dass Arthüür draußen bleiben musste und nicht zu ihr ins Bett durfte. Es hätte natürlich Kind und Hund gut gefallen, miteinander zu kuscheln.

Hanna versprach aber als Ersatz, Nina später zu sich ins Bett zu holen, allerdings aus dem egoistischen Grund, keine Schreiattacken über sich und Carsten ergehen lassen zu müssen wie in der Nacht zuvor. Eigentlich war sie der Ansicht, dass man Kinder nur im Ausnahmefall zu sich ins Bett holen sollte. So kannte sie es von ihrer Mutter, die ihre Kinder nur bei einem grässlichen Gewitter oder im Krankheitsfall zu sich geholt hatte. Hanna verabscheute Gewitter seit frühester Kindheit, was vermutlich darauf zurückzuführen war, dass in einem Nachbarhaus der Blitz eingeschlagen hatte, und sie den Brand und die ganze Aufregung mitbekommen hatte.

Carsten saß am Computer und verfasste eine Rede über die germanischen Funde in der Elbtalaue, die er bei einer Tagung halten sollte. Hanna nutzte die friedliche Zeit zum Erledigen von dringenden Schreibarbeiten.

Als sie ins Bett gingen, holte Hanna Nina, die während des Transports in das andere Bett tief weiterschlief, zu sich. Irgendwann wachte Nina während der Nacht auf, vergewisserte sich offenbar, dass sie wohlbehütet war und schlief sofort wieder ein. Erst gegen Morgen wurde es etwas ungemütlich für Hanna, weil Nina ihre Decke verloren hatte und deswegen an Hannas Decke zog. Außerdem lag sie irgendwann quer und quetschte Hannas Beine ein. Ansonsten gab es keine unangenehmen Vorfälle, und morgens waren sie alle drei ganz gut ausgeschlafen.

Am Sonntag kam Saskia am späten Nachmittag, um Nina abzuholen. Hanna machte Kaffee, den sie in der Küche trinken mussten, weil es immer noch nieselte, und zeigte Saskia das Filmchen von Nina mit Hund. Saskia war ganz entzückt, wie stolz und glücklich ihr Töchterchen auf dem Film wirkte und meinte lachend, sie würde Nina öfter bringen, da alles so gut gelaufen war. Sie wirkte überhaupt sehr fröhlich und entspannt, und Carsten meinte, als sie gegangen war, sie hätte bestimmt jemanden gefunden, der sie glücklich machte.

„Wollen wir es hoffen", sagte Hanna. „sie hat es ja im Augenblick als Alleinerziehende nicht leicht. Mir hat es jedenfalls mit Nina gefallen. Von mir aus können wir sie öfter hüten, wenn es sich machen lässt."

Carsten hob mit dem Zeigefinger ihr Kinn an und sagte leise: „Schau mir in die Augen, Kleines. Meinst du das ehrlich?" Hanna lächelte zuckersüß und antwortete mit der Gegenfrage, „sind wir wieder beim Thema?"

Da der Regen aufgehört hatte, machten sie noch einen kleinen Rundgang zum See und freuten sich über den blutroten Sonnenuntergang, der für den nächsten Tag schönes Wetter versprach. Die Schwalben flogen auch wieder in großer Höhe, und auch das deuteten sie als gutes Vorzeichen.

Im Hof war alles in Ordnung, und das bestätigte die Annahme, dass Paul hinter den Unannehmlichkeiten stecken musste. Da er im Augenblick seinen festen Wohnsitz in der Haftanstalt in Lüneburg hatte, konnte er ja unmöglich etwas anstellen. Hanna spürte, wie sie jetzt schon ein bisschen nervös wurde, wenn sie an den bevorstehenden Besuch in Lüneburg dachte.

„Ich weiß gar nicht, wie ich mich verhalten werde. Soll ich freundlich und verständnisvoll sein? Man weiß ja nicht, ob er es wirklich war, der Jasmina überfallen hat. Es sieht zwar so aus, aber bewiesen ist überhaupt nichts. Oder soll ich eiskalt wirken?"

„Eiskalt kannst du gar nicht. Ich glaube, es ist sinnlos, dir jetzt zu überlegen, wie es laufen soll. Du kennst den Burschen nicht, du hast keine Ahnung, wie er sich verhalten wird, du weißt nicht, ob er dir fürchterlich unsympathisch ist oder einen guten Eindruck macht. Sei einfach spontan, das bist du doch eigentlich sonst auch immer."

Hanna lächelte. „War das ein Kompliment oder eine Kritik?" Carsten drückte sie an sich und flüsterte: „Du weißt schon, warum ich dich so schätze. Okay?"

Sie fanden es später doch ganz schön, das Bett nicht mit Nina teilen zu müssen.

Am nächsten Morgen wachte Hanna sehr früh auf mit dem guten Gefühl, nichts Besonderes vorzuhaben. Es war wirklich ein wunderschöner Sommermorgen, und sie trug ihren Kaffee schon in den Hof, obwohl die Sonne noch nicht hinter den Bäumen hervorgekommen war. Sie ließ Carsten noch eine Weile schlafen, saß mit einer dicken Jacke unter der Eiche und genoss die friedliche Stimmung.

Kurz nach sechs hörte sie die Briefkastenklappe an der Straße, als die Zeitung in den Kasten gesteckt wurde. Die Zeitungsausträgerin gab sich wirklich Mühe, immer in aller Frühe die Zeitung zu bringen, damit jeder sie schon vor der Arbeit lesen konnte. Hanna tat die alte Frau leid, die hinkend ein Fahrrad neben sich herschob, auf dem sie in einer Kiste die Zeitungen verwahrte. Wie armselig musste sie dran sein, wenn sie gezwungen war, trotz ihres Alters und ihrer Behinderung eine Arbeit zu machen, die ihr ausgesprochen schwerfiel. Hanna hatte nie mit ihr gesprochen und kannte deshalb ihre Lebensumstände nicht näher und wusste auch nicht, ob sie vielleicht froh war, überhaupt einer Beschäftigung nachzugehen.

Montags stand oft nicht allzu viel in der Zeitung, was Hanna lesenswert fand.

Ein erklecklicher Teil war Sportberichten gewidmet: Regelmäßig Tennis der alten Herren (gab es eigentlich keine Nachwuchsspieler im Wendland?), Wettkämpfe der Feuerwehren (mit Jugendfeuerwehr!), regionale und überregionale Fußballspiele, im Sommer Triathlon in Gartow mit Laufen, Fahrradfahren und Schwimmen im Gartower See, das allerdings in den letzten Jahren mehrfach wegen Hochwassers oder Blaualgen ausgefallen war. Die Inlinemeisterschaften der IGAS/Wendland fanden seit neuestem nicht mehr statt in Ermangelung von ehrenamtlichen Helfern, die den Wettkampf ausrichteten.

Zwei Sportarten verfolgte sie mit großem Interesse: Die Reitturniere und den Frauenfußball. Fußball der Frauen spielte eine große Rolle im Landkreis, da eine Nationalspielerin in der Nähe von Gartow beheimatet war, und so war für Hanna ein persönlicher Bezug hergestellt.

Hanna überflog die Anzeigen und traute ihren Augen nicht: Eine Heiratsanzeige von Wilhelm Schulz, dem unglücklichen Bauern, dem vor ein paar Wochen sein als Traktor benutztes Auto abgebrannt war samt der Ernte. Man hatte eine Zeitlang über ihn geredet, Spekulationen angestellt, wie und ob er weitermachen würde, dann hatten sich Klatsch und Tratsch gelegt, weil es keine Neuigkeiten gab.

Der Name der Frau, die er bereits vor einigen Wochen geehelicht hatte, war zweifelsohne asiatisch. Donnerwetter, dachte Hanna, da ist er doch vermutlich nach Thailand gefahren und hat sich ein Trostpflaster mitgebracht!

Hanna fand sich gemein, weil sie in aller Gedankenlosigkeit den üblichen Vorurteilen aufgesessen war. Sie würde schon noch Näheres erfahren und möglicherweise feststellen, dass alles ganz anders war.

Als Carsten mit einer Tasse Kaffee herunterkam, berichtete sie ihm sofort die Neuigkeit. Carsten zeigte sich völlig unbeeindruckt, weil er davon schon gehört hatte, und es nicht weiter erwähnenswert fand. „Da wird Elli wieder mal ihre Spürnase arbeiten lassen", sagte er. „In spätestens zwei Tagen wirst du alle Details kennen: den Altersunterschied, was er bezahlt hat, und wie oft er sie vögelt. Und nicht zu vergessen, ob und wie heftig er sie schlägt.

Du weißt ja, dass Frauen Schläge brauchen. Ich habe mal in einem Museum in einer schwäbischen Kleinstadt einen sehr passenden Spruch dazu gefunden, der auf einer vom örtlichen Handwerker hergestellten Ofenkachel zu lesen ist: Einen Esel, eine Frau und eine Nuss, diese drei man klopfen muss."

„Pfui", sagte Hanna, „du bist ja richtig gemein! Ich dachte immer, ich sei mit einem lieben, zartfühlenden Mann befreundet." Jetzt grinste Carsten. "So kann man sich täuschen. Leider muss ich mich schon wieder beeilen. Falls du vorhast, mit Elli den Fall Wilhelm zu besprechen, gib mir vorher Bescheid, damit ich wegbleiben kann."

„Noch schnell eine Frage, die mich brennend interessiert: Warum hat er wohl in der Zeitung inseriert, um seine Eheschließung öffentlich zu machen?"

„Ich kenne ihn nicht", sagte Carsten im Gehen. "Es könnte Besitzerstolz sein, aber er könnte auch damit bezwecken, dass dem Gerede die Spitze abgebrochen wird. Man wird sich kurz das Maul zerreißen, so wie wir beide es jetzt tun, und dann ist gut, wenn die Ehe nicht ein schlimmes Ende nimmt. Man stelle sich folgendes Szenario vor: Die Frau ist noch jung, und sie könnten ein Kind haben. Sie verlässt ihn nach Ablauf der vorgeschriebenen Frist und braucht nie mehr nach Thailand, China oder Vietnam zurück. So was kommt ja oft vor."

„Interessante Überlegung", sagte Hanna. „In der Stadt bekommt man von zwischenmenschlichen Beziehungen nichts mit, und hier wird man entschädigt dafür, dass außer Natur nicht viel los ist. Die dörflichen Verflechtungen sind doch immer wieder spannend, und du solltest auch nicht so tun, als ginge Klatsch und Tratsch dir am Arsch vorbei. Entschuldige die Entgleisung, aber du solltest bei Elli dabei sein, wenn wir alles durchhecheln, denn du hast richtig gute Überlegungen."

Carsten lachte, gab ihr einen flüchtigen Kuss und fuhr davon, ohne dass sein Caddy irgendwelche Mucken zeigte.

Nach der Stallarbeit machte Hanna einen langen Ritt mit dem Hannoveraner und bemerkte dabei, dass ihr Knie kaum noch wehtat. Es war tröstlich, dass sie noch jung genug war und deshalb der Riss vermutlich von allein zuheilen würde.

Als sie zurückkam, begrüßte Arthüür sie außer Rand und Band. Sie hatte ihn während ihrer Abwesenheit in einer Pferdebox eingesperrt, damit er nichts anstellen konnte, und ihr wurde bewusst, dass sie ihn sträflich vernachlässigt hatte. Also nahm sie ihn an die Leine, was Arthüür allerdings gar nicht schätzte, und machte einen längeren Spaziergang mit ihm. Es tat ihr zwar leid, dass er nicht herumlaufen konnte, wie er wollte, aber sie fühlte sich doch verpflichtet, sich an den Leinenzwang zu halten, der während der Brutzeit der Vögel vorgeschrieben war.

Im Grunde genommen fand sie die Vorschrift nicht mehr in die Zeit passend, weil es sowieso fast keine Bodenbrüter mehr gab. Durch das frühe Abmähen der Wiesen für Silage wurden die Lerchennester zerstört, wobei die kleinen Vögel in Fetzen gerissen durch die Luft flogen. Die Lerchen waren offenbar lernfähig, denn wenn ihnen das wiederholt passiert war, kamen sie nicht wieder.

Auch die Braun-und Schwarzkehlchen konnte man im Wendland kaum noch finden. Sie brauchen hohes Gras und sumpfige Pflanzen an feuchten Grabenrändern für ihren Nestbau. Da seit der Hochflut von 2002 die Gräben sehr früh gemäht werden, um sie offen für das Abfließen des Wassers zu halten, ist die Möglichkeit, sich niederzulassen auch für diese Bodenbrüter genommen.

Hanna hatte sich noch mit keinem Bauern darüber auseinandergesetzt, aber sie kannte die Meinung des Bauernverbands: Nicht die Landwirtschaft war Schuld an den negativen Veränderungen in der Natur, sondern der Waschbär, der ja gar nicht nach Europa gehörte. Folglich sollte der Waschbär stärker bejagt werden, um das Gleichgewicht wieder herzustellen.

Während des Spaziergangs fragte sie sich, was sie machen würde, wenn Henning den Hof verlassen hätte. Immerhin übernahm er die Büroarbeit samt Steuererklärungen (die sie besonders grässlich fand), bewegte die Pferde und half notfalls im Stall mit. Besonders auf Herumsitzen im Büro, was bedeutete, am Computer zu arbeiten und Anrufe entgegenzunehmen, war ihr nicht verlockend.

Sie beschloss, sich damit nicht weiter zu befassen, weil sowieso alles in der Schwebe war. Am Wochenende würde Luise zurückkommen aus der Reha, und dann würde vermutlich mehr über die Zukunft des Hofs zu erfahren sein.

Am Nachmittag hatte sie Springstunde, die ganz gut verlief. Nur Marte, ein zwölfjähriges Mädchen, das von Ehrgeiz zerfressen war, verkrampfte sich jedes Mal vor dem niedrigen Hindernis und fiel folglich herunter. Nach dem dritten schiefgegangenen Versuch weigerte sich Hanna, sie noch einmal springen zu lassen und vertröstete sie auf einen späteren Zeitpunkt. Leider waren schon alle Dämme gebrochen, und das Mädchen verließ weinend den Reitplatz, das Pferd etwas unelegant hinter sich herziehend. Als die Mama ihre Tochter abholen kam, hatte sich Marte schon wieder beruhigt und berichtete von ihrem Mut, wobei sie verschwieg, dass Mut allein für einen guten Sprung nicht ausreichte.

Als Hanna gerade fertig war mit Duschen, kam Beate vorbei, um sich zu erkundigen, ob alles reibungslos klappte und ob es keine neuen Unannehmlichkeiten gegeben hatte. Sie holte eine Kladde aus ihrer überdimensionierten Handtasche, in der sie sich ein paar Notizen gemacht hatte für die Versorgung der Reitgäste am kommenden Wochenende. Sie wollte einige Details wissen bezüglich der Anzahl der Teilnehmer, ihr Alter und Dauer des Aufenthalts, um sich darauf einzustellen.

Da Hanna gar nicht mit Henning darüber gesprochen hatte, musste sie Beate an Henning weiterverweisen, der tatsächlich im Büro am Computer saß. Mit einem flüchtigen Blick auf den Bildschirm sah Beate, dass er spielte und nicht arbeitete. Sie musste lächeln und konnte es sich nicht verkneifen „Kindskopf" zu sagen. Henning verteidigte sich nicht und wechselte bereitwillig das Programm, um ihr die nötigen Auskünfte zu geben. Nachdem sie alles Wissenswerte notiert hatte, kehrte sie zu Hanna zurück, um die „Speisenfolge", wie sie es vornehm ausdrückte, mit Hanna durchzusprechen. Mit dem Essensangebot wollte Henning sich natürlich nicht befassen, das war seiner Ansicht nach Weiberkram.

Wie sich herausstellte, war Beate nur am Rande wegen des Wochenendes gekommen, das hätte sie auch telefonisch erledigen können. Sie tat ein bisschen geheimnisvoll, bis sie schließlich mit einer Einladung zu ihrer Verlobung herausrückte. Hanna war völlig sprachlos. Sie hatte absolut nichts davon mitbekommen, dass Beate ernsthaft vorhatte sich zu binden, ja nicht einmal, dass sie einen Freund hatte.

Ihre erste Frage war natürlich, woher Beate die Zeit genommen hatte zwischen der Arbeit auf dem Hof ihrer Eltern und dem Reiterhof überhaupt jemanden kennenzulernen, und dann auch noch so gut, dass sie sich verheiraten wollte.

Beate erklärte ihr die Sache. „Ich kenne ihn schon von der Schule her. Wir hatten letztes Jahr Klassentreffen, und da hat es einfach gefunkt. Da er als Freelancer für diverse Zeitschriften arbeitet, kann er sich oft freimachen, wenn ich mal ein paar Stunden nichts zu tun habe. Manchmal habe ich auch meinen Eltern ganz aufmüpfig gesagt, dass ich nicht immer Lust habe, ihre Arbeit mitzumachen. Schließlich habe ich mich vor ein paar Jahren bereiterklärt, keine Stelle als Hauswirtschafterin außerhalb anzunehmen, sondern auf dem Hof zu bleiben. Es ist natürlich nicht gerade karrierefördernd, bei den Eltern wohnen zu bleiben, zumal hier in Gartow und Umgebung, wo man seine Jugend ganz gut versäumen kann."

Hanna nahm sie in den Arm, gratulierte herzlich und wünschte ihr eine tolle Zukunft.

„Hast du denn schon Pläne, wo du als Ehefrau hingehen wirst? Ich bin ja so überrascht, dass ich gar nicht weiß, was ich sagen soll. Doch, wie heißt dein Zukünftiger eigentlich? Ich kann ja nicht immer nur von deinem Bräutigam reden."

„Der Name ist mir ein bisschen peinlich, und ihm auch", sagte Beate. „Er heißt Gustav nach seinem Opa, der im Krieg gefallen ist. Aber alle nennen ihn Gussi."

„Ist doch o.k., auch wenn der Name gerade nicht in Mode ist. Vielleicht kommt er wieder wie Paul, Emil oder Wilhelm. Jedenfalls ist das ein tolles Kompliment an den gefallenen

Opa."

Beate wollte sich nicht auf Zukunftspläne festnageln lassen, weil sie offensichtlich selbst noch nicht recht wusste, wie es weitergehen sollte.

Um vom Thema abzulenken schlug sie unvermittelt vor, den zweckmäßig kahlen Hof durch ein paar Blumenbeete zu verschönern. Hanna verdrehte die Augen. „Ich finde Blumen toll, aber ich glaube, dafür habe ich kein Händchen. Wenn ein Garten so bewundernswert angelegt und gepflegt ist wie der von Carstens Oma, kann ich richtig neidisch werden und mir wünschen, ich hätte auch so einen. Vielleicht sollte ich es mit sibirischen Lilien versuchen? Die sind mir ja geradezu nach-gelaufen."

Beate lachte, fand die Idee aber überlegenswert. „Ich schaue mich mal in den einschlägigen Gärtnereien um, ob ich welche finden kann. Noch einfacher wäre es, in Pevestorf ein paar aus-zubuddeln. Sind doch viele da, oder?"

Im ersten Moment wusste Hanna nicht so recht, ob Beate das ernst meinte, aber als sie ihr verschmitztes Grinsen sah, war alles klar. „Eigentlich müsstest du jetzt sagen - wenn das jeder machen würde -, ein total blöder Spruch", sagte Beate. „Aber im Ernst: Wenn ich welche finden kann, bekommst du sie zu deiner Verlobung, und ich lege dir ein schönes Beet an."

„Kannst du sie mir nicht zum Geburtstag schenken? Der ist zwar im November, aber wir können ihn ja vorverlegen oder nächstes Jahr nacharbeiten." Beate lachte. "Hab ich wieder ins Wespennest gestochen?"

Als Carsten in den Hof einfuhr, verabschiedete sich Beate gerade, befestigte ihre riesige Handtasche auf dem Gepäckträ-ger und radelte winkend davon.

Carsten war diesmal nicht schmutzverkrustet, und als Han-na ganz verwundert war, erklärte er, dass sie den ganzen Tag mit Besprechungen und Auswertungen auf der Burg zuge-bracht hatten.

„Hast du Beates Handtasche gesehen?" fragte Hanna. „Sie

hat immer so ein Monstrum dabei, und ich in meiner naiven Bescheidenheit kann mir nicht vorstellen, was manche Frauen immer so mit sich herumschleppen. Ich habe am liebsten gar nichts dabei, außer den paar nötigsten Sachen, die in meine Hosentaschen passen."

„Frag sie doch einfach", schlug Carsten vor. „Ich kann dir nur von meiner Schwester erzählen, die auch immer so einen Trumm durch die Gegend hievt. Als ich sie einmal darauf ansprach, weil ich als Mann sowieso nicht genug Vorstellungskraft besitze, um das Rätsel um die großen Taschen zu lösen, kippte sie den Inhalt ihrer Tasche auf den Esstisch: Notizbuch, Telefonverzeichnis, auch wenn sie alle Nummern auf dem Handy gespeichert hat, - Adressbuch, Lippenstift, Makeup, Haarbürste, Deo, Kleenex, Taschentücher, Erfrischungstüchlein, Mundspray, Kaugummi, Schlüssel für jedes Schloss im Haus und für ihr Auto, ein kleines Fotoalbum, mehrere Taschenspiegel, eine klappbare Zahnbürste und eine kleine Reisetube Zahnpasta, eine große Packung Tampons und Verhüterli."

Hanna kicherte. " „Da hast du doch einiges dazu erfunden? Ich habe den Eindruck, dass ich im Vergleich zur Damenwelt ziemlich unzivilisiert bin. Ist das schlimm?"

Carsten zog sie an sich und küsste sie auf die Stirn. „Ich liebe dich doch gerade, weil du unzivilisiert bist", murmelte er.

„Jedenfalls habe ich gerade von der Hauptsache abgelenkt. Stell dir vor, Beate war hier, um uns zu ihrer Verlobung einzuladen! Bist du jetzt mal überrascht, oder wusstest du das auch schon?"

„Diesmal nicht. Ich bin völlig von den Socken! Wie konnte sie das nur so lange geheim halten? Du bist doch eine gute Freundin, und hättest vom ersten Kuss an alles wissen müssen."

„Mit dir ist heute kein ernstes Wort zu reden, du machst dich nur über alles lustig. Jetzt komm hoch, und wir können essen."

Da Hanna vergessen hatte, Hundefutter zu kaufen, fuhr sie am nächsten Morgen mit dem Fahrrad zum Supermarkt nach Gartow. Als sie am Gemüsestand vorbeikam, stand dort eine Asiatin mit einem kleinen Mädchen an der Hand. Sie wirkte etwas ratlos, und Hanna fragte auf gut Glück, ob sie helfen könne. Die Frau lächelte freundlich und bedeutete ihr, dass sie nicht verstanden hatte. Hanna versuchte es auf Englisch, mit demselben Ergebnis.

„Verdammt, ich kann doch kein Chinesisch, Japanisch oder sonst was Schwieriges", dachte Hanna. „Aber vielleicht französisch? Polnisch eher nicht." Also wiederholte sie ihre Frage auf Französisch, und diesmal ging ein Leuchten über das Gesicht der Frau. „Ich bin Vietnamesin, und da lernen wir französisch in der Schule. Endlich kann ich mich mit jemandem unterhalten. Ich bin erst seit ein paar Tagen in Deutschland, und außer guten Tag, danke und schmeckt's kann ich noch gar nichts. Ich weiß nicht, wie man das Gemüse einkauft. Kannst du es mir erklären?"

Hanna zeigte ihr, wie man das Gemüse in Tüten verpackte und einfach an der Kasse wiegen und abrechnen ließ. Sie unterhielten sich noch kurz, und Hanna lud sie beim Abschied herzlich ein, mit der Kleinen bei ihr vorbeizukommen.

„Ich weiß allerdings nicht, ob du ein Auto hast und wo du wohnst. Soll ich dich vielleicht abholen und dir zeigen, wo mein Hof liegt?" Das Angebot nahm die Fremde gern an, denn sie war ursprünglich etwas zögerlich, weil sie nicht einschätzen konnte, wie ernst das Angebot gemeint war, einfach mal vorbeizukommen. Also machte Hanna gleich eine feste Zeit mit ihr aus, am Donnerstag nach der nachmittäglichen Reitstunde.

Auf dem Heimweg war Hanna ganz begeistert von ihrer Begegnung. Natürlich war sie sehr gespannt, ob die Fremde die Frau von Wilhelm Schulz war, was sie eigentlich annahm, und außerdem freute sie sich, mal wieder ihr Französisch anwenden zu können.

In der Nacht vor ihrem Besuch in der Vollzugsanstalt in Lüneburg schlief sie schlecht, weil ihr lauter unangenehme Gedanken durch den Kopf gingen. Zudem war Carsten in Pevestorf geblieben, und Hanna stellte fest, dass sie voreilig beteuert hatte, keine Angst mehr zu haben. Vorm Schlafengehen hatte sie dreimal die Haustür kontrolliert, aber als es dunkel wurde, traute sie sich nicht mehr, noch einen Rundgang über den Hof und durch die Stallungen zu machen. Sie hoffte sehr, dass sich ihre Ängste wieder legen würden, wenn der Fall sibirische Lilien und Jasmina aufgeklärt war. Ihre Mutter hatte immer gesagt, Angst sei eine Frage der Phantasie, und die war Hanna offenbar bis zum jetzigen Zeitpunkt abgegangen. Dafür hatte sie in letzter Zeit umso mehr davon, wie sie an ihren abstrusen Überlegungen bemerkte.

Am Mittwochmorgen versorgte sie die Pferde, sagte Henning Bescheid, dass sie für eine Weile weg sein würde, und fuhr los. Die Fahrt nach Lüneburg war wie immer ziemlich mühsam, weil zum einen viele Lastwagen, die die Autobahnmaut umgingen, unterwegs waren, und zum anderen riesige Traktoren mit zwei Anhängern voller Kartoffeln. Da die Straße nicht sehr breit war und durch die Göhrde ziemlich unübersichtlich mit viel Gegenverkehr, war es fast nicht möglich zu überholen, jedenfalls nicht mit Hannas Auto, das nicht gerade eine Rakete war, was die Beschleunigung anbelangte.

Sie fand die JVA auf Anhieb, ein öder, weiß gestrichener Gebäudekomplex, der ziemlich abweisend wirkte. Aber wieso sollte eine Vollzugsanstalt auch ansprechend sein?

Sie stellte das Auto ab und ging Richtung Eingangstür. Sie musste klingeln und wurde per Sprechanlage gefragt, wer sie sei und ob sie einen Termin hätte. Nachdem sie Auskunft gegeben hatte, machte ihr ein Beamter die Tür auf und sie wurde in ein Büro geführt. Zu ihrer Erleichterung wartete Edda bereits auf sie. Allerdings ließ Edda sich in keinster Weise anmerken, dass sie sich kannten. Hanna vermisste die Vertrautheit und fühlte sich sehr verunsichert, weil Edda äußerst sachlich über das anstehende Gespräch mit Paul redete.

Nachdem sie ein langes Formular ausgefüllt hatte mit ihren Personalien, musste sie ihren Ausweis vorzeigen und ihre Tasche abliefern. Dann wurden sie von einem Beamten begleitet, der sie durch eine Schleuse führte. Hanna war es ganz unheimlich, als die erste Tür aufgeschlossen wurde und hinter ihr wieder abgesperrt. Sie standen zwischen den Türen in einem engen Gang, und Hanna war richtig erleichtert, als sie durch die zweite Tür in einen breiteren Flur kamen, von dem mehrere Türen abgingen.

Der Beamte wies sie in einen Besucherraum, der mit einem Tisch und mehreren Stühlen ausgestattet war, eine nicht gerade elegante Möblierung, aber sachlich und nicht so scheußlich, wie Hanna es sich vorgestellt hatte.

Sie setzten sich an den Tisch und warteten. Der Beamte hatte neben der Tür Platz genommen. Niemand sagte etwas, und Hanna hatte das Gefühl, dass der ganze Raum vor Spannung knisterte.

Edda stellte ein Aufnahmegerät auf den Tisch, was Hanna ziemlich peinlich fand. Aber Edda wusste wohl schon, was zu tun war.

Nach einigen Minuten öffnete sich die Tür, und ein weiterer Beamter schob Paul herein. Paul war nicht sehr groß, hatte mittelblondes Haar und ein Gesicht, das man sich vermutlich nicht richtig merken konnte. Allerdings sah er überhaupt nicht aus, wie man sich gemeinhin einen Verbrecher vorstellte. Er war korrekt gekleidet und wirkte auf Anhieb nicht unsympathisch. Er ging zuerst zu Edda und reichte ihr höflich die Hand. Dann kam er zögerlich um den Tisch herum und streckte Hanna die Hand hin. Hanna hatte sich vorher nicht wirklich überlegt, wie sie sich ihm gegenüber verhalten würde, aber aus dem Augenblick heraus ignorierte sie seine Hand.

Paul war sichtlich verunsichert. Er setzte sich Hanna gegenüber und schwieg. Als nichts geschah, ergriff Edda das Wort: „Sie wollten unbedingt Hanna sprechen und ihr - und niemandem sonst - erzählen, wie es war. Nun?"

Weiterhin herrschte Schweigen, und Hanna fand die Situation unerträglich. Aber sie brachte es nicht über sich, das Wort an Paul zu richten, denn sie sah ihn immer mehr als Mörder von Jasmina.

Nach einigen unbehaglichen Minuten schlug Paul plötzlich die Hände vors Gesicht und fing zu weinen an. Hanna war richtig schockiert, und sie bemerkte, dass er ihr auf einmal leidtat.

Der Beamte fragte unfreundlich, ob Paul wieder gehen wolle, da offenbar kein Gespräch zustande kam, und Paul nickte unglücklich. Ohne ein Abschiedswort folgte er dem Beamten zur Tür hinaus und wurde auf dem Flur von dem Beamten, der ihn gebracht hatte, in Empfang genommen.

Edda packte ihr Aufnahmegerät ein, und Hanna ging betreten hinter dem Beamten und Edda her. Sie sprachen immer noch nichts, bis sie im Büro ankamen und ihre Sachen wieder in Empfang nahmen.

Gemeinsam verließen sie die Justizvollzugsanstalt. Auf dem Parkplatz fragte Hanna, ob Edda noch Lust auf einen Kaffee hätte. Edda lehnte ab, weil ihre Arbeit es ihr nicht erlaubte, bei einem Kaffee Zeit zu verschwenden.

„Aber ganz kurz kannst du ja einen Kommentar abgeben", sagte Hanna. „Ich weiß jetzt nicht mehr weiter."

„Ich eigentlich auch nicht. Mit so einer Reaktion habe ich nicht gerechnet. Wir können noch einmal versuchen, ihn zu einem Termin zu überreden. Falls er weiterhin jede Aussage verweigert, muss er mit ernsten Konsequenzen rechnen, zumal wenn Jasmina nicht überlebt, was man ja nicht ausschließen kann. Er scheint psychisch ganz schön labil zu sein. Vielleicht sollten wir einen Psychologen hinzuziehen. Du hörst von mir."

Sie umarmten sich kurz, und Edda stieg in ihr Auto. Hanna

hatte das ungute Gefühl, dass Eddas Beziehung zu ihr gerade nicht so vertrauensvoll war, konnte sich das aber nicht erklären.

Als sie gerade am Einsteigen war, rief ein junger Mann, der ihr Auto eine Weile kritisch beäugt hatte, ihr fröhlich zu: "Na, hast du dich auf die Seite gelegt? "Nein, ich nicht, aber mein Freund. Männer, Männer". Sie lachten beide, und Hanna fuhr los.

Auf dem Heimweg sah sie immer wieder Paul vor sich, wie er schluchzte, die Hände vor das Gesicht geschlagen. Sie hatte Männer selten weinen sehen, denn diese Art der Gefühlsäußerung hatte man ihnen schon abtrainiert, wenn sie noch kleine Jungen waren.

Sie kam gerade zur Haustür rein, als das Festnetztelefon klingelte. Sie nahm zwei Stufen auf einmal, aber der Anrufbeantworter hatte sich bereits eingeschaltet. Es war Carsten, der das Ergebnis ihres Besuchs in der JVA hören wollte. Hanna nahm ab und erklärte ihm, wie es gelaufen war. „Wir sind genauso schlau wie vorher, und ich bin fürchterlich enttäuscht. Es hat mich viel gekostet, den Besuch im Knast auf mich zu nehmen, und jetzt war alles umsonst." „Was macht Paul für einen Eindruck? Wenigstens hast du ihn mal kennengelernt", sagte Carsten.

„Ich weiß nicht recht. Er ist nicht unsympathisch, und schon gar kein Ungeheuer mit eiskaltem oder irrem Blick. Er wirkt wie ein gewöhnlicher Mensch, allerdings sehr unsicher und irgendwie gestört."

„Gut, oder nicht gut", sagte Carsten. „Ich habe die Gelegenheit genutzt, mich schnell bei dir zu erkundigen. Jetzt haben wir eine Besprechung. Ich fürchte, heute Abend wird es später, aber ich komme auf jeden Fall zu dir. Gestern habe ich ein bisschen bei mir aufgeräumt und ein Schwätzchen mit Elli gemacht, die sich sehr gefreut hat, dass ich auch mal wieder in meinem Domizil aufgetaucht bin. Ich verrate dir aber jetzt nicht, worüber wir gesprochen haben."

Hanna lächelte über seinen neuerlichen Versuch, sie mit den Gesprächen mit seiner Großmutter aufzuziehen.

Am Nachmittag des folgenden Tages machte sich Hanna auf, um ihre neue vietnamesische Bekannte abzuholen. Sie stellte fest, dass sie bei ihrer ersten Begegnung beide vergessen hatten, Adressen auszutauschen, aber Hanna war sich ganz sicher, dass sie sie auf dem eher bescheidenen Hof von Wilhelm Schulz finden würde.

Hanna war schon oft an dem Hof vorbeigekommen, hatte ihn aber nie wirklich wahrgenommen. Jetzt betrachtete sie das Wohnhaus, das an der Hauptstraße lag. Es war ein ziemlich schäbiger Backsteinbau mit einem Tor auf einer Seite und einem Gässchen auf der anderen Seite, das vermutlich als Zugang zum Gartower See diente.

Während sie eine Klingel oder einen Türklopfer suchte, donnerten mehrere Sattelschlepper vorbei, die auf dem Weg zur Berliner Autobahn den Umweg über die wendländischen Dörfer in Kauf nahmen, um die Maut zu sparen. Seit längerer Zeit wurden von den Einwohnern Unterschriften gesammelt, um für Lastwagen Zone 30 zu fordern oder Verengungen und Bodenschwellen einzurichten. Leider war bisher nichts geschehen mit der Begründung, das sei gesetzlich nicht möglich. Hanna war froh, dass Elli und Carsten das Problem in Pevestorf erspart blieb. Da die Fähre nach Lenzen keine größeren Lastwagen befördern konnte, endete die Straße als Sackgasse an der Elbe. Somit klirrten die Gläser im Schrank bei Elli nur sehr selten, wenn ein schwerer Traktor mit zwei Anhängern vorüberbretterte.

Da Hanna keine Klingel oder Ähnliches fand, um sich bemerkbar zu machen, klopfte sie an die Haustür. Als nichts geschah, öffnete sie vorsichtig die Tür, die wie bei den meisten Wendländern tagsüber nicht abgeschlossen war (im Dorf ist die Welt noch in Ordnung!) und rief „hallo, jemand da?"

Hinten im Flur ging eine Tür auf, die offenbar zu den Stallungen und zur Scheune führte, und Wilhelm kam herein. Er ließ die Tür offenstehen, und Hanna erhaschte einen Blick auf ein Kälbchen, das im rückwärtigen Garten Gras knabberte. Offenbar wurde das große Grundstück hinterm Haus, das zwar schmal, aber sehr lang war, immer noch als Hauskoppel benutzt. Alle rückwärtigen Gärten der Häuser an der Hauptstraße endeten am See. Zwischen Seeufer und Grundstück lag nur der Deich, dessen Krone als Promenade angelegt war. Von der Straße sah man den eher bescheidenen Häusern überhaupt nicht an, dass sie alle nach hinten eine wunderschöne Lage hatten.

Wilhelm hatte nicht gerade einen freundlichen Gesichtsausdruck und fragte barsch, was sie wolle. Hanna war überrascht, aber dann fiel ihr ein, dass er sich mit seiner Frau kaum verständigen konnte und deshalb wohl nicht wusste, dass sie gekommen war, um seine Frau mit der kleinen Tochter abzuholen. Offenbar konnte er sie auch überhaupt nicht einordnen. Also stellte Hanna sich vor als Quasi-Enkelin von Elli, und sofort hellte sich sein Gesichtsausdruck auf.

„Meine Frau wird sich freuen, jemanden kennengelernt zu haben. Ich fürchte, sie ist hier sehr einsam. Wir haben schon eine fremdenfeindliche Drohung bekommen. Gestern hing nämlich am Tor ein Zettel, auf dem geschrieben stand: Schlitzauge, go home. Schlitzauge wirklich ohne t geschrieben. Die Neonazis lassen grüßen. Aber kommen Sie doch herein, meine Frau ist in der Küche." Er rief laut „Cai" und öffnete die Küchentür.

Die Vietnamesin saß mit ihrer kleinen Tochter am Küchentisch und spielte Domino mit ihr. Sie begrüßten sich herzlich, und Hanna hatte den Eindruck, dass Cai, wie sie offenbar hieß, sich sehr freute, dass sie tatsächlich gekommen war.

Hanna sah sich in der Küche verstohlen um und registrierte, dass die Eirichtung noch von der Elterngeneration stammen musste und nie modernisiert worden war. Neben dem Herd stand als einzige Konzession an die Moderne eine Mikrowelle, in der Wilhelm sich vermutlich in seinem Junggesellendasein Fertiggerichte warmgemacht hatte. Er sah auch ein bisschen nach Fastfood aus, nicht gerade schlank und leicht aufgeschwemmt im Gesicht. Neben ihm war seine zierliche Frau geradezu eine Schönheit, auch wenn sie nicht wirklich als auffallend hübsch zu bezeichnen war, zumal ihre Zähne eine kleine Fehlstellung hatten.

Wilhelm hörte aufmerksam zu, als sie französisch miteinander sprachen und gab noch einmal seiner Freude Ausdruck, dass Cai jemanden gefunden hatte, der ihr ein bisschen Heimatgefühl vermitteln konnte, zumindest durch die Sprache.

Als sie gingen, sagte er noch leise zu Hanna: „Aber nichts von dem Zettel sagen, ich möchte ihr keine Angst machen."

Hanna fand ihn im Umgang mit ihr sehr freundlich und fürsorglich. Er tätschelte sogar die Kleine auf dem Kopf, so wie er es vermutlich auch mit seinen Kühen machte.

Hanna war nicht dazu gekommen, selber einen Kuchen zu backen, und so aßen sie aufgetauten Heidelbeerkuchen, den Elli ihr im Frühsommer mitgegeben hatte. Bei Tee und Kuchen erfuhr Hanna vieles über Cais Leben. Der Name Cai wurde ihr zuerst erklärt. Cai hieß einfach Frau, und Cai war zu dem Namen gekommen, weil nach vier Brüdern ein Mädchen geboren worden war, mit dem die Eltern sich keine allzu große Mühe gaben. Eine Frau hatte in Vietnam wie in vielen Ländern längst nicht den Stellenwert eines Mannes.

Die kleine Tochter hieß überraschenderweise Sophie. Als Hanna ihre Verwunderung äußerte, wurde ihr der Zusammenhang erklärt. Cai bat allerdings darum, dass nichts von dem was sie erzählte, nach außen drang, denn sie wollte vermeiden, dass die Gartower sich über Einzelheiten ihres Lebens und ihr Zusammenkommen mit Wilhelm lustig machten.

Sophies Vater war Franzose, der für eine französische Firma für ein paar Jahre in Vietnam als Techniker arbeitete. Seine Zeit war fast abgelaufen, als Cai ihm gestand, dass sie schwanger war. Er zeigte sich sehr verständnisvoll und versprach, sie und das Kind nach Frankreich nachzuholen, sobald alle Formalitäten geklärt waren. Nach seiner Abreise hörte sie nie wieder von ihm. Ihre tragische Liebesgeschichte erklärte natürlich ihr fast einwandfreies Französisch.

Sophie hatte auch schon ein paar Brocken aufgeschnappt. Irgendwann flüsterte sie ihrer Mutter etwas zu, und Cai erklärte, dass sie gern die Pferde sehen wollte. Sie gingen auf die Koppel, aber es stellte sich heraus, dass Sophie viel zu schüchtern und ängstlich war, um sich einem Pferd zu nähern. Den Apfel, den Hanna ihr zum Füttern gegeben hatte, hielt sie meterweise entfernt hinter dem Zaun am ausgestreckten Arm, und auch als Hanna ihr zeigte, wie lieb und vorsichtig ein Pferd den Apfel von der flachen Hand holte, wurde nichts besser.

Sophie saß wieder mit ihnen am Tisch, immer ganz eng bei ihrer Mutter. Hanna wollte sie beschäftigen mit einem Bilderbuch, aber Sophie schüttelte den Kopf.

Unter dem Siegel der Verschwiegenheit erfuhr Hanna weitere Details aus Cais Leben. Als ihr Liebhaber verschwunden war, blieb sie allein mit ihrem Töchterchen zurück und sah keine Möglichkeit, ihren Lebensunterhalt zu verdienen. Also kehrte sie in ihr Elternhaus zurück, um überhaupt ein Dach über dem Kopf zu haben, aber sie wurde nicht freundlich aufgenommen. Ständig wurde ihr der Vorwurf gemacht, sie hätte es besser wissen müssen und läge nun der Familie auf der Tasche. Sie machte fast die ganze Hausarbeit, aber das fand man nur selbstverständlich, denn schließlich fiel es den Eltern tatsächlich schwer, zwei Esser mehr verkraften zu müssen.

Schließlich blieb eigentlich nur der Ausweg für Cai, sich als Prostituierte bei Touristen etwas zu verdienen, aber dazu konnte sie sich nicht durchringen. Als sie von einer Agentur hörte, die Ehen mit Europäern vermittelte, hatte sie sich angemeldet, und Wilhelm war willens, sie zu seiner Frau zu machen.

Cai betonte, dass Wilhelm sie nicht belogen hatte, was seine bescheidenen Verhältnisse anging. Er hatte auch kein zwanzig

Jahre altes Foto geschickt. Sie wusste also, was auf sie zukam. Sie war unendlich dankbar für die Wende in ihrem Schicksal, und deshalb war sie fest entschlossen, Wilhelm das Leben schön zu machen und ihn nicht zu enttäuschen.

Als sie aufbrach, entschuldigte sie sich für ihren Redeschwall. Sie sagte, es sei einfach aus ihr herausgebrochen, weil sie mit niemandem über alles hatte sprechen können.

Im Auto fragte sie noch, ob Hanna sich im Kindergarten für sie einsetzen könnte. Sophie war bereits vier, und ohne Kindergarten sah Cai keine Möglichkeit, wie ihr Töchterchen Deutsch lernen sollte. Gerade die mangelnden Sprachkenntnisse waren die Begründung dafür, dass man Sophie nicht aufnehmen wollte, weil man so knapp an Personal war, dass niemand sich richtig kümmern konnte.

Hanna versprach, im Kindergarten vorstellig zu werden. Cai wollte selber so schnell wie möglich Deutsch lernen, aber da sie keinen Führerschein hatte, schied die Volkshochschule praktisch aus. Wilhelm wäre sicher willens gewesen, sie nach Lüchow zum Unterricht zu fahren, aber das kam nicht in Frage, weil er unregelmäßige Arbeitszeiten als Erntehelfer hatte und nicht jederzeit abkömmlich war. Ein Privatlehrer schied aus mangels Geld. Das Land kümmerte sich zwar um den Sprachunterricht von eingewanderten Ausländern an einer Schule, aber nicht um Privatunterricht.

Hanna sah mit Bedauern die vielen Probleme, die Cai in ihrer derzeitigen Situation hatte, aber eine Lösung sah sie natürlich auch nicht.

Sie verabschiedeten sich herzlich, und Cai versprach, bald wieder vorbeizukommen, das nächste Mal aber selbständig und zu Fuß.

Am Freitag trudelten die Teilnehmer für das Reiterwochenende wieder ein. Die meisten waren alte Bekannte. Frau Wagner war wieder dabei, und diesmal auch Marie, die von Hanna besonders herzlich begrüßt wurde.

Am Abend gab es wieder gemütliches Beisammensitzen am Feuer. Es wurde viel von Jasmina gesprochen und den aufregenden Ereignissen, die nun bereits einige Wochen zurücklagen. Von Paul erzählte Hanna nichts, sie sagte nur, dass sie seit einiger Zeit nicht mehr belästigt worden war. Dagegen erzählte sie von ihrer neuen Bekanntschaft und dem unerfreulichen Zettel am Hoftor der Schulzens. Frau Wagner sagte: „Das passt ins Bild. Offenbar breiten sich die Rechten im Wendland ganz heimlich, still und leise aus. Sie haben wirklich ausgeklügelte Methoden, um auf Fang zu gehen, und manch einer stolpert in die Szene, ohne recht zu begreifen, was ihm geschehen ist. Habt ihr die Plakate gesehen, die jetzt überall bei den Grünen und Alternativen hängen? „Schöner leben ohne Nazis" steht da drauf. Allerdings werden die meisten Plakate sehr schnell heruntergerissen oder verunstaltet. Gegenwerbung und Warnungen passen natürlich nicht ins Bild der rechten Szene."

Hanna erinnerte an die unerfreuliche Begebenheit mit Rudolph A., von dessen Rechtsanwalt sie erfreulicherweise nichts mehr gehört hatte.

Zwei Mädchen, die sehr im Verhalten und Alter an das Dreiergestirn erinnerten, kicherten und meinten, bei Hanna auf dem Hof sei es ja wie im Krimi. Sie sagten, sie hofften sehr, dass sie auch etwas Spannendes erleben würden, woraufhin gelacht wurde. Hanna hatte dabei einen bitteren Beigeschmack.

Frau Wagner fragte nach jedem einzelnen Pferd, und sie beschlossen, gemeinsam dem Stall einen Besuch abzustatten. Die Pferde wurden getätschelt und mit Mohrrübchen verwöhnt, und auch Arthüür kam nicht zu kurz mit Streicheleinheiten. Hanna bedauerte fast, dass sie ihn am nächsten Tag abgeben musste, weil Luise wiederkam. Sie hatte sich doch sehr an den liebenswürdigen Kasper gewöhnt.

Bevor sie schlafen gingen, hielt Frau Wagner Hanna noch zurück. „Mir tut die Vietnamesin leid, sie ist in keiner guten Situation. Ich überlege, ob ich es schaffe, ihr Deutschunterricht zu geben. Ich bin zwar an der Schule sehr eingespannt, und die

Anfahrt ist auch beträchtlich, aber vielleicht schaffe ich es hin und wieder, mich um sie zu kümmern. Mein Französisch ist nicht berühmt, aber für ein bisschen Verständigung wird es schon reichen."

Hanna war richtig gerührt, was für eine gute Seele Frau Wagner bei näherer Bekanntschaft war. Sie hatte sie zunächst als schwierig und etwas schrullig abgetan, und da würde Carsten wieder sagen „Du mit deiner Menschenkenntnis auf den ersten Blick!"

Das Wochenende verlief harmonisch und zur Enttäuschung der beiden Teenager ohne kriminelle Zwischenfälle. Hanna hatte mit Luise nur kurz telefonieren können, und sie war nicht einmal dazu gekommen, ihr selbst Arthüür vorbeizubringen. Das hatte sie Beate überlassen müssen. Sie nahm sich vor, am Montag ganz schnell die tägliche Arbeit zu erledigen, und dann zu einem langen Schwatz zu Luise zu radeln.

Als sie am Montagvormittag bei Luise ankam, traf sie noch auf Gisela, Luises andere Tochter. Gisela war gerade im Begriff, sich zu verabschieden. Im Gegensatz zu Hansine wirkte sie locker und warmherzig. Sie wechselten ein paar freundliche Worte, und dann blieb Hanna allein in der Küche zurück, weil Luise ihre Tochter noch zum Auto begleitete.

Als Luise nach kurzer Zeit zurückkam, nahm sie Hanna herzlich in den Arm und drückte ihr einen Kuss auf die Stirn. „Gisela hat mich diesmal gefahren. Ach, ich bin eigentlich froh, wieder zu Hause zu sein. Fünf Wochen sind eine lange Zeit, auch wenn Ahrenshoop sehr kurzweilig ist. Jetzt lass aber du mal alle Neuigkeiten hören, bevor ich dich mit meiner Krankengeschichte plage."

Hanna versuchte, kurz Bericht zu erstatten, aber Luise unterbrach sie immer wieder, um jedes Detail zu erfahren. Etwas störend war nur Arthüür, der keine Ruhe geben wollte, sondern zwischen beiden hin - und herlief und versuchte, entweder bei Hanna oder bei Luise auf dem Schoß zu landen. Luise erbarmte sich schließlich, und Arthüür machte es sich auf ihrem Schoß nach mehreren Drehungen bequem.

Schließlich kamen sie auf Henning und die Zukunft des Hofs zu sprechen. Luise wollte wissen, ob Hanna sich allein zutraute, den Betrieb weiterzuführen, und sie war sehr enttäuscht, als Hanna Zweifel anmeldete.

„Ich weiß doch, dass Henning sich nicht gerade beide Beine ausgerissen hat. War er denn in irgendeiner Weise hilfreich?"

Hanna ließ einen Augenblick verstreichen. „Das war er. Er hat gerade die Arbeiten übernommen, die mir nicht besonderen Spaß machen: Telefonate entgegennehmen, Listen von Teilnehmern anfertigen, Steuererklärungen machen und den übrigen Bürokram. Ich liebe die praktische Arbeit mit den Pferden und den Kontakt mit den Wochenendreitern, und die Reitstunden machen mir auch Freude. Ich glaube, für einen allein ist das ganz schön viel harte Arbeit."

„Das kann ich sehen. Ich will jetzt zur Sache kommen, und dann können wir gemeinsam eine Lösung finden, wenn du nicht gleich nein sagst. Ich bitte mir auf jeden Fall Bedenkzeit deinerseits aus. Ich möchte den Hof nicht aufgeben, wenn es auch zum Teil, wie ich zugeben muss, Bosheit ist. Ich gönne Hansine das Geld, das bei einem Verkauf herausspringen würde, einfach nicht. Habe ich einen schlechten Charakter?"

Hanna musste lachen. „Ein bisschen schon", sagte sie. „Aber jetzt fahre fort." „Ich habe mir vorgestellt, dass du den Hof als Pächterin übernimmst. Bevor du losschreist, dass der Hof nicht genug abwirft, um die Pacht zu bezahlen, mache ich dir einen Preisvorschlag: Ich möchte 100 Euro im Monat, und damit fahre ich viel besser als vorher, da Hennings Gehalt wegfällt. Du weißt, dass ich nicht knickern muss, also überschlafe meinen Vorschlag. Denke auch daran, dass der Hof jahrelang mein Lebensinhalt war, und ich möchte ihn nicht ganz missen. Also sentimental bin ich auch noch."

Hanna wollte ansetzen, etwas dazu zu sagen, aber Luise legte den Finger auf die Lippen. „Erst setzen lassen, dann reden wir darüber."

Hanna war doch ziemlich irritiert und brauchte eine Weile, bis sie Luise wieder konzentriert zuhören konnte. Luise erzählte munter von ihren Anwendungen, von den Veranstaltungen, die sie besucht hatte, und von den Freunden und Verwandten, die in Ahrenshoop einen Besuch abgestattet hatten. Sie bedauerte sehr, dass Carsten und Hanna es nicht geschafft hatten, mit ihr einen Tag an der Ostsee zu verbringen. Sie meinte, das könne man bei anderer Gelegenheit nachholen.

Hanna sah keinerlei Anzeichen dafür, dass Luise vor kurzem einen Schlaganfall gehabt hatte. Deshalb wunderte sie sich, als Luise ihr mitteilte, dass sie vorhatte, ihren Führerschein abzugeben. „Ich bin jetzt wohl doch eine Gefahr für mich und andere", sagte sie, „falls ich nochmal einen Schlaganfall oder einen Kreislaufkollaps beim Autofahren haben sollte. Natürlich möchte ich mobil bleiben, und deshalb werde ich mein Auto behalten und mir jemanden suchen, der auf Abruf bereit ist, mich zu fahren.

„Phantastische Lösung", sagte Hanna. „Du bist wirklich einfallsreich. Das Problem ist natürlich, dass nicht alle ihre Zeit frei einteilen und bei Fuß stehen können, falls dir plötzlich eine Fahrt notwendig oder angenehm erscheint."

Luise lachte. „So spontan bin ich gar nicht mehr, ich plane in meinem Alter eher längerfristig. Z.B. Weiß ich jetzt schon, dass ich während der Schubertiade in Schnackenburg zu mehreren Konzerten gehen möchte."

Hanna sah sie fragend an. „Eine Woche Schubert? Ist das nicht ein bisschen heftig?"

Luise erklärte ihr, welche Art von Veranstaltung die Schubertiade ist. „Unter der Leitung eines Musikprofessors treffen sich Musiker aus Deutschland und aus dem Ausland, vor allem aus St.Petersburg, zu deren Konservatorium eine besondere Beziehung besteht. Sie musizieren zusammen und stellen dann in einer Konzertreihe vor, was sich ergeben hat. Die Schubertiade ist ein bedeutendes Ereignis für Schnackenburg.

Du weißt ja bestimmt, dass Schnackenburg vom Aussterben bedroht ist. Vor der Wende gab es wenigstens ein bisschen Betrieb im Hafen durch die von der Tschechoslowakei und der DDR kommenden und elbaufwärts fahrenden Frachtschiffe, die kontrolliert wurden. Das waren wenigstens ein paar Arbeitsplätze für Zöllner und Bundesgrenzschutz im äußersten Zipfel Westdeutschlands. Jetzt gibt es keinen Laden mehr, keine Post, keine Apotheke und keinen Arzt. Das nächste Gymnasium ist fünfunddreißig Kilometer weg. Ist das attraktiv für junge Familien?

Die Konzertgäste kommen aus dem Wendland und der weiteren Umgebung, die Straßen sind zugeparkt, und man trifft sich in einem Zelt vor der wunderschönen Backsteinkirche, in der die Konzerte stattfinden, zu einem Gläschen Sekt und einem Buffet."

Das war die längste Rede von Luise, die Hanna je von ihr gehört hatte. Sie fühlte deutlich, wie wichtig Luise die Probleme ihrer Heimat waren.

Hanna kannte natürlich die Kirche mit ihrem berühmten Taufengel, der normalerweise auf halber Höhe über dem Kirchenschiff schwebt und nur für Taufen an Ketten heruntergelassen wird. Von den Schubertiaden hatte sie allerdings noch nie gehört.

„Was ist Carsten nur für ein Banause!" sagte sie entrüstet. „Wir gehen ins Kino, zur totalen Tanznacht nach Plattenlaase, zu Jazzkonzerten, aber von diesem ausgefallenen Ereignis in Schnackenburg hat er mir noch nie erzählt. Mit einer Berufsmusikerin als Mutter müsste ich mich eigentlich auskennen. Erkläre mir aber bitte nicht, warum die Konzertreihe Schubertiade heißt. Ich werde meine liebe Mama mal mit der Frage testen."

Nach Hannas dritter Tasse Kaffee, Berichten über Anita, die mittlerweile in erbärmlichem Zustand aufgegriffen worden war und in einer Klinik in Lüneburg einen Zwangsentzug durchmachte, über Wilhelm Schulz und seine Vietnamesin, über Jasmina und ihren enttäuschenden Besuch in der JVA, stand Hanna auf, um sich zu verabschieden. Luise wirkte nun doch etwas ermüdet, meinte aber, das käme vom Orts - und Klimawechsel, nicht etwa von altersersbedingter Schwäche oder Krankheit.

„Leg dich ein bisschen hin", empfahl Hanna im Gehen. „Das braucht der Mensch hin und wieder."

Luise lächelte, winkte zum Abschied, und Hanna schwang sich aufs Fahrrad.

Unterwegs ging ihr natürlich Luises Vorschlag im Kopf herum. Ein schlagendes Argument dagegen war ihr sofort eingefallen: Carsten. Carstens Zukunft im Wendland war absolut ungewiss, denn der Zeitvertrag würde bald auslaufen, und wie es aussah, würde es keine Verlängerung geben. Mal wieder waren Mittel gekürzt worden, die man anderweitig dringend brauchte: Förderung der Landwirtschaft, Energiewende, Subventionen für die großen Firmen mit enormem Stromverbrauch, und nicht zuletzt Erhaltung von Arbeitsplätzen, ein Totschlagargument, das seit Hanna in Deutschland lebte und sich erinnern konnte, immer wieder Wirkung zeigte und alle anderen Gesichtspunkte ausschaltete.

Na ja, vielleicht müssten die Wirtschaftsbosse auch nicht wissen, ob die Wenden oder die Germanen als erste im Wendland und in Mecklenburg-Vorpommern befestigte Siedlungen gehabt hatten. Für sie war die Erforschung der Geschichte vermutlich nutzlos, und das dafür ausgegebene Geld zum Fenster hinausgeworfen. Hanna jedenfalls wünschte sich, dass die Verantwortlichen den Ablauf der Geschichte in das heutige Leben einbeziehen würden und Lehren daraus ziehen.

Am Nachmittag versuchte sie bereits, den Betrieb als ihren Besitz anzusehen, wenn auch nur gepachtet. Alle Planung in Eigenverantwortung übernehmen? Alle Arbeiten allein durchführen, nur mit Unterstützung von Beate, die vermutlich wegziehen würde in absehbarer Zeit? Ähnliche unerfreuliche Erlebnisse wie mit ihrem Lilienstalker ohne Carstens Unterstützung durchstehen? Mit Carsten, der weit weg vom Wendland eine neue Stelle finden würde, wieder eine Fernbeziehung haben? Wenn sie mit sich ehrlich war, verspürte sie dazu keine Lust mehr. Ihr Verhältnis war in der letzten Zeit enger und harmonischer geworden, und sie konnte sich überhaupt keinen anderen Mann mehr vorstellen, mit dem sie so eng zusammen sein wollte.

Voller Spannung wartete sie abends auf Carsten, um alle Möglichkeiten durchzusprechen. Sie war zutiefst enttäuscht, als er anrief um ihr mitzuteilen, dass die gesamte Arbeitsgruppe noch im Burgrestaurant zusammen sitzen wollte bei einem sogenannten Arbeitsessen, und deshalb würde es später werden.

„Soll ich dann überhaupt noch kommen? Ich werde versuchen, die letzte Fähre um neun Uhr zu erreichen, aber garantieren kann ich das nicht. Gott sei Dank bin ich heute mit dem Auto in Lenzen, sonst müsste ich bei verpasster Fähre den ganzen Umweg über die Dömitzer Brücke mit dem Fahrrad fahren."

Hanna konnte sich bei dem Gedanken ein Lächeln nicht verkneifen. „Du könntest doch bei Saskia übernachten? Oder würdest du lieber nachts mit dem Fahrrad fünfzig oder sechzig Kilometer fahren? Das ist doch ein verlockender Gedanke. Und das mit Opas Drahtesel? „Mach dich nicht lustig, das Rad tut noch gute Dienste. In unserer berglosen Gegend brauche ich wirklich keine einundzwanzig Gänge. Aber wie gesagt, ich habe schließlich auch ein Auto, das zurzeit läuft, und läuft, und läuft."

„Ich schlage vor, dass du in jedem Fall nach Hause gehst. Ich habe etwas sehr Wichtiges mit dir zu besprechen, aber das muss eben bis morgen warten. Viel Spaß noch beim Arbeitsessen."

Hanna rief nach dem Telefonat mit Carsten bei ihrer Mutter an und fragte nach der Schubertiade. Ihre Mutter erklärte folgendes: „Schubert hat mit Freunden spontan musiziert und ausgewählte Musikstücke in Form eines informellen Konzerts vorgetragen. Natürlich haben sie eigene Kompositionen gespielt, aber auch anderen Komponisten gehuldigt, und manchmal wurde das Konzert von Lesungen und Gedichtvorträgen unterbrochen. Habe ich das erschöpfend und verständlich erläutert?"

Hanna lachte und erzählte ihrer Mutter, was es damit auf sich hatte und gratulierte ihr zum bestandenen Test. Hannas Mutter kündigte an, dass die ganze Familie die nächste Schubertiade zum Anlass nehmen könnte, um dem Wendland einen Besuch abzustatten.

Nachdem Hanna bei leiser Musik (Schubert!) noch eine Weile gelesen hatte, ging sie ins Bett in der Hoffnung, müde genug zu sein, um bald einzuschlafen.

Kaum hatte sie das Licht gelöscht, drehten sich zu ihrem Leidwesen die Gedanken wieder um den Hof und damit um ihre Zukunft. Wie üblich, wenn man Einschlafprobleme hatte, kamen auch dumme Erinnerungen an Ereignisse, die bis in ihre Kindheit zurück reichten. Sie dachte daran, wie sie sich einmal heftig mit einer Freundin gestritten hatte, woraufhin die Freundin so beleidigt war, dass jeder Versuch von Hanna scheiterte, das gespannte Verhältnis wieder gut zu machen. Ihr fiel auch wieder ein, wie sie an einer Stelle des mündlichen Examens richtigen Blödsinn verzapft hatte und damit die Note verschlechtert. Das war vorbei und konnte nicht in verbesserter Form wiederholt werden. Warum dachte man nicht an etwas Schönes, wenn man wach im Bett lag und nicht zur Ruhe kam? Hanna stellte sich einen rasanten Galopp am Gartower See vor, aber ihre Hoffnung, sich positiv zu beeinflussen, schwand schnell dahin, weil sie gleich wieder bei unangenehmeren Problemen angelangt war.

Sie gab schließlich den Versuch auf einzuschlafen und fing wieder zu lesen an, um sich abzulenken.

Irgendwann wachte sie auf. Das Licht über ihrem Bett brannte, und das Buch war auf den Boden gefallen. Sie machte das Licht aus und schlief gleich wieder ein.

Während sie am nächsten Morgen ziemlich spät unter der Dusche stand, wurde sie durch heftiges Klopfen an ihrer Wohnungstür aufgeschreckt. Sie stürzte aus der Dusche, wickelte sich ein Badetuch um die Hüften und zog ein T-Shirt über. Henning stand mit einem Tablett vor der Tür. „Ich dachte mir, du brauchst das jetzt. Ich habe es überhaupt noch nicht erlebt, dass du so lange schläfst. Der Stall ist nicht gemacht, die Pferde sind nicht auf der Koppel. Also, was ist los?"

Sie wollte Henning auf keinen Fall erzählen, dass Luise ihr einen Vorschlag bezüglich des Hofs gemacht hatte, der sie weitgehend den Schlaf gekostet hatte. Schließlich sollte Carsten der erste sein, mit dem sie darüber sprach.

„Ich habe einfach nicht gut geschlafen. Weiß nicht, warum."

Henning grinste anzüglich. „Vielleicht hat dir ein Mann im Bett gefehlt? Carsten ist ja offenbar nicht da, und auch sonst niemand, der dich mit Lilien hofiert."

Hanna war sich nicht schlüssig, ob sie harsch auf seine blöden Anspielungen reagieren sollte, aber sie entschloss sich, gar nichts dazu zu sagen.

„Was hast du auf dem Tablett?" fragte sie. „Ich habe uns ein Frühstück gemacht, weil ich dachte, das könnte dir jetzt gelegen kommen", erklärte Henning.

Darüber freute sich Hanna natürlich. Henning hatte eine Kanne Kaffee gekocht und frische Brötchen und Croissants besorgt. Die Marmeladen – Kirsche, schwarze Johannisbeere und Heidelbeere, alle selbstgemacht von Elli – holte Hanna aus ihrem Kühlschrank und stellte Schinken und Käse dazu. „Opulent", meinte Henning", vielleicht hast du auch ein Gläschen Sekt?"

Hanna hatte zwar Sekt im Vorrat, aber sie hatte keine Lust, sich schon zum Frühstück einen anzusäuseln, und Henning verzichtete darauf, allein das Frühstück mit einem Gläschen Sekt zu krönen.

„Jetzt muss ich dir etwas Schreckliches mitteilen. Als ich vorhin zum Bäcker fuhr, war vor Pittens Haus ein kleiner Menschenauflauf, und ein Polizeiauto stand vor der Tür. Neugierig wie wir Männer sind, habe ich angehalten und mich dazugestellt. Ist dir aufgefallen, dass wir Pitten in den letzten Tagen nicht gesehen haben?"

Hanna hatte schon eine böse Vorahnung. „Stimmt, jetzt wo du es sagst, fällt es mir auch auf. Was ist mit Pitten?"

„Er ist tot. Er wurde gestern in Lüneburg von einem Bus überfahren. So wie ich aus den Mutmaßungen mitbekommen habe, ist nicht klar, was passiert ist. Vielleicht hat er einen Schritt nach vorn gemacht, weil er high war, vielleicht hat ihn aber auch jemand angerempelt, der sich mit seiner Aufmachung und seinem Gerede nicht abfinden wollte. Die Polizei ist offenbar bisher ratlos. Er wird obduziert, und dann wird man mehr wissen. Auf jeden Fall suchen sie im Augenblick in seinem Haus auf Hinweise zu Verwandtschaft. Soweit wir wissen, gibt es keine Angehörigen, zumindest keine, zu denen er Kontakt hatte. Aber Pitten war ja auf der ganzen Linie ein Rätsel. Du weißt, dass ich ihn nicht ausstehen konnte, aber sein grausames Ende tut mir echt Leid."

Hanna konnte nicht verhindern, dass ihr die Tränen kamen. „Mein Gott, Gartow ohne sein Original Pitten! Da ist ein Wahrzeichen weg, einfach schrecklich. Vielleicht löst sich das Ganze auf, und es war gar nicht Pitten?"

„Das steht außer Zweifel. Durch die Fragen der Polizei zu seiner Person hat es sich schnell herumgesprochen, dass er Papiere dabei hatte, aus denen seine Adresse hervorging. Übrigens heißt er gar nicht Pitten, sondern Michael. Sein Familienname ist auch nicht Rosenbrock, sondern Merselvski. Zufällig habe ich baltische Verwandtschaft, die von Merselevski heißt. Das „von" hat Pitten in seiner Verblendung wohl weggelassen. Womöglich bin ich noch mit diesem schrägen Vogel um ein paar Ecken verwandt. Das wäre ein Ding!"

„Ja, ja", stichelte Hanna, trotz ihrer Tränen, „ihr Adligen

seid schon ein besonderer Club.“

Hanna sagte eine Weile nichts mehr. Sie konnte es einfach nicht fassen, dass in dem Klatschnest Gartow den Einwohnern die einfachsten Fakten aus Pittens Leben entgangen waren. Sie konnte nicht aufhören zu weinen, und Henning holte ein Taschentuch heraus und tupfte ihr die Tränen ab.

Für Hanna war das Frühstück gelaufen. Sie biss in ein köstlich frisches Croissant und glaubte, daran zu ersticken. Sie machte keinen Versuch mehr, etwas zu essen. Aber sie trank zwei Tassen Kaffee und meinte schließlich, ein Schnaps würde ihr über das Gröbste weghelfen, auch wenn sie davon gleich betüddert würde.

„Wenigstens habe ich ein Andenken“, sagte sie. „Pitten hat uns mal ein zerknittertes selbstgemaltes Bild gegeben. Deine Tante hat es weggeschickt zu einem Bilderrahmengeschäft, wo man es glätten und einrahmen wollte. Das hatte ich ganz vergessen, aber jetzt werde ich nachfragen. Was wird, wenn man keine Angehörigen findet? Er muss doch identifiziert werden? Jemand muss die Beerdigung organisieren, oder macht das die Gemeinde?

„Bestimmt, nicht“, meinte Henning, „so etwas wie ein Armenbegräbnis gibt es doch nicht mehr, soweit ich weiß.“

Hanna holte tatsächlich einen Klaren, und sie tranken beide ein Gläschen. Hanna meinte sofort, sich ein bisschen besser zu fühlen, aber das war vermutlich Einbildung. „Wenn jemand gestorben ist, finde ich das schrecklich. Alle anderen Probleme kann man irgendwie beheben, aber der Tod ist so furchtbar endgültig“, sagte Hanna, während sie zusammen zum Stall hinübergingen. „Ich habe Pitten ja gar nicht lange gekannt, aber irgendwie gehörte er einfach dazu und war immer für eine Überraschung gut. Vielleicht klärt sich posthum manches an seiner Persönlichkeit auf, jetzt, wo man seinen wirklichen Namen weiß.“

Henning ließ die Pferde auf die Koppel, und Hanna begann mit dem Ausmisten. Sie hatte nicht mal einen Versuch gemacht, Carsten zu erreichen, das hatte sie einfach vergessen. Er würde vermutlich anrufen, und spätestens abends würden sie sich sehen.

Eigentlich hoffte sie auf einen Anruf von Edda. Irgendwie musste es doch vorangehen. Wenigstens erreichte sie Luise und erfuhr, dass Luise das Bild geschickt bekommen hatte. Es war einwandfrei geglättet und mit einem hübschen, dunkelroten Rahmen versehen, der hervorragend zu dem geheimnisvollen Baum passte. Luise hatte das Bild auch vergessen, und sie freute sich mit Hanna, dass es nun ein kostbares Andenken gab. Sie hatte bereits von Pittens Tod gehört. Bei so einem sensationellen Ereignis funktionierte die Buschtommel schnell und effektiv.

Carsten kam am späten Nachmittag. Er gestand, ziemlich müde zu sein, weil das Arbeitsessen sich doch sehr ausgedehnt hatte. Von Elli hatte er auch schon die Todesnachricht erfahren, als er schnell zu Hause vorbei gefahren war, um sich umzuziehen. Elli hatte ihm förmlich aufgelauert, um die Nachricht loszuwerden. Sie wusste inzwischen schon ein bisschen mehr. Die Polizei hatte in Pittens Haus die Adresse von einem Bruder gefunden, der in Berlin lebte. Sie hatten den Bruder auch erreicht, und er wollte sich am nächsten Morgen auf den Weg nach Gartow machen, um Pitten zu identifizieren und sein Einverständnis für die Obduktion zu geben. Offenbar gab es wirklich sonst niemanden, der das tun könnte.

Hanna war sehr traurig gestimmt, als sie das hörte. „Wie haben wir es gut mit Geschwistern, Eltern, Onkeln und Tanten. Außerdem haben wir einen tollen Freundeskreis. Ein wahrer Freund hat Pitten doch auch gefehlt. Wir werden natürlich nicht mehr erfahren, ob er darunter gelitten hat."

Während Hanna das Abendessen zubereitete, kam sie auf das Thema Hof. Carsten war sehr erstaunt über das großzügige Angebot, konnte aber auf Anhieb auch nicht sagen, wie sie damit umgehen sollten. „Glaubst du, du kannst dir die

Option eine Weile offenhalten? Ich werde voraussichtlich in den nächsten Wochen erfahren, ob hier etwas weitergeht, oder ob ich mich anderweitig bewerben muss. Um ehrlich zu sein, fürchte ich mich davor, mich wieder von dir zu trennen. Und wie geht es dir dabei?"

Hanna kam um den Tisch und umarmte ihn. „Mir geht es genauso. Nach meinen Überlegungen heute Nacht spricht manches dafür, den Hof zu behalten. Aber viel lieber möchte ich dich behalten."

Sie diskutierten das Thema noch lange, aber schließlich stellten sie fest, dass sie sich im Kreis drehten, weil es keine neuen Gesichtspunkte gab. „Lass uns abwarten, was ich in nächster Zeit erfahre", sagte Carsten. „Vielleicht finde ich eine lukrative Festanstellung in einer attraktiven Gegend und du hast Lust, mitzukommen? Du kannst ja immer Übersetzungen machen oder dich wieder bei einem Makler bewerben. Das war doch in Hamburg ein spannender Job?"

Hanna lächelte. „Wie sagt irgendein Israelit in der Bibel zu Rut: ‚Wo du hingehst, da will ich auch hingehen.' Carsten wollte sie unterbrechen, aber sie winkte ab. „Lass mich meinen Gedanken ausführen. Es ist demnach gottbefohlen, dass der Mann der Frau nachfolgt. Also bleiben wir hier und machen zusammen den Hof. Da du als Reitlehrer und Begleiter bei Ausritten ausfällst, kannst du den Stall ausmisten, Heu vorlegen und Kraftfutter mischen. Außerdem die Steuererklärung machen, was dir ja besonders liegt. Hast du eigentlich schon eine Mahnung für das letzte Jahr, weil du es nicht termingerecht geschafft hast, deinen Papierkrieg zu erledigen?"

Carsten wurde ein bisschen rot. „Erwischt", sagte er, „Mahnungen schmeiße ich immer gleich weg. Aber deine Idee mit dem Hof ist echt witzig. Ich werde darüber nachdenken. Stallknecht habe ich zwar nicht studiert, aber ich denke, ich kann angelernt werden."

Carsten lächelte ein bisschen maliziös vor sich hin, und Hanna wollte natürlich wissen, warum. „Ich muss dich leider mit deinem Bibelzitat enttäuschen, das hast du ganz falsch in Erinnerung. Nicht ein Mann will Rut nachfolgen, sondern Rut sagt zu ihrer Schwiegermutter, die bei den Moabitern gelebt hat und nach Juda zurückkehren will, „wo du hingehst, da will ich auch hingehen", und Rut folgt ihrer Schwiegermutter nach Bethlehem, obwohl sie selbst Moabiterin ist."

„Du bist aber bibelfest! Das Zitat habe ich immer falsch in Erinnerung gehabt Jetzt darfst du ruhig sagen, dass ich ein Dummerchen bin und gänzlich ungebildet. Aber woher weißt du so etwas Spezielles aus der Bibel? Meines Wissens bist du doch alles andere als fromm?"

„Es gab mal eine Zeit, als ich in der Pubertät war, da war ich fanatischer Bibelleser. Leider habe ich damals nicht alles verstanden, was sexuelle Übergriffe, Homosexualität, Sodomie und Ähnliches betraf. Die Bibel ist wirklich ein historisch gesehen spannendes Buch, wenn nur nicht im Alten Testament die seitenlangen Aufzählungen über Generationen wären, wer bei wem lag und wen zeugte über Dutzende von Generationen."

„Du weißt ja, dass ich ursprünglich durch meine polnische Mutter katholisch war, bevor ich aus der Kirche ausgetreten bin. Wir beachten das Alte Testament kaum, und so bin ich entschuldigt. Aber ich sollte vielleicht doch mal Bibel lesen, es scheint ja echt spannende Geschichten zu geben. Jedenfalls hat sich das Thema Stallknecht von mir offenbar erledigt, da du mir nicht nachfolgen musst", sagte Hanna. Sie legte eine CD auf, während Carsten den Tisch abräumte.

Carsten fragte, ob er draußen ein Feuer machen solle. „Du sitzt ja eigentlich immer nur beruflich mit deinen Gästen am Feuer. Ich fände es schön, wenn wir mal ganz privat uns einen romantischen Abend machen. Hast du auch schon bemerkt, dass es schon deutlich früher dunkel wird? Im Juni haben wir noch bis nach zehn draußen gelesen, das ist aber ganz unmerklich vorbei."

Hanna war ein bisschen wehmütig zu Mute, wenn sie an

das Ende des Sommers dachte. Aber Carsten tröstete sie mit der Aussicht, dass bald die Zugvögel aus Skandinavien eintreffen würden und eine Weile im Wendland rasten, um Kräfte für den Weiterflug nach Afrika oder wenigstens Südspanien zu sammeln. In Spanien waren vermutlich durch den Klimawandel die Winter milder geworden, was es den Kranichen mittlerweile ermöglichte, dort zu überwintern.

Carsten versprach ihr ein gewaltiges Schauspiel, wenn Tausende und Abertausende von Zugvögeln in der Gegend einfielen, auf den diversen Seen und auf der Elbe übernachteten und niemals den Schnabel hielten, so dass man bei von weitem hörbaren Geschnatter der Gänse gleich den Blick nach oben richten konnte und ihren Flug verfolgen.

Allerdings erfreuten die Vögel nicht alle Einwohner des Wendlands. Es gab inzwischen Bauern, die Selbstschussanlagen aufbauten, um die Gänse von ihrem Acker abzuhalten. Da die Schüsse die ganze Nacht knallten in regelmäßigen Abständen, gab es von Nachbarn eine Anzeige, und die Anlagen mussten abgebaut werden. Das trug natürlich nicht zu nachbarlichen Freundlichkeiten bei. In Spanien gingen aggressive Bauern noch weiter. Sie erschossen zur Abschreckung einzelne Kraniche, wenn größere Züge auf ihren Äckern mit zart sprießender Wintersaat einfielen und die kleinen Hälmchen herausrissen, um sie zu verspeisen.

Jedenfalls war der Vogelzug ein Lichtblick vor dem herannahenden Winter. Sie holten sich bequeme Stühle, legten Schaffelle darüber, um gegen Zugluft geschützt zu sein, und sahen schweigend in die Flammen. "Willst du nicht etwas spielen? fragte Carsten. „Das würde jetzt richtig gut in die Stimmung passen."

Hanna holte ihre Querflöte und spielte versonnen eine leise Melodie. Plötzlich setzte sie ab und sagte: „Jetzt spiele ich mir die Trauer um Pitten von der Seele. Er ist oft hier aufgetaucht, wenn wir mit unserer Wochenendmannschaft ums Feuer saßen, und nun wird er das nie wieder tun."

Sie spielte eine getragene, ernste Melodie, die plötzlich umschlug in etwas Wildes und fast Misstönendes. Nach mehrmaligem Wechsel zwischen trauriger und schriller Musik, legte sie die Flöte weg. „Eben war Pitten zu Gast. Nachdenklich, ernst, und plötzlich schrill und unverständlich. Aber nie fröhlich und unbeschwert, wie du an meiner Musik gemerkt haben müsstest. Ich habe das Bedürfnis, auf seiner Beerdigung zu spielen."

Carsten war tief beeindruckt. „Ich bin so stolz auf dich, dass du so etwas kannst. Wie du immer sagst, die Musik entsteht im Kopf und wird einfach umgesetzt. Kann ich leider überhaupt nicht nachvollziehen. Hast du mich schon mal singen hören?"

Hanna lachte. „Ja, unter der Dusche. Und du singst nicht mal falsch und hast eine angenehme Stimme."

„Das wusste ich noch gar nicht", antwortete Carsten. „Aber darf ich das Kompliment so interpretieren, dass Liebe blind macht?"

Hanna fasste nach seiner Hand, und sie ließen sich nicht mehr los, bis das Feuer zu einem Aschehaufen verglommen war.

Zwei Tage später kam endlich ein Anruf von Edda. „Wir haben einen neuen Termin mit Paul. Er ist fest entschlossen, diesmal nicht zusammenzubrechen, sondern mit dir zu reden. Ich glaube, er will seine Geschichte endlich loswerden, und wir können nur hoffen, dass sie stimmig ist. Kannst du am Freitag in einer Woche um zehn Uhr morgens nochmal herkommen?"

Hanna sagte ohne Zögern zu, diesmal mit mehr innerer Sicherheit.

Als die Modalitäten besprochen waren, an denen sich gegenüber dem letzten Mal nichts geändert hatte, zögerte Edda kurz. „Kann ich morgen Abend mal vorbeikommen? Ich glaube, ich habe morgen pünktlich Dienstschluss."

„Klar", sagte Hanna. „Ich mache eine Kleinigkeit zum Essen, und dann können wir gemütlich zusammensitzen, hoffentlich draußen. Bist du eigentlich auch ein Frischluftfanatiker?"

Sie sah förmlich, wie Edda lächelte. „Ich glaube nicht. Wenn ich allein bin, habe ich jedenfalls nicht das Bedürfnis, zum Essen oder Lesen auf den Balkon zu gehen. Vermutlich liegt das an der Erziehung. Mein Vater hätte Zustände gekriegt, wenn meine Mutter ihm draußen ein bereits auf dem Weg abgekühltes Essen vorgesetzt hätte. Du weißt vielleicht nicht, dass wir zu Hause eine bescheidene Landwirtschaft haben, und die Bauern, die ja fast ihre gesamte Arbeitszeit im Freien verbringen, möchten meist im Privatleben von außerhäuslichen Aktivitäten verschont bleiben."

„Gut, damit kann ich leben. Also in der Küche?"

„Nein, nein, wenn es schön ist, bin ich auch gern im Freien. Mein Freund hat eine Stadtwohnung, und er macht gerne Picknicks im Freien. Also, bis morgen Abend."

„Aha", dachte Hanna, „ den Freund gibt es also noch!"

Am nächsten Morgen las sie in der Elbe-Jeetzel-Zeitung die Todesanzeige für Pitten. Sie war äußerst knapp und sachlich. Geburtsort und Datum, Todestag und letzter Wohnort Gartow. Unterschrieben war die Anzeige von Sebastian von Merselevski, in tiefer Trauer. Die Beerdigung würde in drei Tagen auf dem Gartower Friedhof stattfinden.

Hanna wurde wieder sehr traurig. Ein Menschenleben auf tragische Weise ausgelöscht und keine Namen in der Anzeige, außer von einem Bruder, dem sie die tiefe Trauer überhaupt nicht abnahm, da er sich in Jahren nicht gekümmert hatte. Vielleicht hatte Pitten ihn mal besucht, wenn er weg war? Man wusste es nicht und würde es auch vermutlich nicht erfahren.

Der Bruder würde die Beerdigung ausrichten, wie sie vermutete, und deshalb fuhr sie zu Pittens Haus in der Hauptstraße, um ihn eventuell dort anzutreffen. Ihr fiel sofort auf, dass die Marien-und Buddhastatuen nicht mehr da waren, und das verursachte einen kleinen Schock. „Das wirft kein gutes Licht auf den Bruder", dachte sie „Ich finde das pietätlos, und der Stadt fehlt etwas."

Sie klopfte an der Tür, und tatsächlich machte ihr ein gutgekleideter Herr um die fünfzig mit leichtem Bauchansatz und Geheimratsecken auf. „Ja?" sagte er nicht gerade freundlich.

Hanna stellte sich vor und erklärte kurz ihr Anliegen. „Ich habe Pitten gekannt, er war oft bei mir auf dem Pferdehof. Gut gekannt kann man eigentlich nicht sagen, denn das war wohl nicht möglich. Aber jedenfalls habe ich ihn geschätzt und möchte zu seiner Beerdigung auf der Querflöte für ihn spielen."

„Kommt nicht in Frage. Ich habe bereits den Kirchenchor gewonnen, ein paar Choräle zu singen. Extravaganzen verbitte ich mir."

Damit wurde die Haustür zugeschlagen, und Hanna stand peinlich berührt auf der Straße.

Offenbar sollte es eine richtig konventionelle Beerdigung werden. Hanna schauderte bei dem Gedanken, dass der bürgerliche, wenn nicht spießige Bruder Pitten überhaupt nicht gerecht werden würde mit einer herkömmlichen Beisetzung. Hanna hatte natürlich vor, hinzugehen und hoffte, dass viele Gartower erscheinen würden, auch wenn Pitten bei einigen nicht gerngesehen war. Als Original war er jedenfalls akzeptiert.

Gegen Abend machte sie eine Kleinigkeit zum Essen und wartete auf Edda. Carsten kam vorbei, nahm sich ein paar Fleischbällchen, die er im Gehen verspeiste, und verkündete, dass er lieber nach Hause fahren wollte, um nicht bei einem vertraulichen Damenkränzchen zu stören. Hanna protestierte, aber im Grunde hatte er Recht. Edda würde in seiner Gegenwart vermutlich nichts von dem erzählen, was sie eigentlich loswerden wollte.

Das Wetter ließ es tatsächlich zu, dass Hanna im Freien decken konnte. Allerdings kam Edda ziemlich spät, und Hanna musste das Essen noch einmal aufwärmen. Sie holte eine Flasche Rotwein, aber Edda winkte ab. „Da ich nachher noch fahren muss, möchte ich als Polizistin lieber nichts trinken. Hast du einen Saft oder ein Mineralwasser?"

Natürlich hatte Hanna einen Vorrat, von Beate organisiert für die Reitwochenenden. Sie brachte einen Apfelsaft aus der Speisekammer, und sie ließen sich unter der Linde nieder.

„Ich falle gleich mit der Tür ins Haus", sagte Edda. „Mein Freund ist von zu Hause ausgezogen und will mit mir zusammenleben. Ich bin richtig glücklich, denn wir verstehen uns immer besser."

„Da freue ich mich für dich", sagte Hanna. „Ich dachte neulich schon, es sei etwas Unangenehmes vorgefallen, denn du warst sehr ernst und sachlich."

„Das bin ich eigentlich immer, wenn ich arbeite. Dein Paul macht mir ganz schön Kopfzerbrechen. Ich hoffe sehr, dass es diesmal klappt mit ihm, denn wir sollten wirklich im Fall Jasmina weiterkommen. Falls Jasmina nicht durchhält, sieht es für Paul nicht gut aus. Wir haben noch Methoden, ihn zu überführen, aber einfacher wäre eine ehrliche Geschichte von ihm, die man hoffentlich überprüfen kann."

Sie blieben lange sitzen und plauderten über alles Mögliche. Im Gehen überraschte Edda Hanna mit dem Wunsch, reiten zu lernen. Sie hätte als Kind ein paarmal auf dem Gnadenbrotpferd des Nachbarn, das auf der Koppel mit Kühen ein friedliches Altersdasein genoss, sitzen dürfen, und das hätte ihr gut gefallen. Ihre Eltern hatten allerdings deutlich gemacht, dass sie von Reitstunden für ihre Tochter gar nichts hielten, weil ihrer Meinung nach Edda mit ihrer dicklichen Figur kein gutes Bild auf dem Pferd abgab. Außerdem hielten sie alle Reiter für eingebildete Herrenmenschen, und dazu wollten sie Edda nicht zählen müssen.

Natürlich erfuhr Hanna sofort, dass Eddas Freund in einem Reitverein war und ihr zugeredet hatte, ein gemeinsames Hobby zu beginnen. „Ich werde noch ein paar Kilo abspecken, dann sehen wir, ob ich das Reiten hinkriege. Ich würde natürlich gern bei dir Unterricht nehmen, aber ich fürchte, die Fahrerei von Lüneburg hierher ist zu umständlich. Wenn ich eine versierte Buschreiterin bin, können wir ja hin und wieder ein Wochenende bei dir buchen."

Sie verabschiedeten sich mit Küsschen, und Hanna räumte den Tisch ab. Während sie das Tablett nach oben trug, machte sie sich Gedanken über Eddas neues Leben. Edda war ihr ein bisschen zu euphorisch, und Hanna hoffte, dass sich die Beziehung zu ihrem Freund nicht als Reinfall erweisen würde.

Hanna hatte sich für den nächsten Morgen mit Cai verabredet, um im Kindergarten vorzusprechen und die Sachlage zu erklären. Die Leiterin des Kindergartens ging mit ihnen in ihr Büro, damit sie sich ungestört unterhalten konnten. Cai versuchte, Sophie zu animieren, bei den Kindern zu bleiben, aber Sophie war viel zu schüchtern und klammerte sich an die Hand ihrer Mutter.

Hanna stellte sich und die beiden Vietnamesinnen vor. Die Erzieherin winkte nicht sehr freundlich ab. „Ich habe von Herrn Schulz bereits von dem Anliegen der Familie gehört. Es ist uns leider nicht möglich, ein Kind aufzunehmen, das kein Wort Deutsch spricht, nichts versteht und nicht mitspielen kann. Wir sind sehr knapp an Personal, und es gibt niemanden, der geschult wäre im Umgang mit neu zugezogenen Ausländern."

Hanna musste sich sehr zusammennehmen, um sich ihre Empörung nicht anmerken zu lassen. „Wie soll die Kleine denn integriert werden? Schließlich wird sie in zwei Jahren zur Schule gehen müssen. Wollen Sie das Problem der Spracherlernung auf die Lehrer abwälzen? Für die kleine Sophie ist es doch äußerst wichtig, so bald wie möglich kommunizieren zu können. Sie muss doch Spielkameraden haben, sich in unsere Gesellschaft einfügen, unsere Lebensweise kennenlernen. Der Kindergarten bietet hierfür die beste Möglichkeit, und je jünger die Kinder sind, desto schneller lernen sie eine Sprache."

Die Leiterin des Kindergartens blieb weiterhin hart. Sie sagte, sie sähe das Problem, und es täte ihr leid, aber sie sei nicht in der Lage, weiterzuhelfen.

Hanna argumentierte mit Beispielen aus anderen Bundesländern, in denen der Ausländeranteil sehr hoch ist, und in denen man versucht, möglichst frühzeitig die Kinder mit Migrationshintergrund zu integrieren durch den Besuch eines Kindergartens.

„Ich muss widersprechen", sagte die Erzieherin. „Durch das Geld, das Müttern bezahlt wird, wenn sie zu Hause bleiben und ihre Kinder selbst beaufsichtigen, sehen viele Ausländerfamilien einen Anreiz, ihre Kleinen nicht in den Kindergarten zu schicken."

Hanna wusste nicht mehr so recht, was sie noch vorbringen sollte, und so griff sie zu einer Notlüge. „Ich selbst bin in Polen aufgewachsen, und als meine Eltern nach Deutschland übergesiedelt sind, bin ich sofort aufs Gymnasium gekommen. Ich konnte auch kein Wort Deutsch, aber nach kurzer Zeit war ich imstande, dem Unterricht zu folgen, und nach einem Jahr habe ich bereits sehr gute Deutschaufsätze geschrieben. Die Sprache ist mir fast mühelos zugeflogen durch den täglichen Umgang. Ich habe sehr schnell Freunde gewonnen und habe mich durchaus zu Hause gefühlt."

Hanna bemerkte, dass ihre Gesprächspartnerin schwankend wurde. „Ich mache folgenden Vorschlag: Wir haben morgens vor Beginn der offiziellen Öffnungszeit häufig eine kleine Dienstbesprechung. Ich werde für morgen das Team zusammenrufen, und wir werden das Thema besprechen. Geben Sie mir Ihre Telefonnummer, und ich sage Bescheid."

Hanna fasste für Cai den Inhalt des Gesprächs kurz auf Französisch zusammen. Sophie hörte aufmerksam zu, und als sie sich verabschiedet hatten und hinausgingen - wobei einige Kinder ihnen neugierig hinterhersahen - sagte sie plötzlich: „Je peux rester?"

Die Leiterin des Kindergartens, die sie zur Tür begleitete, sah überrascht auf. "Sie spricht französisch? Das ist vielleicht eine gute Voraussetzung, um eine zweite Fremdsprache zu lernen. Ich selbst bin nicht besonders firm im Französischen, aber ich denke, die eine oder andere unserer Erzieherinnen ist in der Lage, Notwendiges zu sagen und zu erklären."

Hanna war mittlerweile guten Mutes. Im Grunde war sie überzeugt, dass der Kindergarten Ausländerkinder aufnehmen musste, auch wenn sie kein Deutsch sprachen. Sie wollte sich um die Gesetzeslage kümmern. Es war natürlich allemal besser, wenn Sophie freiwillig aufgenommen wurde statt durch staatlichen Zwang. Das wäre ein ganz schlechter Start für das kleine Mädchen.

Sie schob ihr Fahrrad neben Cai und Sophie her, um sie nach Hause zu begleiten. Sie plauderten munter, und Sophie sprang auf dem Bürgersteig von Stein zu Stein, ohne die Fugen zu berühren und sagte dabei irgendetwas Rhythmisches auf, das Hanna nicht verstand.

Als sie am Haus ankamen, tigerte Wilhelm vor dem Tor auf und ab und fluchte dabei laut. Hanna begrüßte ihn und wollte ihm die Hand geben, aber er ignorierte ihre Geste. „Verdammt nochmal, diese Schweine", sagte er statt einer Begrüßung. „Sie haben mir die beiden Vorderreifen meines Autos aufgeschlitzt und einen Zettel auf die Kühlerhaube geklebt, auf dem steht „wer nicht hören will, muss fühlen". Dabei sind sie in den Hof eingedrungen, denn das Auto war nicht auf der Straße geparkt."

Er führte sie durch das Tor in den Hof. Dort stand das Auto, ein alter Ford Combi, und beide Vorderreifen waren völlig platt. Hanna besah sich den Schaden. Eindeutig gab es Risse durch einen scharfen Gegenstand.

„Haben Sie die Polizei schon informiert?" fragte Hanna. „Nein, ich habe es eben erst entdeckt, als ich wegfahren wollte. Ich verspreche mir auch nichts von der Polizei, ich weiß gar nicht, wo die stehen. Ich kann mir nur denken, dass es irgendwelche Neonazis waren, denen es nicht passt, dass ich eine Ausländerin geheiratet habe."

Cai hatte offenbar verstanden, worum es ging. Sie legte ihrem Mann die Hand besänftigend auf den Arm, lächelte freundlich und schüttelte den Kopf. Wilhelm wirkte sofort beruhigt, strich ihr kurz über die Haare und ging ins Haus, um bei der Tankstelle anzurufen wegen Ersatzreifen.

Hanna verabschiedete sich mit einem sehr unguten Gefühl. Wie brutal gingen die Menschen nur miteinander um! Cai hatte niemandem etwas getan, sie war freundlich und ein bisschen unsicher, und Hanna wünschte aus tiefstem Herzen, dass man ihr das Leben nicht so schwer machen würde. Offensichtlich war das nicht möglich. Sie spürte, wie eine unbezähmbare Aggressivität in ihr hochkam. Am liebsten hätte sie gleich einen der Täter vor sich gehabt und ihm eine gelangt.

Am Abend hatte sich die Sache schon herumgesprochen, und es kursierten die wildesten Theorien. Man verdächtigte namentlich den einen oder anderen, der angeblich schon mal mit Neonazis zu tun gehabt hatte, und natürlich blieb man bei jungen Männern hängen, die keine Arbeit hatten, tranken, randalierten und deshalb aufgeschlossen für neonazistisches Gedankengut waren. Einige Gartower entschuldigten die angeblichen Anhänger, weil sie bei den rechten Gruppen Halt und ein Gemeinschaftsgefühl finden konnten. Wie sie meinten, war es außerdem natürlich wichtig und entschuldbar, trotz persönlicher Misserfolge etwas darzustellen, wenn man jemanden finden konnte, der sozial noch weiter unten stand, und den man treten konnte.

Hanna diskutierte den Fall mit Carsten. Carsten war nicht sonderlich überrascht über das unangenehme Vorkommnis. „Gewalttätigkeit als Racheakt ist kein Einzelfall", sagte er. „Bei einem Bekannten hat ein Nachbar die Frontscheibe des Autos zerschossen, weil seiner Ansicht nach das Auto zu nah an seinem Haus geparkt war. In einem anderen Fall hat ein eifersüchtiger Liebhaber dem Ehemann seiner Freundin die Rückspiegel abgebrochen. Pervers, oder? Es müsste doch umgekehrt sein. Man erwartet doch die Eifersucht beim Ehemann! Es gibt aber auch Verehrer, die Blumen schenken und Warnungen mit DD hinterlassen."

Hanna musste lachen. „Eigentlich ist das gar nicht komisch", sagte sie. „Ich denke daran, dass vor Castortransporten bei gewissen Leuten, die als Atomkraftgegner bekannt waren, die Reifen auf deren Grundstück durchgestochen wurden, wobei man bis heute nicht weiß, ob es Atombefürworter oder die Polizei selbst war, die ein Ausrücken zur Demo verhindern wollte."

„Die Liste lässt sich noch fortsetzen, und man nennt das „Konfliktlösung auf Wendländisch", sagte Carsten

Hanna fand den Ausdruck ziemlich drastisch, wenn auch treffend. Sie musste zugeben, dass es einige Vorfälle gegeben hatte, seit sie in Gartow wohnte, die man nicht als angenehm bezeichnen konnte. Der Eindruck, den sie bei ihren vorhergehenden Besuchen gewonnen hatte, war durch und durch positiv gewesen. Allmählich veränderte sich ihr Bild vom Wendland und wurde zwiespältig: Wunderschöne Natur gegen Biogasanlagen, Vermaisung der Landschaft, Massentierhaltung und Monokultur. Freundliche, warmherzige Menschen gegen unhöfliche, eingebildete und voreingenommene Typen, die alles ablehnten, was nicht in ihr eingeschränktes Weltbild passte. In Hamburg hatte sie viel weniger von ihren Nachbarn und Stadtteilmitbewohnern mitbekommen, aber vermutlich war es dort nicht anders, und in anderen ländlichen Gegenden auch nicht.

Sie konnte nur hoffen, dass es keine weiteren Belästigungen für die Familie Schulz geben würde. Vermutlich war die Heiratsanzeige in der Zeitung ein Fehler gewesen und hatte alle ausländerfeindlichen Elemente auf den Plan gerufen.

In der Woche darauf waren noch einmal die Reifen bei Wilhelm durchstochen, und er fand im Briefkasten einen Drohbrief, der ankündigte, dass dies nur der Anfang sei. Diesmal ging Wilhelm zur Polizei und erstattete Anzeige, weil er durch die Drohbriefe und wiederholte Sachbeschädigung nicht mehr nur wütend war, sondern auch zutiefst beunruhigt.

Das Problem mit dem Kindergarten dagegen hatte sich erfreulicherweise ohne weitere Diskussionen gelöst. Sophie durfte den Kindergarten besuchen und nach einigen Tagen sagte sie bereits „guten Tag, danke, bitte, und ich heiße Sophie."

Hanna wurde doch wieder ein bisschen nervös, als der Donnerstag kam, und sie sich auf den nächsten Tag in der JVA vorbereitete. Sie machte sich einige Notizen zu den Fragen, die sie am meisten beschäftigten, und obwohl sie lange nicht eingeschlafen war, wachte sie morgens ungewöhnlich früh auf. Es wurde gerade erst dämmrig, aber sie stand trotzdem auf, weil sie keine Ruhe mehr fand.

Während sie Kaffee machte und für sich und Carsten ein Ei kochte, dachte sie darüber nach, ob beim letzten Treffen mit Paul vielleicht gleich zu Anfang durch ihre Schuld etwas schiefgelaufen war. Paul hatte ihr die Hand zur Begrüßung hingehalten, aber sie hatte die Geste einfach ignoriert und damit zu verstehen gegeben, dass sie ihn ablehnte und ihn nicht an sich heranlassen wollte. Diesmal würde sie ihren Fehler nicht wiederholen, auch wenn sie davon überzeugt war, dass Paul ein schrecklicher Mensch sein musste.

Gleich nach dem Frühstück versorgte sie die Pferde. Von Henning war so früh natürlich nichts zu sehen, und Carsten war nicht aufgewacht, als sie sich aus dem Zimmer geschlichen hatte. Sie beschloss, zur Beruhigung und um die Zeit herumzubringen eine Runde zu schwimmen und radelte zum See. Sie klemmte ihr Badelaken auf den Gepäckträger, aber auf den Badeanzug verzichtete sie, weil so früh mit Sicherheit niemand in der Nähe sein würde, um Anstoß zu nehmen.

Als sie zurückkam, saß Carsten beim Frühstück in der Küche und maulte ein bisschen, dass sie ihn nicht geweckt und zum Baden mitgenommen hatte.

„Es war wirklich sehr früh, als ich losgezogen bin, und ich weiß doch, dass du es nicht gerade liebst, im Morgengrauen aufzustehen. Aber nächstes Mal werde ich es richtig machen, und dann kannst du den Sonnenaufgang und deine schlechte Laune genießen."

Carsten lächelte. „",Ja, ja, Morgenstund hat Gold im Mund. Einer der blödesten Sprüche, die ich kenne."

Wie immer hielt Carsten sich nicht lange mit dem Frühstück auf. „Mach das heute gut, und ruf mich an, wenn du mit Paul gesprochen hast. Hoffentlich kommt die Geschichte bald mal zum Ende."

Er küsste sie flüchtig und fuhr mit seinem Auto davon, das allerdings erst nach einigen Versuchen widerwillig ansprang.

Hanna machte sich sehr rechtzeitig auf den Weg nach Lüneburg, um nicht zu riskieren, zu spät zu kommen. Bei Prisser war allerdings eine Baustelle, und der Verkehr staute sich in allen Richtungen. Sie schaffte es gerade noch, pünktlich zu sein. Wie beim ersten Mal erwartete Edda sie schon im Empfang der JVA. Edda lächelte aufmunternd, als Hanna hereingestürzt kam, und sagte: "Same procedure as before?"

„Guckst du auch zu Sylvester „Dinner for one?" Ich habe den Film schon hundertmal gesehen und kann jedes Mal wieder zusammenzucken, wenn der Butler das eine Mal nicht über den Tigerkopf stolpert."

Durch diesen kleinen Exkurs war Hanna die innere Anspannung ein wenig genommen. Sie gab ihre Tasche ab, ließ sich abtasten und kam sich in der Schleuse nicht mehr so entsetzlich eingesperrt vor wie beim ersten Mal. Sie wurden vom selben Beamten in denselben Raum geführt, und Paul kam nach wenigen Minuten herein. Diesmal wollte Hanna ihm die Hand geben, aber er nickte nur kurz und machte keine Anstalten, Hanna und Edda mit Handschlag zu begrüßen. Er setzte sich und sagte abrupt ohne jede Einleitung: „Ich bin schwul."

Hanna konnte gerade noch verhindern, dass ihr ein unpassendes „Na und?" herausrutschte. Sie wartete ab, und nach einer längeren Pause fing Paul zu reden an, zunächst stockend, dann immer schneller.

„Dass ich schwul bin, erklärt eigentlich alles. Ich habe keine schöne Kindheit gehabt, weil meine Eltern so stolz waren, nach zwei Töchtern endlich einen Sohn zu haben. Mein Vater hat alle Klischees bedient, um aus mir einen richtigen Mann zu machen. Ich durfte nur mit Autos und Traktoren spielen, mit sechs wurde ich im Fußballverein angemeldet, und wenn ich mir richtig wehgetan hatte, war es verboten, zu weinen oder mich trösten zu lassen. Wenn niemand zu Hause war, habe ich mir heimlich die Puppen meiner Schwestern geholt und sie liebevoll an - und ausgezogen, sie ins Bett gelegt und ihnen Schlaflieder gesungen. Mein Vater kam einmal überraschend nach Hause und hat mich erwischt. Was er mit mir gemacht hat, war nicht schön.

Später habe ich gern die Kleider meiner Mutter und meiner Schwestern angezogen und mich geschminkt. Als das herauskam, war auch meine Mutter ganz auf der Seite des Vaters und hat strengstens darüber gewacht, dass ich mich männlich verhalte. Mit sechzehn habe ich mich in einen Klassenkameraden verliebt und Tag und Nacht von ihm geträumt. Ich weiß, dass Mädchen, wenn sie in die Pubertät kommen, sich häufig mit einer Freundin im Knutschen einüben für künftige Beziehungen. Dabei findet niemand etwas, aber Jungs machen das nicht.

Mir wurde klar, dass ich anders gepolt war als meine Mitschüler, und es galt nur noch, mein Anderssein zu verbergen vor der Familie, vor den Lehrern und Klassenkameraden."

Hanna wollte dazu etwas sagen, aber Paul ließ sie nicht zu Wort kommen. „Ich habe mit Anstand Abitur gemacht und mein Ingenieurstudium abgeschlossen. Es hat sich nicht ergeben, dass ich eine engere Männerfreundschaft gehabt hätte.

Aber immer hatte ich im Hinterkopf, dass ich von der Natur verkorkst war, und ich habe verzweifelt versucht, dagegen anzugehen.

Jetzt komme ich zu dir: Durch einen Zufall habe ich dich vor ein paar Monaten im Zug von Hamburg nach Dannenberg gesehen und beschlossen, dass du meine Rettung werden solltest. Es ist mir peinlich, das zu gestehen, denn ich habe mit aller Macht versucht, mir alles Mögliche vorzustellen, aber es hat nichts genutzt."

Hanna konnte nicht mehr an sich halten. „Das ist doch völlig absurd" sagte sie. „Heutzutage outet man sich, lebt offen zusammen und heiratet seinen Partner, wenn man für sein Leben zusammenbleiben will. Wo liegt das Problem?"

Paul wand sich ein bisschen, bevor er antwortete. „Ich glaube, mir hängt die Kindheit so nach, dass ich nicht imstande bin, mein Schwulsein als normal zu betrachten. Ich habe gehofft, vielleicht durch eine Liebe, die ich mir eingebildet habe, feststellen zu können, dass ich wenigstens bisexuell bin. Das ist nicht der Fall."

„O.k.", sagte Hanna. „Ich sehe aber immer noch nicht, wie du die Vorkommnisse erklären willst. Du bist es doch gewesen, der mir die sibirischen Lilien aufgedrängt hat?"

Paul sah nach unten auf seine Füße. „Ja, das war ich schon. Nachdem ich herausgefunden hatte, dass du ins Wendland gezogen warst, habe ich beschlossen, dich endlich zu erobern. Die Blumen sollten ein freundlicher Anfang sein."

„Du musst aber gewusst haben, dass ich in festen Händen bin. Außerdem war wohl ziemlich schnell klar, dass ich die Blumen nicht geschätzt habe, weil sie zum einen in Pevestorf strengstens unter Naturschutz stehen und geklaut waren, und zum anderen fange ich nicht viel mit Blumen an, deren Absender ich nicht kenne, und die ich unter obskuren Umständen vorgefunden habe."

„Es tut mir Leid", sagte Paul leise, und Hanna merkte, dass sie so etwas wie Mitleid empfand. Was für wirre Gedanken und

Gefühle musste jemand haben, der sich so abartig verhielt!

„Bis jetzt verstehe ich ein bisschen was, aber du bist wohl noch nicht fertig. Was heißt zum Beispiel DD?"

„D- Day", sagte Paul sofort. „Der Tag der Invasion in der Normandie, für mich der Tag der Eroberung, den ich mir vorgenommen hatte. Aber dazu kam es ja nicht mehr, denn mir ist alles aus dem Ruder gelaufen."

Er schwieg eine Weile, und Hanna sah ihm an, dass er mit sich kämpfte. Bisher hatten sie nur die Beichte von einem psychisch Gestörten gehört, aber nun musste er zu dem Punkt kommen, um den es ging.

„Wie kommt Jasmina ins Bild?" fragte Hanna, um ihm den Anfang zu erleichtern.

Paul senkte den Kopf und schwieg lange. Schließlich sah er hoch und sagte leise: "Es tut mir unendlich leid. Ich habe nichts Schlimmes vorgehabt. Wie geht es dem Mädchen?"

„Unverändert", sagte Edda, die sich bis zu diesem Punkt überhaupt noch nicht eingemischt hatte. „Und wenn sich ihr Zustand nicht ändert, sind Sie ernsthaft dran. Erzählen sie jetzt ehrlich, was sich zugetragen hat."

Paul brauchte wieder eine Weile, um Mut zu sammeln. „Ich habe von Simon, meinem Freund und Jasminas Lehrer, gehört, dass Jasmina das Wochenende auf dem Hof in Gartow verbringen würde. Simon hatte guten Zugang zu ihr, die sonst verschlossen und gleichzeitig frech und ausfallend sein konnte. An dem Wochenende hatte ich vor, meine Großmutter in Hannover zu besuchen, und wegen der schlechten Verbindungen zog ich es vor, mit dem Auto zu fahren. Mein Golf streikte aber, und so habe ich Simons Volvo ausgeliehen, was öfter vorkam.

Ich war schon unterwegs, als mir einfiel, ich könnte einen Abstecher nach Gartow machen und mich nach Jasmina erkundigen, um so an dich, Hanna, heranzukommen."

Hanna unterbrach. „Zufällig war Jasmina gerade im Stall und niemand in der Nähe. Da hast du beschlossen, sie zu überfallen und in dein Auto zu zerren, warum auch immer."

Paul kämpfte mit den Tränen. „So war es nicht", sagte er. „Ich habe Jasmina einen Gruß von ihrem Lehrer bestellt und gesagt, ich könnte ihr etwas Ungewöhnliches zeigen. Sie wollte zuerst nicht mitkommen, weil sie ja zum Essen erwartet wurde, aber ich konnte sie überreden mit dem Argument, dass es nicht mehr als ein paar Minuten dauern würde. Mir war klar, dass ich eigentlich nichts von ihr wollte, denn sie war aufreizend angezogen wie eine Nutte, und damit fange ich sowieso nichts an. Ach, ich weiß nicht, ich glaube, ich rede Unsinn. Es ist alles so verworren, ich kenne mich selbst nicht mehr."

„Was ist geschehen, nachdem Jasmina deiner Version nach freiwillig eingestiegen ist?" fragte Hanna, als Paul schwieg. Sie fand es zunehmend schwierig, seiner Aussage zu folgen, und auch Edda signalisierte, dass sie Mühe hatte.

Schließlich fuhr Paul stockend fort: „Ich bin einfach in den Wald gefahren. Jasmina fragte, was ich ihr zeigen wollte, und als ich schwieg, fing sie an, mich zu bedrängen, und sagte, dass sie aussteigen würde. Ich fuhr einfach weiter und...."

Hier brach Paul ab, schüttelte den Kopf und fing wieder zu weinen an. Er stand abrupt auf, sagte dem Beamten, dass er in seine Zelle zurückkehren wollte und wurde sofort abgeführt.

Hanna und Edda waren völlig ratlos. Sie gingen ziemlich deprimiert aus dem Besucherraum, denn sie hatten das Gefühl, eigentlich nicht weiter gekommen zu sein.

Als sie ihre Sachen im Büro wieder abgeholt hatten, verließen sie gemeinsam das Gefängnisgebäude. „Hast du noch Zeit für einen Kaffee?" fragte Hanna. Edda nickte. Sie suchten eine Tchibofiliale auf und setzten sich mit einem Kaffee an einen der hohen Tische mit Barhockern, die praktisch über Nacht in Tankstellen, Cafés und Kaffeefilialen das alte Mobiliar ersetzt hatten. Hanna mochte die neue Möblierung nicht und fühlte sich nicht wohl auf den Barhockern. „Geht es dir auch so mit der Barmöblierung? Ich komme mir vor wie am Tresen, bloß will ich weder ein Bier noch einen Whiskey trinken. Scheint aber gut anzukommen."

„Das ist mir egal", sagte Edda. „Hauptsache man muss seinen Kaffee nicht im Stehen trinken. Das hasse ich wirklich, denn wenn ich länger in der Stadt herumgelaufen bin um einzukaufen, will ich meine Füße ausruhen und nicht noch mehr beanspruchen."

Sie hatten beide das Bedürfnis, über das Gespräch mit Paul zu reden und gemeinsam herauszufinden, was man glauben konnte und was nicht. „Es ist ganz schwierig, Paul zu analysieren", sagte Edda. „Die Geschichte mit seiner Kindheit finde ich glaubwürdig und auch, dass er mit seiner Veranlagung Probleme hat. Ich kann aber überhaupt nicht nachvollziehen, was er von dir will und noch viel weniger von Jasmina. Was geht bloß in ihm vor?"

„Ja, das Ganze ist höchst eigenartig, wenn es stimmt. Ich habe vergessen, ihn zu fragen, ob er es war, der meine Pferde freigelassen hat. Sollte das eine Liebeserklärung sein oder was? Ich kann mir auch nicht vorstellen, dass er nicht bemerkt hat, dass ich Angst habe. Was für eine Art von Annäherungversuch ist das denn? Jedenfalls ist klar, dass wir den Richtigen erwischt haben. Den Kernpunkt haben wir allerdings wieder nicht gelöst. Wie soll es jetzt weitergehen?"

„Er wollte bisher keinen Verteidiger. Jetzt werden wir ihn zwingen, einen Pflichtverteidiger zu akzeptieren, und der oder die sollte ihm zureden, die Geschehnisse um Jasmina schriftlich niederzulegen, wenn er sich weiterhin außerstande sieht, sie mündlich mitzuteilen. Ganz schön gestört, der Junge."

„Kannst du dir vorstellen, was im Auto vorgefallen ist? Er hat offenbar keinen Plan gehabt, was er mit Jasmina anfangen sollte. Mir scheint, dass er aus dem Augenblick heraus gehandelt hat und nicht vorhatte, ihr etwas anzutun. Wie er selbst sagt, ist die Sache aus dem Ruder gelaufen, und ich glaube ihm, dass er ziemlich verzweifelt ist. Jedenfalls halte ich ihn nicht für einen Gewaltverbrecher. Hat er Jasmina aus dem Auto gestoßen, als ihm klar wurde, was er angestellt hat? Als sie anfing, ihn zu beschimpfen oder zu betteln? Ich würde mit Sicherheit annehmen, dass sie rabiat geworden ist, als er sie nicht aussteigen lassen wollte. Das sieht ihr eher ähnlich als Verzagtheit."

„Tragisch, dass wir Jasmina nicht dazu hören können. Wenn sie je aufwacht, ist es eher wahrscheinlich, dass sie sich nicht erinnert. Soweit ich informiert bin, haben viele Verbrechensopfer eine zumindest zeitweilige Amnesie, um sich selbst zu schützen. Ich hoffe sehr, dass Paul das Ende der Geschichte, die zu Jasminas Verletzung geführt hat, aufschreibt. Ob wir alles glauben können, ist zweifelhaft. Nachprüfen wird noch schwieriger. Es ist natürlich nicht schön für dich, wenn die unangenehme Geschichte ungeklärt bleibt, aber zumindest wirst du künftig Ruhe haben."

„Zwischendurch hat mir Paul ja leidgetan, aber jetzt habe ich doch einen furchtbaren Zorn", sagte Hanna. „Er benimmt sich mir gegenüber unmöglich und steigert sich immer weiter in seine Wahngeschichten, bis sie mit Jasminas möglichem Tod enden. Was ist er bloß für ein Feigling! Schon zum zweiten Mal kneift er, wenn wir zum Punkt kommen wollen."

„Immerhin hat er sich heute Mühe gegeben, kooperativer zu sein. Offenbar setzt ihm die Geschichte so zu, dass er sich nicht überwinden kann, bis zum Ende zu kommen. Daraus kann man schließen, dass er wirklich Scheiße gebaut hat."

Edda hatte nicht viel Zeit, und sie verabschiedeten sich nach einer Tasse Kaffee. „Ich melde mich, sobald sich etwas getan hat", sagte sie und umarmte Hanna.

Als Hanna nach Hause kam, rief sie sofort Carsten an. Carsten zeigte sich auch sehr enttäuscht, dass nicht mehr zu erfahren gewesen war. Er versprach, am Abend früh nach Hause zu kommen, damit sie miteinander nochmal alle Details durchgehen konnten und darüber spekulieren, wie er es nannte, was geschehen sein könnte.

Als Carsten schließlich kam - doch nicht so früh, wie er sich vorgenommen hatte – verspürte Hanna eigentlich keine Lust mehr, sich mit dem Thema auseinanderzusetzen. Den ganzen Tag hatte sie sich mit Paul beschäftigt und war zu dem Schluss gekommen, dass ihre Spekulationen müßig waren. Sie wussten nichts, und vermutlich würden sie auch nichts Glaubwürdiges erfahren.

Ein paar Tage später kam Cai vormittags mit dem Fahrrad vorbei, als Hanna gerade den Hannoveraner mit Stroh abrieb, den sie tüchtig herangenommen hatte bei ihrem morgendlichen Ausritt. Cai war sehr aufgeregt und berichtete von den Geschehnissen der Nacht, bevor Hanna mit der Pflege des Pferdes fertig war und sie ins Haus bitten konnte. Cai hatte nicht einmal das Fahrrad weggestellt, sondern hielt es krampfhaft fest, während sie zu berichten anfing.

Wilhelm hatte sich zur Nacht auf die Rückbank des Autos gelegt, um die Reifenstecher, die bereits zum dritten Mal zugeschlagen hatten, zu erwischen. Tatsächlich hörte er gegen Mitternacht, wie das Tor leise geöffnet wurde und zwei Gestalten mit Kapuzen über dem Kopf in den Hof schlichen. Cai hob zweimal hervor, dass er blitzschnell auf den Beinen gewesen sei trotz seines nicht unbeträchtlichen Gewichts und mit der Peitsche, die er sich zurechtgelegt hatte, auf die Typen eingeschlagen hätte. Nach offenbar mehreren Treffern, wie Wilhelm aus den Schmerzensschreien schloss, seien die beiden in voller Panik abgehauen. Nun hoffte Wilhelm, bei Tageslicht zwei Jugendlichen zu begegnen, die durch ein paar ordentliche Striemen im Gesicht gebrandmarkt waren.

Hanna fand durchaus, dass Wilhelms nächtliche Aktion zur wendländischen Konfliktlösung beitragen konnte. Allerdings hatte sie Bedenken, ob es klug war, diese ziemlich brutale Form der Selbstverteidigung anzuwenden. Sie erklärte Cai, die Sache wäre damit vermutlich beigelegt, falls die beiden nicht zu einer größeren Gruppe gehörten und sich Verstärkung für einen Racheakt suchten. Sie hoffte sehr, dass das nicht der Fall war, denn niemand konnte wünschen, dass die Angelegenheit eskalierte und statt der Reifen eine Person zu Schaden kam.

Cai wollte nicht auf einen Kaffee bleiben, sondern gleich zurückfahren, um Wilhelm zu beruhigen. Hanna hatte ja schon einmal gesehen, wie sie das mit einer Geste ohne Sprache schaffte.

Am frühen Nachmittag war die Beisetzung von Pitten. Die Leiche war nach der Obduktion freigegeben worden. Man hatte nicht feststellen können, ob vor Pittens Sturz unter den Bus Gewalt angewendet worden war. Es würde also offenbleiben, ob er durch Einwirken von außen, durch Unachtsamkeit oder durch seinen freien Willen zu Tode gekommen war. Drogen oder Alkohol waren nicht festgestellt worden.

Hanna war überrascht, wie viele Menschen gekommen waren. Sicher waren nicht alle trauernde Angehörige oder Freunde. Einige nahmen nur von Neugier und Sensationslust getrieben teil, andere fühlten sich verpflichtet, zu jeder Beerdigung von einem Gartower Einwohner zu gehen, was Hanna sehr in Ordnung fand.

Der Pfarrer hielt eine für Pitten angemessene Rede. Er verschwieg weder seine Eigenartigkeit, noch redete er von Engeln und der Glückseligkeit im Jenseits. Er erwähnte einige Begebenheiten aus Pittens Leben, die die Anwesenden zum Schmunzeln brachten, und als der Sarg in die Erde gesenkt wurde, wischten sich einige verstohlen eine Träne ab. Hanna sah immer wieder zu Pittens Bruder hinüber. Man konnte nicht erkennen, ob er ergriffen oder gleichgültig war. Jedenfalls war er angemessen für den Anlass angezogen in einem tadellosen schwarzen Anzug, frisch geputzten schwarzen Schuhen und einem weißen Tuch in der Jackentasche links über dem Herzen, das er für etwaige Tränen hätte benutzen können.

Am Nachmittag bekam sie eine Mail von Edda, die ihr im Anhang ein Papier von Paul schickte, der von sich aus die

Fortsetzung der Ereignisse aufgeschrieben hatte, um sein Gewissen zu erleichtern, wie er in der Einleitung schrieb.

Hanna konnte vor Nervosität den Text kaum lesen und musste zweimal ansetzen, um etwas zu verstehen. Pauls Aussage zufolge war Jasmina tatsächlich ausfällig geworden, hatte Paul beschimpft und ins Lenkrad gegriffen. Zunächst hatte Paul sie abgewehrt, aber dann hatte ihn die Wut gepackt, und er hatte Jasmina mit aller Kraft in die Brust gekniffen und gewürgt. Sie hatte einen Schrei ausgestoßen, im nächsten Augenblick den Sicherheitsgurt gelöst und sich aus dem Auto fallen gelassen.

Den Schluss des Geständnisses las Hanna mehrfach durch: „Bis zu diesem Augenblick fühlte ich mich nicht schuldig, aber im Nachhinein hat sich das geändert. Ich habe nicht mal in den Rückspiegel geschaut, bin einfach mit aufgedrehtem Motor weggefahren. Die Fahrt zu meiner Großmutter habe ich nicht mehr unternommen. Stattdessen bin ich den ganzen Nachmittag durch die Gegend gekurvt, habe überlegt, ob ich zurückkehren sollte, um nach Jasmina zu sehen, habe es aber nicht geschafft. Vermutlich hätte ich die Stelle, wo Jasmina sich aus dem Auto fallen ließ, gar nicht wiedergefunden.

Am Montag brachte ich es nicht über mich, zur Arbeit zu gehen. Ich holte meinen Golf aus der Werkstatt ab, packte ein paar Sachen ein ohne Sinn und Verstand, und fuhr zu der Hütte bei Restorf, von der ich früher einmal gehört hatte. Dort setzte ich mich in einen halbkaputten Campingstuhl und ließ die Zeit vergehen. Ich denke, ich hätte mich umgebracht, wenn man mich nicht gefunden hätte.

Es ist alles so sinnlos und verworren, und ich weiß nicht, wie es weitergehen soll. Verzeiht mir bitte. Ich weine bittere Tränen um Jasmina. Paul".

Hanna kam nicht mit ihren Gefühlen klar. Einerseits machte seine Geschichte Sinn, und er konnte einem Leid tun. Andrerseits war natürlich nicht auszuschließen, dass Paul Theater spielte, um in einem günstigeren Licht dazustehen. Sie kannte ihn ja überhaupt nicht, und das, was sie von ihm wusste, war nicht gerade dazu angetan, ihn zu mögen. Warum hatte er zum Beispiel die Pferde herausgelassen? Oder war er das nicht gewesen? Sie hatte tatsächlich vergessen, das Thema anzusprechen. War er der Exhibitionist, von dem die Frau in Restorf gesprochen hatte? Widerlicher Gedanke.

Mit Sicherheit würde er nicht ungeschoren davonkommen. Falls Jasmina überlebte und wieder zu sich kam, hatte er mit einem Verfahren wegen körperlicher Gewalt und unterlassener Hilfeleistung zu rechnen. Sein Benehmen gegenüber Hanna würde wohl nicht so schwer ins Gewicht fallen, aber es machte seine Verhaltensweise nicht sympathischer. Hanna überlegte, ob sie einen Juristen kannte, der ihr nähere Auskunft über die Möglichkeiten der Bestrafung geben konnte, aber ihr fiel im Moment niemand ein.

Carsten las abends Pauls Schreiben, und ihm ging es ähnlich wie Hanna. Er konnte Paul genauso wenig einordnen. Als Hanna ihn fragte, ob er einen Juristen kennen würde, der über die Gesetzeslage Auskunft geben konnte, fing er zu lachen an.

„Mein kleines Häschen", sagte er, „manchmal ist es gut, wenn du einen Mann an deiner Seite hast, der dir problematische Situationen löst. Gibt es vielleicht eine Juristin in der Familie?"

Hanna schlug sich an die Stirn. „Wie vernagelt kann man bloß sein!" sagte sie. „Charlotte ist mir einfach nicht eingefallen. Ich werde sie nachher gleich anrufen, und du bekommst einen Kuss, weil du so viel schlauer bist als ich."

Der Kuss war zunächst ganz brav, wurde liebevoller und heftiger, und schließlich ließen sie das Abendessen stehen, um sich ganz einander zu widmen.

Das Wochenende verlief sehr ruhig. Hanna hatte nur für den Sonnabend einen längeren Ritt mit einer kleineren Gruppe geplant, der allerdings durch andauernden feinen Nieselregen sehr beeinträchtigt wurde.

Am Sonntag war das Wetter besser, und sie konnte mit Carsten eine Fahrradtour machen und unterwegs im Stresower See ein paar Runden schwimmen. Den Abend nutzte sie, um alle möglichen Schreibarbeiten zu erledigen Obwohl sie das nicht gern machte, fühlte sie sich ganz entspannt, als sie den Abend mit ihrer Krimilektüre beschloss. Carsten war noch abends in sein Häuschen in Pevestorf zurückgekehrt, weil er am Wochenanfang einen langen Tag vor sich hatte mit Feldarbeit und einer wichtigen Besprechung.

Am folgenden Montag fuhr Hanna nachmittags nach Salzwedel, um schnell bei Jasmina vorbeizuschauen und ein paar Dinge zu erledigen. Als sie das Krankenzimmer betrat, fiel ihr sofort auf, dass Jasmina nicht mehr an das Beatmungsgerät angeschlossen war. Neben dem Bett saß ihr Bruder mit Stöpseln im Ohr und einer Autozeitschrift auf den Knien. Er las aber nicht, sondern schien von seiner Musik so absorbiert, dass er Hanna gar nicht bemerkte. Erstaunlicherweise hatte er keine Baseballkappe auf, und Hanna hätte ihn ohne seine übliche Aufmachung fast nicht erkannt.

Sie räusperte sich mehrfach, um auf sich aufmerksam zu machen, und schließlich sah er hoch. Er sprang so schnell auf, dass die Zeitschrift auf den Boden fiel, und nahm die Kopfhörer ab. Hanna konnte kaum glauben, was sie erlebte: Er lächelte sie an, schüttelte ihr die Hand und sagte atemlos: „Jasmina hat einen Finger bewegt."

Hanna musste nachfragen, was das bedeutete, da sie nicht wusste, ob eine derartige Bewegung einfach ein Reflex war oder auf etwas anderes hindeutete. „Der Arzt hat gesagt, dass sei ein gutes Zeichen. Es könnte bedeuten, dass sich allmählich lebenswichtige Funktionen wieder einstellen und Jasmina aufwacht", erklärte Jasminas Bruder.

Hanna stieß einen kleinen Jubelschrei aus, auch wenn das vielleicht verfrüht war, und sie hätte fast den jungen Mann umarmt, den sie bei ihren ersten Begegnungen ziemlich unhöflich und widerlich gefunden hatte. Stattdessen schüttelte sie ihm noch einmal die Hand, streichelte Jasmina über das Gesicht und verließ das Krankenhaus mit einem guten Gefühl.

Hanna ging zunächst in einer Apotheke vorbei und holte sich einen Schwangerschaftstest. Das hatte sie nicht in Gartow machen wollen, um jedes Gerede zu vermeiden. Vor einiger Zeit war ihr das Diaphragma entfernt worden, weil sie immer mal wieder unregelmäßige Blutungen hatte. Am Morgen war ihr aufgefallen, dass ihre Periode überfällig war. Sie hatte wegen all der wichtigen Ereignisse der letzten Tage gar nicht darauf geachtet.

Nach einem schnellen Besuch im Baumarkt fuhr sie nach Hause, um rechtzeitig für die Reitstunde am späten Nachmittag zurück zu sein.

Am Abend telefonierte sie mit Carsten, um ihm von Jasmina zu berichten. Carsten hatte vor, in Pevestorf zu bleiben, weil er noch einiges zu erledigen hatte. Seine Großmutter wollte ihn und Hanna zum Abendessen einladen, aber das musste verschoben werden, weil Carsten sich unter Druck fühlte, wenn er mit seiner Arbeit in Verzug war.

Am nächsten Tag rief Carsten schon am Vormittag an um anzukündigen, dass er früh kommen würde, um etwas Wichtiges mit ihr zu besprechen. Hanna war natürlich neugierig, aber Carsten wollte am Telefon nichts verlauten lassen.

Nach einer gründlichen Inspektion des Hofs am Morgen stellte Hanna fest, dass der Misthaufen beträchtlich gewachsen war und mal wieder abgefahren werden musste. Luise hatte seit Jahren einen Bauern unter Vertrag, der mit einem Mistgreifer kam, alles auflud und auf seinen Wiesen verteilte. Da das Korn schon weitgehend abgeerntet war, konnte er den Mist auch auf den leeren Feldern gut gebrauchen und kündigte sich für einen der nächsten Tage an.

Hanna telefonierte noch einmal mit Edda, um Neuigkeiten zu hören und ihr zu sagen, dass Jasmina ein Lebenszeichen von sich gegeben hatte. Wie fast immer erreichte sie Edda nicht persönlich, sondern sprach auf die Mailbox und bat um Rückruf.

Carsten kam am späten Nachmittag, als sie gerade den Haflinger absattelte, mit dem sie ein paar Runden zur Disziplinierung auf dem Reitplatz gedreht hatte, weil er sich morgens ziemlich ungebärdig gezeigt hatte.

Hanna war vor Neugier ganz ungeduldig, aber Carsten wollte zunächst duschen, bevor sie sich mit einer Tasse Kaffee unter die Linde setzen konnten. Er rief aus der Dusche, in der das Wasser rauschte, ihre Besprechung wäre nicht in fünf Minuten erledigt, und deshalb wollte er Muße haben. Hanna rief zurück, sie habe auch Neuigkeiten.

Sie steckte inzwischen zwei eingefrorene Kaffeestückchen in die Mikrowelle und deckte den Tisch. Weil ihr feierlich zu Mute war, holte sie Platzdeckchen aus dem Schrank, wählte nicht die groben Kaffeebecher, sondern geblümte Tassen, die ihre Eltern ihr zum Umzug nach Gartow geschenkt hatten und nahm die Blumen, die sie auf dem Küchentisch stehen hatte, mit hinunter, um den Tisch unter der Linde hübsch zu dekorieren.

„Also", fing Carsten an", wir hatten heute Morgen noch eine Nachbesprechung. Das ganze Team ist ja nur mit einem zeitlich begrenzten Vertrag eingestellt, und die Frage taucht immer wieder auf, was wir machen, wenn der Vertrag ausgelaufen ist. In Lenzen können wir nicht weiterarbeiten, wenn unser jetziges Projekt abgeschlossen ist, wie du weißt. Nun kam eine Anfrage von der Universität in Uppsala, ob zwei Archäologen Interesse hätten, in Südschweden bei Ausgrabungen zu den Wikingern mitzuarbeiten. Da ich dir das erzähle, kannst du dir ja denken, dass ich den Vorschlag ernst genommen habe."

„Und was wird mit uns, wenn du nach Schweden gehst?" fragte Hanna. Carsten lächelte. „Sprichst du im Pluralis Majestatis oder meinst du unsere Beziehung?"

„Weder noch", sagte Hanna. „Seit heute Morgen weiß ich, dass ich mich verdoppeln werde in Form eines kleinen Carsten oder einer kleinen Hanna."

Carsten sah sie zunächst ungläubig an, dann sprang er auf und zog sie vom Stuhl. Er legte wie so oft die Hand unter ihr Kinn und sagte: „Schau mir in die Augen, Kleines. Ich kenne dich doch so gut, dass ich weiß, dass du keine dummen Witze machst."

Hanna schüttelte den Kopf, und Carsten packte sie und wirbelte sie im Kreis herum. Ganz plötzlich stellte er sie ab und fragte besorgt, ob er so etwas noch machen dürfe. „Ich bin weder zerbrechlich noch krank", sagte Hanna. „Bis jetzt merke ich noch nichts."

„Das ist die beste Nachricht, die ich je bekommen habe", sagte Carsten. „Da muss unsere Entscheidung wegen Schweden noch ernsthafter bedacht werden."

„Du weißt, dass ich spontan sein kann. Ich sage ja zu Schweden, und wenn du für uns drei zu wenig verdienst, kann ich mich ja auf die Straße setzen und auf der Querflöte Musik machen. Das bringt bestimmt etwas ein. Außerdem melden wir uns gleich an der Volkshochschule zum nächsten Schwedischkurs an, oder willst du während deiner Arbeit stumm bleiben?"

„Die Schweden können doch hervorragend Englisch", meinte Carsten. „Das reicht doch völlig aus."

Hanna zog ihn an den Haaren und schüttelte den Kopf. „So kommst du mir nicht davon", sagte sie. „Ich glaube, ich muss ein bisschen strenger mit dir sein, jetzt, wo du Vater wirst. Warte übrigens noch eine Weile, bevor du es deiner Oma erzählst. Es ist noch sehr früh, und wir sollten ganz sicher sein."

„Oma wird sich mächtig freuen", sagte Carsten. „Jetzt wird sie endlich Uroma durch ihren Lieblingsenkel.

Ich komme nochmal auf Schweden. Unser Projekt hat leider nichts mit den Plänen der UNESCO zu tun. Ich weiß nicht, ob du darüber gelesen hast. Die UNESCO plant eine großangelegte Untersuchung der Wohn-und Kulturstätten der Wikinger in Schleswig-Holstein, Dänemark, Lettland und Island.

Schweden hat sich leider ausgeklinkt. Das Projekt, an dem ich möglicherweise mitarbeiten werde, ist also ein rein schwedisches Forschungsprojekt."

„Ich habe darüber gelesen. Es ist wohl nicht ganz klar, warum die Schweden die UNESCO nicht haben wollen. Laut Spekulationen fürchten sie ein neues Aufleben der alten germanischen Kulturen, das rechtspopulistische Ansichten fördern oder einen Rückschlag für die Gleichberechtigung der Frauen bedeuten könnte. Unverfänglicher ist wohl, Pippi Langstrumpf und den Nobelpreis hochzuhalten."

Carsten lachte. „Das ist ein guter Anfang. Ich habe jedenfalls nichts dagegen, an einer neuen Herausforderung teilzunehmen. Und wenn unser Kleines in Schweden geboren wird, haben wir einen ausländischen Erdenbürger mehr in Deutschland. Nach unserer Rückkehr."

„Jetzt haben wir den ganzen Winter Zeit, uns mit unserer Zukunft zu befassen. Ich wünsche mir, dass manches sich noch lösen lässt, bevor wir gehen. Ich möchte Luise mit dem Hof nicht hängen lassen, ich hätte es gern, wenn Cai hier Fuß fassen könnte, denn außer mir hat sie niemanden, der mit ihr fließend französisch spricht, und Jasmina sollte demnächst auf die Reihe kommen. Außerdem möchte ich noch erfahren, was aus Paul wird. Es ist also gar nicht so leicht, das Wendland zu verlassen. Ich muss mich mit Schweden intensiv beschäftigen, denn außer aus Krimis weiß ich nichts über Ausländerprobleme, Armut, rechte Szene und Drogenprobleme. In den Filmen mit Wallander als Hauptperson ist immer schlechtes Wetter, und die Leute versinken im Schlamm. So kann es doch nicht ganz realistisch sein?"

Carsten lächelte. „Wir werden alles, was man wissen muss, entweder hier oder dort herausfinden, aber nicht mehr heute. Du bist so zupackend und spontan, dass man fast erschrecken könnte.

Mir ist so etwas wie Schwedisch lernen oder landeskundliche Bücher lesen noch gar nicht eingefallen. Was habe ich mit dir – oder soll ich sagen mit euch – für ein Glück!"

Hanna sah verträumt vor sich hin. Die Zukunft erschien ihr hell und voller Spannung.